Eduard Vehse

Der Hof Augusts des Starken

Eduard Vehse

Der Hof
Augusts des Starken

VERLAG LOTHAR BOROWSKY
MÜNCHEN

Motiv des Schutzumschlags:
Bernardo Bellotto, genannt Canaletto (1720–80),
Die Frauenkirche zu Dresden
(Bildausschnitt: Blick von der Alten Bache in Richtung Osten),
Öl auf Leinwand,
Staatliche Kunstsammlungen, Dresden

Als Textvorlage zu diesem Buch
diente die bei Hoffmann und Campe, Hamburg,
1854 erschienene Ausgabe der
»Geschichte der deutschen Höfe seit der Reformation«

Verlag Lothar Borowsky
Gesetzt aus der Garamond-Antiqua
Schutzumschlag: Hans Kotrba
Gesamtherstellung: Welsermühl, Wels
Printed in Austria

Erstes Kapitel

Der Hexenprozeß gegen die Gräfin Rochlitz und ihre Mutter, die Generalin Neitschütz
Der sächsische Duckmacher, Edle Banner- und Freiherr Kammerdirektor von Hoym

Der Nachfolger des durch seine unglückliche Liebesleidenschaft frühzeitig verstorbenen Johann Georg IV. war sein Bruder Friedrich August I.; solange er Kurfürst war, hieß er Friedrich, später nahm er den zweiten Namen, August, an.

August ist der mit dem Beinamen »der Starke« weltberühmt gewordene erste König von Polen aus dem sächsischen Haus, der Mann, der Sachsen aus seinem stillen, beschränkten Kreis auf den großen Weltschauplatz der europäischen Politik versetzen und ihm ganz neue Anschauungen von Weltbildung und auserlesenem Lebensgenuß geben sollte. Er empfing den Kurhut mit vierundzwanzig Jahren und regierte Sachsen neununddreißig Jahre lang: von 1694 bis 1733.

Gewiß war es eine interessante Fügung, daß ein Fürst wie August der Starke, der sich sein Leben lang nicht vor Hexen und Gespenstern gefürchtet hat und der weit eher geneigt war, an eine Allmacht der Bezauberung der Liebe zu glauben, gleich zu Anfang seiner Regierung einen Hexenprozeß übernehmen mußte, um die Ehre seines Bruders zu retten, sobald dieser die Augen geschlossen hatte. Aber die allgemeine Stimme sprach gegen die vom Volk aufs tiefste gehaßte Neitschützische Familie zu mächtig – August mußte sich ihr fügen.

Die Gräfin Rochlitz war sehr reich gestorben. Sie und ihre Mutter, die Frau Generalleutnant, hatten die wenigen Jahre ihres Regiments sehr trefflich zu nutzen verstanden. Nicht nur der Kurfürst hatte ihnen Güter und Häuser, Geld und Juwelen geschenkt, sondern auch alle, die Ämter und Stellen haben wollten, hatten den Damen ihre Aufwartung machen und Geschenke zurücklassen müssen. In den Untersuchungsakten wird die Generalin der Bestechung und Erpressung angeklagt, ja sie sollte sogar zum Schatz des Kurhauses Sachsen gehörende Juwelen und Perlen entwendet haben. Man fand bei ihrer Arretierung sechs Tonnen Gold; dazu gehörten der Gräfin Rochlitz noch die Kammergüter Pillnitz, Gorbitz und Pennerich, ein paar Weinberge im Dorf Kostebaude, ein Lustgarten im Dorf Plauen und das nachmals Fürstenbergsche Haus an der Elbbrücke, das durch den »schwarzen Gang« mit dem Schloß verbunden war.

Die Frau Generalleutnant wurde auf kurfürstlichen Befehl im Rathaus zu Dresden gefangengesetzt. Sie saß hier, Tag und Nacht von vier Mann bewacht, anderthalb Jahre im sogenannten Quatemberstübchen, der Expedition der Kasse für die viermal im Jahr zu entrichtende Steuer. Der Hexenprozeß, der gegen die Mutter der Gräfin Rochlitz eingeleitet wurde, ging auf die doppelte Beschuldigung zurück, sie habe den Kurfürsten Johann Georg III. durch Zauberei ermordet, um den Kurfürsten Johann Georg IV. an die Regierung zu bringen, und diesen durch Zauberei verliebt gemacht. Von der Vergiftung Johann Georgs IV. war keine Rede; der Hexenprozeß lenkte vielmehr die Aufmerksamkeit davon ab.
Im Laufe dieses doch gewiß delikaten Prozesses kamen Dinge zur Sprache, die den verstorbenen Landesherrn nicht wenig bloßstellten und ihn in der Achtung gewaltig heruntersetzten. Die Behörde, die den Prozeß führte, war auffällig ausgewählt. Die Untersuchung wurde dem Dresdner Amtmann in Verbindung mit dem Dresdner Stadtrat übertragen, bei dem Hasche, der Verfasser der »Diplomatischen Geschichte Dresdens«, die Akten eingesehen hat.
Der Prozeß wurde nicht bloß gegen die lebende Mutter eingeleitet, sondern sogar gegen die verstorbene Tochter; noch im Tod sollte die Zauberin bestraft werden. Am 5. Mai 1694, eine Woche nach dem Ableben Johann Georgs IV., wurde die Sache im Geheimen Rat verhandelt; es gab eine Menge Verhaftungen. Acht Aktenfaszikel wurden geschrieben und vierundvierzig hohe und niedere Personen als Zeugen teils gütlich unter Eidesabnahme, teils durch die peinliche Frage verhört. Darunter befanden sich die Kammerrätin von Arnim, die Hofmeisterin der Gräfin; Fräulein Kuhlau, Gesellschaftsfräulein der Gräfin; Sekretär Christoph Heinrich Engelschall, ihr Faktotum; Elisabeth Nitsche, ihre Kammerjungfer, mit der sie »vertraulicher als mit ihrer Mutter umgegangen« war; ihr Kammerdiener, Rat Gebhard; ihr Bruder, der Kammerherr von Neitschütz; der Mann ihrer Schwester, Hofrat Beichling, der spätere Großkanzler und Liebling Augusts des Starken; ferner drei ehemalige Liebhaber der Gräfin: der Sprachmeister Saladin, der ehemalige Prinzenhofmeister und jetzige Geheimrat Haxthausen sowie der Obrist Klemm; die Kammerdiener des verstorbenen Kurfürsten, Rousseau und Besert; Thomas, der Lakai und Koch; der Kammerdiener der verwitweten Kurfürstin; der Generalmajor Julius Heinrich von Friesen, der Sohn des alten Geheimen Ratsdirektors unter Kurfürst Johann Georg II.; der Geheimrat Kurt Reinicke Graf Callenberg, der Sohn des Oberhofmarschalls unter Kurfürst Johann Georg II. und Schwiegersohn des Geheimen Ratsdirektors Friesen; der Oberhofjägermeister Wolf Dietrich von Erdmannsdorf, der mit der Generalin Neitschütz den le Bel bei

Fräulein Kuhlau gemacht hatte; der Kammerdirektor Ludwig Gebhard von Hoym, auf den ich zurückkomme, und eine Menge niederer Helfershelfer, namentlich die Zauberweiber und der Scharfrichter.

Am 28. Januar 1695 mußten die »Traummarie«, die man bis zum dritten Grad torquiert hatte, der Kornett Lindner, der Mann der Kammerfrau der Generalin und diese selbst kollegialiter am Pranger stehen. Die sogenannte Hexe Margarethe aus dem Spreewald in der Niederlausitz, die man auch bis zum dritten Grad torquiert hatte, starb im Gefängnis am 5. Februar 1695, ebenso der Scharfrichter nach gleichfalls ausgestandener Marter. Das Faktotum der Gräfin Rochlitz, Engelschall, der namentlich große Geldgeschäfte gemacht und die Leipziger Tuch- und Seidenhändler gerupft hatte, erhielt den Staupbesen und wurde für immer des Landes verwiesen. Der Frau Generalleutnant wurden die Daumenschrauben zuerkannt; sie soll auch den ersten Grad der Tortur – und zwar mit großer Standhaftigkeit – ausgehalten haben. Sie suchte später die Spuren des Schnürens an ihren Armen den Blicken der Leute zu entziehen und trug, sagt man, immer Handschuhe. Ihr Prozeß wurde später, als die Volkswut sich abgekühlt hatte, niedergeschlagen, und so starb sie im Jahre 1713, dreiundsechzig Jahre alt, ruhig auf dem Gut ihres Sohnes, des Generalmajors Rudolf Heinrich von Neitschütz, in Gaussig bei Bautzen. Noch im Jahre 1832 befand sich ein Porträt von ihr im Bilderzimmer des dortigen Schlosses, auf dem sie am Spinnrad zu sehen war; während des Baus des Schlosses, den ihr Gemahl – der schon 1703 gestorben war – noch begonnen hatte, soll sie fleißig auf dem Gerüst gesponnen und so die Bauleute beaufsichtigt haben.

Aus den Aussagen der Zeugen konstatierte man nun, daß der verstorbene Kurfürst tatsächlich behext und so dazu gebracht worden sei, die zweite Heirat einzugehen. »Liest man«, sagt der Festungsprediger Hasche in seiner »Diplomatischen Geschichte Dresdens«, »das aus zwölf Bogen bestehende Urteil des Schöppenstuhls zu Leipzig und der damit vereinigten Juristenfacultät, so kann man sich kaum enthalten, die Zauberei für gewiß zu glauben, so wahrscheinlich haben sie alles nach den Akten und nach der unter der Tortur erhaltenen Aussage der Gravirten gestellt.«

Schon am 30. April, am dritten Tag nach dem Tod des Kurfürsten Johann Georg IV., um zehn Uhr früh war der Leichnam der Gräfin Rochlitz, um ihn der gebrauchten Zaubermittel wegen genau zu untersuchen, aus der Hofgruft in der Sophienkirche wieder ausgegraben worden. Der Hals war bereits kohlschwarz geworden und halb in Fäulnis übergegangen. Man fand nichts Verdächtiges nach heutigen Begriffen, aber damals wurde es als höchst verdächtig angesehen, daß sich das Brasselett aus den Haaren des Kurfürsten am Arm der Leiche vorfand. König Wilhelm III. von England trug zu ebender Zeit ein gleiches Armband aus den Haaren seiner Gemahlin Maria Stuart, der Tochter Jakobs II., aber unmittelbar nach seinem Tod wurde es ihm abgenommen und sorgfältig verwahrt, damit es nicht etwa der überlebenden Schwester Marias, der Königin Anna, Schaden zufügen möge. Die sympathetische Superstition jener Tage ging so weit, zu wähnen, daß ein solches mit der Leiche zugleich verwesendes Armband allerdings auf die überlebenden Verwandten verderbliche Kraft ausübe. Man hatte der Gräfin Rochlitz das Armband anfangs abgebunden, aber ihr trotz der dagegen erhobenen Warnungen wieder in den Sarg mitgegeben. Ein Galanteriering mit der Inschrift »Mon amour est tout pour vous«, den man auch fand, wurde dagegen für ungefährlich angesehen.

Der Leichnam wurde nun zur Strafe der verübten Zauberei auf dem freien Platz außerhalb der Sophienkirche unmittelbar hinter dem heimlichen Gemach der Sakristei eingescharrt.

Den wirklichen Hauptverbrecher in der ganzen Sache Neitschütz fand August der Starke allerdings heraus: Es war der Kammerdirektor und Geheimrat Ludwig Gebhard von Hoym, seit 1676 von Kaiser Leopold zum Edlen Banner- und Freiherrn erhoben, gesessen auf Droyßig in Thüringen, auf Hoym und auf Kirch- und Burgscheidungen, der Ahnherr der jetzt ausgestorbenen Grafen von Hoym, ein Mann, der in der Gunst Johann Georgs IV. ungemein hoch gestanden hatte. Er stammte aus einem alten Anhalter Geschlecht, das nach dem Städtchen Hoym bei Quedlinburg, seinem Stammhaus, den Namen führte. Das zweite Stammhaus Droyßig bei Zeitz und das jetzt Schulenburgsche Burgscheidungen an der Unstrut, die ehemalige Residenz der alten Könige von Thüringen, hatte nebst Kirchscheidungen schon 1576 der Großvater des Kammerdirektors, Christoph, der Präsident im Fürstentum Anhalt war, gekauft.

Der Kammerdirektor Hoym hatte unter der Ägide der Damen Neitschütz im Land unverschämt geplündert. Unter seinen Papieren fand man unter anderem ein Buch, das die seltsame Bezeichnung hatte »Verzeichniß derer, so mir haben ducken müssen«. Was Hoym unter dem »Ducken« verstand, ergab sich aus dem Namen seines Landesherrn, der sich selbst mit im Verzeichnis fand. Hoym mußte am 15. August 1694 als erster in der langen Reihe von Staatsgefangenen, die unter August dem Starken auf die Festung geschickt wurden, die Wanderung zum Königstein antreten. Hier saß er anderthalb Jahre, bis zum 20. März 1696, wo sein Prozeß gegen Zahlung von nicht weniger als 200 000 Talern niedergeschlagen wurde. Er wurde wieder Kammerpräsident, erhielt am 24. Juli

296 S., 40 Zeichnungen, kart. ●

Erkennen Sie Psyche und Charakter durch **Handdeutung**
(4176) Von B. A. Mertz, 252 S., 9 s/w-Fotos, 160 Zeichnungen, Pappband. ●●●●

Falken-Handbuch **Kartenlegen**
Wahrsagen mit Tarot-, Skat-, Lenormand- und Zigeunerblättern. (4226) Von B. A. Mertz, 288 S., 38 Farb- und 108 s/w-Abb. Pappband. ●●●●

I Ging der Liebe
Das altchinesische Orakel für Partnerschaft und Ehe. (4244) Von G. Damian-Knight, 320 S., 64 s/w-Zeichnungen, Pappband. ●●●

Bauernregeln, Bauernweisheiten, Bauernsprüche
(4243) Von G. Haddenbach, 192 S., 62 Farbabb. 9 s/w-Fotos, 144 s/w-Zeichnungen, Pappband. ●●●

Neue Medien

Programm und Publikum
Der ständige Versuch einer Annäherung. Beiträge und Reden über das öffentlich-rechtliche Fernsehen.
(0874) Von A. Schardt, 167 S., kart. ●●

... und Profis
Mit erprobten Anwendungen aus der Praxis. (4317) Von D. Nasser, 200 S., 9 s/w-Fotos, 3 Zeichnungen, kart. ●●●●●

Drucker und Plotter
Text und Grafik für Ihren Computer. (4315) Von K.-H. Koch, 192 S., 12 Farbtafeln, 5 s/w-Fotos, kart. ●●●●

Computergrafik
Von den Grundlagen bis zum perfekten 3 D-Programm
(4319) Von A. Brück, 296 S., 20 Farbtafeln, 180 s/w-Grafiken, 50 s/w-Zeichnungen, 83 Listings, Pappband. ●●●●●

Textverarbeitung mit Home- und Personal-Computern
Systeme – Vergleiche – Anwendungen. (4316) Von A. Görgens, 128 S., 49 s/w-Fotos, kart. ●●●

Die tägliche PC-Praxis
Anwendungshilfen, Programme und Erweiterungen für MS-DOS-Computer (4322) Von A. Görgens, 224 S., 25 Abbildungen, kart. ●●●●

The Grammar Master
Englische Grammatik üben und beherrschen. (7002) Von Data Beutner. Diskette für den C 64, C 128 (im 64er Modus) ●●●●*

Schülerlexikon der Mathematik
Formeln, Übungen und Begriffserklärungen für die Klassen 5–10. (0430) Von R. Müller, 176 S., 96 Zeichnungen, kart. ●

Mathematik verständlich
Zahlenbereiche Mengenlehre, Algebra, Geometrie, Wahrscheinlichkeitsrechnung, Kaufmännisches Rechnen. (4135) Von R. Müller, 652 S., 10 s/w- und 109 Farbfotos, 802 farbige und 79 s/w-Zeichnungen, über 2500 Beispiele und Übungen mit Lösungen, Pappband. ●●●●●

Mathematische Formeln für Schule und Beruf
Mit Beispielen und Erklärungen. (0499) Von R. Müller, 156 S., 210 Zeichnungen, kart. ●

Rechnen aufgefrischt
für Schule und Beruf. (0100) Von H. Rausch, 144 S., kart. ●

Mehr Erfolg in der Schule
Der Deutschaufsatz
Übungen und Beispiele für die Klassen 5 – 10. (4271) Von K. Schreiner, 240 S., 4 s/w-Fotos, 51 Zeichnungen, Pappband. ●●●

Die hier vorgestellten Bücher, Videokassetten und Software sind in folgende Preisgruppen unterteilt:

● Preisgruppe bis DM 10,–/S 79,–
●● Preisgruppe über DM 10,– bis DM 20,– S 80,– bis S 160,–
●●● Preisgruppe über DM 20,– bis DM 30,– S 161,– bis S 240,–
●●●● Preisgruppe über DM 30,– bis DM 50,– S 241,– bis S 400,–
●●●●● Preisgruppe über DM 50,–/S 401,–
*(unverbindliche Preisempfehlung)

FALKEN VERLAG

Die hier vorgestellten Bücher, Videokassetten und Software sind in folgende Preisgruppen unterteilt:

- ● Preisgruppe bis DM 10,–/S 79,–
- ●● Preisgruppe über DM 10,– bis DM 20,– S 80,– bis S 160,–
- ●●● Preisgruppe über DM 20,– bis DM 30,– S 161,– bis S 240,–
- ●●●● Preisgruppe über DM 30,– bis DM 50,– S 241,– bis S 400,–
- ●●●●● Preisgruppe über DM 50,–/S 401,–

*(unverbindliche Preisempfehlung)

Bestellschein

Erfüllungsort und Gerichtsstand für Vollkaufleute ist der jeweilige Sitz der Lieferfirma. Für alle übrigen Kunden gilt dieser Gerichtsstand für das Mahnverfahren. Falls durch besondere Umstände Preisänderungen notwendig werden, erfolgt Auftragserledigung zu dem bei der Lieferung gültigen Preis.
Ich bestelle hiermit aus dem Falken-Verlag GmbH, Postfach 1120, D-6272 Niedernhausen/Ts., durch die Buchhandlung:

Ex. ______________________

Ex. ______________________

Ex. ______________________

Ex. ______________________

Name: ______________________

Straße: ______________ Ort: ______________

Datum: ______________ Unterschrift: ______________

FALKEN VERLAG

Für die Schweiz: sFr.-Preise gemäß Preisauszeichnung in der Buchhandlung

1697 die Zusicherung, daß gegen ihn »niemahlen inquisitorie, sondern stets nur civiliter verfahren werden« solle, gab aber den Kammerposten ab. Sein Sohn Adolf führte zum Verdruß des sächsischen Adels ganz andere Neuerungen ein als sein Vater – namentlich 1703 die Akzise – und wurde als Geldbeschaffer von August sehr geschätzt.

Mit diesem seinem Sohn, der die Gräfin Cosel, seine erste Gemahlin seit 1699, später – etwa 1706 – an den König abtrat, ging die Glückssonne prächtig über die ganze Familie Hoym wieder auf. Das um das Jahr 1705 geschriebene »Portrait de la cour de Pologne« von Wolframsdorf schildert den alten Kammerpräsidenten als einen von der letzten Leidenschaft der Menschen ganz erfüllten, bereits in den Siebzigern stehenden Mann,* »welchen seine thätige und strenge Lebensweise verhaßt gemacht« habe; der alte Herr sei »gegen alle Welt gleichgültig und kaltblütig und einzig darauf bedacht, seine Ersparnisse aufs Äußerste zu treiben, wodurch er denn bereits auch große Schätze angehäuft« habe. Er wurde achtzig Jahre alt und starb 1711 im Ruhestand als Oberhauptmann zu Thüringen.

Hoym überlebte vier Frauen, mit denen er vermählt gewesen war. Die erste, ein Fräulein aus dem reichen Haus Taube, starb 1659; die zweite, eine Schönfeld, 1681; die dritte, eine Haugwitz, nach seiner Entlassung vom Königstein 1702; darauf heiratete der Siebenundsiebzigjährige 1708 noch eine – wahrscheinlich reiche – Witwe, die Obristin von Bünau, geborene von Irmentraudt, und diese starb 1710, ein Jahr vor ihm. Mit diesen vier Gemahlinnen hatte er einundzwanzig Kinder – sechzehn Söhne und fünf Töchter – gezeugt; vier Söhne und zwei Töchter überlebten ihn. Auf die Söhne, die alle sehr reich waren und gegraft wurden, komme ich unter den Ministern Augusts später zurück. Die eine Tochter heiratete 1699 den Liebling des Königs, den Oberkammerherrn Vitzthum, die zweite den letzten Grafen Ernst Dietrich Taube auf Radeburg bei Dresden in erster Ehe und nach dessen Tod 1694 in zweiter den Grafen Johann Kaspar Bothmer, der als hannoverscher Premierminister 1732 in London starb.

* Hoym wurde 1631 geboren.

Zweites Kapitel

Augusts Personalien · Seine Reisen Wahl und Krönung zum König von Polen Der schwedische Krieg in Sachsen Patkul, Imhoff und Pfingsten

August der Starke hatte, als er zur Regierung kam, die große Welt, den vom großen Zentrum der neuen Hofkultur Ludwigs XIV. in Versailles aus an alle europäischen Höfe verbreiteten Glanz und alle damit verbundenen Freuden und Lustbarkeiten der damaligen Machthaber vollständig kennengelernt. Er hatte vom Mai 1687 an in seinem siebzehnten Jahr eine große, über zweijährige europäische Tour durch Deutschland, Frankreich, Spanien, Portugal und Italien gemacht. Er reiste unter dem Namen eines Grafen von Meißen in Begleitung seines Hofmeisters, jenes niedersächsischen Edelmannes Christian August von Haxthausen, der schon im Prozeß Neitschütz vorgekommen ist, seines Lieblings Friedrich Vitzthum als Page und des Magisters Paul Anton, später Professor in Halle, eines bekannten Pietisten wie Reisepredigers, von dem ein Bericht über die Reise erhalten ist. Sie ging über Frankfurt am Main nach Paris, wo August bis zum September 1687 blieb; am letzten Tag dieses Jahres kam er nach einer bedenklichen Krankheit in Bayonne zu Madrid an, wo er einen Monat blieb. Am 19. Februar 1688 erreichte er Lissabon; am 1. März trat er den Rückweg über Madrid und Paris an; hier blieb er nochmals von Mai bis Anfang November. Sodann ging die Reise über Lyon nach Turin, Genua, Mailand, Venedig und Florenz. Hier traf ihn, als er im Begriff war, nach Rom zu reisen, der Rappell seines Vaters wegen des ausgebrochenen Krieges mit Frankreich.

August war von der Natur mit einer überstarken Sinnlichkeit, einer ungemeinen Lebhaftigkeit und einer wahrhaft herkulischen Körperkraft bedacht. Schon seine äußere Erscheinung war ungewöhnlich stattlich und wahrhaft imponierend. Man hat die Bemerkung gemacht, sein Bildnis, wie es mehrere auf ihn geschlagene Medaillen zeigen, erinnere auffallend an die schöne jugendliche Büste Goethes. Er hatte sich frühzeitig im Reiten, Fechten, Schießen, Tanzen, Ringelrennen, Fahren mit sechs Pferden, Ballonschlagen, Fahnenschwingen und anderen damals üblichen ritterlichen Künsten versucht und übte diese Künste mit Vorliebe sein ganzes Leben hindurch. Er war so stark, daß er Hufeisen zerbrechen und silberne Becher und Teller und sogar harte Taler wie Papier in der Hand zusammendrücken und einrollen konnte. Im Nürnberger Zeughaus zeigte man eine Kugel mit einem Ring, 375 Pfund schwer, die er mit einer Hand fast zwei Spannen in die Höhe gehoben hatte; vier der stärksten Arbeiter konnten sie kaum einen Zoll hoch bewegen. Um diese Löwenstärke zu deuten, sagte man, er habe in seiner Jugend Löwenmilch getrunken; man nannte ihn nur den »sächsischen Herkules« und Simson. Mit Bewunderung hatte man ihn überall gesehen und empfangen. Der Ruf von seinem Mut, seiner persönlichen Tapferkeit, seinem ritterlichen Sinn, seinen vollendet vornehmen Manieren ging vor ihm her durch ganz Europa. Noch im Jahre 1728, in seinem achtundfünfzigsten Jahr, als ihn die berühmte Memoirenschreiberin, die Markgräfin von Bayreuth, sah, beschrieb sie August als einen Mann von majestätischer Haltung und ebensolchen Gesichtszügen; »alle seine Handlungen«, sagte sie, »drückten Güte und Höflichkeit aus, er wußte jedem etwas Angenehmes zu sagen».

Sein Geist war vielseitig, gewandt; er erhob sich frühzeitig aus der Umhegung, in der die beschränkte und rohe Erziehung, die allgemein in Deutschland herrschte, die deutschen Fürstensöhne so lange Zeit niedergehalten hatte und noch niederhielt. August strebte nach einer feineren und umfassenderen Bildung. Er entledigte sich zuerst unter allen sächsischen Fürsten der althergebrachten Fesseln des deutschen Erbfehlers: der Unbeholfenheit der Form. Er ging feineren und geistigeren Vergnügungen nach, als bisher das plumpe Zechen und Jagen – das er freilich auch noch und sehr stark ausübte – gewährt hatten. Die Schönheit wurde seine Göttin; er wandte sich ihr mit aller stürmischen Liebesleidenschaft einer heißen Jugendkraft zu. Sie führte ihn freilich sehr weit – ja zu weit. Die triste Unfreiheit des Geistes, deren Gepräge die bisherige Weltbildung an sich getragen hatte, schlug in August zu jenem ungezügelten Übermaß der Freiheit um, deren traurige Konsequenz jene durch die starken Liebes- und Ehrgeizbedürfnisse veranlaßte Geldverschwendung war, die sein Land erschöpft hat. Eine solche Reaktion mußte aber notwendigerweise einmal eintreten.

In August dem Starken vollzog sich diese Naturnotwendigkeit; in ihm stellte sich der Übergang dar von der alten, unfreien, trotz aller Vorhaltungen der Theologie in Roheit, plumpe Schwelgerei und krassen Aberglauben versunkenen Zeit zu einer neuen, freieren und gebildeteren, aber auch raffiniert ausschweifenden Zeit. Wie tief August der Starke in den Venusberg zu Paris hineingestiegen sei, deutet eine Stelle an in einem Brief des englischen Gesandten Stepney gleich zu Anfang seiner Regierung (aus Dresden am 14. März 1695 an Lord Lexington), wo es heißt: »Der Kurfürst kann sich an irgendeine regelmäßige Lebensart gar nicht gewöhnen und wird bei dieser Art zu leben untergehen«; und noch deutlicher eine

Stelle in einem Brief der Herzogin von Orléans vom 9. Dezember 1719, wo sie sich so ausläßt: »Frankreich hat dem sächsischen Kurfürsten abscheulich geschadet. Mein guter Freund C. A. von Haxthausen hat mir das oft mit Tränen geklagt, daß sein Prinz in Paris so unbändig geworden sei, daß er nicht mehr mit ihm zurechtkommen könne. Sobald Kinder in die Debauchen fallen, ist ihnen kein Laster zuviel, in das sie nicht fallen und recht bestialisch werden.«

August der Starke bildete sich auf seiner großen europäischen Tour zum vollendeten Repräsentanten dieser neuen raffinierten und über die Maßen ausschweifenden Galanterie aus. Er brach die Herzen der Damen, wie er die Hufeisen zerbrach. In Venedig, damals der hohen Schule der Weltleute, verweilte er, von verschwiegenen Barkarolen bedient, tagelang in den Kirchen, um nach den feststehenden Regeln der italienischen Galanterie die Töchter der Nobili zu gewinnen, die in den Klöstern auf den Inseln Murano und San Giorgio außerhalb kirchlicher Zucht als Nonnen ohne Schleier mit dem Titel »Eccellenza« lebten. In Spanien bestand er ähnliche und noch weit gefährlichere Abenteuer; er entging aber immer glücklich – unter anderem bei einem heimlichen Besuch der Marchese Manzera – den Dolchen, die die eifersüchtigen Dons ihm geschliffen hatten.

Zurückgekehrt von diesen Pariser, venezianischen und Madrider Abenteuern einer über zweijährigen Reise, langte August über Wien am 14. April 1689 im Töplitzer Bad an, wo sich sein Vater befand, der ihn hier bewillkommnete. Er machte darauf in den Jahren 1689–91 mit diesem die letzten drei Kampagnen gegen die Franzosen am Rhein mit, wo er wieder eine Wolke der galantesten Lebeleute traf, die größten Ausschweifungen mitmachte, spielte und im Spiel betrogen wurde.

Graf Königsmark schreibt unter anderem an seine Geliebte, die Prinzessin Sophie Dorothea von Celle, die bekannte Prinzessin von Ahlden: »Il faut que je raconte une vilaine histoire que le Duc de Richmont a voulu exécuter. Il se trouvait en débauche avec le Duc Frédéric avec des garces; la débauche les mena si loin qu'après qu'ils eurent fait toute sorte de débauche le duc de R. voulut forcer les filles à se faire foire d'un grand dogue d'Allemagne, vous m'entendez bien! C'est un peu pousser loin la débauche ... Le duc de Saxe m'a promis de venir de carneval à Hannovre ...«* – »Le duc Frédéric de Saxe est la dupe de tous les autres. On le trompe en jeu et l'on gagne son argent. Il perda déjà 1000 pistoles et n'a personne auprès de lui qui le conseille. C'est pourquoi il se ruine entièrement.«**

* Palmblad, »Aurora Königsmark und ihre Verwandten«, Band 2, S. 256.
** Daselbst, S. 260.

Als Augusts Vater gestorben war, lebte er die meiste Zeit in Wien bei Joseph, einem gewaltig galanten Herrn, dem späteren Kaiser, mit dem er, wie einst sein Großvater, der Kurfürst August, mit Kaiser Maximilian II. zu Prag, eine Busenfreundschaft schloß. Am 17. Februar 1693 hielt er seinen prächtigen Einzug in Dresden mit seiner Gemahlin, Christine Eberhardine von Bayreuth. Im Sommer machte er wieder den Feldzug am Rhein mit. Im Oktober darauf reiste er zum Karneval nach Italien, besuchte Venedig, Rom und Neapel und kehrte über Wien am 18. Februar 1694 wieder nach Dresden zurück. Am 18. April starb, zumindest vom Volk völlig unerwartet, sein noch ganz rüstiger junger Bruder Johann Georg IV., und er war nun mit vierundzwanzig Jahren regierender Herr von Kursachsen.

Eine seiner ersten Regierungshandlungen war die Ernennung seines vortrefflichen Hofmeisters Christian August von Haxthausen, des ehemaligen Liebhabers der Gräfin Rochlitz – desselben, den die Herzogin von Orléans in dem oben erwähnten Brief ihren »guten Freund« nennt –, zum Oberkammerherrn und Ersten Minister. Dieser Haxthausen war der Vater dessen, der die Memoiren hinterlassen hat. Der Sohn schreibt von ihm: »Mon père fut premier gentilhomme de la chambre du duc de Celle et son favorit à l'age de 19 ans. Une affaire de cœur lui fit quitter la cour, il fut grand échanson chez le duc de Holstein-Gottorff; il fut recherché en même temps de deux electeurs, de celui de Brandenbourg pour être maréchal du prince electoral* et de celui de Saxe, pour être gouverneur du prince, qui a été depuis électeur et après roi de Pologne. Il était tellement aimé de ce prince, qu'il le fit, dès qu'il fut électeur son grand chambellan et premier ministre et il a toujours dit hautement qu'il avoit plus aimé mon père que son propre père, qu'il avoit été son véritable ami et qu'il le regrettoit toute sa vie; mon père l'aimoit de son coté et s'étoit engagé pour lui, étant encore prince cadet et ayant un frère électeur jeune et robuste pour 200 000 écus, mon père n'en possédant pas la moitié; mon père ne vécut dans ce grand poste que deux ans et n'eut que le temps de se dégager en faisant payer ces dettes de son maître; il avoit dépensé beaucoup du sien dans ce service, vivant très magnifiquement et n'ayant pas eu de gages à proportion, il n'avoit eu que les derniers deux ans de grands émolumens mais avoit aussi été obligé à augmenter ses dépenses pour soutenir son poste, inaccessible aux presens, bienfaisant, et généreux il ne savoit pas amasser, et tout jeune que jétois il me dit de suivre son exemple et que pour être véritablement heureux, il n'y avoit qu'à être honnet homme sans être interessé.«

* Friedrich Wilhelms I.

Als Beweis der großen Falschheit Augusts, seines Kardinalfehlers, der frühzeitig schon vollständig bei ihm ausgebildet war, erzählt Haxthausen weiter: »Je ressentis plus tard un trait de fausseté de la part du Roi auquel je ne m'étois pas attendu. Le Roi ne pouvoit se lasser de louer mon père, il le préferoit à tout le genre humain et disoit, que si en le deterrant on pourroit lui rendre la vie, il ne souffriroit pas que d'autres ongles que les siens y fussent employés. Le Roi ne lui avoit donné qu'une expectance sur deux terres d'environ le prix de 50 000 écus. Mon père étant mort, ma grandemère ne pouvoit retrouver l'expectance, le roi l'ayant su la fit de nouveau expedier pour nous enfans de mon père. Ma grandemère retrouva aussi le première après: il y avoit dans cette expectance, que si même le Roi et ses successeurs vouloient nous l'ôter, que tout ce qu'ils feroient contre, seroit nul. Et pourtant le Roi vendit pour 10 000 florins ces terres, en les vendant héreditaires, malgré tous les ministres et conseils, les ministres s'attendant au même procedé après ce qui arrivoit aux enfans de mon père, aucun d'eux n'étant pas si bien dans l'esprit du Roi.«

Bereits am 23. Mai 1694 erneuerte August das Bündnis mit Österreich sowie den Beitritt zur großen Allianz gegen Frankreich. Im Januar 1695 hielt er seinen ersten prächtigen Karneval in Dresden ab, zu dem sich Fremde aus allen Gegenden Deutschlands einfanden. Ehe er sich zu seiner ersten Türkenkampagne in Ungarn begab, besuchte er die Leipziger Messe und Karlsbad, seine beiden Lieblingsorte, die er später wiederholt besucht hat.

»Die Generalstaaten«, schreibt der englische Gesandtschaftssekretär Prior am 15. Mai 1695 aus dem Haag, »wollen dem Kurfürsten keinen Paß für die Durchführung von 300 Flaschen Burgunder geben, obgleich ich ein Memorial zu seinen Gunsten eingereicht habe. Möglicherweise bestimmt das den Kurfürsten zu seiner ungarischen Expedition, um Tokajer ohne Paß trinken zu können.«

»Der Kurfürst«, schreibt der damalige englische Gesandte in Dresden, Stepney, an Lord Lexington aus Dresden am 26. April 1695, »hat auf der Messe eine Menge Geschenke erhandelt für die, die in diesen heiligen Krieg folgen. Der großmächtige Graf Reuß* ist einer von denen, denen der Kurfürst 1500 oder 2000 Taler gab, um seine Equipage anzuschaffen. Seine Manier, wie er Rosen** beschenkte, war artig genug. Er sah ihn eines Abends mit einem Goldstück von zehn Dukaten spielen, fragte ihn, ob er Willens sei, mit ihm Halbpart zu spielen, und übersandte ihm am nächsten Morgen 500 Dukaten in Spezies als den Wechselpreis der Münze. Ich denke,

* Der obenerwähnte Graf Heinrich VI.

** Der durch seine heroischen und galanten Abenteuer berühmte Löwe des siebzehnten Jahrhunderts, der Livländer Rosen, »der Tolle« zubenannt.

Rosen wird ihn noch mehr von derselben Gattung haben sehen lassen. Gestern abend kam der Kurfürst von der Messe zurück. Er kam zu Pferd ohne irgendeinen Diener und so ganz inkognito, daß die Garde nicht einmal ins Gewehr trat; unmittelbar darauf begab er sich ins Ballhaus, um sich zu erfrischen. Am 4. Mai geht er nach Karlsbad. Er nimmt mit sich seine ordentliche Mätresse, Fräulein Klengel*, seine außerordentliche, die Königsmark, und findet eine dritte dort zu seiner Disposition – Fräulein Altheim**.«

Darauf berichtet der Gesandte, der dem Kurfürsten gefolgt war, weiter aus Karlsbad am 14. Juni 1695: »Wir verbringen hier unsere Zeit so lustig als menschenmöglich. Wir haben ein Haus gebaut, das 2000 Gulden kostet und nicht länger dauern wird als Jonas' Kürbis. Es ist von italienischer Erfindung, mit vier Retiraden, Halbdunkelplätzen, Ruhebetten und allen anderen beweglichen Gegenständen, die das Liebeshandwerk erleichtern. Wir haben von Dresden sechs Waggons voll von Lüstern und Spiegeln zur Ausschmückung des Gebäudes mit hergebracht, und am 16. sollen wir eine Maskerade haben, worin die Königsmark die Diana darstellt und, von sechs Nymphen gefolgt, auftritt. Ich kann nicht sagen, wem die Rolle des Aktäon zufallen wird, aber zu schwören wage ich, Hörner werden aufgesetzt werden, bevor die Nacht vorüber ist, denn ich verstehe, daß das die Hauptsache bei der Lustbarkeit ist.«

Von Karlsbad begab sich August nach Teplitz, wo er am 12. Juni die 8000 Mann musterte, die er dem Kaiser für den Türkenkrieg zuführte. Außerdem stellte er auch noch Truppen zum Krieg gegen die Franzosen am Rhein; im Jahre 1696 betrug deren Zahl mit den herzoglich-sächsischen Truppen zusammen 7000 Mann.

Am 24. Juni 1695 war August mit einem Gefolge von 600 Personen und 700 Pferden in Wien. Der römische Kaiser Leopold und der römische König Joseph fuhren bis zur Donaubrücke entgegen; der sächsische Kurfürst August ging den kaiserlichen und königlichen Majestäten dreißig Schritt, die Majestäten ihm zehn Schritt entgegen, »da dann der Kaiser den Kurfürsten mit einer ziemlich langen Rede und sehr holdseligen Gebehrden empfangen«. Er stieg dann zu den Majestäten in den Wagen und fuhr auf dem Rücksitz in das Sommerpalais der Favorite, wo die Hauptbegrüßung stattfand: von seiten des Kaisers mit »französischer Reverenz« (der halben Verbeugung), von seiten des Kurfürsten mit tiefen »spanischen Reverenzen« (der Kniebeugung). August speiste hierauf mit den Majestäten »auf der Kaiserin Seite« (in ihren Appartements, wo die Damen bedienten), trank stehend auf des Kaisers Gesundheit, worauf die

* Oder Fräulein Kessel, später Frau von Haugwitz. Clingle ist der Name in den »Lexington Papers«, S. 85.

** Oder Althann.

kaiserliche Majestät sitzend mit Kopfnicken dankte, und reichte zuletzt mit tiefer Reverenz das Handtuch zu der von einer Hofdame präsentierten Gießkanne nebst Becken zur kaiserlichen Handwaschung nach der Tafel. Der Kurfürst wohnte aber nicht in der Favorite, sondern in einer im Gartenhaus des Reichshofrats Scheller für ihn eingerichteten Wohnung, wohin ihn abends nach dem Souper ein kaiserlicher Leibwagen brachte.

Was die Beschäftigungen Augusts des Starken damals in Wien betraf, schrieb der englische Gesandte Stepney an Lord Lexington, der damals englischer Gesandter in Wien war, aus Frankfurt am 12. Juli 1695: »Es tut mir leid, daß mein Kurfürst keinen besseren Zeitvertreib mit Euch finden kann als Tanzen und Ballonschlagen. Ich hatte gehofft, er werde dieses Faulenzerleben lassen und sich zu den Geschäften kehren, wenn er unter die Augen des Kaisers gekommen ist, aber ich fange an zu glauben, er wird eine Billardtafel und ein Ballhaus mit ins Lager nehmen!« Und am 23. Juli 1695 schrieb er: »Fräulein Lambert* ist ein hübsches Geschöpf; ich hoffe, sie wird ihn die Königsmark vergessen machen.«

Nachdem August noch bis zum 26. Juli die Feier des Geburtstags seines Herzensfreundes, des römischen Königs Joseph, abgewartet hatte, brach er am 28. Juli mit 24 Pferden nach Ungarn auf und übernahm hier den Oberbefehl über die kaiserlichen Truppen. Unter ihm kommandierte Graf Reuß, Rosen führte die Kavallerie und General Birkholz – derselbe, nach dem heutzutage noch der Garten in Dresden heißt – die Infanterie. Als persönlich tapfer erwies sich August den Türken gegenüber: Sie nannten ihn »die Eisenhand«, wie sie Karl XII. von Schweden »den Eisenkopf« genannt hatten. Der Feldzug, der ein Vierteljahr dauerte, blieb aber ohne Erfolg.

Bereits am 23. Oktober war August wieder in Wien; zwei Monate wurden wieder mit »allerhand Lustbarkeiten und Jagden« verbracht, und am 20. Dezember brach er zum Weihnachtsfest und zum Karneval nach Dresden auf.

Vom 21. bis zum 30. Januar 1696 war August in Berlin. Am 1. März erschien er wieder – und diesmal inkognito – in Wien, in Begleitung General Zinzendorfs, Haxthausens und Boses; diese schlossen mit dem österreichischen General Caprara einen Vertrag wegen Überlassung von noch 4000 Mann Truppen zu den bereits in Ungarn stehenden 8000 Mann ab. Nach der Feier des Namensfestes Josephs, am 19. März, verließ August Wien und reiste am 20. nach Dresden zurück. Schon am 2. Mai kam er wieder, um die zweite Kampagne in

* Die Nichte des berühmten österreichischen Gesandten in Spanien, des Grafen Harrach.

Ungarn zu machen. Sie fiel noch unrühmlicher aus als die erste: die Türken erfochten am 27. August 1696 den Sieg bei Olasch. August schob wieder – wie sein Vater – die Schuld auf die Eifersucht Capraras, legte aber das Oberkommando nieder. Bereits am 16. September kam er von diesem zweiten ungarischen Feldzug nach Wien zurück.

Die für August und Sachsen erfolgreichste Begebenheit war indessen eingetreten: Am 17. Juni 1696 war das Wahlreich Polen durch den Tod König Johann Sobieskis erledigt worden – desselben Königs, der 1683 mit Augusts Vater, Johann Georg III., so glorreich die Hauptstadt von Österreich entsetzt hatte.

Am 17. Oktober wurde August auch der Erbe geboren; die Niederkunft und die Taufe am 21. Oktober erfolgten während seiner Abwesenheit. Erst am 7. Dezember 1696 traf August wieder, aus Wien kommend, in Dresden ein. Am 24. Dezember erschien Kurfürst Friedrich III. von Brandenburg, der spätere erste König von Preußen, hier zu Besuch; wahrscheinlich wurde damals wegen der Übernahme der beiden Kronen von Polen und Preußen verhandelt. August hatte nicht die Bedenken – weder die religiösen noch die politischen –, die ein Menschenalter früher den Großen Kurfürsten bestimmt hatten, die polnische Krone auszuschlagen.

Nach Neujahr 1697 war wieder prächtiger Karneval bei Hof. Hier verwundete sich August bei einem Turnier, bei dem er schwer vom Pferd stürzte, am linken Bein und mußte deswegen das Bett hüten; die Verletzung wurde der Anlaß zu seiner Liaison mit der Lubomirska, aber zuletzt der Nagel zu seinem Sarg.

Am 26. Januar 1697 reiste der Kurfürst von Brandenburg wieder ab; der Abschied war bemerkenswert. In den »Frankfurter Relationen« heißt es: »Haben Ihro Churf. Durchl. zu Sachsen Ihro Churf. Durchl. zu Brandenburg bis Moritzburg begleitet und allda zu Mittag tractirt, wobei zu denen Gesundheitstrünken der Churfürst achtzehn Stück auf einmal losbrennen lassen, davon das ganze Schloß gebebet und weder Fenster noch Ofen stehen blieben.« Vom 7. bis zum 24. Februar folgte eine Reihe von glänzenden Festlichkeiten. Am 9. Februar hielt August unter anderem mit seinen Kavalieren einen sogenannten »Nationenaufzug« durch die Stadt; dann fand ein maskiertes Karussell in einem vor dem Reithaus aufgeführten Amphitheater statt. Er selbst stellte den türkischen Sultan in aller Juwelenpracht dar, umgeben von seinen Janitscharen und Spahis. Dann folgte unter dem humoristischen Oberjägermeister von Erdmannsdorf die Jägerei mit drei großen Bären und einem zahmen Tiger, begleitet von den verschiedenen Nationen. Den Schluß bildete ein Türke, der einen weißen Bären an der Kette führte, den ein in eine Bärenhaut eingenähter Mann darstellte.

Am 5. März reiste der Kurfürst wieder nach Wien. Hier war es nun, wo er, um seinem großen Ziel, der polnischen Krone, näher zu kommen, die auf kein protestantisches Haupt gelegt werden konnte und deren Erwerbung ihm doch auch – wie hundert Jahre früher Heinrich IV. von Frankreich geschienen hatte – die Anhörung einer Messe wert war, den welthistorischen Schritt der Konversion tat. August der Starke trat am Pfingstfest, dem 2. Juni 1697, in Baden bei Wien – wo er lebte, um sein im vorigen Winter verletztes Bein zu kurieren – vorerst noch ganz im geheimen zur katholischen Religion über. Sein Bekehrer war sein Vetter Herzog Christian August aus der Nebenlinie Zeitz, der schon im Jahre 1689 heimlich, dann 1695 öffentlich übergetreten und zu Anfang des Jahres 1696 Bischof von Raab in Ungarn geworden war, der spätere Kardinal von Sachsen; ich komme später auf ihn zurück.
Die Nachricht vom Übertritt des Kurfürsten erfüllte Sachsen mit Schrecken. Die beiden Kurfürstinnen – Augusts Mutter Anna Sophie und seine Gemahlin Eberhardine – waren wie das Land eifrig lutherisch; Augusts Gemahlin weigerte sich später sogar, den Titel Königin anzunehmen, und hielt sich etliche Wochen lang eingeschlossen; sie weigerte sich auch, ihrem Gemahl nach Polen zu folgen. Anna Sophia befragte darum Spener; er riet, scheinbare Ursachen vorzuwenden, sich länger (in Dresden) aufzuhalten und vorher Unterschiedliches abzuwarten, an dem es nicht mangeln könne. »Besitzt der König den Thron friedlich und braucht sich von den Ständen so viel Gesetze nicht mehr vorschreiben zu lassen, so ist es Zeit, über Art und Weise sich zu vereinbaren, wie der Königin Gewissen dermaßen assecurirt werden möge, daß sie nicht eine rechtmäßige Furcht von dero übrigen Pflichten abhalten dürfe und alsdann die Hinreise vorzunehmen.« Die Königin ist aber nie nach Polen gekommen. Der Kurfürst gab damals die bündigste Zusage wegen völliger Religionsfreiheit durch das Mandat von Lobskowa, einem Lustschloß bei Krakau, vom 7. August 1697; er versicherte auch der Dresdner Deputation, die damals im September zu ihm kam, diese seine Religionsveränderung sei nur »eine Personale«.
August hat, was die Religionsfreiheit betrifft, seine Zusage in der Hauptsache gehalten; teils aus Indifferentismus, teils weil die allgemeine Stimme zu sehr gegen Übergriffe war. Unter der Hand aber erlaubte er sich später vieles – ich komme darauf zurück. Schon damals aber gebot er durch ein sehr expressives Reskript, datiert Danzig, 27. März 1698, eine von seinem alten Instruktor, dem Oberkonsistorialpräsidenten Knoch, ausgegangene Verordnung gegen die Schriften des Thomasius zurückzunehmen. Unter Beziehung darauf, daß in dieser Verordnung »Worte und Redensarten enthalten, die der Lehre, die er jetzo bekennt, directe zuwider und

seinen Glaubensgenossen allerhand Nachdenken und impression zu seinem Nachtheil verursachen können – unter Beziehung darauf, daß ich das vergebliche Streiten in Glaubenssachen beigelegt wissen will, begehre ich gnädigst von der Regierung zu Dresden, dem Oberconsistorium solch Unternehmen vorzuhalten und zu untersagen, die Verordnung zurücknehmen zu lassen, dem Concipienten es absonderlich zu verweisen und genaue Aufsicht zu haben, daß dergleichen Verordnungen in so nachtheiligen Terminis nicht mehr ergehen mögen«.

Bigotterie war Augusts geringster Fehler, hatte er doch, als er sich in Wien aufhielt, auf Bitten seines Busenfreundes, des römischen Königs, einen mit Ketten rasselnden Geist, der den König – unter dem Vorwand, er komme aus dem Fegefeuer und warne ihn vor seinem Erzieher, dem Baron von Rummel – beunruhigt hatte und der kein anderer als ein Jesuitenpater war, ohne weiteres Bedenken mit folgenden Worten zum Fenster hinaus in den Burggraben geworfen: »Geh ins Fegefeuer, woher du gekommen bist.«

August der Starke hatte wegen der Erbfolge in Polen bei seinen wiederholten Aufenthalten in Wien den Kaiser und den bei ihm sehr einflußreichen ersten böhmischen Kanzler Graf Kinsky ins Vertrauen gezogen und sie für sich gewonnen. Er war dann am 12. Juni 1697 von Wien wieder nach Dresden zurückgegangen, wo er am 15. eintraf. Mit ihm kam damals Fürst Anton Egon von Fürstenberg aus Wien, der für Sachsen ausgewählte katholische Statthalter. Die für Polen bestimmten Truppen, 8000 Mann stark, wurden nun in der Lausitz an der schlesischen Grenze zusammengezogen; Sigismund Joachim Graf von Trautmannstorff, den August ebenfalls aus Wien mitgebracht hatte, befehligte sie.* Fürstenberg nahm seine vorläufige Wohnung in dem für ihn eingerichteten »Frau-Mutter-Haus« in der Kreuzgasse, später bezog er das Haus der Gräfin Rochlitz, dem Schloß gegenüber. Der Kurfürst ging nach Breslau; hier erhielt er durch einen Kurier Flemmings die Nachricht, daß er in Polen zum König gewählt sei.

August hatte diesen seinen Vertrauten, den damaligen Dragoneroberst und späteren Generalfeldmarschall Graf Flemming, nach Polen entsandt, um die Wahlsache zu betreiben. Flemming hatte viele Verbindungen in Polen, seine Cousine war mit dem Krongroßschatzmeister Przebendowsky, dem Kastellan von Kulm, vermählt. Dieser hatte früher dem Kurfürsten bei einem Besuch in Dresden Hoffnung auf die Krone gemacht und unumwunden nur die eine Bedingung dabei gestellt, »daß man das Geld dabei nicht spare«.

* Trautmannstorff hatte den Venezianern gedient, trat nachher in kaiserliche Dienste und starb 1706, achtundsechzig Jahre alt.

August hatte acht oder neun Mitbewerber, darunter Jakob, den Sohn des letzten Königs Sobieski, und dessen Schwiegersohn, den Kurfürsten Max Emanuel von Bayern. Der wichtigste Mitbewerber aber war der von Frankreich aufgestellte Thronkandidat Prinz Louis Conti, ein Vetter Ludwigs XIV. Österreich, noch im Krieg mit Frankreich, schützte August. Jakob Sobieski bot den polnischen Wahlherren fünf Millionen Taler; Prinz Conti bot durch seinen Gesandten Polignac zehn – ebensoviel mußte nun auch August bieten. Man kann also wirklich sagen, daß der polnische Thron gleichsam versteigert wurde.
Die Wiener Jesuiten nahmen die Juwelen des Kurfürsten zum Pfand und eröffneten ihm einen Kredit bei ihren Ordensbrüdern in Polen; Flemming reiste, mit den nötigen Papieren versehen, nach Warschau. Doch die Waagschale schien sich für den Prinzen Conti zu neigen, auf dessen Seite der Primas des Reichs, der geldgierige und durch und durch falsche Kardinal-Erzbischof von Gnesen, Radzijowsky, stand; Flemming konnte nur den Vizeprimas-Bischof von Kujawien, Dombsky, gewinnen. Der päpstliche Nuntius, Davia, der es mit Frankreich nicht verderben durfte, aber doch auch dem Neubekehrten förderlich sein mußte, dazu August noch wegen der Rettung eines Verwandten im Türkenkrieg persönlich verpflichtet war, hielt es für angebracht, sich unauffindbar zu machen. Der kaiserliche Gesandte, Graf Lamberg, der bekannte Kardinalbischof von Passau, erklärte, Österreich sei jeder recht, nur nicht Conti; er bestimmte zuletzt auch Davia dazu, die Unterschrift des Bischofs von Raab zu beglaubigen, daß August übergetreten sei.
Elf Tage nach dem Übertritt in Wien beschwor August vorläufig die Pacta Conventa, die Wahlkapitulation der Polen, am 27. Juni 1697 erfolgte die zwiespältige Wahl auf dem Wahlfeld Wola bei Warschau. Es kam zur »itio in partes«. Der Primas wählte den Prinzen Conti, der Vizeprimas August II. von Sachsen, nachdem Flemming noch auf dem Wahlfeld 1 800 000 Livres verteilt hatte. In den »Frankfurter Relationen« heißt es: »Proclamirte der Bischof von Cujavien, auf Bitte der sächsischen Partei (die sich nicht besser zu rathen wußte) den Kurfürsten von Sachsen gleichfalls zum König, sung im Feld das Te Deum und ritt folgends gleichfalls mit hellem Haufen nach der Hauptkirche von Warschau, da ihm der Bischof von Litthauen, als Decanus entgegen kam und in großer Frequenz das Te Deum absungen. Viele Woywodschaften marschirten durch die Stadt und machten mit dem grausamen Geschrei: ›Vivat Sas‹ (anders sie es nicht aussprechen konnten) und mit Schießen einen großen Tumult, davon der sächsische Gesandte [Flemming], so nur den Tag vor der Election ankommen, noch etliche Tage hernach von Morgens bis Abends stets incomodirt gewesen.«

Auf die Nachricht von dieser Wahl brach August in Begleitung seiner in Bereitschaft gehaltenen 8000 Mann nach Polen auf. Er ging von Breslau, wo er die Messe bei den Jesuiten hörte, nach Tarnowitz, an der Grenze Polens. Hier empfing ihn eine Deputation.
»Am 23. Juli 1697«, berichten die »Frankfurter Relationen«, »hat sich der König vor das Thor von Tarnowitz herausbegeben, allda ganz nahe eine Lauberhütte stand, welche als ein kleines Colosseum erbaut, obenher mit grünem Laubwerk bedeckt und inwendig mit vielen kostbaren Tapezereien geziert war. Inwendig stand ein königlicher Thron, unter einem rothsammtnen mit Gold reich verschamarirten Baldachin oder Himmel, unter dem sich S. K. M. niedersetzten. Deren Kleidung bestand in einem blauen mit Gold gestickten Rock, darauf die Knopflöcher, Knöpfe, Ritterorden, Degen, Hut, Bein- und Schuhschnallen mit ungemeinen großen Diamanten besetzt waren. Von da aus schickten I. M. dero Kammerherrn, Herrn Grafen von Callenberg [Sohn des Oberhofmarschalls unter Johann Georg II.] der ankommenden Gesandtschaft entgegen, selbiger zu sagen, daß sie herzukommen sollte. Um 2 Uhr nachmittags kam ernannte Gesandtschaft mit einem großen Gefolge von 1000 Personen zu Pferde an und wurde unter Pauken- und Trompetenschall, auch in Gewehr stehender Garde zu Pferde, einer Compagnie von der Leibgarde zu Fuß und von Dragonern vor I. M., so unter dem Baldachin am Thron stunden, geführet. Zur Rechten sah man I. Kais. Maj. Gesandten, des H. Bisch. von Passau [Lamberg] hochfürstl. Gnaden, zur Linken fürstl. Gn. Fürsten von Fürstenberg und neben demselben den H. Oberkämmerer Pflug und hinter sich dero Minister, den General Grafen von Trautmannstorf, sammt noch vielen anderen königlichen Offizieren und Cavalieren. Die Gesandtschaft wurde an der Thür des Eingangs vom H. Oberkämmerer Pflug empfangen und bis an den königlichen Thron begleitet, allwo I. K. M. dem Prinzipal-Gesandten Herrn Woywod von Volhynien, Herrn von Jablonowsky etliche Schritte vom Throne entgegenging. Worauf der H. Gesandte nach tiefgemachter Reverenz den Anfang zu reden machen wollte. Es wurden aber zuvor seine Credential-Schreiben abgefordert, welche der Kön. Rath und Geh. Secretair Bayer öffentlich ablesen mußte. Nach diesem verrichtete der Gesandte seine Rede in lateinischer Sprache etc. Der andere Gesandte H. Crispin, Woywod von Witepsk that dergleichen wegen Litthauen und letztlich hielt auch der dritte Starost von Zydaczew [Galizien] im Namen der Ritterschaft seine Ovation ebenfalls in lateinischer Sprache. Hiernach befahlen I. K. M. dero bei sich stehenden H. Obristen von Flemming, die Gegenrede zu thun, der es auch in lateinischer Sprache verrichtet.«

Nachdem hierauf der König dem Woiwoden Jablonowsky das Generalat über seine Truppen aufgetragen hatte, wurden die Gesandten und Edelleute zum Handkuß gelassen, »dazu sie mit großem Gedränge eileten«. Hierauf ging es zur Tafel. »Die königliche war quer vor die zwei anderen, wo die Herren Polen saßen, gesetzt und ein gut Theil erhöht, neben dem König saß rechts auf der schmalen Seite der Tafel der kaiserliche Ambassadeur. Man speiste bis gegen 6 Uhr, der König ritt dann ins Lager zu den Truppen; hin und zurück begleiteten ihn die Herren Polen.«
Von Tarnowitz brach August nach der Haupt- und Krönungsstadt Krakau auf; er bezog das durch das erwähnte Religionsversicherungsedikt für Sachsen vom 7. August 1697 berühmt gewordene Lustschloß Lobskowa in der Nähe von Krakau; bei ihm lagerte die Armee von 8000 Mann, die er aus Sachsen mitgebracht hatte. Hier beschwor er nochmals die Pacta Conventa.
Jetzt und zuvor schon hatte er die großartigsten Anstalten zur Krönung und zur Behauptung der Krone gemacht. Hierzu ließ er das Geld in Sachsen teils durch Einziehung und Kassierung vieler Stellen, teils durch eine damals angestellte scharfe Untersuchung der Rechnungen, die dem Statthalter Fürstenberg aufgetragen wurde und auf die ich zurückkomme, beschaffen. »Les conseillers privés«, sagen die »Lettres historiques«, »ont tous reçu leur démission à la réserve de Mr. Gersdorf, Conseiller Directeur et du Chancellier [Friesen]. Les officiers civils, qui voudront conserver leurs emplois, seront obligés, de fournir une somme d' argent considerable.«
»Obwohl nun hierdurch«, heißt es in den »Frankfurter Relationen«, »ein großes Geld eingezogen worden, so wollte doch solches nicht zulänglich fallen, des Königs Anforderung damit zu ersetzen, weshalb die Aemter Pirna, Moritzburg, Radeburg, Stolpen, Rochlitz, Mutschen, Torgau, Eilenburg und Belzig, die drei Fürstenschulen Meissen, Grimma und Pforte, nicht weniger die Dresdner Hofapotheke, die Weiseritz- und Schiffmühle, ingleichen die Hofbrau- und Malzhäuser, sodann das Geleit und die Fähre zu Wittenberg, wie auch das Zollamt zu Pirna an den Meistbietenden verpachtet werden sollten, daß davon ein halb Jahr der Pacht vorausgezahlt und sechs Jahre solche behalten werden sollten. Von allen Capitalien und Mobilien sind gleichfalls zwei pC. gefordert und endlich dadurch eine große Summe Geldes gesammelt worden. Womit der Herr Statthalter nebst dem Kammerrath Einsiedel den 26. Juni/6. Juli nach Polen abgereist, um S. Maj. solche zu überbringen, dem bald hernach ein Theil der vom Könige geforderten großen Artillerie (so unter andern in zwölf ganzen Carthaunen, 500 Artillerie-Bedienten, 3000 Artillerie-Pferden, einer Menge Artillerie- und Munitions-Wagen mit Zubehör bestanden) und nach solcher den

7./17. Juli der Rest gefolgt, als zwölf Kanonen von neuer Invention, geschwinder Ladung, zwölf Pulverkarren, sechszehn sechsspännige Ammunitionswagen, 260 ledige Artilleriepferde, wobei eine Compagnie Feuerwerker und Kanoniere, wie auch die große Pauken und anderes gewesen, welche der Obrist von Klengel nach Polen abgeführt. Von dannen dagegen ist demnächst den 13./23. Juni Ihro Fürstl. Durchl. Christian August, Bischof zu Raab in Dresden ankommen etc. und sind zu Eingang des Julius gleichfalls mit einer Summe von 400 000 Thalern wieder nach Polen abgereist. Von da hingegen der H. Statthalter ehestens erwartet werden, bei dessen Ankunft noch viele Veränderungen in allen Collegiis befürchtet, die Ritter- und Bauernhöfe auf 5 pC. geschätzt und der ganze Stall cassiret werden dürfte.«

An einer anderen Stelle heißt es: »Nächstdem ist I. K. M. alles goldne und silberne Service, nebst dem von Diamanten besetzten Marschallstab zugeschickt und von den Landständen zu Bestreitung der Unkosten bei bevorstehender Wahl etliche Tonnen Goldes, selbe in Monatsfrist zu erlegen, abgefordert worden.«

»Der H. Oberkämmerer Pflug«, heißt es weiter in den »Frankfurter Relationen«, »wurde nach Wien geschickt, die daselbst stehenden kostbaren Mobilien abzuführen, ein Anzahl Pages, Laquayen und Heyducken anzunehmen und viele kostbare Kutschen und Pferde einzukaufen. In Sachsen wurden zwölf kostbare Chabraquen mit dem Kön. und Churf. Wappen bordiret, jede von etlichen hundert Thalern gemacht. Aus der Dresdner Kunstkammer brachte man eine Menge Kostbarkeiten. Und diesen folgte den 24. August von da die große Bagage selbst, welche in 125 schönen Kutschen, so viel Gespann Pferden mit Zugehör, Reitpferden und zwölf Packwagen bestand. Bald hernach kamen sechzig Fußtrabanten mit ihren Offizieren, siebzig Mann Schweizergarde, das große Feuerwerk, so bei Ankunft Churbrandenburgs zu Dresden hatte sollen verbrannt werden, nebst sechzehn Kanonen, wobei die s. g. vier Jahreszeiten* gewesen. 20 000 Musqueten, Flinten und Pistolen, 1200 Granaten, hundert Centner Pulver. – Und nach solchem viele vornehme Damen und Cavaliere.«

Der glänzende Einzug in der Krönungsstadt erfolgte am Donnerstag, dem 12. September. Es figurierten dabei unter anderen: Voran zogen die Krakauer Kaufleute und Bürger nach ihren Zünften zu Pferd; die polnischen Garden und die Garnison; zwei Regimenter Dragoner; vierundzwanzig Pagen; vierundzwanzig königliche Handpferde mit den karmesinsamtenen, silberbestickten Decken

* Wahrscheinlich die ungeheuren, oben »vier Monarchien« genannten Kanonen, die Johann Georg II. gießen ließ.

mit königlichem Wappen und Namen; vierzig Maultiere, mit den gelben kursächsischen Decken belegt; zweiundzwanzig königliche Karossen, die besten zuletzt, die Leibkarosse mit acht perlfarbenen Pferden bespannt, neben ihr schritten zwölf Fußtrabanten in gelber Schweizerkleidung; zwischen diesen Karossen zogen die vier Karossen und die Leibkarosse des kaiserlichen Gesandten; acht königliche Leibpferde, Sattel und Zeug mit Edelsteinen besetzt; einundzwanzig Trompeter und zwei Pauker mit silbernen Pauken und Trompeten; die sächsischen Minister und Kavaliere, geführt vom Oberschenk, dem Grafen Eck; das Kürassierregiment des im Jahr zuvor bei Zenta in der Türkenschlacht gefallenen Generalfeldzeugmeisters Graf Reuß; die »Panzerini« der Polacken (sechs Kompanien); die Husaren in Kürassen und Tiger- und Wolfshäuten (drei Kompanien); der polnische Adel; die Senatoren, unter denen zuletzt vor dem König der Vizeprimas Dombsky, Bischof von Kujawien, der Hauptförderer der Königswahl Augusts, und der Bischof von Sendomir ritten; darauf der Kronmarschall Fürst Lubomirsky mit dem prachtvollen, mit Diamanten besetzten Marschallstab, den August ihm übergeben hatte. Zuletzt kam der König auf einem perlfarbenen Pferd in polnischem Habit aus Drap d'or, mit Hermelin gefüttert, und blauer Weste, darauf die Boutonnièren, Hut, Säbel, Gürtel, Sattel und Zeug mit Diamanten und Rubinen besetzt, unter einem Dais oder Baldachin aus rotem Samt, getragen von sechs Krakauer Magistratspersonen; neben ihm her schritten fünfzig Fußtrabanten in gelber Schweizerkleidung. Dann folgten der kaiserliche Gesandte, der Bischof von Passau, mit zwölf Domherren aus Krakau, der Oberkämmerer Pflug, Generalleutnant Graf Trautmannstorff, der Oberstallmeister von Thielau, der Trabantenhauptmann Pflug, und den Abschluß bildeten zwei Kompanien königliche Leibgarde zu Pferd und das königliche Leibregiment Kürassiere, »und war die neue königliche Livree [die Uniform des Regiments] roth, mit silbernen, blau und schwarzsammtnen Borden reich besetzt«. Die Infanterie bildete Spalier in allen Straßen. Außerdem marschierten bei diesem Aufzug in Krakau vierzig Kamele mit, die mit Gold und Silber beladen waren.
Am 13. September wurden nach dem alten Brauch der Polen, kraft dessen am Tag vor der Krönung eines neuen Königs der verstorbene bestattet sein muß, die Exequien Johann Sobieskis im Dom von Krakau abgehalten; man konnte aber nur einen Paradesarg auf das Castrum Doloris stellen, weil die Leiche in Warschau war. Die Partei Contis hatte den Plan gefaßt, diese zu stehlen, um so die Krönung zu verhindern. Bei dieser Feierlichkeit wurden der Marschallstab des alten, mit Glorie in die Gruft gefahrenen Königs und die Siegel zerbrochen und die Fahnen in die Gruft geworfen.

Am 14. September folgte nach altem Brauch die Prozession zu den Reliquien des heiligen Stanislaus vor der Kasimirsstadt, die der König »unter anderer Devotion geküsset«.
Endlich brach am Sonntag, dem 15. September 1697, der Tag an, an dem August die verhängnisschwere Krone der Jagellonen erhielt, und zwar um ein Uhr mittags im Dom, an dessen Eingang ihn der Bischof von Kujawien empfing und zu dem neben dem Altar aufgeschlagenen Thron führte. Lubomirsky schritt wieder als Kronmarschall mit dem schönen Marschallstab vor ihm her, auch wurden Krone, Zepter, Schwert und Reichsapfel vorgetragen. Augusts Krönungsornat war nach eigener Erfindung deutsch-ritterlich/römisch/polnisch. Er trug »einen Cuiraß«, darunter »römische Schurzhosen«, das römische Feldherrnunterkleid mit römischen Sandalen, »einen blausammtnen mit goldnen Blumen durchwirkten Mantel, der mit Hermelin gefüttert« war, und auf seinem Kopf wehte auf dem Hut »über und über« ein Bukett weißer Federn. Der Diamantenschmuck dieser schweren Kleidung wurde auf mehr als eine Million Taler geschätzt. Zwar war die Toilette etwas komödiantenhaft gewählt, doch hatte die Komödie ein fatales Intermezzo: dem König wurde bei der Krönung so heiß, daß ihn, nachdem er die Musik angehört hatte und nachdem im Beginn des Hochamts das Kyrieeleison abgesungen worden war, eine Ohnmacht überfiel; merkwürdig genug geschah dies gerade, als ihm der Bischof von Kujawien »die Profession«, das Glaubensbekenntnis, vorlas.
Der lesende Bischof hielt inne; man mußte dem starken König den bereits vier Stunden lang getragenen Küraß abschnallen. Darauf legte er das Bekenntnis ab, unterschrieb es, nahm das Abendmahl zu sich, wurde vom Bischof von Kujawien gesalbt und gekrönt, der königliche Mantel wurde ihm wieder umgehängt und das Zepter in die Hand gereicht. Darauf wurde dreimal das »Vivat Rex!« ausgerufen, das Tedeum intoniert, während die Schloßheiducken auf dem Kirchhof eine Salve abschossen und die Stücke um das Schloß, die Stadt wie auch im Lager vor der Stadt abgefeuert wurden. Hierauf wurde das Hochamt fortgesetzt; beim Meßopfer trat der König wieder zum Altar, und nochmals wurde »Vivat Rex!« gerufen und die zweite Salve gegeben. Zuletzt erhielt der König den Reichsapfel, es ertönte zum drittenmal »Vivat Rex!«, und die dritte Salve donnerte vor der Kirche, um Schloß und Stadt, im Lager. Noch im Pontifikalhabit – im weißen Chorhemd, das er nach der Salbung angelegt hatte – schritt August gegen drei Uhr zurück aus der Kirche aufs Schloß, mit einem Mantel aus Gold- und Silberstuck, mit rotem Samt aufgeschlagen, über diesem das Chorhemd, auf dem Haupt die Krone, in den Händen Zepter und Reichsapfel; vor ihm wurden die Fahnen der beiden Reiche Polen und Litauen hergetragen.

Es folgten die Gratulationen und das Krönungsmahl. August speiste mit dem kaiserlichen Botschafter, dem Bischof von Passau, der wieder rechts von ihm an der schmalen Seite saß; ihm gegenüber saß der Gesandte Kurbrandenburgs, von Overbeck. Die Senatoren, Landboten und Starosten speisten an zwei anderen langen Tafeln. Statt eines Krönungsochsen – wie bei der Kaiserkrönung in Frankfurt – verlangten und erhielten die Polen drei.
Auf die Krönung folgte die Huldigung, bei der der Reichskanzler Graf Dönhof die lateinische Rede hielt. Der König trug hier wieder den Pontifikalhabit mit Krone, Zepter und Reichsapfel, vor- und nachher aber polnische Kleider: einen blauen samtenen Pelz, mit Goldstuck doubliert; darunter einen Rock aus Drap d'argent, mit Diamanten reich garniert; auf dem Kopf eine blaue samtene Mütze à la Polonoise und in den Händen einen Streitkolben.
Die erste Regierungshandlung des neuen Königs war die Ernennung des Bischofs von Raab, seines Vetters von Zeitz, zum Großkanzler – ein Posten, den später Beichlingen erhielt. Fürstenberg ging als Statthalter nach Sachsen zurück. Darauf berief August seine Truppen, die bisher gegen die Türken gefochten hatten, aus Ungarn nach Polen und stellte noch mehrere Truppen aus Sachsen ab.
Um die vollzogene Krönung zu melden, gingen als Envoyés extraordinaires Wackerbarth nach Wien, Flemming zum Papst und an die italienischen Höfe, Bose an den Kopenhagener und den Stockholmer Hof; auch nach Madrid und Lissabon brachte ein Envoyé die Meldung. Alle diese Envoyés erfuhren gute Aufnahme – nur in Stockholm wurde Bose nicht einmal angenommen.
Der dem König widerwillige Primas wurde erst im Frühjahr des folgenden Jahres gewonnen: Der Handel wurde mit seiner Geliebten, der Kastellanin von Lencziz, in Diamanten abgeschlossen; August hatte auch die Nichte des Primas, die Fürstin Lubomirska, spätere Fürstin von Teschen, gewonnen. Prinz Conti, der mit französischen Schiffen Ende September 1697 bei Danzig gelandet war, konnte sich nicht behaupten; bei Oliva wäre er fast von Augusts Truppen gefangengenommen worden, und am 9. November 1697 verließ er Danzig schon wieder. Am 15. Januar 1698 hielt August der Starke seinen glänzenden Einzug in Warschau.
Unter den vier Kronen, die innerhalb von dreiundzwanzig Jahren vier deutschen Fürsten – August von Sachsen in Polen, Friedrich von Brandenburg in Preußen, Georg von Hannover in England und Friedrich von Hessen-Kassel in Schweden – zuteil wurden, war gewiß die polnische die sorgen- und unruhevollste. Einer so ritterlichen und tapferen, aber in dieser galanten Ritterlichkeit auch durch ihre Liederlichkeit vom sprichwörtlichen polnischen Reichstag bis zur sprichwörtlichen polnischen Wirtschaft herunter in Europa

berüchtigten Nation, wie sie die Polen darstellten; einer Nation von Republikanern mit einem König, der nicht abdanken durfte; von Republikanern, die ihre Wahlstimmen wie Kaufmannsware ganz ungescheut öffentlich an den Meistbietenden verkauften und die von Banden zwar gut patriarchalisch behandelter, aber in der vollsten Geistesdumpfheit erhaltenen Leibeigenen umgeben waren; einer Nation schließlich, die, während alle Nachbarnationen um sie herum ihre Landesverfassung und Landesverwaltung, ihre Finanzen, die Armee usw. zeitgemäß geändert hatten, steif und fest bei ihrer altväterischen Konstitution beharrte, die durch das »Ny pozwalam« jedem Reichstagsdeputierten die Sprengung des Reichstags erlaubte – einer solchen Nation war der ritterlich-galante, aber selbst nicht charakterstarke und durch den neuen Weltgeist Frankreichs nicht wenig ausschweifende August der Starke kein tauglicher Herr und König. »Armer Prinz!« schrieb einmal der englische Gesandte in Wien, Lord Lexington, in einer Depesche vom 19. Oktober 1697. »Ich bemitleide ihn von ganzem Herzen, denn er ist in den Händen von Leuten, die nur versuchen, ihn zu berauben, ohne einen Freund ihm zur Seite zu haben* oder nur einen Mann von Redlichkeit, Ehre und Erfahrung; aber wenn jemand seine Religion um einen geringen Preis aufgibt, was kann er anderes erwarten?«
August suchte die ritterlich-galante, aber feile und ewig unruhige Nation durch ihre eigenen Sünden mit Geld und Intrigen immer tiefer zu korrumpieren, um sie in Abhängigkeit zu erhalten. Sein Hauptstreben ging vor allem darauf, das Wahlreich in ein Erbreich zu verwandeln; aber die Polen nötigten ihn schon 1699, alle sächsischen Truppen bis auf eine Garde von 1200 Mann aus dem Land zu schicken. Der öffentliche Geist des Landes konnte damals noch nicht überwunden und am allerwenigsten durch einen Herrn, wie es August war, zu dem gezwungen werden, was man später, im Jahre 1791, wo die Konstitution vom 31. Mai die Erblichkeit des Throns mit der Aufhebung des Liberum veto aussprach, freiwillig tat. August brachte die öffentliche Meinung in Polen gegen sich auf, und damit war alles verloren.
Ein auswärtiger Krieg sollte helfen. August hatte in den Pactis Conventis versprochen, die Avulsa Imperii wieder an die Krone Polen zurückzubringen; unter diesen verlorengegangenen Teilen befand sich vor allem Livland. Diese wichtige Ostseeprovinz hatte schon Gustav Adolf den Polen abgenommen, ehe er in den deutschen Krieg zog, und der Frieden von Oliva hatte sie im Jahre 1660 der Krone Schweden zugeschlagen. Die Krone Schwedens hatte in demselben Jahr, in dem August König in Polen wurde, ein fünf-

* Haxthausen war schon 1696 gestorben.

zehnjähriger Jüngling empfangen: Karl XII., ein Wittelsbacher, einer aus dem Haus Pfalz-Zweibrücken. Die Jugend dieses Königs reizte alle seine Nachbarn zum Versuch eines Krieges, um das so mächtig gewordene Schweden – damals die erste Macht im Norden – zu schwächen. Augusts Hauptratgeber zu dem bedenklichen Krieg waren Flemming und General Georg Karl von Karlowitz auf Gallschütz, der in der ersten Aktion gegen die Schweden 1700 bei der Dünamünder Schanze fiel – nicht der bekannte unglückliche Patkul, der es im Gegenteil nicht unterließ, in einer Denkschrift die Gefährlichkeit eines langen und zweifelhaften Krieges zu betonen, wenn er auch als livländischer Edelmann Hauptfeind der schwedischen Könige war, die den livländischen Adel – besonders durch die Reduktion der Krongüter – schwer gegen sich aufgebracht hatten. August verband sich mit Dänemark, Schwedens Erbfeind, und mit dem russischen Zaren Peter I.

Peter der Große hatte, aus Amsterdam zurückkommend, in dem Jahr, das dem Krönungsjahr Augusts in Polen folgte – im Juni 1698, als er mit der zum Abschluß des Karlowitzer Friedens mit den Türken bestimmten Großbotschaft, die aus dem General Le Fort, dem General-Kriegskommissar Golofkin und dem Kanzler Wotzicin bestand, nach Wien ging, um sich von da nach Venedig zu begeben –, Dresden einen Besuch abgestattet; einen Besuch, über den folgender Bericht in die »Frankfurter Relationen« zum Jahre 1698 überging:

»Der Moskowitische Zaar kam ohne einige Ceremonien, weil er solches expresse begehret und bedungen, als der General Rose und Baron von Rechenberg ihm entgegengeschickt worden, den 11. Juni incognito in Dresden an. Er saß in der vierten Carosse im Range, mit welcher er in den großen Hof im Stalle einfuhr und durch den Stall ins Schloß in die für ihn zubereiteten Zimmer sich begab. Er hatte ein kurz spanisch Wämschen mit beihangenden Ermeln, ein Paar enge Hosen und ordinaire holländische Schuh an und auf dem Kopf, der ganz rassiret, ein schwarz Barettchen, als etlicher Orten die Priester tragen, auf, welches Barettchen er im Aussteigen aus der Carosse vors Gesicht hielt, um nicht erkannt zu werden. Seine Cavaliers oder Fürsten und Mons. du Fort, sein General, gingen voraus und bliesen im Durchgehen der hell illuminirten Zimmer die meisten Lichter aus, dahingegen die sächsischen Cavaliere sogleich mit dem Wiederanblasen fertig waren – welches aber dem Zaar nicht gefiel und selbst theils Kerzen ausblies, theils mit dem Barettchen auswehete.

Sobald er in sein Zimmer kommen, verlangte er Essen und nachdem er nur wenig Speisen gekostet, verlangte er die Kunstkammer zu sehen, darein er von niemand als dem zu diesen Ceremonien bestellten Hofmarschall, Graf von Eck und dem Kunst-Kämmerer begleitet wurde, allwo er nicht mehr als zwei Kammern besah und die übrige Besichtigung auf den folgenden Morgen aufschob. Selbigen Mittag speiste er allein mit seiner Suite in seinem Gemach und ließ sich keinen Menschen sehen. Der ganze Hof war bereit, ihn mit aller möglichen divertirung zu bedienen, aber ganz vergeblich. Nachmittag besah er das Zeughaus und ließ sich durch Baron Rechenberg bei den kurfürstlichen Frauen Hoheiten* anmelden, welche seiner in sehr prächtigem Schmuck an Juwelen, wiewohl noch in Trauer, wegen des Kurfürsten von Hannover Tod, bis des Abends Glocke sieben warteten, da er die Complimenten ablegte und sich auf einen Audienzstuhl zwischen beide Hoheiten setzte. Die Visite währte eine halbe Stunde und küßte er zu unterschiedlichen Malen den Kurprinzen (damals noch nicht zwei Jahre alt), wollte aber von ihm die Hände nicht küssen lassen. Er hatte bei der Audienz denselben Habit an, darin er vorigen Tages gekommen. Aus der Königin Gemach ging er in die Antichambre, da alle Dames von Qualität, so am Hof und in der Stadt sich befunden, assemblirt waren. Nachdem begab er sich mit S. Durchl. dem Statthalter von Fürstenberg in das Neitschützische Haus gegen den Stall über, woselbst ein prächtig Abendessen für den Zaar zubereitet und die galantesten Dames dazu invitiret waren. Mit welchem Festin er sich die meiste Zeit der Nacht unter steter Feuerung der Kanonen bei allen Gesundheiten sehr vergnüglich divertiret hat.

Den 13. Juni Mittags wurde der Zaar abermals in der sogenannten Jungfer, einem prächtigen Lustsaal auf der Festung (an der Elbbrükke) tractiret. Als er Abends vorhero durch die gute Compagnie und Trunk etwas ermuntert war, vergönnte er, daß jedermann von honnetten Leuten in dem Neitschützischen Hause ihn sehen möchte, welches vorher bei hoher Strafe verboten war. Der Zaar hat sich diesmal gar manierlich in deutschen Habit gekleidet, wollte alle Nacht fortreisen, ließ sich aber wegen der angestellten Lustbarkeiten, welche ihm sehr wohl gefallen, bis den 14. aufhalten, da er denn auf selbigen Abend noch vor dem Pirnaischen Thore auf dem kurfürstlichen großen Garten in dem berühmten italienischen Palatio sehr magnifique bis des Morgens drei Uhr tractiret wurde, worauf er sofort von dannen nach der bekannten Festung Königstein, solche zu besehen gefahren; allwo er des Morgens Glocke sechs angelanget, aber bis sieben Uhr in seiner Carosse schlafend geblieben. Nachdem hat er die Festung, den sehr tiefen Brunnen, den vortrefflichen Keller und das Zeughaus besehen und sich bis

* Der Gemahlin Augusts und seiner Mutter, der verwitweten dänischen Prinzessin Anna Sophia.

Abends um fünf Uhr allda bei der Tafel unter steter Abfeuerung der Kanonen und einem herrlichen musikalischen Concert belustiget. Darauf ist er den Berg zu Fuß wieder heruntergegangen und von dannen recta nach Wien durch Böhmen abgereist.«

In Wien erhielt Peter bekanntlich die Nachricht vom Ausbruch des Aufstandes der Strelitzen; er reiste nicht nach Venedig, sondern über Krakau und Lemberg nach Moskau. Acht Meilen von Lemberg, in dem Flecken Rawa, erfolgte Augusts erste Zusammenkunft mit dem Zaren. »Am 11. August [1698] ist der Zaar incognito mit wenigem Gefolge zu Rawa angekommen und von dem Könige mit allen, nach Beschaffenheit des Orts nur möglichen Ehrenbezeugungen empfangen worden. Den 12., nachdem I. Kön. Maj. mit dem Zaar gespeist, haben beide Majestäten sich nach dem Lager verfüget, allwo I. M. dem Zaar die anwesenden deutschen Truppen gezeigt und selbe selbsten excerciret, worauf beide Maj. Maj. vom General Flemming ansehnlich tractiret worden. Gegen Abend kamen sie wieder in Rawa an, da es denn gleich wie Mittags und den Tag zuvor an ein Trinken und Fröhlichkeit gangen, welche bis zwei Uhr in die Nacht gewähret, wobei der Zaar sehr lustig und vergnügt sich erzeigt, den König etlichmal umarmt und weil er nicht erkannt sein wollte, hat Er dem König allezeit bei der Tafel die Oberhand gelassen. Den 13. wurde die Königliche Hofstatt samt dem Lager der sächsischen Truppen gegen Lemberg abgeschickt, der Zaar hat gleichfalls seine Reise nach der Moskau angetreten, welchen der König bis Zamose begleitet und ihm daselbst 8000 Mann sächsische Truppen gezeiget. Beide Maj. Maj. haben einander vor dem Abschied köstliche Geschenke gegeben, nämlich der Zaar überreichte dem König einen Saphir von ungemeiner Größe und S. Maj. an den Zaar einen mit Diamanten reich besetzten Stock zum Andenken. S. Maj. gingen von Zamose wieder zurück und der Zaar setzte seine Reise nach der Moskau fort, welchen bis an die Grenze 170 Pferde von des Königs Garde begleitet.«

1699, im Jahr nach dieser ersten Zusammenkunft Peters und Augusts, wurde das Bündnis zwischen ihnen und Dänemark gegen Schweden geschlossen. Am 19. Januar 1700 besprach sich August mit Kurfürst Friedrich von Brandenburg, der dem Bund nicht beitrat. Im Frühling begann dann mit dem Einfall Augusts in Livland, Peters in Estland und Dänemarks in das mit Karl XII. verbündete Holstein-Gottorp der große Nordische Krieg, der nach zwanzig Jahren furchtbaren und weitverbreiteten Kampfes und ungeheurer Wechselfälle zuletzt Rußlands Größe und seine Vormacht im Norden entschied. Die Schweden führte er wieder ins Herz Deutschlands, nach Sachsen – Sachsen war es, das am meisten darunter litt.

Die Triumvirn, die sich gegen den jungen Schwedenkönig verbündet hatten, sahen sich in ihrer Erwartung betrogen, leichten Kaufs Eroberungen machen zu können; sie fanden in dem Jüngling, dem sie sich gegenüberstellten, einen Mann, wie wenige in der Geschichte aufgetreten sind. Er besiegte erst im Einverständnis und mit Hilfe der beiden Seemächte den Dänenkönig und nötigte ihn zum Travendaler Frieden, dann besiegte er den Zaren in der berühmten Schlacht bei Narwa in Estland (1700) mit 8000 Mann gegen 80 000. August, der zuletzt an die Reihe kam, mußte seine Rache am schwersten empfinden, obwohl er sein naher Verwandter war: Karls Mutter und Augusts Mutter, beide Prinzessinnen von Dänemark, waren Schwestern.

August hatte im Jahre 1700 mit seiner sächsischen Armee – denn die Republik Polen erklärte Karl nicht den Krieg – den Grenzfluß Düna überschritten und Riga belagert. Karl trieb ihn im Sommer 1701 über die Düna zurück und schlug die sächsischen Truppen bei Riga am 19. Juli.

»Als August«, berichtet Lamberty in seinen »Memoiren des achtzehnten Jahrhunderts«, »von dieser Niederlage erfuhr, saß er gerade zu Pferd. Er trieb das Tier an, bis es nicht mehr fort konnte, dann stieg er ab und hieb ihm mit dem Säbel den Kopf ab. Es war ein Skanderbeg-Streich.«

Karl eroberte hierauf am 21. Dezember die Dünamünder Schanze. Schon hier verlor August einen großen Teil der schönen sächsischen Artillerie: gegen hundert Kanonen, Kartaunen und Mörser – dabei sechzehn große Kartaunen, auf denen »Name und Siegel Johann Georg II. gestanden« –; hier sind wahrscheinlich auch die berühmten »vier Jahreszeiten oder Monarchien« mit eingebüßt worden.

In Kurland nahm Karl die Winterquartiere. Kurland war polnisches Lehen, und erst jetzt kam es auch mit Polen zum Krieg. Ehe es dazu kam, verlegte sich August aufs Unterhandeln. Er schickte einen merkwürdigen Diplomaten an Karl: eine Landsmännin des Schwedenkönigs, die er von seiner Kindheit her kannte, die schöne Gräfin Aurora von Königsmark; sie ging im Januar 1702 nach Kurland. Doch Karl empfing sie nicht in seinem Hauptquartier Würzau bei Mitau; er wollte sie gar nicht sehen. Die Gräfin suchte nun dem König in einem Hohlweg zu begegnen, wo er ihr nicht ausweichen konnte – er zog den Hut, wandte aber, ohne ein Wort zu sprechen, sein Pferd um. Nun entsandte im Februar 1702 August seinen Liebling, den damaligen Kammerherrn Vitzthum. Karl behielt ihn als Arrestanten zurück, weil er seine Pässe für nicht gültig erklärte; Vitzthum wurde nach Riga geschickt und erhielt erst nach einem Vierteljahr seine Freiheit zurück. Wider seinen Willen mußte nun August den Krieg fortsetzen, den er angefangen hatte.

Karl drang bis ins Herz von Polen vor, verband sich hier mit den Malcontenten, der Partei Sapieha, und kam bis nahe vor Krakau: Er schlug August bei Clissow am 19. Juli 1702, gerade am Jahrestag der Schlacht bei Riga. Hier verlor August den anderen Teil der schönen sächsischen Artillerie und die Kriegskasse. Er mußte fliehen, wurde mehrere Tage lang in den Wäldern und Morästen wie ein edles Wild gejagt und entkam endlich mit knapper Not nach Krakau. 500 im Lager zurückgelassene oder auf der Flucht in den Morästen steckengebliebene Damen schickte ihm Karl unversehrt nach Warschau zurück.

August mangelte es an tüchtigen Generälen und Offizieren. Das Kommando über die sächsischen Truppen führte Generalfeldmarschall Adam Heinrich Graf Steinau; er kommandierte die sächsische Armee schon 1701 in der Schlacht bei Riga, die er verlor. Er stammte aus einer hennebergischen Familie, hatte vorher in Venedig gedient und in Morea bei Argos den linken Arm eingebüßt; er ging auch später – 1706 – wieder in die venezianischen Dienste zurück, kurz vor der unglücklichen Fraustädter Schlacht, die die Schweden nach Sachsen hereinführte. Er starb 1712 auf seinen Gütern bei Pilsen in Böhmen im Privatstand. Als Generalfeldzeugmeister kommandierte die Artillerie Herzog Ferdinand von Kurland, der letzte Kettler, der mit einer Prinzessin von Sachsen-Weißenfels vermählt war.

Der berühmteste Mann in der sächsischen Armee, der gerade damals, im Jahre 1702, in die sächsische Armee eintrat, war Graf Matthias Schulenburg, der spätere venezianische Feldmarschall. In seinen vom sächsischen Gesandten in Wien, Graf Schulenburg-Klosterode, herausgegebenen Memoiren finden sich von ihm Schilderungen der sächsischen Armeezustände zur damaligen Zeit. Er berichtet, schon die Venezianer hätten vom Feldmarschall Steinau gesagt, daß er »den Dienst über der Jagd in parenthesi stehen« lasse. Er bemerkt, daß es in der sächsischen Armee nicht besser werden könne, als wenn man – außer Steinau – zwanzig bis dreißig Personen springen lasse. Die Armee sei vollständig demoralisiert; es herrsche darin weder Disziplin noch Subordination, noch Gerechtigkeit; die Offiziere machten ungeheure Schulden, seien fast immer betrunken, gehorchten den Generälen nicht und würden noch außerdem bei und mit ihren Debauchen und ihrer Insubordination am Hof vertreten.

Am 1. Mai 1703 wurde Steinau bei Pultusk noch einmal aufs Haupt geschlagen.

Kurz vorher war in der Politik Augusts ein Wendepunkt eingetreten, die nachher noch mehrere Male umschlug. Der Kaiser, durch dessen Hilfe August König in Polen geworden war, war durch den Spanischen Erbfolgekrieg gegen die Franzosen zu sehr in Anspruch

genommen, um ihn in Polen mit Nachdruck gegen die Schweden unterstützen zu können. August schloß sich nun aufs engste an Rußland, und diese Politik verursachte eine Kabinettsänderung: Im April 1703 wurde Beichling, der bisherige allmächtige Großkanzler, gestürzt – ich komme auf diesen orientalischen Sturz bei den Personalien dieses Ministers später zurück. Der Oberkammerherr Pflug trat an seine Stelle; er blieb, bis Karl XII. ihn entließ.
Im September 1703 kam der Livländer Patkul als Gesandter des Zaren nach Warschau und schloß eine neue Allianz ab; seine sehr interessanten Depeschen aus den Jahren 1703–05 an Zar Peter und an den Minister Graf Gollowin sind im Jahre 1792 in Berlin veröffentlicht worden. Patkul hatte bis zum Jahre 1701 als Generalmajor in Augusts Diensten gestanden und war dann in russische getreten.
August begab sich nach Sachsen zurück, um neue Werbungen zu veranstalten. Er erschien nach beinahe siebenjähriger Abwesenheit am Neujahrstag 1704 in Dresden, begab sich sogleich mit der Königin und dem Statthalter von Fürstenberg nach Leipzig auf die Messe und kehrte schon im Februar wieder nach Polen zurück; er ging nach Krakau und später – aus Furcht, hier aufgehoben zu werden – nach Sendomir, hinter die Weichsel. Er hatte nicht viel in Sachsen ausrichten können, denn es fehlte an Geld – Rußland zahlte die versprochenen Subsidien (300 000 Rubel) nicht. Patkul schrieb am 8. März 1704 aus Dresden: »Der König von Polen soll sonderlich böse auf mich sein, welches ich nicht begreifen kann, zumal ich ja nicht Geld münzen und solches so prompt als eine Allianz machen kann.« August rief nun seine Regimenter aus dem Reich zurück, die er dem Kaiser für den Spanischen Sukzessionskrieg gegen die Franzosen gestellt hatte. »Die Stände«, schrieb Patkul in einer anderen Depesche am 14. März 1704, »sind dem Könige sehr zuwider gewesen in seinem Vorhaben wegen Rekrutirung seiner Armee; allein der König lässet es anitzo ohne ihren Consens thun, so daß der Anfang mit solchen Rekruten schon wirklich gemacht ist, wenn wir nur zeitig das Geld gehabt hätten.«
Während seiner Rückreise nach Polen war es, als August am 27. Februar 1704 die beiden Prinzen Johann Sobieskis, Jakob und Konstantin – von denen er fürchtete, daß einer ihm als Gegenkönig entgegengestellt werden könne –, auf fremdem, kaiserlichem Territorium bei Breslau auf der Jagd aufheben ließ. Patkul schrieb am 5. Februar 1704 aus Dresden, Jakob Sobieski habe August ermorden lassen wollen, »sein eigner Pfaffe« habe ihn verraten, ihm sei »es zuerst kund geworden«. Jakob Sobieski war durch seine Schwester der Schwager des Kurfürsten Max Emanuel von Bayern und durch seine Gemahlin, die die Schwester der Gemahlin Leopolds I. war,

auch der Schwager des Kaisers. Bei diesem entschuldigte sich August durch die Not; Fürstenberg wurde nach Wien entsandt. Die Prinzen wurden nach Leipzig auf die Pleißenburg gesetzt und mußten hier über ein Jahr lang als Gefangene bleiben. Nun erklärten die in Warschau konföderierten malkontenten Polen Anfang Mai 1704 den Thron für erledigt. Am 19. Juli 1704 wurde ein Pole – der Palatin von Posen, Stanislaus Leszczińsky – an Augusts Statt zum König gewählt, und zwar mit Hilfe und Vorschub König Karls XII., der selbst inkognito zusah, wie man seinen König im folgenden Jahr, am 4. Oktober 1705, in Warschau krönte.
Schon am 29. Mai 1704 hatte sich August gegenüber Patkul im Lager bei Sendomir dahin geäußert, er wolle »lieber ein Edelmann auf dem Lande als in solcher Verdrießlichkeit länger König« sein. »Aus welchen Umständen«, setzt Patkul hinzu, »ich schließen und befürchten muß, daß, wenn die Confusion allhier continuiret, der König vielleicht aus Desperation alles quittiren und nach Copenhagen gehen möchte, insonderheit da alle seine Sachsen Tag und Nacht ihm desfalls in den Ohren liegen, solches auch heimlich von den Polen selbst, die es mit ihm halten, gewünscht wird, um nur von der Qual abzukommen, wogegen Patkul arbeitet, so viel er kann, solches dem König aus dem Sinne zu reden, wiewohl alle andere fremde Minister, außer dem vom König in Dänemark von dem Sentiment der Sachsen sind und heftig daran arbeiten. Ich aber versichere allezeit den König, daß Zaar ihn helfen werde, alles zu überwinden.«
»Endlich«, berichtet Patkul in einer Depesche aus Dresden vom 9. Juli 1704, »ist die sächsische Armee doch noch wieder auf die Beine gerathen, welches viele Kunst, Arbeit und Mühe gekostet hat. Die Cavallerie ist so schön von Mannschaft und mundiret, als man jemalen mag gesehen haben. Sie besteht meist aus alter exercirter Mannschaft bis an 10 000 Mann. Die Infanterie kommt bis 14 000 Mann in allem, davon 6–7000 alte Knechte sind. Die Rekruten sind zwar neue Leute, aber doch eine auserlesene Mannschaft, welche nicht zu verbessern ist. Die Gemeinen sind mit unbeschreiblichen Kosten aufgebracht, weil aller Orten die Werbungen im Schwange gehen, bei allen Benachbarten, so daß mancher bloßer* Kerl 150–200 Reichsthaler gekostet, dessen ich ein wahrer Zeuge seyn kann, weil ich zugegen gewesen. Die Stände von Sachsen haben noch die Rechnung nicht geschlossen, jedoch habe ich gesehen, daß die Unkosten bereits auf 700 000 Reichsthaler und mehr Werbegeld alleine auslaufen, welches hier im Lande noch nie geschehen.«
Über den großen Geldmangel hatte sich der König bereits am 30. Mai im Lager bei Sendomir gegen Patkul dahin gehend geäußert,

* nicht uniformierter

daß er »beweglichst um die Subsidien gebeten«, weil sonst seine Armee zugrunde gehen müsse, »die zwar mit großen Kosten wieder aufgerichtet worden, jetzt aber keine Subsistance« hätte, wobei ihm angst und bang wäre. »Denn wenn die Armee in Polen kommt und wieder auf Discretion leben will, so werde ich alle Affection wieder verlieren und könnte das letzte ärger, als das erste werden.« »Das ist«, schrieb Patkul am 9. Juli 1704 aus Dresden an den Minister Graf Gollowin, »einmal gewiß, daß des Königs Revenüen in Sachsen ganz erschöpft und schon voraus Schulden gemacht sind. Der König hat auch alle seine Juwelen versetzt und ist nunmehr zum Unterhalt der Armee nicht ein Thaler mehr in Casse, welches ich Ew. Exc. auf meine Ehre versichern kann, weil mir der hiesige Staat besser als dem Könige selbst bekannt ist.« Am 12. August 1704 schrieb Patkul weiter: »Daß der König allhie den Muth fallen lasset und oft auf die Gedanken geräth die Cron zu abandonniren ist gar gewiß und es ist in Marto schon so gut als richtig gewesen ... Patkul rühmet sich, daß er derjenige gewesen, der sich deme heftig widersetzet etc., auch zuletzt den Platz behalten hat ... Von selbsten kam er nicht darauf; allein der Geldmangel in Sachsen ist Ursache daran. Sonsten versichre ich Ew. Exc. auf meine Ehre und Leben daß er aus Leichtsinnigkeit für sich darauf nicht hält. In dem Punkte von Subsidien habe ich mich stricte an meine Ordre gehalten und bin von Anfang nur Schritt vor Schritt darin gegangen, bis ich sehen möchte, daß man sicher gehen könnte und nicht das Nachsehen haben dürfte ... Daß die Noth von Geld und die Bedrängniß darin er hier in Polen stehet und nicht weiß, wem er trauen soll, auch bald aus einem Winkel in den andern laufen muß, zuweilen seine unmäßigen praetensiones auspresset, darin ist er in Wahrheit recht zu beklagen.«
August konnte es kaum über sich bringen, in der entehrenden Lage, in der er war, auszuharren. Zehn Tage später, am 22. August 1704, berichtete Patkul, der als Oberbefehlshaber der moskowitischen Hilfsarmee von 12000 Mann mit August in Polen herumzog, während der Zar Dorpat und Narwa eingenommen hatte: »Der König hat mir noch vor drei Tagen selbst gesaget, daß er die feste Resolution gefasset, lieber die Cron zu verlassen als noch immer so defensive zu ein Spectacul der ganzen Welt aus einem Winkel in den andern sich herumjagen zu lassen ... Man hat dem König vorgestellet, wie unbillig es wäre, daß Er die Last des Krieges tragen müßte und bey solcher Bewandniß, als nun die Sachen stehen, ja nichts zu hoffen hätte, unterdessen sich totaliter ruiniren und Sachsen dabey verzehren sollte, ob Er schon Subsidien von Ihro Zaar. Maj. zöge, welche doch nur zu dem Kriege aufgewandt würden, da hingegen Ihro Zaar. Maj. durch seinen Ruin Conqueten machten. Der König hat mir solches vorgestern, als wir im Marsche eine Halte macheten,

in einer zweistündigen Unterredung der Länge nach repräsentiret, und mir seine Disposition des Gemüthes, dafern das Wesen länger so währet, zu erkennen gegeben. Und ob ich schon alle solche Scrupeln zu benehmen getrachtet, und versichert, es würde seine an Ihro Zaar. Maj. geschehenes Project seinen Lauf haben, so habe nur die Antwort erhalten, es müsse sich bald ausweisen. Ueber dem, so merket man wohl, daß eine Haupt-Intrigue unter der Hand sey, ihm in Deutschland einige Landschaften zu verschaffen, auf den Fall, da er der Alliirten Parthey* nehmen, die Armee dahin wenden und Pohlen quittiren wollte... Hier ist die höchste Noth vorhanden, weil sonsten wahrhaftig die schöne Armee crepiren muß.«
Immer näher kam das Unglück, das Sachsen treffen sollte. Über die Zustände hier, wo damals zur Sicherheit dänische Truppen standen, berichten die »Frankfurter Relationen«: »Zum drittenmal ward eine große Artillerie aus Sachsen nach Polen geschickt... Indem es aber in Polen nach der Hand ziemlich rauh und confus hergegangen, mithin die Sachsen und Moskowiter von den Schweden bis an die schlesischen Grenzen verfolgt worden, so sind die beiden Generale Schulenburg und Patkul** den 15. November 1704 zu Dresden angelangt, nachdem sie ihre Truppen... in der Lausitz gelassen; die Artillerie kam den 19. November auch wieder zurück, der die sämmtliche königliche Bagage nach etlichen Tagen gefolgt. Worauf der Prinz von Fürstenberg als Statthalter die sächsische Miliz zwischen Görlitz und Zittau also postirt, daß man sich eines Schwedischen Einfalls nicht leicht zu besorgen hatte, der Land-Ausschuß zwischen der Oder und Elbe wurde aufgeboten und über 1000 Jäger und Wildschützen auch beordert dahin zu gehen... S. Kön. Maj. sind aus Polen mit einem kleinen Gefolg des Nachts zwischen dem 30. November und 1. December 1704 ganz unvermuthet zu Dresden in Dero kurfürstlichen Residenz angekommen, der der kaiserliche Abgesandte S. von Strattmann anderen Tags gefolgt... Bei Hofe kamen um Weihnachten verschiedene polnische Magnaten an***, welche S. K. M. in die Leipziger Messe gefolgt, allwo sie sich die ganze Meßzeit über aufgehalten... Es sind I. Kön. Maj. sammt der ganzen Hofstatt von Leipzig wieder nach Dresden gereist, allwo die Carnevals mit Jagden, Opern und andern Divertissements zugebracht worden, zumal da sich verschiedene fürstliche Personen bei Hofe eingefunden.«
Nach dem Karneval ging August nach Moritzburg und arbeitete mit dem Statthalter Fürstenberg und den Ministern.

* Des Kaisers und der Seemächte gegen Frankreich.
** Nach der neuen Niederlage bei Lissa an der Grenze von Schlesien am 7. November 1704.
*** Der Krongroßschatzmeister Przebendowski und andere.

Merkwürdig war – und Patkul rügte dies nicht wenig –, daß nur die Infanterie nach Sachsen retirierte; die Kavallerie blieb in Polen. Es war, als wollte man die Schweden nach Sachsen »locken«.
Die ersten moskowitischen Truppen, die sich bei dieser Retirade im Herzen Deutschlands blicken ließen, machten schlechte Parade. »Die Gemeinen«, schrieb Patkul in einer Depesche vom 18. November 1704, »sind durch die ausgestandenen schweren Marschen sehr übel zugerichtet: an Gesundheit, Mundirung und Gewehr so beschaffen, daß ein Theil wirklich nackend und ohne Schuhe, allen Fremden zum Spectacul einhergehen, und schlechte Impression machen, allermaaßen aus Deutschland von weitem her, von den Fürsten und Potentaten Officiers gesandt werden, um die Muscowitischen Truppen als etwas rares und noch nie in Deutschland gesehenes zu betrachten und ihren Herren Relation davon zu thun. Wie denn eben itzo jemand von dem Prinzen Louis von Baden sich hier befindet, welcher mir die Curiosität selbst bekannt gemacht und gesaget, daß er solche Ordre habe.« Patkul durfte sich nicht getrauen, wie es der Brauch gewesen wäre, seine Russen »en ordre de bataille« aufzuführen, den Kommissarien zu präsentieren und sich bei ihnen zu befinden: »... habe mich wahrhaftig absentiren müssen«, schreibt er, »die armen Offiziere jammern mich, wenn ich sie ansehe. Sie können sich bei der schlechten Gage kein Kleid auf den Leib kaufen und gehen einige erbärmlich her.
Unterdessen unterließ man nicht im ganzen Chursächsischen territorio auf Königl. Befehl die Werbung stark fortzusetzen... es wurde auch die Werbung an der Donau mit gutem Succeß geführet... Und weil große Geldsummen zu diesen Bedürfnissen und Beschleunigung des Kriegsstaats erfordert worden, so ist die General-Accise durchgehends eingeführt worden, auch in der Lausitz, wohin deswegen im April 1705 Commissarii abgegangen. Diese ist nachgehends auch in Leipzig in Stand gekommen, doch so, daß das Commercium dadurch nicht gehemmt wird, maaßen die Waaren so ins Gros daselbst verhandelt und ein- und weggebracht werden, hievon befreit bleiben. Wie die Dresdnischen Briefe vom 30. April geben, so ist auch über das eine General-Auflage gemacht worden, wozu der Geringste 16 Groschen, andere 1, 2, 3, 10, 20 bis 30 Reichsthaler geben müssen, welches eine große Summe beträgt.
Der König hat sich etliche Wochen in Leipzig aufgehalten, wozu die [Oster-]Messe Gelegenheit gegeben; des Königs Geburtstag wurde den 12. Mai, als S. Maj. in das sechsunddreißigste Jahr eingetreten, daselbst celebrirt und des Abends etliche bei Dero befindliche Gesandte und andere große Herren magnific tractirt. Den 22. Mai aber ist der König nach Torgau und den 29. von da ins Carlsbad gereist.

Von der Leipziger [Michaeli-]Messe ist der König zu der Armee nach Guben in der Lausitz gegangen,* von da aber – weil ihm die Schweden aller Orten aufpasseten – sein Tempo ersehend, mit zwei Cavalieren ab und nach Danzig gereist und zu Wasser von da nach Königsberg gegangen, allwo er den 30. Oct. 1705 incognito angelangt** ... Ganz unvermuthet den 1. Nov. des Abends um 9 Uhr ist der König zu Tickoczyn (ohnfern Lublin in Kleinpolen) angekommen und folgenden Tags von allen daselbst befindlichen und auf erhaltene Nachricht seiner Ankunft dahin gekommenen Senatoren und Magnaten complimentiret worden, welche S. Maj. mit großer Affection und Hochachtung angenommen und sie mit einem neuen Ritter-Ordens-Zeichen, das in einem von Gold emaillirten weißen Adler mit einer diamantnen Krone und Ueberschrift: ›Pro Fide Lege et Rege‹ bestanden, beehrt. Zwei Tage hernach hat der König auch das durch des Primatis Ableben*** vacant gewordene Primat nebst dem Erzbisthum Gnesen dem Bischof von Cujavien [Dombsky] conferirt. Daß also nunmehr in Polen zwei Könige und zwei Primates waren, oder vielmehr drei Könige, alldieweil der König von Schweden mehr darin regierte, als die andern ... Am 8. Nov. ist der König zu dem Zaar ins Lager nach Grodno kommen, allwo sie die moscowitische Armee gemustert und beide Potentaten eine große Vertraulichkeit gegen einander bezeigt haben ... Nach diesem ist der Zaar den 20. Dec. von Grodno nach Moskau gereist, dem König Augusto das völlige Commando der Armee überlassend, welcher nebst dem Prinzen Menzikow und dem Feldmarschall Ogilvi noch eine Zeit zu Grodno verblieben, allwo sich viel Magnaten bei S. Maj. eingefunden, die Truppen aber waren allschon in die Winterquartiere gerückt ... In Grodno veranstaltete König Augustus nebst dem Prinzen Alexander von Menzikow das was zu einer rigoureusen Defension nöthig war, so daß die Schweden sich bald gegen das Schloß, bald gegen die Retrenchements wendend, davor nichts auszurichten sahen und nachdem sie etliche Tage vergeblich zugebracht, sich auf den Tract nach Wilna gewendet. Als nun der König Augustus sah, daß er nicht Ursache hätte, sich in Litthauen aufzuhalten und daß Polen offen stand, seine aus Sachsen kommenden Truppen mit den andern zusammenbringen zu können, so hat er sich den 26. Jan. 1706 aus Grodno nach Tickoczyn und Krakau begeben, die Polen an sich zu ziehen, von da ist er nach Warschau gegangen und daselbst mit seiner Garde du corps und

* Nachdem er seine Mutter in Lichtenburg und seine Gemahlin in Torgau gesprochen hatte.

** Er speiste bei einem Kaufmann Nogelheim und reiste noch am selben Abend mit der Post nach Grodno in Litauen.

*** Er starb wenige Tage nach Stanislaus' Krönung.

etlichen Regimentern Cavallerie zu Jedermanns Verwunderung den 5. Febr. um 10 Uhr Vormittags angelangt, sein Quartier im Schloß nehmend.
Um selbige Zeit haben sich die bei Guben und in Sachsen gelegenen chursächsischen und moscowitischen Truppen zusammengezogen und eine Armee von 20000 Mann formirend, nach Polen zu marschirt. Sie passirten den 9. Febr. 1706 die Oder an drei Orten, wie man vorgeben will, mit großer Sicherheit, in der Meinung, das unter dem General Reinschild* befindliche schwedische Corps sei nicht stärker als etwa 8–9000 Mann, und werde ihrem Marsch nach Warschau und Conjunction mit den andern keinen Einhalt thun können. Sie haben aber bald ein anderes erfahren, als der General Reinschild seine in 15 bis 16000 Mann bestehenden Truppen zu Fraustadt [in Schlesien] und Polnisch-Lissa zusammengebracht, und sie gegen die unter des Gen.-Lieutenant von Schulenburg Commando befindlichen Sachsen und Moscowiter den 13. Febr. [1706] gestellt...«

Es kam zur Schlacht, und diese Schlacht, die Schlacht bei Fraustadt, war es, die das traurige Schicksal Sachsens entschied: Die zwar stärkere, aber demoralisierte sächsische Armee wurde fast gänzlich vernichtet. Sachsen lag nun für Karl XII. offen da; August ging wieder von Warschau nach Krakau.

Während dieser Vorgänge in Polen erfolgte in Dresden die Gefangennahme Johann Reinhold Patkuls, die dessen schauderhafte Exekution durch den Schwedenkönig – der Patkul als geborenen Livländer als Rebellen ansah und als seinen Untertan betrachtete – zur Folge hatte und dessen schmachvolle Auslieferung durch August, wodurch dieser nicht nur mit dem Zaren, dessen in Dresden beglaubigter Gesandter Patkul war, in Konflikt kam, sondern auch in den Augen dieses mächtigen Herrn und in der Achtung der ganzen Welt herabgesetzt wurde. Das ging so weit, daß Peter August in seinem Interzessionalschreiben für Patkul an den Kaiser und an die Königin von England am 27. April 1707 geradezu »einen ehrvergessenen Prinzen« nannte.

Patkul, seit dem Jahre 1703 als Gesandter an August nach Warschau und Dresden geschickt, hatte, wie das »Theatrum Europaeum« erzählt, auf wiederholten Befehl des Königs ihm in einer Denkschrift seine Lage Sachsen, Polen und dem König von Schweden gegenüber ausgearbeitet. Diese Denkschrift, auf die ich zurückkomme, wurde dem König von Polen bei seiner Anwesenheit in Dresden am 8. März 1705 übergeben. Patkul hatte diesem darin aufrichtig und nachdrücklich die Fehler seiner Minister – besonders die des

* Rehnsköld

Grafen Flemming und Fürstenbergs – dargestellt und ihm klargemacht, daß es weder Geld noch Kredit im Lande gebe; das jenes schlecht verwendet, dieser ungebührlich verscherzt werde »und damit die benachbarten Fürsten, von denen Sachsen gegen Schweden sich einer Hilfe versehen kann, eingeschüchtert werden, sich mit Sachsen einzulassen«. Diese Denkschrift wurde Patkul aus seinem Haus gestohlen.

Am 28. April 1705 schrieb er an seine Landsmännin, die Gräfin Aurora Königsmark: »Ganz neuerlich beunruhigt mich ein Vorfall außerordentlich. Einige aus meiner Dienerschaft oder sonst aus meiner Umgebung haben sich ein Vergnügen daraus gemacht, meine Papiere zu durchsuchen, ohne daß ich bisher habe ermitteln können, ob es aus bloßer Neugier geschah oder aus anderen Absichten. Hat man eine genaue Durchsuchung gemacht, so ist entschieden, auf welchem Weg eine gewisse Denkschrift, die ich auf ausdrücklichen Befehl des Königs machte und die geheim bleiben sollte, dergestalt in die Hände mehrerer kommen konnte, daß man sogar an fremden Höfen davon Abschriften zeigt. Auch Ihrer Exzellenz soll bei Ihrer hiesigen Anwesenheit diese Schrift mitgeteilt worden sein. Da Seiner Majestät daran liegt, bestimmt zu wissen, durch wen und auf welchem Weg jene Mitteilung oder vielmehr jener Verrat an fremde Höfe wie an Einheimische geschehen ist, so bitte ich Ihre Exzellenz gehorsamst, die Gnade zu haben, mir darüber Auskunft zu erteilen. Ich gebe Ihnen als Ehrenmann das Versprechen, von solcher Mitteilung nur den von Ihnen gestatteten Gebrauch zu machen. Geschah es durch eine Person, der Ihre Exzellenz Rücksichten schuldig sind, so werde ich die möglichste Schonung beachten, auch dafür sorgen, daß Ihre Exzellenz bei den Verhandlungen nicht namentlich erwähnt werden. Es kommt nur darauf an, jenem Beginnen auf den Grund zu kommen. So hoffe ich, Ihre Exzellenz werden dem heilsamen Unternehmen, sich für die Zukunft gegen Spione und Verräter zu sichern, den Beistand nicht versagen und für das Wohl Seiner Majestät so viel Rücksicht haben, mir im Vertrauen denjenigen zu nennen, der Ihnen die erwähnte Schrift, die eine Beurteilung der Lage des Königs und der gegenwärtigen Zeitläufe enthielt, mitteilen. Ich wiederhole jede möglichste Versicherung, um Sie zu überzeugen, daß Ihr eigener Vorteil es mit sich bringt, uns nichts zu verschweigen, da die Sache von größerer Wichtigkeit ist, als man glaubt. In der Erwartung günstiger Antwort etc.«

Auf wessen Veranlassung die Durchsuchung der Papiere Patkuls stattgefunden bzw. ob August sie selbst befohlen hat, ist ein Geheimnis geblieben. Die schöne Aurora stand später wegen der Königsmarkschen Erbschaft in Schweden mit dem Kabinettsminister Karls XII., dem Grafen Piper, in Verhandlungen.

Am 16. Dezember 1705 war Patkul vom preußischen Hof, wo er eine Sendung ausgeführt hatte, nach Dresden zurückgekehrt. Am 20. wollte er seine Hochzeit mit der Witwe des Oberhofmeisters der Königinmutter Anna Sophia von Dänemark feiern: mit Anna Sophia von Einsiedel, einer Tochter des dänischen Gesandten in Dresden, Kay Rumohr, eines großen Lieblings der Prinzessin, nach deren Namen sie getauft worden war. Sie war eine Dame, die 400 000 Taler Mitgift in die Ehe einbringen konnte.
Am Abend vor der Vermählung, eben zurückgekehrt von seiner Braut, wurde Patkul aber ganz unvermutet um zehn Uhr aus seinem Bett geholt und von einer mit sechs Pferden bespannten Karosse abgeholt; Nordberg sagt im »Leben Karls XII.«: »... zu einer Konferenz mit den sächsischen Ministern«. Er wurde unter einer Bedeckung von sechzig Reitern zur Verwahrung auf die Festung Sonnenstein gebracht. Das sächsische Ministerium – namentlich Flemming, Patkuls Hauptfeind – wollte dringenden Verdacht haben, daß Patkul beabsichtigt habe, die 6000 Mann Russen, die damals noch im Lager in der Lausitz standen – und denen es an allem Notwendigen mangelte –, dem Grafen Strattmann für den Kaiser um 200 000 Gulden zu verkaufen. Fürst Gallizin, der Generalkriegskommissär bei den eingerückten moskowitischen Truppen, protestierte gegen die Arretierung »eines publiquen Ministers« seines Herrn, »der wie ein Dieb in der Nacht aus seinem Bette gerissen und mit Musquetiren auf eine Festung weggeführt worden«. Das sächsische Ministerium hatte die Eigenschaft Patkuls als publiker Minister geradezu geleugnet und behauptet, er habe sich unter das Kommando des sächsischen Feldmarschalls gestellt. Eine im russischen Interesse damals geschriebene, in Dresden vom Henker verbrannte Flugschrift fragte an, ob »nöthig gewesen, daß der H. Geh. Rath und General Patkul auch mit einem absonderlichen Creditiv von S. Zaar. Maj. an das Ministerium zu Dresden hätte sollen versehen sein«.
»Patkul hat«, schreiben die »Frankfurter Relationen«, »bald hernach nicht allein in seinem Arrest alle Freiheit genossen, sondern ist auch dessen gar erlassen worden. Unterm 13. Jan. wurde von Dresden geschrieben, daß er von dem König gar gnädige Briefe erhalten und nach Polen berufen worden, so daß der König von seiner Arretirung nichts gewußt zu haben vermuthet werden wollte.«
Sicher ist, daß der König später, nach Abschluß des Altranstädter Friedens, die Festsetzung Patkuls und seine weitere Haft von Polen aus gebilligt hat. Er erließ übrigens ausdrückliche Rechtfertigungen seines Ministeriums in Dresden und wies seinen Gesandten im Haag, Gersdorf, aus Grodno schon am 8. Januar 1706 an, was er den Generalstaaten und der Königin von England darüber zu sagen

habe. Um einen nur einigermaßen plausiblen Vorwand für die völkerrechtswidrige Arretierung zu haben, wurde Patkul beschuldigt, er habe sich durch den preußischen Minister Ilgen mit Karl XII. aussöhnen und, die Macht von Karls Feinden durch die Überlassung eines Truppenkorps an den Kaiser zum Krieg gegen Frankreich schwächend, Karls Haß beschwichtigen wollen. Dieses Hasses entlud sich denn Karl auch später.

Patkuls Lieblingsplan war ganz entschieden »der Ruin Schwedens in Polen« gewesen, und das Hauptmittel dazu war ein Bund zwischen Sachsen, Rußland, Dänemark und Preußen. Er selbst erklärte sich darüber in einer Depesche an den Zaren aus Dresden am 13. April 1704: »Als ich das letztemal zu Berlin tractirte, habe ich den König von Preußen durch nichts in der Welt zu dem Engagement bringen können, als durch den Vortrag, es sollte Zaar, König von Dänemark, König in Polen, König in Preußen zusammentreten, Schweden in Polen ruiniren und hernach sich in Polen, Liefland und Pommern, auch Holstein theilen, welches solche Freude bey dem Herrn König von Preußen verursachet hat, daß ich es E. Zaar. Maj. mit höchster Wahrheit nicht genugsam beschreiben kann.«

Preußen war aber sehr vorsichtig und verlangte als Conditio sine qua non eine Konjunktion der Armeen des Königs von Polen und des Zaren in Polen. Am 29. September 1704 berichtete Patkul seinem Herrn: »Der König von Preußen läßt laut der Abrede 18 000 Mann nach Preußen marschiren, welche schon in vollem Marsche sind, einig auf die Versicherung, daß E. Zaar. Maj. und der König von Polen Dero Armeen conjungiren werden in dieser Campagne. Sollte aber diese Conjunction nicht geschehen, wie ich nunmehro abmerken kann, so lasse ich dahin gestellet sein, was solches nach sich ziehen wird.«

Nach dem unterdessen am 13. August 1704 bei Höchstädt erfochtenen großen Sieg kam Marlborough nach Berlin und ersuchte, wie Patkul am 16. Dezember 1704 weiter dem russischen Großkanzler Graf Gollowyn meldete, »von allem abzustehen oder man wird es mit dem König von Preußen machen, wie mit Dänemark zu Anfang dieses Krieges geschehen und was dergleichen harte Complimente mehr gewesen, wovon König in Preußen dem König in Polen Nachricht geben lassen. Darauf auch Patkul in aller Eile sich auf Begehren des Königs in Polen nach Berlin verfüget und es alles in solchem Zustande gefunden. Und auch mit dem hat der Herzog sich nicht zufrieden gegeben, sondern poussiret, daß König in Preußen die Truppen sollte entweder abdanken oder den Alliirten auf favorable Conditiones überlassen, damit man sicher seyn und keine Vermehrung der Händel in Europa mehr zu besorgen oder von Brandenburg Ombrage zu fassen Ursache haben möchte. Patkul hat das Werk hintertrieben so viel er gekonnt... Allein, der König in Preußen ist so verbittert gewesen, daß das Concert zergangen, als worauf er so groß Staat gemachet, so große Unkosten mit dem Marsch der Truppen angewandt, alle seine Mesures darnach genommen, andern Vortheil in solcher Absicht ausgeschlagen und sich bloß darauf verlassen hätte, so daß er nicht einmal Patkul seine Vorträge von wegen des Königs anhören wollen, sondern gesaget, Er wäre Zweymal schon bey der Nase gekricht, das dritte Mal sollte man Ihn wahrhaftig nicht zum Narren machen. Patkul hat daraufhin geantwortet, sein Herr wäre nicht gewohnet, seine Freunde und Alliirte bey der Nasen zu kriegen, Er wünschte, daß ein jeder seiner parole so eingedenk seyn wollte, als Er thäte, so würde er nicht Ursache haben sich zu beschweren, daß man Ihn in einen Krieg eingelocket und hernach von weitem zusiehet. Es hätten Ihro Zaar. Maj. alles gerne thun wollen, allein der König Augustus der hätte an Zaar geschrieben, es wäre besser daß Zaar. Maj. Narva angreifen und nur [zur] künftigen Campagne kommen sollten. Welches zu beglaubigen ich den Ministern die Originale von Ew. Exc. Brieffen produciret und es lesen lassen. Welches ich thun müssen um Ihro Zaar. Maj. Credit und Reputation zu salviren, welchen Zweck ich auch erhalten, so daß Patkul hernach mehr und bessern Zutritt gehabt und oft gehöret worden. Dahingegen ist der Ekel vor dem König Augustus so groß, daß man nichts mehr von ihm hören will und saget, es sey nun aller guter Glauben erloschen und nichts mehr auf den Mann zu bauen. Ich kann E. Exc. sagen, daß ich über die Verderbung einer so schönen Sache so verdrießlich geworden, daß ich mich verschwören möchte, zeit meines Lebens nicht mehr zu negociiren. Ich hab' es aber dem guten Herrn König Augustus trefflich vorgehalten und ihm fein dürre unter das Gesicht gesagt, was aus der Quackelei noch entstehen und wie er wohl gar um Kron' und Kurfürstenthum kommen kann.«

Am 5. Februar 1705 meldete Patkul noch aus Dresden: »Es hat das Ansehen, daß dieser Streich, den König von Polen nach Polen nicht mehr zu lassen, unter mehreren gespielet wird. Das ist nun die Folge der negligirten Conjunction und ich glaube, es werden dergleichen mehr entstehen. Der König von Preußen muß seine Regimenter eines nach dem andern aus Preußen wieder wegziehen und sie den Alliirten nach Italien und andern Orten gegen Frankreich überlassen. Welches ein Effect ist von der höchst strafbaren Nachlässigkeit der Herren Polnischen und Zaarischen Ministern die im Haag nicht bey Zeiten vigiliret und die [1704 neu geschlossne] Alliance [Schwedens] mit Holland und Engeland hintertrieben haben.«

Die Depeschen Patkuls enthalten eine Menge interessante Züge, welch merkwürdige Schleichwege die Diplomatie damals ging und wie immer eine Macht die andere zu betrügen suchte. Das russische Geld wirkte schon damals trefflich. Am 13. Oktober 1703 schrieb Patkul vier Meilen von Warschau an den Zaren: »Die Instruction des Woiwoden von Culm*, um zu E. Z. M. zu gehen, habe ich für Geld in höchstem Geheim aus der Polnischen Kanzeley erhalten. Also können E. Z. M. sich darnach richten und wissen, was mit ihm zu thun sey, weil man seine Heimlichkeiten in Händen hat; aber es muß geheim bleiben, damit ich meinen Credit in der Polnischen Cancelley nicht verliere.« In derselben Depesche schreibt er: »Der König von Schweden hat mit den alliirten Ministris** heimliche Correspondances allezeit, welche Briefe, sowohl die abgehenden, als die kommenden von dem König von Polen aufgefangen, abcopiret, wieder ganz sauber zugesiegelt und fortgesandt worden. Woraus man entdecket, daß sie alle in des Königs von Polen Fall colludiret haben. Sie haben diesmal gedacht, daß sie den König von Polen ins Mausefall schon hätten, weil sie Ihme nicht allein vergangen Jahr ein Theil seiner Armee abgeschwatzet und Ihn anitzo gern von dem Reste abzubringen alle Anstalt gemacht hatten; nehmlich er sollte den Stamm von seiner Infanterie, die in Thoren ist, den Alliirten übergeben, so wollten sie die Subsidien, so der Kayser dem Könige für seine in Deutschland stehenden Truppen reichet, dem König von Schweden zu seiner Befriedigung zahlen, den Frieden in Polen sogleich machen und den Rest der Sächsischen Cavallerie die hier steht, nach Ungarn ziehen. In solcher Enge nun habe ich den König und hiesige Affaires angetroffen. Nun aber habe ich dem König klärlich erwiesen, daß es darauf angesehen wär, Ihn zu desarmiren, von der Vertraulichkeit mit E. Z. M. abzuziehen, den Particular-Frieden in Polen nur zu machen, hernach den König hier wo nicht gar vom Throne zu stoßen, wenigstens solche Gesetze [ihm] vorzuschreiben, daß er nichts mehr, als der erste Woiwode von Polen sey und nicht mehr Gelegenheit haben solle, einige Figur in der Welt zu machen, oder einiges Dessein mit E. Z. M., welches ihnen allein im Kopfe stecket und ein Stachel im Auge ist, auszuführen. So hat er auch nachgehends ihnen ihren Betrug wacker unter die Nase gerieben und bin ich anitzo insonderheit mit dem Kayserl. Minister***, welcher sich von andern anitzo merken läßt, ob wir schon vorhin vertraute Freunde gewesen, also zerfallen, daß er mir allerhand Tort zu thun geflissen ist. Wogegen ich wiederum E. Z. M. Recht und Respect, der mir als Dero Minister an fremden

* Es war der Vater Adam Stanislaw Grabowskys, des splendiden Bischofs von Kulm, eines Freundes Friedrichs des Großen; er hatte 1683 bei Wien gegen die Türken den linken Arm eingebüßt.

** Gemeint sind die Minister des Kaisers, der Seemächte und Preußens.

*** Graf Strattmann.

Höfen zu souteniren zusteht, schon mainteniren werde: in der sichern Hoffnung E. Z. M. werden mich in allem kräftigst schützen. Indessen vergrößert sich die Gefahr für mich auf solche Weise je länger je mehr. Ich aber verlasse mich auf Gott und ein gutes Gewissen, indem meine einzige Sorge ist, E. Z. M. treu und redlich, so viel ich es verstehe, ohne Scheu vor andern, zu dienen: nur daß ich bey solchem Zele und Eifer von E. Z. M. nicht verlassen, sondern nachdrücklich mainteniret und für meine Sicherheit auch gesorgt werde.«

Am 5. Februar 1704 schrieb Patkul aus Dresden dem Grafen Gollowyn speziell über aufgefangene preußische Depeschen: »Ich übersende Beylage sub A. welches ein Extract ist aus der Instruction so der König von Preußen an seinen Minister der beym König von Schweden ist, gesandt hat, vom König von Polen aber aufgefangen worden. Das Original ist wiederum sauber versiegelt und an seinen Ort gesandt, so daß niemand weiß, daß diese Dinge unter tausend Händen sind. Hier wollen wir es schon so gebrauchen, wie es sich gebühret und ist daraus zu sehen, daß zwar der König von Preußen noch nicht mit Schweden in ein Engagement wider den König von Polen wirklich getreten, aber doch alle Disposition und Neigung dazu habe, wiewohl Schweden diesem Freunde nicht trauen will, wir auch alles anwenden, was wir nur können, um das Mißtrauen zu vermehren... Man muß sich nicht merken lassen, daß es hier aus Polen kommt, sonst denken sie leicht nach, wie es zugehet, so daß sie das Auffangen der Briefe uns bald hemmen können, da wir doch anitzo alle ihre Briefe, so sie ins Schwedische Lager schicken, wie auch alle Schwedische Briefe, so aus dem Lager gehen, zu lesen bekommen und also alles haarklein erfahren; wozu ein Mensch bestellt ist, von dem kein Mensch mehr weiß als der König und ich... Man muß verlauten lassen, daß es aus Riga gesandt worden, ohne zu wissen von wem. Solches wird die Gedanken verursachen, daß Schweden es habe public machen wollen.«

Am 9. Juli 1704 schließlich schrieb Patkul über dasselbe heimliche Handwerk aus Dresden an den Zaren: »Es gehe nun, wie es wolle, so haben doch E. Z. M. und der König von Polen schon so viel gewonnen, daß wir den König von Preußen bereits in soweit von Schweden abgezogen, daß Sie Preußen nicht mehr zu fürchten haben, wie wir denn auch unter der Hand aller Orten und auf alle Weise viel Unkraut unter sie ausstreuen lassen, daß ihre Jalousie von Tag zu Tag zunimmt.«

Patkul hatte eine merkwürdige Stellung für Rußland in Deutschland. Wie Fürst Gallizin in seiner Protestnote nach Patkuls Arretierung dem sächsischen Ministerium ausdrücklich vorstellig machte, hatte ihn der Zar »nicht allein als einen publiken Minister an dem

Kön. Polnischen Hofe verordnet, sondern ihn auch als einen Plenipotentiarium in Deutschland gehalten, mit allen Europäischen, am allermeisten aber mit denen alliirten Puissances wegen Sr. Zaar Maj. hohen Interesse, sonderlich, was das Commerzwesen betrifft, zu correspondiren, zu schließen und zu rumpiren«. Patkul war dem eigentlich in Dresden akkreditierten Fürsten Gregor Dolgoruki beigegeben; »russischer Geheimer Rath und Plenipotentiar, auch General en chef der russischen Truppen« nannte er sich selbst und nannte ihn Fürst Gallizin offiziell. Er selbst aber bat ausdrücklich in einer Depesche aus Dresden vom 5. Februar 1704, ihm in den Briefen und Kreditiven nicht mehr den Titel »General« und auch nicht »Envoyé extraordinaire« zu geben – »aus rechtmäßigen Ursachen und Gründen, welche anzuführen jetzt nicht Zeit ist, da der Courier schon fertig steht«. »Patkul bittet«, schreibt er weiter, »gar sehr, ihn einem solchen Hof zu ordiniren, da er eben nicht der geringste von I. Z. M. Ministern seyn muß, also wie anitzo mit ihm hier in Polen geschiehet. Denn Ew. Exc. bedenken selbsten, daß es dem Character von würklichen Geheimen Rath präjudiciret und I. Z. M. selbst Tort thut, weil es an keinem Ort gebräuchlich, auch viel Redens davon schon ist. Patkul hat den Character von Envoyé nur heimlich in einem Creditiv haben, nicht aber öffentlich führen wollen und nur im Fall der Noth und wegen Sicherheit seiner Person ausweisen zu können. Er wird mit nächstem mehr davon schreiben.«

Er schrieb aber später nichts weiter, sondern setzte jetzt nur noch hinzu: »Daferne Ihro Z. M. oder E. Exc. Bedenken tragen, dem Patkul den Hof von Polen allein anzuvertrauen oder daß sie nicht wollten mit einem andern Moscowiter der einen geringeren Character hätte als er (zumal er nicht prätendiret allein zu sein, sondern gerne jemand, ohne seinem Character Tort zu thun, bey sich in der Function zu haben), so wäre es ihm lieb, wenn man ihm den Hoff von Dänemark wollte vertrauen.«

Kurz nach dieser Depesche schrieb Patkul noch einmal, am 13. Februar 1704: »Ich erwarte Ew. Exc. Resolution auf mein voriges, ob I. Z. M. Patkul die Gnade thun und ihn so lange der Krieg dauert bey K. von Polen employiren will oder bey Dänemark, jedennoch daß man Patkul als einem Geheimen Rath keinen Tort thun und ihn als einen Subalternen, wie jetzo in Polen geschieht, stehen lasse, in Hoffnung, daß Ihro Z. M. Dero wirklichen Geh. Räthen nicht weniger Dignität und honneur werden wollen zulegen als andere Potentaten den Ihrigen thun. Jedoch aber will Patkul durchaus nicht alleine bleiben, sondern gerne jemanden dabey haben.«

Zweierlei geht deutlich aus diesen Auffassungen hervor: daß der sächsische Adelsstolz den gescheiten, aber sehr ehrgeizigen Mann

tief verwundet habe und daß er die große Vorsicht gebrauchte, als Fremder das moskowitische Ehrgefühl schonen zu wollen – deshalb wollte er ausdrücklich einen russischen Kollegen.
Patkuls Projekte für Rußlands Macht und Größe gingen ins Große. Er war es, der Peter den Großen zuerst darauf aufmerksam machte, daß die Diplomatie die Seele der modernen Welt sei.
In der zuletzt angeführten Depesche erklärte er sich über seinen Kollegen Dolgoruki: »E. Exc. erwähnen in allen Dero Schreiben, daß ich mit Dolgoruky alles communiciren solle, welches auch bis daher treu und redlich geschehen, insonderheit da er in Wahrheit mein guter Freund und bequemer Mann ist, mit dem man wohl auskommen kann, so daß wir uns bis daher sehr wohl vertragen. Allein es kommen zuweilen Sachen vor, welche in größtem Geheim in des Königs von Polen Kammer unter ganz wenig Personen vorgenommen werden, wobey denn die Heimlichkeit als das nothwendigste erfordert wird und werde ich dann gemeiniglich dazu berufen. Ja auch vieles das nur der König mit mir ganz allein überlegen will und verbietet es keinem Menschen zu sagen, als nur Zaar. Maj. zu berichten und eben von solcher Natur ist der letzte Generalkriegsrath gewesen, wozu der König mich allein bestimmt, und als ich bey solcher Gelegenheit von Dolgoruky Erwähnung gethan, hat er es nicht thun wollen, aus der Ursache, daß Dolgoruky die Sprache nicht verstünde, in welcher man tractirte und es nicht allezeit rathsam wäre, wichtige Sachen unter einen Interpret kommen zu lassen, welcher ein Unterthan vom Kayser wäre, zumal man nicht allemal den dritten Mann bey gewissen Sachen mitnehmen könnte. Und desfalls habe ich mich nicht können widersetzen. Ich sehe auch, daß die ganze Affaire mit Polen und Dänemark solchergestalt an dem Orte wird vorkommen; als bitte ich mir Zaar. Maj. Ordre durch E. Exc. fordersamst zukommen zu lassen, daß nichts ohne Zuziehen von Dolgoruky solle geschehen; alsdann kann ich es dem König aufweisen, werde mich auch nicht unterstehen, dawider zu thun und wenn ich auch sehen würde, daß der König nichts wollte vornehmen. Ich kann E. Exc. versichern, daß an allen Höfen, wo Ihro Zaar. Maj. Ihre Minister haben, über ebendieses geklaget wird, daß man mit ihnen nicht könnte Secreta tractiren und kein Herr mit ihn confident reden, weil sie die Sprachen nicht verstehen.«
Unmittelbar darauf lautete in einer Depesche vom 13. April 1704 aus Dresden an den Zar ein Postskriptum Patkuls: »Ich muß E. Zaar. Maj. unumgänglich vorstellen, wie hochnöthig und allerdings unentbehrlich es sey, rechte und gute Correspondenten an allen Höfen, als nehmlich zu Wien, Hamburg, Berlin, London, Haag und Copenhagen, ja gar zu Stockholm anitzo zu haben, damit man zeitig

wisse, was passiret und zeitig seine mesures danach nehmen könne. Und dazu gehören Leute, welche affaires verstehen und solche Oerter innerlich und äußerlich mit allen Leuten kennen und genugsame Kundschaft haben. Ich kann E. Z. M. versichern, daß ohne dem nicht fortzukommen ist in den publiquen Geschäften, um richtige Maaßregeln zu nehmen.«

In Moskau verstand man diese Anregung sehr wohl, wie aus der folgenden Depesche Patkuls vom 31. Mai 1704 aus dem Lager bei Sendomir hervorgeht: »Es haben E. Exc. neulich auf Befehl von Ihro Z. M. von mir begehret zu wissen, ob man nicht jemanden zu Wien halten könne, der von dorten ab die Correspondence führete, worauf ich pflichtmäßig meine Gedanken eröffnen will und halte dafür, daß nichts rathsameres wäre für Ihro Zaar. Maj. Dienst und Interesse als auf den Vorschlag zu reflectiren, den ich wohlmeynentlich vor zwei Jahren schon gethan, nehmlich einen Plenipotentiarium generalem in Teutschland zu halten, der entweder beym König von Polen oder im Haag residire und unter dessen Direction alle andere Höfe, als ganz Teutschland, England, Dänemark, Holland, Frankreich, Schweden etc. zu geben, damit er auf alle solche Negotia acht habe und Ihro Z. M. von allem Rechenschaft gebe und die Relationes mit seinem sentiment einsende. An den Höfen aber selbst darf man nur tüchtige Residenten oder Secretarien jeden zu 3000 Reichsthaler jährliche Gage halten, welches aber Leute seyn müssen, welche die Welt und die affaires kennen. Alsdann haben Ihro Z. M. weniger Kosten und richtige Dienste, wozu sich fremde geschickte Leute schon finden werden, welche der General Plenipotentiarius anschaffen und erwählen kann, bis daß die Jugend von der Moscowitischen Nation so erzogen wird, daß sie keine Fremden zu solchem Werk mehr nöthig haben. Und also hoffe ich, es soll schon anders gehen, auch Ihro Z. M. Interesse mit solcher Regularität in Europa geführet werden, als an einem Hofe in Europa geschehen mag.«

Man ging indessen in Moskau auf diesen Vorschlag – wobei sich wohl Patkul selbst in petto gehabt haben mag – nicht ein, sondern kam auf die Anfrage wegen der Wiener Gesandtschaft und überhaupt auf die Organisation eines ganz neuen russischen diplomatischen Korps zurück. »Sonsten habe ich«, schrieb Patkul aus Warschau am 7. September 1704 an den Grafen Gollowyn, »auf I. Z. M. allergnädigsten Befehl mit allem Fleiß auf tüchtige Subjecta, so an den fremden Höfen zu gebrauchen seyn möchten, gedacht und endlich nachfolgende Personen hiermit vorschlagen wollen.

Als erstlich zu dem Hofe von Wien finde ich keinen bessern als den Herrn Etatsrath von Urbich, welcher bei zehn Jahren mit großem Ruhme an selbigem Hofe die Charge eines Envoyé extraordinaire

für den König von Dänemark verwaltet hat, den Hof und alle Minister im Grunde wohl kennt, Ihrer Z. M. Interesse und des Königs von Polen seinem Besten allezeit wohl zugethan und ein capabler redlicher Mann ist.« Er rät, ihn als Envoyé extraordinaire mit 6000 Talern species jährlich anzustellen.
»Zum andern, zu dem Dänischen Hofe, schlage ich vor den Herrn Hofrath Neuhausen, welcher mir von langen Jahren wegen seiner Capacität und Redlichkeit bekannt ist. Ein Mann, durch dessen Correspondance ich große Dienste gehabt, und wegen seiner Wissenschaft in den Affaires nach Schweden, England, Holland, Dänemark, auch Italien viel ist gebraucht worden.
Zum dritten schlage ich vor zu dem Brandenburgischen Hofe den Herrn Kriegsrath Lieth, welcher auch ein Mann ist, auf den man sich in Wahrheit wohl verlassen kann und will ich für diese alle stehen, daß ich nicht anders als solche Leute zu Ihro Z. M. Dienste vorschlage, welche nicht mir allein, sondern auch andern Leuten als redliche und zugleich capable Subjecta bekannt sind.« Er rät, beide mit jährlich 3000 Talern species als Residenten anzustellen.
»Von gar großer Importance aber ist es, daß Ihro Zaar. Maj. in Holland jemand haben, der den Affaires vorstehet. Denn das ist das Theatrum, woselbst alle Comödien von Europa gespielet werden, und woselbst ganz Europa in seiner rechten Gestalt anzutreffen ist. Derowegen vor allen andern auf diesen Ort Reflexion zu machen ist, weilen man sonst wahrhaftig nicht zurecht kommt. Auch haben E. Exc. bis dahin wohl vernommen, wie hoch Ihro Z. M. daran gelegen, Holland und England in gewisser Maaßen zu menagiren, als darauf Dänemark und Preußen so groß Staat machen und um deren Consens zu der Ruptur sich so sehr bemühet haben, welches zu erkennen giebet, was diese beiden Staaten für ein Gewicht in den Europäischen Händeln haben. Dannenhero daselbst ein solcher Mann muß gehalten werden, welcher die Welt recht kennet und den Hof hantiret hat (qui a hanté la cour). Wozu ich Herrn Neuhausen für den geschicktesten halte, und an dessen Stelle einen andern zu Copenhagen vorschlagen wollte. Ich versichere E. Exc., daß alsdann Ihro Zaar. Maj. affaires ein ganz andren Credit und Ansehen gewinnen E. Exc. den Unterschied bald spüren werden.«
Alle drei von Patkul vorgeschlagenen Männer wurden vom Moskauer Kabinett angestellt: Urbich wurde der erste russische Plenipotentiaire in Wien, den wir noch 1711 beim Regierungsantritt des letzten Habsburgers treffen; Lieth, Geheimer Kriegsrat und Oberkriegskommissär Peters des Großen, wurde Gesandter beim ersten König von Preußen und starb 1718 als sächsischer Gesandter in Berlin; Neuhaus wurde russischer Resident im Haag. So ist also der unglückliche Patkul der Gründer und Vater der russischen Diplo-

matie gewesen – einer Diplomatie, die heutzutage neben der englischen in Europa die ebenbürtige Nachfolgerin der ehemals so berühmten französischen und venezianischen ist. Diesen Mann, den August für sich hätte nutzen können – er war bis 1701 sächsischer Generalmajor, Flemming vertrieb ihn –, ließ er sich nicht nur aus den Händen gleiten, sondern er opferte ihn sogar.
Bis zur Organisation des ersten diplomatischen Korps Rußlands hatte Patkul fast allein den Zaren diplomatisch bedient; er hatte seine Korrespondenten in Wien, im Haag, in Berlin, Kopenhagen, Hamburg und Hannover und bezahlte sie gut – er selbst sagte noch kurz vor seinem Tod, daß er manchen diplomatischen Dienst mit 1000 Dukaten belohnt habe.
Der fähige Mann paßte aber nicht bloß für die Friedensorganisationen; aus seinen Depeschen geht hervor, wie gut er sich auch darauf verstand, ein Kriegsheer zu organisieren. So schlug er unter anderem dem Zaren vor, sich bei dem Auxiliarkorps von 12 000 Mann, das er August stellte, eine Pepinière von Offizieren zu bilden. »Wollten«, schrieb er am 9. Juli 1704 an den Zaren, »Ew. Z. M. die Regimenter mit doppelten Offiziers, nämlich einem Moskowiten und einem Teutschen versehen, nämlich von Capitaines, Lieutenants und Fähnrichs, so würde es einen unbeschreiblich herrlichen Nutzen thun und Ew. Z. M. die Menge von guten Moskowitischen Offiziers fourniren, welche, wenn sie bei diesen Regimentern mit den Sächsischen Truppen Dienste gethan und sich habil gemachet, nach Moskau können gesandt und andere wieder herausgeschaffet werden.«
Patkul lobte schon die Trefflichkeit der russischen Soldaten. »Ich bin«, schrieb er am 21. Januar 1705 aus Leipzig, »mit einem Moskowiter, den ich brauchen kann, besser zufrieden als mit einem Teutschen und solches einzig darum, daß jene besser wissen, was obéissance ist, als diese, welche allzuviel raisonniren.«
Wie alle genialen großen Männer bekannte Patkul, in welchen Branchen er unerfahren sei. »Weil«, schrieb er am 7. September 1704 aus Warschau, »die hier angelangten Wechsel zu disponiren, ein Mann von Credit und gutem Glauben hochnöthig ist, ich aber nicht allemal hier abkommen kann, auch in Wahrheit zu sagen den Wechselhandel nicht verstehe, so habe ich, um I. Z. M. kein Unrecht thun zu lassen, den Herrn Lemmel, K. M. von Polen Geh. Kriegsrath, weil er des Königs von Polen Kriegs-Casse so viele Jahre administriret hat, als einen Zaar. Maj. Commissarium gebrauchet... Es dürfen Ihro Z. M. ihm keine Gage geben, weil er ohne dem schon von gutem Vermögen und es wohl zufrieden ist, sich in Ihro Z. M. Diensten gebrauchen zu lassen. Auch habe ich schon von dem König von Polen den Consens dazu erhalten...«

Patkul bezog als russischer Geheimrat 2000 und »wegen Verwaltung der Affairen« 3000 Rubel; als er General von Hilfstruppen geworden war, bat er um eine Besoldung von 5000 Dukaten; wenn er »solches in Amsterdam bei einem gewissen Mann alle Jahre richtig zu empfangen« habe, wolle er »nicht ein Wort mehr sprechen, niemand mehr incommod fallen«. Faßmann läßt ihn in den »Todtengesprächen« sagen: »Ich zog eine starke Gage von dem Zaar, insonderheit von der Generosité des Königs Augusti, hatte auch Gelegenheit in Polen starke Summen vor meinen Beutel eintreiben zu lassen.«

Patkul soll die Absicht gehabt haben, nachdem er mit der Hand der Frau von Einsiedel 400 000 Taler erheiratet haben würde, sich in die Schweiz zurückzuziehen, wo er bereits Güter gekauft hatte; bei seiner Verhaftung fand man 15 000 Dukaten in bar. Die alte Kurfürstin Anna Sophia von Dänemark (und »das Fräulein Lehwald, das bei ihr ist«) war seine große Freundin, wie er selbst sagte. Patkul fiel – soviel ist aus dem klar, was bisher über die Angelegenheit bekannt geworden ist – ganz allein durch die Schwäche des starken August und die Stärke seines Adels, dem der hochfahrende moskowitische Plenipotentiar ein Greuel war mit seiner wichtigen Stellung in Sachsen, an die er – ein Fremder – im Begriff war, das große Gewicht des Reichtums durch die Heirat mit einer Dame aus einer der ersten Familien Sachsens zu hängen. »A la sollicitation des méchants et perfides Ministres Saxons de ce Roi« – so drückt sich Peter der Große im seinen durch die Zeitungen veröffentlichten Interzessionalschreiben für Patkul beim Kaiser und den Seemächten aus – sei sein Envoyé »contre le droit des gens, sans son consentement, comme un traître dans une infâme prison« geworfen worden.

Über den Eindruck der großen Niederlage der Sachsen bei Fraustadt berichten die »Frankfurter Relationen«: »Die kursächsischen Lande haben nicht allein die betrübte Nachricht, von der bei Frauenstadt verlornen Bataille hören müssen, sondern man sah auch zu Dresden die betrübten Reste der gewesenen schönen Armee, woran man so lang geworben und mit großen Kosten erhalten, zu Dresden und in selbiger Gegend nach und nach ankommen; die Herren Generale und andere Offiziere fanden sich auch daselbst ein. Man besetzte auch Anfangs März alle Pässe der sächsischen Grenzen mit vielem Volk, die ausgerissenen und zerstreuten Soldaten wieder aufzufangen. Ein Feldstück nebst der meisten Bagage von der Hofstatt wurde wieder nach Haus gebracht etc., im Gießhaus an einer neuen Feldartillerie gearbeitet etc. Den 27. April geschah die Execution an denen, so sich in dem Treffen nicht wohl gehalten hatten; dreißig Deserteurs mußten spielen, neun davon wurden an Pfähle gehängt.

Drei Dragoner hängte man an Galgen, zwei wurden geköpft und aufs Rad gelegt. Eine gewisse ganze Compagnie wurde inwendig des Kreises ohne Gewehr rangirt, diesen actum mit anzusehen, der Rittmeister N. N. war nicht hierbei, sondern anderswo arquebusirt... In Leipzig hat man eine ganze Koppel Delinquenten, welche sich mit Geldmachen behelfen wollten [Falschmünzer], eingebracht, mehr Weibs- als Mannspersonen... Am 31. Mai wurde zu Dresden an den vornehmsten Straßen das Duell-Edict publizirt und abgelesen... soll jährlich einmal von den Kanzeln durchs ganze Land wiederholt werden.«

Nach den »Lettres historiques« wurde die Exekution von dreißig Offizieren, die am 27. August in Dresden hingerichtet werden sollten, weil sie in der Schlacht bei Fraustadt nicht ihre Schuldigkeit getan hatten, auf Schulenburgs Befehl bei der Nachricht vom Herannahen Karls XII. aufgeschoben.

Am 1. September 1706 erschienen die Schweden in Sachsen. August hatte seinen Untertanen – besonders den Lausitzern – befohlen, bei deren Erscheinen ihre Wohnungen mit ihrem Vieh zu verlassen, in den Spreewald zu flüchten oder nach Böhmen und Schlesien auszuwandern. Aber dazu kam es nicht. Karl, der am 2. September mit 20000 Mann die Oder bei Steinau passierte, erließ vor sich her ein Manifest, das schärfste Manneszucht und Sicherheit der Personen und des Eigentums zusagte, und er war der Mann, es genauestens befolgen zu lassen. Es wurde vom Eintritt in die Lausitz an den Schweden der Unterhalt ohne allen Widerstand gereicht; das Ministerium erließ sogar nun, nachdem die Schweden da waren – datiert Dresden, den 9. September –, einen ausdrücklichen anderweitigen Befehl, »daß die Unterthanen, den gänzlichen Ruin zu vermeiden, bei Haus und Hof bleiben und den einrückenden Truppen mit Subsistenzmitteln an Hand gehen sollten«. Dem Befehl wurde die möglichste Parition geleistet. Wie im Schmalkaldischen Krieg vor der Mühlberger Schlacht ein Müller Kaiser Karl V. eine Furt durch die Elbe verraten hatte, so verriet jetzt wieder ein Dorfrichter Jentzsch von Hosterwitz bei Pillnitz Karl XII. eine andere Furt, die noch jetzt die »Schwedenfurt« heißt – hier ritt am 15. September 1706 die ganze schwedische Kavallerie durch die Elbe.

Die Schweden breiteten sich nun im ganzen Lande aus; sie besetzten die Städte Leipzig und Wittenberg, die keinen Widerstand leisteten; die Pleißenburg, wo sich der Kommandant auf die Aufforderung der Schweden hin nicht ergeben zu wollen erklärte, mußte sich auf ausdrücklichen Befehl des Geheimen Rats ergeben. Die Schweden vertrieben die noch in geringer Zahl vorhandenen sächsischen Truppen unter Schulenburg und die Moskowiter und verfolgten sie durch Thüringen bis an die fränkische Grenze, bis Würzburg und

Gelnhausen. Wittenberg wurde mit Munition und Proviant versehen; 1800 Mann wurden hineingelegt, achtzig Kanonen auf die Wälle gebracht, um »sich des Elbpasses recht zu versichern«. Nur in der Festung Dresden, wo Graf Sinzendorf Gouverneur war, und in den beiden Bergfestungen Königstein und Sonnenstein behaupteten sich die sächsischen Besatzungen noch.
Karl nahm sein Hauptquartier erst in Taucha, dann in Altranstädt bei Leipzig; er blieb hier, auch als der kleine Flecken am 6. Oktober halb abbrannte, dem Ort nahe, wo sein großer Vorfahr im Reich, Gustav Adolf, am Schwedenstein gefallen war. Stanislaus, der Polenkönig, der mit ihm nach Sachsen gerückt war, hatte sein Standquartier in Leisnig an der Zschoppau. Die königliche Familie war geflohen: die Königin zu ihren Verwandten nach Bayreuth, die Königinmutter mit dem Kurprinzen nach Magdeburg und dann zu den Ihrigen nach Dänemark.
In Leipzig war aus panischer Furcht vor den Schweden ein solches Flüchten, daß die Stadt in den ersten Septembertagen einer Einöde ähnlich war; alles war mit seiner reichen und geringen Habe geflüchtet, und so viele Reichtümer wurden weggeschafft, daß, wie das »Theatrum Europaeum« berichtet, das Fuhrlohn »Tonnen Goldes« gekostet habe. Später, als Karl am 20. September aus Taucha zur Michaelimesse für die Kaufleute vollkommene Sicherheit für ihre Personen und Waren durch ein erlassenes Patent zusagte, kamen die Leipziger mit ihren geflüchteten Effekten wieder, und die Michaelimesse sowie der Verkehr und die Geschäfte überhaupt nahmen ihren gewöhnlichen Lauf. Die Kaufleute zahlten 100 000 Taler. Zwischen dem Schwedenkönig und der Regierung in Dresden wurde durch preußische und hannoversche Vermittlung im Lager bei Altranstädt am 25. September 1706 ein zehnwöchiger Waffenstillstand geschlossen.
Am 5. Oktober ließ Karl den sächsischen Landtag in Leipzig zusammentreten. Das schwedische Generalkriegskommissariat stellte zur Ermittlung der gleichmäßig aufzuerlegenden Kontribution folgende Ansinnen an die Stände:

»1. zu spezifiziren, wie vielerlei Domainen vorhanden und was jede in den letzten zwei Jahren getragen,
2. zu verifiziren, auf was Art und Weise nach Schocken oder Hufen die ordinairen und extraordinairen Steuern gerechnet werden,
3. zu benennen, was für Bediente in den Aemtern angestellt seien,
4. endlich: Einschickung der Recesse der Landtage von 1704 bis 1706.«

Auf die infolge der darüber gegebenen Auskünfte erlangten Unterlagen schrieb das schwedische Generalkriegskommissariat eine Monatskontribution von 625 000 Reichstalern aus, wovon 125 000 für die Fourage in Naturalien entrichtet werden sollten. Zum erstenmal in Sachsen mußte der hochprivilegierte, mit der Steuerfreiheit begnadete Adel für diese schlimmen Schweden mit kontribuieren. Er verfehlte zwar nicht, Seiner Schwedischen Majestät eine harmlose Vorstellung zu machen, daß er in herkömmlicher Weise von dergleichen Lasten befreit sei, da er außer den Ritterpferden nichts zu stellen verbunden sei; Karl XII. erwiderte aber diesen Herren die denkwürdigen Worte: »Wo sind eure Ritterpferde? Hätte die Ritterschaft ihre Schuldigkeit getan, so wäre ich nicht hier! – Wenn es bei Hof zu schmausen gibt, da fehlt von den Rittern keiner; wenn's aber fürs Vaterland gilt, bleiben sie alle fein still zu Hause. Von euch, Herren von Adel, allein fordere ich die Kontribution; könnt ihr sie aus der Luft nehmen, so bin ich zufrieden, daß jedermann befreit bleibt!«*

Die Ritter mußten sich zu einem Monatsdonativ von 200 000 bis 250 000 Talern bequemen; das übrige brachten die Städte und die Ämter zusammen – Karl ließ nichts nach!

Man kann sich denken, daß der sächsische Adel seinem Herrn und König inständig in den Ohren gelegen hat, seine Not zu lindern und mit dem schrecklichen Schwedenkönig sobald wie möglich Frieden zu schließen. August tat es; er tat es aber wieder auf eine Weise, die nicht anders konnte, als ihn in den Augen der Welt herabzusetzen: Er gab wieder die Leute preis, die ihm dazu hatten dienen müssen, den Frieden zu erwirken. Seine eigenen Räte – den Kammerpräsidenten Anton Albrecht von Imhoff und den Geheimen Referendar Georg Ernst Pfingsten – gab er preis, um vor der Welt den Schein der königlichen Ehre zu retten.

Imhoff und Pfingsten wurden, noch ehe August erfahren hatte, daß Karl in Sachsen eingerückt sei, zu diesem entsandt; sie sollten ihn davor zurückhalten. Sie erhielten Blankette und die Vollmacht, den Frieden auf alle Fälle abzuschließen. Sie schlossen ihn auf die feierliche Entsagung aller Ansprüche an die bisher von August getragene Krone Polens zugunsten Stanislaus Leszczińskis. Gezeichnet wurde die Urkunde am 24. September 1706 im Hauptquartier Karls XII. in Altranstädt; sie bedurfte nur noch der Ratifikation Augusts. Er vollzog sie am 20. Oktober 1706 in Petrikau, während Pflug kontrasignierte; Preußen war der Garant des Friedens.

August setzte aber den Krieg in Polen trotzdem fort; es gelang sogar, den von Karl XII. zur Deckung Polens hinterlassenen General

* Förster, »Hof Augusts«, S. 187

Mardefeld in Verbindung mit den Russen im Treffen bei Kalisch zu besiegen, und zwar neun Tage nach vollzogener Ratifikation, am 29. Oktober. August erklärte nun den Polen, das Gerücht, daß er mit Karl Frieden geschlossen habe, sei eine Lüge; Imhoff und Pfingsten hätten ihre Vollmacht überschritten. Sie wurden auch später, als August wieder nach Sachsen zurückgekehrt war, auf der Festung Königstein gefangengesetzt, um ihren Herrn bei halben Ehren zu erhalten. Imhoff saß nur sieben Jahre; er kam schon im Jahre 1714 gegen Zahlung von 40 000 Talern frei, ging nach Wolfenbüttel, wo er früher angestellt gewesen war, und starb in Dresden Ende des Jahres 1715 am Stein – nach anderen Nachrichten an einem Blutsturz. Er besaß das Gut Hohenprießnitz bei Leipzig – das später an die Familie Hohenthal kam –, Oberglaucha und noch andere Güter. Nach einer Sage, die gewiß unbegründet ist, soll von der Familie Hohenthal auf Hohenprießnitz bei einer Öffnung und Besichtigung der Gräber 1793 Imhoffs Kopf abgetrennt und mittels eines goldenen Drahts an den Hals befestigt aufgefunden worden sein.

Pfingsten aber saß achtundzwanzig Jahre und starb auf dem Königstein im Jahre 1735.

In »Schulenburgs Leben« findet sich ein Brief des Königs vom 1. November 1708 an Lord Marlborough, in dem er den Wunsch ausdrückt, der Lord solle das englische Kabinett dazu bringen, seine Verzichtleistung auf den polnischen Thron für ungültig zu erklären. Er beklagt sich darin bitter, daß seine Bevollmächtigten den Frieden mit dem König von Schweden unnötig übereilt hätten; aber er gibt selbst zu, daß er ihnen Blankette mitgegeben habe, »dans la vue, d'amuser ce prince pour gagner du temps«. Ein Hauptgrund, der in dem Prozeß, den der König Imhoff und Pfingsten machen ließ, deren Schuld begründen sollte, war der, daß der König auf Polen nur für den Fall habe Verzicht leisten wollen, daß die Schweden nicht in Sachsen einrückten; da sie eingerückt seien, ehe die Verhandlungen begonnen hätten, sei auch die Prämisse zum Verzicht weggefallen. Wahrscheinlicher ist aber folgendes: Der bedrängte Adel Sachsens drängte, um die schwedischen Kontributionen loszuwerden, die mit der Carte blanche aus Polen nach Sachsen gekommenen Bevollmächtigten, den Friedensabschluß anzuerkennen.

Am 2. Dezember 1706 schrieb die bekannte Herzogin von Orléans aus Versailles an ihre Schwester, die Raugräfin Luise: »Ich habe in meinem Sinn mein Leben von nichts Abscheulicherem gehört, als den Frieden, so König Augustus gemacht. Er muß voll und toll gewesen sein, wie er die Artikel eingegangen ist. Vor so ehrvergessen hätte ich ihn mein Leben nicht gehalten, ich schäme mich vor unserer Nation, daß ein deutscher König so unehrlich ist.«

Herb genug waren die Bedingungen des Friedens; sie lauteten folgendermaßen:
August entsagt der Krone Polens aus Friedensliebe auf ewig zugunsten Stanislaus' I., doch behält er den Namen und die Ehre eines »Königs«; er kündigt alle wegen des Krieges eingegangenen Allianzen auf – namentlich die mit Moskau –; er nimmt nie mehr Veränderungen der Religionssachen in Sachsen und in der Lausitz vor, sondern verbindet sich mit Schweden zur Wahrung des Westfälischen Friedens im Religionspunkt; er läßt die bisher gefangenen beiden polnischen Prinzen frei (sie waren von Leipzig auf den Königstein gebracht worden); und schließlich: August liefert alle schwedischen Überläufer und Verräter aus – besonders Johann Reinhold Patkul.
»Viele haben vermeint«, bemerken die »Frankfurter Relationen«, »es sei nicht möglich, daß ein König dem andern dergleichen zumuthen könne, und deswegen nicht geglaubt, daß dieses der wahrhaftige Inhalt des zwischen diesen beiden so nahe verwandten Königen getroffenen Friedens sei, bis die Dragoner der Schweden gegen der Sachsen bittliches Ersuchen die Buchdrucker in Leipzig solchen zu drucken angestrengt und die Exemplaria dadurch public gemacht, da man darin befunden, daß es sich nicht anders verhalte. Der König Augustus hat solchen den 20. October zu Petrikow ratificirt, in denen Gedanken, es sei besser Polen zu verlassen und seine Erblande zu conserviren, auch in diesen lieber die Wolle als die Schafe zu verlieren, weil doch, wie es schiene, beides nicht erhalten werden konnte. Doch ist was seltsames, daß das Treffen bei Kalisch neun Tage nach der Ratification geschehen. Allein der König Augustus hat diese Action damit bestermaßen entschuldigt, daß der schwedische General Mardefeld von seinem König keine Nachricht wegen geschlossenen Friedens gehabt und die, so der König Augustus (der denselben in Polen aus erheblichen Ursachen etliche Wochen dissimulirt) ihm unter der Hand davon geben lassen,* nicht glauben wollen, sondern die Polacken und Moscowiter angegriffen, wodurch der König Augustus, um allen Verdacht bei seiner Armee zu vermeiden, in die Schlacht mit verwickelt worden, nachgehends aber dem König von Schweden die wiederholte Versicherung geben lassen, wegen beständiger Festhaltung obgedachten Friedens, welcher, wie man nach der Hand Schwedischer Seits vorgegeben, darum ohne die offerirten Officia und Mediation anderer Potentaten negotiiret worden, weil die Chur Sächsischen Bevollmächtigten inständigst begehrt und mit den Schwedischen sich eidlich verbunden, diese Handlung geheim zu halten, damit der König Augustus

* August ließ durch Pflug zweimal an ihn schreiben.

Zeit haben möchte, sich vor der Moscowitischen Partei in Sicherheit zu setzen.«

Karl betrog die Hoffnung des sächsischen Adels, daß der geschlossene Frieden die Räumung Sachsens sofort zur Folge haben werde – er blieb ein ganzes Jahr lang unverrückt in Sachsen stehen; und er betrog die Hoffnung Augusts, der ihn zu täuschen und Zeit zu gewinnen trachtete – er publizierte den Frieden durch ein Patent aus Altranstädt vom 26. November 1706.

Karl befand sich jetzt auf dem Höhepunkt seiner Macht. Er stand mitten in Deutschland in einer imponierenden Stellung; in Frankreich hieß es sogar, er werde sich zum römischen König machen – wie die Herzogin von Orléans am 28. Juli 1707 schrieb. Die mächtigsten Monarchen Europas sandten ihre Bevollmächtigten in sein Lager nach Altranstädt. Der Kaiser – von dem Karl damals die Gnadenkirchen der Protestanten in Schlesien erwirkte – hatte den Grafen Wratislaw zu ihm geschickt, den dann Graf Sinzendorf, der spätere Staatskanzler und Premier Kaiser Karls VI., ablöste; der Kaiser erkannte im Frühling 1707 den von Karl XII. eingesetzten König Stanislaus an. Er schlug sogar aus Rücksicht für Karl XII. ab, dem Zaren Peter den von ihm erbetenen General Heister (mit 25 000 Talern Gehalt) zu überlassen; ja er sagte zu, sogar die in Banden zu 700–800 Mann im Reich herumirrenden moskowitischen Truppen entwaffnen und Karl XII. ausliefern zu lassen – man ließ sie aber heimlich durch Mähren nach Polen entschlüpfen. Der König von Preußen schickte von Printzen und General Grumbkow an Karl; der Kurfürst von Hannover sandte von Oberg – beide Fürsten hatten Stanislaus anerkannt. Am 13. November 1706 waren die Gesandten Englands und Hollands, Robinson und Haerholt, in Leipzig angelangt; später, im Januar 1707, kam Jessen als dänischer Gesandter und Graf Monasterole als bayerischer. Am 26. April 1707 schließlich kam von seinen Siegen am Rhein der Herzog von Marlborough; England erkannte Stanislaus aber nicht an. Karl verhandelte auch mit dem von Frankreich an ihn abgeschickten de Buzenval*; Frankreich hatte Stanislaus nämlich anerkannt, und man glaubte, er werde sich mit dieser Krone vertragen, die sich damals wegen der spanischen Erbfolge mit dem Kaiser und mit den Seemächten im Krieg befand.

Nachdem Karl den mit August abgeschlossenen Frieden öffentlich bekanntgemacht hatte, blieb diesem freilich nichts übrig, als Polen zu verlassen. Er hatte sich nach dem Sieg bei Kalisch noch einmal nach Warschau begeben, hier wegen des Sieges das Tedeum absingen lassen, mehrere Magnaten und Deputierte verschiedener Woiwod-

* Besenval

schaften, die von Stanislaus' Partei zu ihm übertraten, empfangen; ja er hatte am 26. November sogar in Krakau und andernorts gegen diese Partei noch Universalien anschlagen lassen, die die Aufforderung enthielten, sich binnen sechs Wochen samt und sonders bei ihm einzustellen oder der schärfsten Behandlung im Fall des Ungehorsams gewärtig zu sein. Am 1. Dezember 1706 reiste er aus Warschau ab, nachdem er dem bisherigen russischen Feldmarschall Georg Benedikt Freiherrn von Ogilvy, Herrn auf Sauershan bei Prag – aus einer schottischen Familie stammend, die sich mit seinem Vater Georg, dem Kommandanten des Spielbergs, in Böhmen niedergelassen hatte –, am 21. November auf russische Empfehlung anstelle des verstorbenen Steinau als Feldmarschall und Kriegspräsident das Oberkommando der sächsischen Truppen übergeben hatte. Patkul rühmte ihm nach, daß er »allenthalben in großer Reputation« stehe; er selbst hatte ihn in russische Dienste gebracht. Die Polen glaubten, August gehe nach Krakau – dorthin ging aber nur der sächsische Hof, den Ogilvy darauf mit den Garden nach Sachsen führte. Die übrigen in Polen gestandenen Truppen wurden im Laufe des Jahres 1707 an die Seemächte verkauft; man erhielt dafür eine jährliche Subsidienzahlung von 832 848 Gulden. August schlug den direkten Weg nach Sachsen ein; er hatte noch mit dem Großkanzler Kardinal von Zeitz, der dem König auf dem Weg nach Sachsen von Krakau aus nachreiste, eine Unterredung – dieser begab sich dann nach Wien.

Die Russen verfehlten nicht, das von August in Polen aufgegebene Terrain zu nützen. Fürst Menschikow erklärte den Polen, wenn auch König August sie aufgegeben habe – der Zar, sein Herr, werde sie nicht aufgeben; Seine Majestät der Zar habe sich nicht bloß mit einem sterblichen Menschen verbunden, wie dieser Fürst sei, sondern mit der Republik Polen, die unsterblich sei. Der Zar werde ihr dieselben Subsidien zukommen lassen, die er bisher König August gegeben habe, und ihr auch dieselben Hilfstruppen stellen. August hatte wiederholt geschworen: »De quelle manière qu'il plaise à Dieu de disposer de la Republique, Nous ne l'abandonnerons jamais; mais plûtot Nous la défendrons tout le temps de notre vie au prix même de nôtre sang.« Er führte das später – freilich zu einem andern Zweck – in seinem Manifest vom 8. August 1709 selbst an.

August hoffte seinerseits, durch sein persönliches Erscheinen in Sachsen beim Schwedenkönig noch bessere Bedingungen erlangen zu können. »Jedermann in Sachsen verlangte nach des Königs Ankunft aus Polen. Er fand sich endlich den 15. December 1706 zu Dresden und den 16. ganz unvermuthet zu Leipzig ein, nur einen Cavalier – den Oberkammerherrn Pflug – und den Kammerdiener bei sich habend. Er fuhr folgenden Tags gegen Mittag nach dem

König von Schweden, welcher ihm entgegen geritten war, ihn zu rencontriren; sie hatten einander aber verfehlt, kam also der König Augustus zuerst in des H. Graf Piper's* Quartier nach Günthersdorf, so eine halbe Stunde von Altranstädt liegt. Als solches der König Carolus vernommen, ist er eilends dahin geritten und bei seiner Ankunft geschwind vom Pferd und die Treppe hinauf gesprungen, da ihm der König Augustus oben an der Treppe mit großer Freundlichkeit entgegengekommen. Beide Könige machten etliche Reverenzen gegen einander mit Complimenten wegen des Vortritts in das Zimmer, der dem König Augustus gegeben ward. Sie embrassirten und küßten einander, gaben einander die Hände und blieben fast eine Stunde an einem Fenster allein beisammen redend stehen. Nachdem gingen sie mit einander aus dem Zimmer, und der König Augustus voran die Treppe hinunter, allda sich dieser auf des Königs Caroli ihm praesentirtes Leibpferd gesetzt und beide Majestäten zusammen nach Ranstädt ins Hauptquartier geritten, allwo der König Augustus allezeit die rechte Hand habend, mit dem König Carolo gespeist und die Nacht über in dero Quartier geblieben, folgenden Tags aber wieder nach Leipzig gereist, sich daselbst einige Zeit aufzuhalten. Der König Carolus kam nach etlichen Tagen auch dahin, dem König Augusto die visite zu geben, S. Maj. verweilte sich aber nicht lang daselbst.** Der König Stanislaus blieb in seinem Quartier zu Leisnig mit seiner Gemahlin, welche [im Januar] aus Pommern zu ihm kommen und wurde zwischen ihm und dem König Augusto von keiner visite gedacht.«

Das Weihnachtsfest feierte August, nachdem er am 24. Dezember noch einmal in Altranstädt gespeist hatte, in Moritzburg; zum Silvesterabend war er wieder in Leipzig. Hier unterzeichnete er am 19. Januar 1707 nochmals die Ratifikation des Friedens von Altranstädt und erteilte Befehl, ihn von allen Stadt- und Dorfkanzeln zu verkünden.

Die Visiten, die König August – im französischen Goldkleid und mit der Allongenperücke – und König Karl – mit dem geschorenen Schwedenkopf, im blauen Überrock mit Metallknöpfen und in seinen großen Stiefeln – einander abstatteten, waren bloße Staatsvisiten; Karl beachtete das damalige steife Zeremoniell, dem er sich gar nicht entzog und nicht entziehen konnte, weil es die ganze Zeit gebieterisch beherrschte. Der »Eisenarm« erlangte vom »Eisenkopf« nichts, ja es kamen sogar noch einige andere Punkte nachträglich bei den Geschäftsverhandlungen mit Graf Piper und dem Staatssekretär Zedernhielm hinzu, auf die August nicht gefaßt

* Karls Minister, der sich mit dem Stab hier befand.

** Er blieb eine Stunde.

gewesen war. Persönlich verhandelten die Könige nicht über Geschäfte. In der ersten Unterredung in Günthersdorf sprach Karl zu August, seinem Gegner während sechs Jahren, von seinen Stiefeln, die er in dieser Zeit nur selten ausgezogen habe.
August befand sich in einer ungemein demütigenden Lage. Karl speiste niemals an Augusts Tafel in Leipzig, sooft er auch eingeladen wurde; er schickte nur seine Minister und Generäle. August dagegen, von Karl nach Altranstädt zur Tafel geladen, mußte natürlich erscheinen. Die Tafel dauerte gewöhnlich nur eine Stunde, aber diese Stunde war sehr lang, denn es wurde dabei regelmäßig überhaupt nichts geredet. So sah einmal der preußische General Grumbkow den unglücklichen König bei dem glücklichen König speisen; er sah ihn »nachdenklich und verlegen«, wie Grumbkow in einem Brief vom 11. Januar 1707 an Lord Marlborough berichtete, ehe dieser zu Karl kam. Marlborough hatte gebeten, ihm »die Federn des selten Königsvogels zu schildern«. Auch bei der Anwesenheit des Lords vom 26. bis zum 29. April 1707 mußte August in Altranstädt bei Karls Tafel erscheinen; und das schlimmste war: Beim letzten Diner am 29. April fand sich auch König Stanislaus ein! Einer mied den anderen, und beim Begegnen grüßten sie sich nur mit dem Hut. August vermied es, Karl zu sehen, sooft er nur konnte; ehe Marlborough kam, sahen sich die beiden Könige zwei Monate lang nicht. Es kam vor, daß August dem Schwedenkönig in Leipzig im Messegetümmel zu Pferd begegnete – hier konnte er sich über das tyrannische Zeremoniell hinwegsetzen: Er bückte sich, sprach mit seinem Pferd und ritt vorüber, ohne Karl zu bemerken. Aus Rücksicht für Karl war aber Augusts Residenz noch Anfang des Sommers 1707 in Leipzig; erst am 8. Juli ging er wieder nach Dresden.
»Vieler Particularien«, sagen die »Frankfurter Relationen«, »welche unter diesen hohen Personen und sonst im Lande hin und wieder passiret, zu geschweigen, so zwar zu der Historie dieser Zeit nicht hauptsächlich dienen, jedoch denen curiosen Lesern eine sonderliche Annehmlichkeit geben, ist nur dieses zu melden, daß der König von Schweden an des Königs Augusti Tafel niemals gespeist ... Und als dieser auf eine große Jagd nach Liebenwerda inständig gebeten, daselbst eine ungemeine Zahl des schwarz und rothen Wildes zusammengetrieben worden, Er [Karl] der gegebenen Hoffnung nach nicht erschienen, sondern als solche Jagd den 17. Febr. [1707] angefangen, eine ziemliche Anzahl hoher Offiziere dahin geschickt und bei dem König Augusto die völlige Adimplirung noch dreier Artikel sollicitiren lassen. Mittlerweil aber Er [Karl] mit König Stanislao Rath gehalten und solang die Jagd gewähret in dem Sächsischen Land herumgeritten.«

Dieses Herumreiten war Karls ganz gewöhnliche Verrichtung während des Aufenthalts in Sachsen: er musterte fortwährend die Truppen.
So war er – und zwar mit August, der aus Höflichkeit hinkam, um zuzusehen – am 2. Juni bei einer Revue in Reichenbach im Voigtland. »König Augustus ging bald wieder zurück, König Carolus nach Freiberg auf fernere Revü [in die Lausitz].« August hatte zu jener großen Jagd bei Liebenwerda schon ausdrücklich eine Jagdkalesche und einen mit Diamanten besetzten Säbel für seinen furchtbaren Gegner anfertigen lassen; es verlautete aber später aus Patkuls Verhör, daß er diesem am 16. Februar auf dem Königstein einen Zettel mit folgendem Vers in Frageform habe zukommen lassen:

Augustus hat mehr genommen in einer Jagd,
Denn Carl gewonnen in mancher braven Schlacht?

Auf Augusts höchstpersönliche Veranlassung waren seine Gemahlin aus Bayreuth und seine Mutter mit dem Kurprinzen – diese schon am 26. Januar 1707 – aus Dänemark wieder nach Sachsen gekommen. Gegen letztere, Anna Sophia von Dänemark, seine Tante, zeigte sich Karl ungemein aufmerksam und höflich. Sobald er hörte, daß sie von Rendsburg in Holstein wieder auf ihrem Witwensitz Lichtenburg bei Torgau angekommen sei, reiste er am 29. Januar hin, um sie zu bewillkommnen. Am 4. Februar kam die Königin Eberhardine aus Bayreuth zurück und am 7. Februar der Kurprinz – beide nach Leipzig –; auch ihnen stattete der König, nachdem einige Tage verstrichen waren, eine Staatsvisite ab. Der Kurprinz – damals neun Jahre alt – wurde bei einem Gegenbesuch im Altranstädter Lager sehr verbindlich empfangen.
Unter den Punkten, deren Forderung bei der großen Jagd im Februar – wo Karl nicht erschien – statt seiner erschien, befand sich jene fatale Auslieferung Patkuls. Der König hatte sie abgelehnt, weil Patkul als moskowitischer General und Gesandter nicht in seiner Gewalt, sondern »auf des Zaaren Ansuchen und Ordre arretirt«, nunmehr aber von ihm reklamiert worden sei. »Der König Augustus«, berichten die »Frankfurter Relationen«, »schickte zu Ende März 1707 den General Röbel zu dem König in Schweden, seine Postulata zu beantworten und mit beweglichen Remonstrationen wo möglich abzuwenden oder doch deren moderation zu suchen. Aber nein, der General Patkul mußte vor allen Dingen ausgeliefert werden. Dies geschah den 7. April gegen Abend, da er zwei schwedischen Offizieren, die dreißig Mann bei sich hatten, vom Königstein übergeben und von diesen in Eisen geschlossen, nach Dippoldiswalde in das Quartier des General Meyerfeld gebracht worden.«

Vergebens hatte August versucht, Patkul zu retten – dieser hatte gezögert, die ihm vom Kommandanten des Königsteins noch im März 1707 erleichterte Flucht zu unternehmen.* Patkul hatte, seiner vehementen Natur gemäß, gleich nach der Gefangennahme Satisfaktion verlangt; er glaubte auf seinem guten Recht bestehen zu können und durch den Charakter als Ambassadeur des Zaren unverletzlich zu sein – so ging er in sein Schicksal, das schrecklich war. Wahr ist, daß er zu Karl XII. ins Altranstädter Lager gebracht wurde, aber unwahr, daß er in Ketten drei Monate lang an einen Pfahl angeschlossen habe stehen müssen; in Ketten geschlossen wurde er natürlich schon.

Während seines Arrests wurde er sehr krank, man sagte ihn schon für tot. Karl nahm ihn mit, als er wieder nach Polen marschierte; und hier ließ er ihn in Kazimiercz, in der Nähe von Posen, am 20. Oktober 1707 bei lebendigem Leib rädern. Es existieren noch zwei Berichte über die Umstände, die seiner schrecklichen Katastrophe vorausgingen: einer für den schwedischen Hof, der andere für seine Braut, Frau von Einsiedel, beide vom Regimentsprediger Hagen, dem Patkul auftrug: »Vermeldet meinen letzten Abschiedsgruß der wohlgeborenen Frau von Einsiedel mit der traurigen Nachricht, daß ihr bekannter Patkul sterbe, ihr, der Liebe wegen, mit tausendfacher Danksagung höchlich verbunden, nebst einem mit Tränen benetzten Herzenswunsch, daß Sie lange leben möge, wie nunmehr frei also auch wohlvergnügt.«

Im Jahre 1713 ließ August, als er wieder im ruhigen Besitz der Krone Polens war, Patkuls Gebeine vom Galgen in Kazimiercz abnehmen, in ein Kistchen legen und nach Warschau bringen. Er zeigte sie hier dem französischen Gesandten de Buzenval mit den Worten: »Voilà les membres de Patkul!« – »Sans rien ajouter pour blâmer ou pour plaindre sa mémoire«, sagt Voltaire.

Ein zweiter Punkt, dessen Erfüllung Karl von August forderte und worauf letzterer gewiß nicht gefaßt sein konnte, war: Er mußte Stanislaus eigenhändig eine Antwort schreiben auf das von diesem an August gemäß dem Zeremoniell ergangene Notifikationsschreiben zu Stanislaus' Erwählung zum König von Polen! August

* »Ob nun gleich«, schrieb Peter der Große in seinen Interzessionalschreiben, die er am 27. April 1707 für Patkul an Kaiser Joseph I., die Königin von England und an Holland abgehen ließ, »der König Augustus auf Unser vielfältig Zuschreiben und gethane Protestationen, sowohl vor seinem schändlichen Frieden, als auch nach Schließung desselben durch seinen zu Uns fälschlich abgesandten General-Major Goltz mit großer Verbindlichkeit gesprochen, Unsern mehrgedachten Minister entweder in Unsere Hände wiederum zu liefern, oder doch wenigstens heimlich loszulassen und von allen beyden nicht das geringste gehalten.« – Nach den »Lettres historiques« hatte Peter mit Repressalien an allen Schweden und Polen, die unter seinen Händen seien oder in sie fallen würden, gedroht, wenn Karl Patkul ein Leid antue – doch auch der Zar hielt sich nicht daran.

entledigte sich der Vollstreckung dieses nicht sehr edlen Verlangens mittels folgenden in edler Haltung gefaßten Schreibens (das Original ist in französischer Sprache):

Mein Herr und Bruder!

Der Grund, weshalb Wir noch nicht auf das Schreiben geantwortet haben, das Wir die Ehre gehabt haben, von Eurer Majestät zu erhalten, ist, weil Wir dafür gehalten haben, daß es nicht mehr nötig sei, Uns in einen besonderen Briefwechsel einzulassen. Um aber Seiner Schwedischen Majestät gefällig zu sein und zu zeigen, daß Wir nicht schwierig sind, Deren Wunsch zu erfüllen, so gratulieren Wir hiermit Eurer Majestät zu Ihrer Thronbesteigung und wünschen, daß Sie in Ihrem Vaterland getreuere und gehorsamere Untertanen finden mögen, als die Wir verlassen haben. Die ganze Welt wird so gerecht sein, einzusehen, daß Wir für alle unsere Wohltaten und Fürsorgen mit Undank belohnt wurden und daß die meisten Unserer Untertanen nur auf Parteienbildung zur Förderung Unseres Ruins bedacht gewesen sind. Wir wünschen, daß Sie nicht dergleichen Unfälle betreffen mögen, und empfehlen Sie dem Schutz des Allmächtigen.

Mein Herr und Bruder,
Ihr Bruder und Nachbar
August, König

Dresden, den 8. April 1707

In diesen Frühlingstagen des Jahres 1707 – eines der schwersten für den König und sein Land – wurden, während August wieder auf die Leipziger Ostermesse gereist war, auf seinen Befehl Imhoff und Pfingsten am 11. April in Dresden verhaftet und am 20. April statt Patkul auf die Festung Königstein gebracht.

Der dritte Punkt, dessen Erfüllung Karl von August forderte, war die Überlassung der moskowitschen Hilfstruppen als Kriegsgefangene – derselben Truppen, die, wie Peter der Große in seinen Interzessionalschreiben an den Kaiser und die Seemächte für Patkul sich ausdrückt, Patkul »pour prévenir la ruine entière et certaine de ces troupes« habe an den Kaiser überlassen wollen; der Truppen, die vor der Ankunft der Schweden in Sachsen gestanden hatten und mit den sächsischen Truppen durch Thüringen hindurch bis an die fränkische Grenze verfolgt worden waren. Sie standen jetzt im Reich und am Rhein. Offenbar befand sich die Erfüllung dieses Punktes nicht in der Macht Augusts; Karl benützte ihn aber, um seinen Aufenthalt in Sachsen zu verlängern. Dieser Aufenthalt war für ganz Europa ein Rätsel, denn in Sachsen hatte er keinen Feind mehr, und Polen war in den Händen der Russen.

Graf Schulenburg legte damals, wie er in seinen Memoiren schreibt, König August einen sehr energischen Plan zur Rache gegen Karl vor. Schulenburg hatte mit vier Offizieren Karls Wohnung rekognosziert; er glaubte es mit Sicherheit bewerkstelligen zu können, ihn mit einer Abteilung der in Thüringen kantonierenden sächsischen Reiterei hier aufzuheben, da der Schwedenkönig immer nur eine Wache von zwanzig bis dreißig Leuten bei sich hatte. August ging aber auf diesen – allerdings sehr kühnen – Plan nicht ein.
Auch eine zweite, noch weit günstigere Gelegenheit zur Rache, die Karl selbst bot, nützte August entgegen dem Rat der Gräfin Cosel und Flemmings nicht. Karl war am 1. September 1707 – am selben Tag, an dem er den von Graf Wratislaw im Namen des Kaisers mit dem Grafen Piper abgeschlossenen Vertrag wegen der schlesischen Gnadenkirchen ratifiziert hatte – mit seinem Hauptquartier endlich aus Altranstädt aufgebrochen. Er folgte seinen Truppen, die bereits seit dem 15. August unter Rehnsköld, dem Sieger von Fraustadt, vorausmarschiert waren, um durch Schlesien wieder nach Polen zu gehen und Peter den Großen noch einmal in Rußland aufzusuchen; nur noch wenige schwedische Regimenter standen bei Leipzig. Karl hielt am 6. September mit seinem Hauptquartier im Dorf Oberau bei Meißen einen Rasttag. Bei einem Spazierritt mit nur vier Begleitern zeigte man dem Schwedenkönig die Türme von Dresden. Karl war lange in Gedanken geritten; jetzt rief er auf einmal: »Wenn wir schon so nahe sind, wollen wir hineinreiten!« Es war nachmittags zwischen drei und vier Uhr, als er am Dresdner Tor anlangte. Er gab sich für einen Trabanten des Schwedenkönigs aus; man führte ihn mit seinen Begleitern auf die Hauptwache. Hier erkannte ihn Flemming und brachte ihn zu seinem Herrn.
August befand sich eben mit der Gräfin Cosel, die damals auf der Höhe ihrer Gunst stand, im Zeughaus, wo er gewöhnlich seine Kraftkünste übte. Die Gräfin selbst hat die höchst unerwartete Visite, die Karl hier abstattete, dem Prinzen von Ligne mitgeteilt, der sie in seinen Memoiren erzählt, von denen die »Revue nouvelle« Auszüge gebracht hat. Als an die Tür des Zeughauses gepocht wurde, rief August: »Herein!«
Karl umarmte ihn mit den Worten: »Guten Tag, mein Bruder!«
Die Gräfin Cosel trat sofort zu August, um ihm schnell den Rat zuzuflüstern, den tollkühnen Besucher zu verhaften, wie die Herzogin von Etampes einst Franz von Frankreich bei Kaiser Karls V. Besuch in Paris geraten hatte. Karl XII., der den Wink bemerkte, machte aber ein Gesicht, das den erschrockenen August bestimmte, der Gräfin zu sagen, sie solle sich zurückziehen. Sie tat es, untröstlich darüber, daß August die günstige Gelegenheit, sich zu rächen, vorüberlasse, mit einem wütenden Blick auf Karl XII.

Karl ließ sich nun der königlichen Familie vorstellen, um Abschied zu nehmen; er blieb etwa eine halbe Stunde und machte dann mit August einen Ritt um die Wälle und durch die vornehmsten Straßen der Stadt. Hier war eine ungeheure Volksmenge versammelt, um den fünfundzwanzigjährigen Helden zu sehen, den gewaltigen Beschützer der Protestanten, der allerdings das, was seit neunundfünfzig Jahren vom Kaiserhof nicht zu erlangen gewesen war, in Schlesien jetzt durchgesetzt hatte. Langsam ritten die beiden Könige bis zum Tor. Dreimal donnerten hier die Kanonen von den Wällen; August begleitete dann Karl noch etwa eine halbe Meile bis Neudorf, dann nahm er Abschied – Abschied auf immer.
Mit höchster Freude empfingen den Schwedenkönig im Lager in Oberau seine durch die verwegene Visite, die ganz Europa damals in Verwunderung setzte, nicht wenig bestürzten Generäle. Als am nächsten Tag die Nachricht bei den Schweden umlief, daß August eine große Versammlung einberufen habe, äußerte der schwedische Gesandte in Wien, Baron Strahlenheim: »Ihr werdet sehen, daß sie heute beschließen, was sie gestern hätten tun sollen.«
Der Aufenthalt der Schweden in Sachsen hatte gerade ein Jahr gedauert. Er kostete – nach Augusts eigener Anklage in seinem späteren Manifest vom 8. August 1709 – das Land über 23 Millionen an Geld und Naturallieferungen und 12 000 – nach anderen Nachrichten sogar 24 000 – Menschen: Rekruten, die Karl mit Gewalt hatte ausheben lassen. Mit 20 000 Mann – nach anderen Nachrichten mit 26 000 – war der König in Sachsen eingerückt, mit 32 000 Mann – nach anderen Nachrichten sogar mit über 43 000 – zog er ab. Ebenso hatte er es in Polen gemacht: 1702 war er mit 12 000 Mann eingerückt, 1704 hatte er schon 33 000 Mann. Karl zog nach Rußland, um dort sein denkwürdiges Schicksal zu erfüllen – »das Schicksal Phaethons«, wie Peter der Große am 8. Juli 1709, dem Tag der Schlacht von Poltawa, an seinen Feldmarschall Baron Goltz schrieb. Nach der Niederlage bei Poltawa wurden Tausende der in Sachsen ausgehobenen Soldaten als Kriegsgefangene nach Sibirien transportiert, und ihre Nachkommen leben noch dort. »Was die Sachsen bei dem Abmarsch der Schweden am meisten gelobt«, sagen die »Frankfurter Relationen«, »ist gewesen die gute Ordnung und dann, daß vor dem Abzug alle schwedische Offiziere und Soldaten ihre Schulden bezahlen müssen.«
Sofort nach Abzug der Schweden überließ sich August wieder den Lustbarkeiten. »Am 19. September 1707«, berichten die »Frankfurter Relationen«, »wurde ein großes Vogelschießen gehalten, welchem der König und allerhand Potentaten Gesandten nebst vielen Cavaliers beigewohnt, da der K. Großbrittannische Gesandte Mr. Robinson den Vogel abgeschossen und König geworden.«

Zur Ostermesse des folgenden Jahres 1708 ging der König wie gewöhnlich nach Leipzig; er feierte hier seinen Geburtstag – am 12. Mai – und »tractirte dabei gar magnific« den regierenden Herzog von Württemberg, Eberhard Ludwig, und dessen Freund, den Fürsten von Hohenzollern, der ebendamals Eberhard Ludwig das schöne mecklenburgische Fräulein Grävenitz als »zweite Frau« verschafft hatte. August liebte die Leipziger Messe über alles; er gab sich in dem großen Fremdengewühl ganz ungeniert, ja man sah ihn hier sogar jederzeit Tabak rauchen.

Im Sommer 1708 begab er sich – als Volontär, um sich dem Kaiser gefällig zu zeigen – auf den Feldzug am Rhein gegen die Franzosen; erst am 23. Dezember kam er von der Belagerung Ryssels in Flandern wieder nach Dresden. Der darauffolgende Karneval war glänzender denn je. »Les divertissements«, berichten die »Lettres historiques« vom März 1709, »ont été fort grands à la cour pendant ce dernier carnaval. Il y a eu souvent bal, concert et mascarade et la troupe des comédiens de l'Ile que le Roi a pris à son service, a fort satisfait.«

Die Belagerung Ryssels mußte in diesem Jahr am 7. Juni 1709 bei einem Besuch König Friedrichs IV. von Dänemark, der aus Italien zurückkam, dazu dienen, in einem prachtvollen Feuerwerk dargestellt zu werden.

»Hat man«, heißt es in den »Frankfurter Relationen«, »das große Feuerwerk, so die Belagerung Ryssels vorgestellt und sonst viele rare Kunstfeuer präsentirt, auch über 10,000 Thaler gekostet haben soll, angesteckt, obschon durch einen unglücklichen Zufall etwa zwei Stunden vorher in der Stadt ein betrübtes Feuer auskommen und vier Häuser in die Asche gelegt hatte.« – Die »Lettres historiques« sprechen gar von 80 000 Gulden.

Am 19. Juni folgte ein überaus prachtvolles Karussell, von über 1500 Edelleuten aufgeführt: der König von Dänemark führte die Europa-Quadrille, August die von Afrika, der regierende Herzog von Sachsen-Weißenfels die von Asien und Prinz Friedrich von Weißenfels die von Amerika. Der erste Preis, den August dem Dänenkönig bestimmt hatte, betrug nicht weniger als 36 000 Taler; der Dänenkönig ließ ihn den Prinzen von Weißenfels gewinnen.

Anfang Juli reiste dann August mit dem König von Dänemark zum König von Preußen, wo er am 2. anlangte und bis zum 17. blieb. Kurz nach ihrer Rückkunft in Dresden traf die große Kunde von der Schlacht bei Poltawa (8. Juli 1709) ein, die die schwedische Armee sprengte und Karl nötigte, fünf Jahre in Bendery und Adrianopel unter den Türken zu leben. Die »Lettres historiques« berichten, daß August der erste war, der die Nachricht vom Sieg bei Poltawa in Dresden drucken ließ.

Nach dieser Katastrophe hielt sich August nich mehr für gebunden, den »erzwungenen« schlimmen Altranstädter Frieden zu respektieren. Er erließ deshalb am 8. August 1709 ein Manifest und brach, nachdem er mit dem König von Dänemark, der von der herrlichen Bewirtung ganz bezaubert war, ein neues Bündnis gegen Schweden abgeschlossen hatte, noch in diesem Monat an der Spitze von 11 000 Mann wieder nach Polen auf. Am 8. Oktober 1709 hatte er in Thorn die dritte Zusammenkunft mit dem Sieger von Poltawa. August verließ diese Stadt am 10. November, und am 24. November war er schon wieder in Dresden. Er ging mit dem Kurprinzen und der von Torgau kommenden Königin Eberhardine auf die Neujahrsmesse nach Leipzig. »La foire de Leipsich a dû être cette année plus belle qu'elle ne l'a jamais été«, schreiben die »Lettres historiques« im Januar 1710.
August empfing bei dieser Neujahrsmesse den Besuch des Königs und Kronprinzen von Preußen mit dem Alten Dessauer vom 3. bis zum 9. Januar. Dazu trafen ein: die Herzogin von Braunschweig mit ihrer Tochter, der Braut des russischen Kronprinzen; der Markgraf von Bayreuth; der Herzog von Sachsen-Weißenfels – im ganzen gegen vierzig Fürstlichkeiten. »On y joua, on y dansa on y fit les Rois et ce fut tout. Sa Majesté, le Roi de Prusse étoit logée à l'Hôtel de la Pomme et en occupoit le bas. La Reine de Pologne occupoit le second étage et la Duchesse de Wolfenbuttel avec la Princesse sa fille le troisième.«
Am 2. Februar 1710 zu Lichtmeß war August dann schon wieder in Warschau. Es gelang August, sich gegen seinen Rivalen Stanislaus Leszczińsky zu behaupten – dieser behielt nur den Königstitel und begab sich nach Frankreich.
August regierte nun das unruhige, von immerwährenden Adelssanktionen bewegte und aufgeregte Land noch nahezu ein Vierteljahrhundert. Ebenso unruhigen Gemüts wie die Nation war ihr König. Wenn es jemals einen Herrn gegeben hat, der die Veränderung und das Neue liebte, so war es August der Starke. Er war fortwährend auf Reisen, abwechselnd in Polen und in Sachsen. Den Karneval und einen Teil des Sommers brachte er gewöhnlich in Dresden zu; im August reiste er nach Polen und blieb hier wieder bis zum Karneval. Das Sommerlustschloß in Sachsen war früher Moritzburg, später Pillnitz, das die Gräfin Cosel nach ihrem Fall abtreten mußte; in Polen residierte August in der schönen Jahreszeit in Villa nova, eine halbe Meile von Warschau.

Drittes Kapitel

Verschwendungen, Absolutismus und Lustbarkeiten des Hofs
Die großen Maskeraden, die Komödie, das Ballett und die Oper
Der Einzug der kaiserlichen Prinzessin Josephine im Jahr 1719
Der Karneval beim Besuch des preußischen Hofs 1728
Das Lustlager in Mühlberg 1730

Das »Theatrum Europaeum« hat ausgerechnet, daß August der Starke, um die polnische Krone zu behaupten, aus Sachsen 88 Millionen Taler, gegen 40 000 Mann Truppen – die nicht wiederkamen – und 800 Kanonen – die auch nicht wiederkamen – entnommen habe. Schon die Kosten der Erwerbung des Throns beliefen sich auf 11 Millionen Taler. Damals erschien eine Spottmünze, auf der ein Bauer ein Mädchen im Schubkarren fährt, mit der Legende: »Ich fahre Sachsen nach Polen.« Und als August die polnische Krone fahren lassen mußte, wurde das Spottlied »Oh, du lieber Augustin, Polen ist hin«, gedichtet. Die Mittel, die August brauchte, um die für Polens Erwerbung und Behauptung nötigen Geldbedürfnisse zu decken, waren teils Anleihen in Holland, teils Landveräußerungen, teils neue Steuern. Die Anleihen waren weniger drückend, auch nicht so beträchtlich, weil der Kredit fehlte; sehr nachteilig in ihren Folgen wurden die Landveräußerungen, die nur Bagatellsummen erbrachten, an die ohnedies schon mächtigen Nachbarn Preußen und Hannover und die Überbürdung des Landes mit Steuern.

1697, in demselben Jahre, in dem August in Polen gekrönt wurde, verkaufte er die Schutzvogtei über die Abtei und die Stadt Quedlinburg nebst drei dazugehörigen Ämtern und das Reichsschulzenamt in Nordhausen an Brandenburg für 300 000 Taler. Dazu kam das Amt Petersberg mit dem alten Kloster, das das älteste Erbbegräbnis der Wettinschen Markgrafen von Meißen gewesen war; August verkaufte es an Brandenburg für 40 000 Taler. Petersberg war ein Stück der alten Grafschaft Wettin, des »Wiegenlands« der sächsischen Fürsten. August der Starke dachte, wie Napoleon dachte: »Wenn man groß ist, benötigt man keine Wiege mehr.« An die Nebenlinie Zeitz wurde der Anteil von Henneberg um 45 000 Taler verkauft. Das schlimmste aber war: An den Hof von Celle verkaufte August im selben Jahr 1697 seine Rechte und Ansprüche an das im Jahre 1689 durch Aussterben der alten Herzöge erledigte Herzogtum Sachsen-Lauenburg an der Niederelbe bei Hamburg und damit die Küste und den freien Zutritt zum Meer um 1 100 000 Taler – nach den »Lettres historiques« waren es 6 Millionen Taler. Verpfändet wurden: der Anteil an der sequestrierten Grafschaft Mannsfeld an

Hannover um 600 000 Taler; das thüringische Amt Kloster Pforta an Weimar um 100 000 Taler; das Amt Borna im Kreis Leipzig an Gotha um 300 000 Taler; das Amt Gräfen-Haynichen im Kurkreis an Dessau um 35 000 Taler – im ganzen ergaben die Verpfändungen gegen 1 200 000 Taler. Borna, um 300 000 Taler an Gotha versetzt, wurde erst 1722 – nach fünfundzwanzig Jahren! – wieder eingelöst.

Die Hauptratgeber zu diesen Landesveräußerungen Augusts waren seine eignen Minister; sie rieten zu diesen verderblichen Schritten, weil sie ihren größten Privatvorteil dabei hatten. »Der Großkanzler Beichlingen«, sagt das Manuskript Wolframsdorfs, »überredete den König, dem Könige von Preußen, den Herzogen von Zeitz und Gotha, dem Grafen von Schwarzburg und ich weiß nicht an wen noch mehr Provinzen und Aemter von unschätzbarem Werthe zu veräußern, die er nicht verkauft haben würde, wenn man ihm die Sache gehörig vorgetragen hätte. Niemand als die Minister haben bei diesem Handel gewonnen: sie haben dadurch das Ansehn ihres Herrn geschwächt und das seiner Nachbarn gemehrt. Ich übergehe hier die Ansprüche Sachsens auf Lauenburg, wobei die Minister so schlau gehandelt haben, daß, wenn der König diese Sache in Untersuchung zöge, sie alle Schuld auf ihn werfen und sich hinter seiner Einwilligung verstecken würden, obgleich die Minister verantwortlich sind und ihr Hauptvergehen war: ihrem Herrn die Wahrheit vorzuenthalten und ihm dadurch den Anlaß zu geben, sich selbst zu täuschen.«

Das meiste Geld mußten August die neuen Steuern bringen, da die alten nicht mehr ausreichten, um ihn auf einem Königsthron würdig zu repräsentieren. Unter den neuen Steuern, die Sachsen auferlegt wurden, um den neuen Königsthron in Polen zu erhalten und zu zieren, ist eine direkte Abgabe, eine für die Armen unverhältnismäßig hohe Kopfsteuer seit dem Jahre 1705 zu nennen und ganz besonders eine weitgreifende indirekte Abgabe, die Akzise, die zuerst in Holland und England aufgekommen war, nach dem Beispiel dieser Länder in Preußen und Hannover eingeführt worden und seit 1641 auch bereits in Sachsen unter dem Namen Landakzise bekannt war. Die neue Akzise wurde, weil sie jetzt auf fast alle Verbrauchsgegenstände ausgedehnt wurde, unter dem Namen »General-Konsumtionsakzise« im Jahre 1703 in den Städten Sachsens eingeführt, und zwar gegen den Willen der Landstände, die sich 1704 sehr lebhaft dagegen einsetzten. Der König aber beharrte auf seinem Entschluß und entließ die Landstände ohne Abschied. Es wurde ein eigenes Akzisekollegium eingerichtet, an dessen Spitze der Freiherr Adolph Magnus von Hoym stand, der Gemahl der Gräfin Cosel. Mit dieser weitgreifenden indirekten Besteuerung wurde eine ganz neue und höchst einträgliche Erwerbsquelle gefunden, aber die Preise der Lebensmittel stiegen um ein Drittel. Nur auf dem flachen Land wirkte die Opposition des Adels der Einführung der Akzise definitiv hindernd entgegen.

Auch das Kriegswesen und die Finanzen wurden ganz neu eingeteilt. Früher hatte man die Soldaten durch freiwillige Werbung zusammengebracht, jetzt wurde die Zwangsrekrutierung eingeführt. Schon im Jahre 1696, als für den Türkenkrieg geworben wurde, hatte man auf grausamste Weise die unentbehrlichen Männer – selbst auf dem Kirchweg sowie frisch Verheiratete zu Soldaten gepreßt. Es gab eine förmliche Menschenjagd; niemand ließ sich mehr auf der Straße sehen; aller Handel und Wandel stockte. Der Urheber dieser neuen Gattung von Gewalttätigkeiten war der damalige Generalfeldmarschall Augusts, Hans Adam von Schöning – derselbe, den Kaiser Leopold im Jahre 1692, als er ganz friedlich in Töplitz als Badegast weilte, durch ein Kommando Soldaten hatte aufheben und auf die Festung Spielberg in Mähren bringen lassen. Arg vom Podagra geplagt – er erhielt sogar bei der Abschiedsaudienz vom Kaiser in Wien Erlaubnis, auf einem Sessel zu sitzen –, starb Schöning im selben Jahr, in dem er die Zwangswerbungen gegen die Türken betrieben hatte, in Dresden – wie erzählt wird, unter Bezeugung bitterer Reue – im August des Jahres 1696.

In Lauban in der Oberlausitz war ein förmlicher Aufruhr entstanden; man hatte die Untertanen auf der Folter gezwungen, den Fahneneid zu schwören. Im Jahre 1702, im polnischen Krieg, als Livland verlorengegangen und Karl XII. im Anmarsch auf Polen war, wurden wiederholt Zwangsaushebungen in Sachsen vorgenommen. Es sollte ein Heer von 20000 Mann zusammengebracht werden, und man mußte, da diese Heere, von denen man keine Tapferkeit erwarten konnte, immer und immer wieder geschlagen wurden, auch immer und immer wieder seine Zuflucht zur Gewalt nehmen. Nichtsdestoweniger wurden diejenigen, die z. B. in der Schlacht bei Fraustadt (1706) ihre Pflicht nicht getan hatten, zu Dutzenden gehenkt. Damals, während der Allianz mit Rußland, kam auch das in Deutschland schon seit dem Dreißigjährigen Krieg in Mode gekommene und in Rußland althergebrachte Spießrutenlaufen auf. Der Prediger Gerber in Lockwitz bei Dresden gab in dem damals (1706) von ihm herausgegebenen und vielgelesenen Buch »Die unerkannten Sünden der Welt« nicht unzweideutig zu verstehen, daß die Zwangswerbungen nicht viel besser seien als Menschenraub. Er erinnerte an die mosaischen Strafen des Alten Testaments, die Jehova für solchen Menschenraub den Juden gestellt habe. Aber begreiflicherweise konnten solche Bücher, die nicht mit glänzendstem Geist geschrieben waren, die Machthaber nicht auf-

halten. Vergebens schrieb der fromme Studiosus der Theologie Cober seinen »Cabinetsprediger« und später sogar seinen »Donnernden Cabinetsprediger« – er mußte 1717 ohne Anstellung in Dresden sein Leben beschließen. Man hatte ihn wegen des »Cabinetspredigers« 1711 ins Gefängnis geworfen, aus dem er im Jahr darauf entwischte; gerade deshalb wurde sein Buch, das wahrscheinlich sonst neben so vielen anderen unbekannt verschollen wäre, berühmt, und alle Welt wollte es lesen.
Seit dem Jahre 1713 wurde in Sachsen eine stehende Armee von 16000 Mann unterhalten. In Dresden garnisonierten 1600 Mann; 1732 wurden hier die Kasernen gebaut. Was nicht durch freiwillige Werbung aufgebracht werden konnte, wurde trotz allen Widerspruchs der Stände und trotz aller Klagen der Betroffenen durch Auslosung der jungen Mannschaft unter den Landleuten und Handwerkern aufgebracht. Das Los zog ein Knabe; jeder sechste Zettel trug die Aufschrift: »Für das Vaterland.« Und dennoch gestattete August auch noch seinem Nachbarn Friedrich Wilhelm von Preußen, dem Liebhaber der »langen Kerls«, die Werbung in Sachsen; erst 1727 kam es deshalb zu Komplikationen. August verschacherte einmal an Preußen zwei ganze Dragonerregimenter gegen blaue und weiße ungeheure Vasen mit roten Blumen aus japanischem Porzellan, die sich noch im Japanischen Palais befinden; diese Dragoner heißen in Preußen noch die »Porzellan-Regimenter«.
Mit diesen autokratischen Regierungsmaßnahmen in bezug auf Heer und Finanzen sank die Macht der Landstände auf ein sehr geringes Maß herab. Der durch die Drangsale des Dreißigjährigen Kriegs geweckte, durch den Nordischen Krieg erhöhte Servilismus war vollständig großgezogen. Am 15. März 1700 erschien das königliche Dekret über die Rechte des alten Adels, kraft dessen »Niemand zu der Session bei den Landesversammlungen zuzulassen« sei, »er sei gleich von uraltem Geschlecht, welcher sich außer seinem Stande verheirathet und acht Ahnen von Vater und Mutter (vier und vier) nicht erweiset, noch weniger ein neu nobilitirter, so solche gleichmäßig nicht probiren kann oder kein wirklicher Geh. Rath oder commandirender Obrist ist, so nicht ein adelig Diplom für sich hat oder aus adligen Geschlecht ist«. Gerade vor hundert Jahren war der letzte bürgerliche Kanzler in Sachsen, Pfeiffer, gestorben; 1601 wurde Crell exekutiert. Stolz hob nun die Aristokratie des alten Adels, der die Steuerfreiheit genoß und seine Söhne mit den Offiziersstellen in der Armee versorgte, ihr Haupt. Mochte sich der Adel durch Luxus und schlechte Wirtschaft auch noch so sehr ruinieren und verarmen – die Hofpensionen halfen ihm immer wieder auf. Alle einträglichen Hof-, Staats- und Militärämter sah der Adel als eine Domäne an, auf die ihm ein unbestreitbares Recht

zustehe. »Überdenken Sie einmal«, heißt es in den vertraulichen Briefen über »Leben und Charakter des Grafen Brühl«, »alle Familien in Sachsen, die großes Vermögen haben, und untersuchen Sie die Genealogie dieser Familien. Sie werden allemal finden, daß dieses Vermögen durch einen Minister oder Favoriten an die Familie gekommen ist.«

In Preußen hielt Friedrich Wilhelm I. seine adeligen Räte aufs strengste zur Arbeit an. Der bürgerliche Minister des Äußeren, Ilgen, schrieb alle seine Depeschen selbst; seine Sekretäre waren nichts als Kopisten. Den adeligen Räten in den Kollegien Sachsens aber gebührte es, sich von den bürgerlichen Sekretären die schriftlichen Arbeiten fertigen zu lassen, von den bürgerlichen Räten, den Doktoren die Relationen aus den Akten entgegenzunehmen; die adeligen Herren in den Kollegien ihrerseits deliberierten, votierten und reskribierten nur mündlich.

Der Kriegsrat Kühlewein – einer von der Leipziger Familie, der die schöne Kühleweinin, die Frau des Poeten Besser, angehörte, die später Raschwitz und Auerbachs Hof an den ersten Grafen und Oberstallmeister von Lindenau brachte – war ein sehr tüchtiger Mann, aber befördert, wie er es in Preußen gewiß worden wäre, wurde er nicht. Das Manuskript Wolframsdorfs drückt sich so über ihn aus: »Herr Kühlewein ist Kriegsrath, hat ein gesundes und festes Urtheil; in seinen Ansichten ist er etwas bizarr und gerade heraus: dies wird ihm für Stolz ausgelegt. Verstellung kennt er nicht und ist streng in seinem Amte. Herr von Bose [der intriganteste Minister des ganzen Hofs, nebst dem Oberhofmarschall Pflug die Hauptstütze des Adels in Sachsen, der gemeinsam mit Flemming die Kriegskasse bestahl] ist sein Gegner, wie er es von allen ist, deren Verdienst dem seinen zu nahe tritt. Da Herr Kühlewein nicht von Adel ist, eine unerläßliche, obschon dem Interesse des Königs sehr nachtheilige Eigenschaft an diesem Hofe, wird er zurückgesetzt und verhindert, dem König nützliche Dienste zu leisten.«

Die Memoiren Haxthausens gedenken eines anderen bürgerlichen Genies im Finanzfach, des Steuerbuchhalters Pfützner, der Steuerbuchhalter blieb; er war das Faktotum des Finanzministers im Kabinett, des Grafen Watzdorf – ich komme später beim Porträt Watzdorfs auf ihn zurück, der nach Haxthausen der dümmste Minister des Königs war –; dieser nannte ihn selbst nur immer »den Bauer von Mansfeld«.

Selbst Männer aus der Adelsreihe, die aber nicht zur altsächsischen gehörten, sich nicht zur Adelskette hielten; Männer, die es verschmähten, gerade die Wege zu gehen, die die sächsischen Machthaber gingen; solide, gelehrte, bestens unterrichtete Männer, wie z. B. Suhm, der Lehrer und fast mehr als alle anderen Menschen verehrte

Liebling Friedrichs des Großen, konnten nicht die Posten erlangen, die sie so sehr verdienten. Am 15. August 1736 schrieb Friedrich an Suhm, der damals ohne Anstellung und fast vergessen war: »Ce sont les yeux de votre cour que je plains, qui sont fascinés au point de ne pouvoir distinguer des sujets utiles et dignes d'être employés de ceux qui ne jouissent de privilèges de la fortune que par l'aveugle caprice de la faveur. Comment est-il possible (soit dit sans vous flatter) qu'une personne d'autant de mérite, d'esprit et de savoir comme vous soit negligée et même oubliée? Et quelle idée se peut-on faire d'une cour où des Suhms ne sont pas recherchés?«
Es kamen aber noch ganz andere »Faszinierungen« am sächsischen Hof vor, die ebenfalls die Adelskette bewirkte. Selbst treuergebene Fürsten, die ihren Degen und ihre Habe dem Interesse des Herrn dieses Hofes gewidmet hatten, konnten kein Terrain gewinnen, wurden zurückgesetzt und entfernt. Zu diesen Fürsten gehörte der letzte Herzog Ferdinand von Kurland aus dem Kettlerschen Stamme, General in sächsischen Diensten. Dieser Herzog von Kurland war, wie das Manuskript Wolframsdorfs berichtet, ein geschworener Feind des Königs von Preußen, »und«, setzt Wolframsdorf hinzu, »dies dürfte für den König August kein Grund sein, ihn weniger zu achten, vielmehr wäre zu wünschen, sein ganzes Ministerium hätte schon längst dieselbe Gesinnung gehabt, dann würde das Haus Brandenburg nicht von der Beraubung des Hauses Sachsen profitiert haben. Der König hat ihn im Gefecht an der Düna gesehen; er ist von ihm eben so sehr mit dem Degen als mit dem Beutel unterstützt worden. Aber es fehlt gar nicht an solchen, die ihn der Untreue anklagen, er hat sie sich durch seine Verdienste zugezogen. Der Großkanzler Beichling haßte ihn, wie er alle redliche Leute haßte, von denen er kein Geld ziehen konnte. Die Herren von Bose [der Generalkriegskommissär] und Röbel [der General] waren ihm entgegen, weil er nicht mit ihnen der Meinung war, den Krieg in die Länge zu ziehen, um dabei die Beutel zu füllen. Der Feldmarschall Flemming haßte ihn ebenfalls, weil der Herzog sich nicht unter seine Befehle fügen wollte. Während Flemming's Abwesenheit führte er als General der Artillerie den Oberbefehl und hielt strenge Mannszucht, ohne Ansehen der Person, was die Herren von Bose und Röbel höchlich verdroß. Daher suchten sie ihn, als der König die Unterredung mit dem Zar in Birsen hatte, zu verleumden. Dies Schicksal haben alle, die dem König redlich dienen. Diese Kniffe und Pfiffe gehen so weit am sächsischen Hofe, daß die besten Absichten der treusten Diener angeschwärzt werden. Der König könnte sich des Herzogs ebenso gut in Polen, als in Sachsen bedienen; aber seit er ihn entfernt hat, ist er so faul geworden, daß seine Dienste für den König nur noch in leeren

Worten bestehen. Er gilt für gefährlich bei Hofe und für unverträglich. Man will ihm aber aus keinem anderen Grunde übel, als weil er seine Geburt geltend macht und zuviel Geist und Festigkeit hat, um sich verblüffen und unterdrücken zu lassen. Er ist ein schöner Mann, und seine Liebesneigungen waren ehedem königliche.«

Der schöne, galante Herr von Kurland vermählte sich sehr spät – erst mit fünfundsiebzig Jahren, im Jahre 1730 –; er heiratete eine zweiundzwanzigjährige Prinzessin von Weißenfels, hatte aber keine Erben, und das Herzogtum starb 1737 mit ihm aus. Seine Witwe, auf die ich zurückkomme, war die in Leipzig lebende gute Freundin des englischen Gesandten Sir Charles Williams, der durch sie die intimsten Mysterien der geheimen Hofgeschichte unter dem Sohn Augusts des Starken erfuhr. Sie hat sich damit in betreff der Vernachlässigung, die ihrem Gemahl widerfuhr, lange bevor sie geboren war, vollständig gerächt.

Unter August dem Starken sehen wir – ganz wie in Österreich –, die allmächtige sächsische Adelskette selbst schon in Gerechtigkeitsfällen eine völlig exzeptionelle Stellung einnehmen; die an der Spitze der höchsten Gerichte des Landes stehenden Adeligen sorgten dafür. Für die Noblesse kam eine ganz besondere Bestrafungsart auf: je höher gebildet einer nach seiner Erziehung sein konnte, desto milder wurde er für die schwersten Vergehungen angesehen. Im Jahre 1706 wurde nach Hasche ein Graf L. (Lynar?) angeklagt, einem neunjährigen (!) Mädchen Gewalt angetan zu haben – er kam mit Arrest davon. Desto härter und entehrender waren die Strafen gegen Leute aus der Bürgerreihe; auch hier kam eine ganz besondere Bestrafungsart auf: auf dem Esel reiten, am Pranger stehen, Staupbesen leiden wurden ganz gewöhnliche Bestrafungen. Auch erwachsene Frauen aus den niederen Ständen wurden – nach österreichischem Vorbild – ausgepeitscht und an den Pranger gestellt. Ja selbst jenes neunjährige Mädchen, das der erwachsene gebildete Graf mißbraucht hatte, erhielt den Stockschilling!

Die Festung Königstein wurde der gewöhnliche Platz, wo man den gebildeten Adel seine Bestrafungen verbüßen ließ – unbemerkt von der Masse des ungebildeten Volkes. Im zweiten Band der »Geheimen Geschichten« von Bülau ist ein Aufsatz über die sogenannten Staatsgefangenen auf dem Königstein enthalten – fast nur eine trockene Galerie von Namen. Ich lasse diese Galerie hier im Auszug folgen mit der Beigabe einiger Notizen über den Grund des Aufenthalts der Schuldigen auf der Festung. Wir treffen darunter in den Zeiten des ersten Königs von Polen (1694–1730) folgende Herren:

1694–96 den Kammerdirektor Baron Hoym wegen Betrugs usw., verübt in Gemeinschaft mit den Damen Neitschütz-Rochlitz;

gleichzeitig die Holländerin Jacobe de Meyne, verw. von Senff, und die Frondorffin, ebenfalls wegen der Rochlitzischen Affäre;
1701 den Kriegsrat von Holzbrück und sein Sekretär Schuster – aus unbekannten Ursachen. Der Kriegsrat heiratete die Holländerin;
1702 den Geheimen Kämmerier Angelo Constantini wegen Zumutungen an eine Mätresse des Königs und Spott über den König;
1703–09 den Großkanzler Graf Beichling wegen Betrugs usw.
Mit ihm kamen in den Arrest: seine zwei Brüder, der Oberfalkenier und der Oberpostmeister, seine Schwägerin, Baronin Luise Rechenberg, geborene Schöning;
ferner treffen wir
bis 1707 den Kammerpräsidenten Heinrich von Einsiedel, den Generalleutnant von Benckendorff;
bis 1709 den Hof- und Justizrat Georg Gottlieb Ritter;
bis 1746, wo er starb, den Leipziger Bürgermeister Dr. Franz Conrad Romanus;
1706 (25. August bis 17. Dezember) die Prinzen Jakob und Konstantin Sobieski;
1706–07 den Porzellanerfinder Bötticher sowie den berühmten Patkul;
1708–09 den Geheimrat von Eckhardt wegen des Altranstädter Friedens;
1709–13, ebenfalls wegen des Altranstädter Friedens aufgeopfert, den Baron Imhoff und bis 1735, wo er starb, von Pfingsten;
1711 den Kammerherrn von Wolfersdorf wegen des »Portrait de la cour de Pologne«; er kam 1712 auf den Sonnenstein;
1712–14 den Leutnant Bötticher (den Bruder des Porzellanerfinders?) wegen liederlicher Aufführung von seiner Familie zur Festung befördert (erstes Beispiel dieser Gattung);
1713–17 den Fürsten Stanislaus Jablonowski;
1717–19 den Generalmajor von Seydlitz, eigentlich zu sechs Jahren Arrest verurteilt; er wurde nach zwei Jahren entlassen;
1718–19 den weimarischen Residenten in Dresden Lehmann – auf preußische Requisition;
1719–20 den Alchimisten Baron Klettenberg wegen Mord und Betrug – er wurde hingerichtet;
1723–26 Andreas de Parl – aus unbekannten Ursachen;
1724–35 Baron de Ste-Hilaire, angeblich französischer Admiral – ebenfalls aus unbekannten Ursachen; er starb auf dem Königstein;
1724 Johann Georg Haubold Vitzthum von Eckstädt – wegen Wechselschulden;
1725–26 den Gardekapitän de Serrand, verwickelt in die Entführungsaffäre des schwedischen Oberstleutnants Johann Koch von Gyldenstein oder Gyllenstiern, eines geborenen Pommers, der sie-

ben Sprachen verstand und den Karl XII. geadelt hatte. Er hatte, als er 1706 beim Einfall des Schwedenkönigs in Sachsen stand, die schöne Tochter eines Gerichtshalters in Ölsnitz bei Großenhayn verführt, die aus Gram starb. Bei Poltawa gefangen und ausgetauscht, war er nach Schweden zurückgegangen und tötete hier einen Gegner im Duell. Er kam nun nach Sachsen zurück und wollte seine Tochter haben, die schön wie die Mutter war. Die alte Großmutter fürchtete, er werde an ihr handeln wie an der Mutter, und wollte sie nicht ausliefern. Bei einem gewaltsamen Entführungsversuchs 1724 wurde die Großmutter getötet. Gyldenstein wurde 1724 in Dresden enthauptet; de Serrand kam als Helfershelfer mit zwei Monaten Festung durch;
1725–26 den Gardekapitän von Palazow – wegen Wechselschulden auf Ansuchen des Vaters;
1730–55, wo er auf dem Königstein starb; den Ingenieurhauptmann Johann Christian Steinkirch – wegen Melancholie, weshalb er schon früher auf dem Sonnenstein gesessen hatte.
Während die Festung besonders dem Adel und den Offizieren als Pönalaufenthalt diente, wo sie zum Teil an der Tafel des Kommandanten recht wohl speisten, wurde für den Bürgerstand ein anderer Aufenthalt ausfindig gemacht: das Zuchthaus. Der starke König ließ im Jahre 1715 das alte Augustinerkloster und spätere Jagdschloß Kurfürst Christians I. zu Waldheim dazu herrichten. Um die Kosten für das neue Strafetablissement aufzubringen, wurde sämtlichen Beamten – bis zu denen hinauf, die über 3000 Taler Besoldung oder Pension bezogen – von ihren Besoldungen und Pensionen ein Monatsgehalt abgezogen. Auch hier befolgte man wieder das entgegengesetzte Prinzip, das man in England beachtet, wo die kleinen Leute von der Einkommensteuer befreit sind, die großen Lords aber und die Könige selbst von ihrem Vermögen zahlen, und zwar von diesem großen Vermögen – wie in der Zeit des französischen Revolutionskrieges – eine Steuer von 15 Prozent. Vergebens beschwerten sich die Landstände in Sachsen über die beliebte Neuerung mit dem Abzug.
Die wiederholte Abwesenheit des Kurfürsten in Polen förderte nicht wenig die fast unumschränkte Herrschaft des Adels in Sachsen. Nach neunundzwanzigjährigen Beratungen kam zwar eine neue Landtagsordnung zustande, aber am 11. März 1728 behielt sich der Landesherr noch immer das Recht vor, »sie aus landesfürstlicher Macht zu vermehren, zu ändern und zu verbessern«. Diese Landtagsordnung wurde erst nach 100 Jahren durch die Verfassungsurkunde vom Jahre 1831 abgelöst.
Je mehr die landständische Wirksamkeit abnahm, desto mehr nahm die Bürokratie zu.

Nicht der Staat, sondern der Hof hat unter August dem Starken sein Goldenes Zeitalter gefeiert. Was Ludwig XIV. in dieser Beziehung für Frankreich war, war August für Deutschland. Einen so glänzenden, galanten und heiter-bewegten Hof wie den königlich-polnischen Hof zu Dresden hatte man bis jetzt in ganz Deutschland noch nicht gesehen. Was früher unter Augusts Großvater Johann Georg II. in Dresden an Ausländern aufgenommen worden war, war nur ein Geringes gewesen gegen den Schwarm von Fremden. Diese waren teils Deutsche aus dem Reich, teils Italiener und Franzosen – welch beide Nationen August vor allen liebte –, teils Dänen und besonders Polen, die sich jetzt hier niederließen und manchmal zu den höchsten Hof-, Staats- und Militärämtern gelangten. Der Statthalter, den August im Kurfürstentum bestellte, als er nach Polen ging, Fürst Anton Egon von Fürstenberg, war ein Schwabe; der Premierminister Generalfeldmarschall Flemming und der Kabinettsminister Manteuffel waren Preußen; der Oberhofmarschall Baron Löwendahl war ein Däne; zwei Italiener – Savoyarden – General Graf Lagnasco und der Marquis Fleury, saßen ebenfalls im Kabinett; dazu kam unter dem Nachfolger Augusts des Starken noch ein Pole, Graf Sulkowsky, der, ehe er Minister wurde, als Stallmeister und Kommandant der Parforcejagd des Kurprinzen fungierte.

Ebenso dienten als Generäle und Obristen in der sächsischen Armee mehrere italienische Fürsten: ein Principe Alphonso Filomarino, Duca di Controfiano, Principe di Sugliano, der zugleich Kammerherr war, und ein Duca di Sicignano; mehrere Franzosen, wie die Grafen François Montmorency und Saint-Paul, der sich 1714 mit einer Brand von Lindau vermählte, ein de Debrosses, ein de la Haye, ein le Mar, ein de Bodt, der das Japanische Palais gebaut hat, und ein Cavagniac. Dazu kamen viele Polen: zwei Fürsten Lubomirsky, von denen einer, Georg, Gemahl der Gräfin Dönhoff – einer Mätresse des Königs – wurde; ein Fürst Radziwill, ein Graf Sapieha, ein Graf Potocky. Den letzten Herzog von Kurland, Ferdinand, habe ich schon erwähnt: er war General der sächsischen Artillerie.

Auch mehrere deutsche Prinzen standen in sächsischen Militärdiensten, wie Prinz Ludwig von Württemberg, der Gemahl der Fürstin von Teschen-Lubomirska, einer anderen Mätresse des Königs; Prinz Karl Ludwig von Holstein-Beck, der Gemahl der Gräfin Orselska, einer natürlichen Tochter des Königs, und die Prinzen Wilhelm und Christian von Sachsen-Gotha. Der regierende Graf Karl Friedrich von Kastell war General und Gouverneur von Leipzig.

Temporär standen in sächsischem Militärdienst fünf Männer, die europäische Berühmtheit erlangt haben: der unglückliche Patkul bis

1701; der spätere venezianische Feldmarschall Matthias Graf Schulenburg in den Jahren 1702–11; Graf Heinrich Seckendorff in den Jahren 1709–17, der zuletzt Kommandant in Leipzig war und später in österreichischen Dienst trat; Graf Samuel Schmettau, der 1718 in österreichischen und dann in preußischen Dienst ging, und der spätere russische Feldmarschall Münnich, der 1716 als sächsischer Oberst angestellt wurde, 1717 zum Generalmajor avancierte, aber, von Flemmings Neid und Intrigen vertrieben, 1720 in die Dienste von Rußland trat; er wurde noch 1741 von August III. als Reichsvikar in den Reichsgrafenstand erhoben und starb, nachdem er aus zwanzigjähriger Verbannung in Sibirien zurückgekehrt war, im Jahre 1767 vierundachtzigjährig in Moskau.
Dazu kamen noch die fremden Gesandten. Vom Kaiser waren in Dresden zu Anfang von Augusts Regierung akkreditiert: Graf Harrach, der jüngere der beiden spanischen Gesandten vor dem Erbfolgekrieg; während des schwedischen Kriegs Graf Strattmann; seit 1707 Graf Althann; später Graf Königsegg, ein Liebling des Königs, der aber bei den Ausschweifungen, die er mit diesem machen mußte, seine Gesundheit ruinierte, er starb 1751 als Generalfeldmarschall, Obersthofmeister und ältester Minister Maria Theresias; und noch später Graf Leopold Waldstein, der zugleich Oberhofmeister bei der königlichen Kurprinzessin war. Russischer Gesandter war Fürst Gregor Dolgoruki und neben ihm Patkul; später – seit 1705 – Fürst Demetrius Gallizin. Preußische Gesandte waren Graf Schwerin und Baron Bülow; später Lübben und Graf Truchseß. Englische Gesandte waren Stepney, später Robinson und noch später Envoyé Schaub und Resident Baron Woodward. Als französischer Gesandter fungierte seit 1729 Marquis de Monti; als dänischer Rumohr, dessen reiche Erbtochter sich nach Sachsen an den Obersthofmeister der Königinmutter, Hans Haubold von Einsiedel, verheiratete, den Vater des ersten Grafen Einsiedel; später war Jessen dänischer Gesandter. Als schwedischer Gesandter fungierte Baron Zülich; als holländischer Rumpf. Auch vom päpstlichen Hof residierte nun ein Nuntius in Dresden. Während des Nordischen Krieges folgten – um dies nebenbei zu erwähnen – die drei Gesandten Graf Strattmann, Patkul und Jessen August überallhin.
Die prachtvollen Feste, die August der Starke gab – besonders zum Karneval, zu dem er jedesmal mit seinen Starosten und ihren schönen, galanten Frauen aus Polen kam, und sonst bei allen Familiengelegenheiten –, zogen den Adel aus allen benachbarten Ländern herbei. Fürsten und Könige sprachen wiederholt vor; so der berühmte Prinz Eugen, König Friedrich IV. von Dänemark, König Friedrich Wilhelm I. von Preußen. Dreimal, in den Jahren 1698, 1711 und 1712, erschien Zar Peter der Große in Dresden zu

Besuch. Als der König von Dänemark im Juni 1709 in Dresden weilte, kamen, wie das »Theatrum Europaeum« erzählt, nach Ausweis der Torzettel binnen vierzehn Tagen über 16000 Fremde nach Dresden, darunter allein mehr als 200 böhmische Grafen.

Zeremonienmeister des reichen, glänzenden Hofs Augusts war der bekannte Hofpoet Johann von Besser. Besser, ein geborener Bürgerlicher, ein Predigersohn, war ein Kurländer; seine Familie stammte aus Ulm in Schwaben, wo sie zu den Geschlechtern gehörte; der Großvater wurde im Dreißigjährigen Krieg gezwungen, auszuwandern. Besser wurde 1654 geboren und kam mit einem jungen Kurländer, einem Baron von Maydel, als dessen Hofmeister nach Leipzig; dieser hatte das Unglück, 1677 in einem Duell auf hinterhältige Weise erschossen zu werden. Die Bravour, die Besser gegen die Mörder bewies –, die mit Pistolen und Degen auch auf ihn eindrangen, »da er mit solcher Verzweiflung unter sie gesetzt, daß er nicht nur die zu Fuße in kurzem alle von dem Platze verjagte, sondern auch die zu Pferde ihr Heil in der Flucht suchten« –, verschafften ihm die Anteilnahme des schönsten und reichsten Mädchens in Leipzig, der damals fünfzehnjährigen, von Besser so gefeierten »Catharine Elisabeth Kühleweinin«, Tochter des Appellationsrats und Bürgermeisters von Leipzig, Friedrich Kühlewein, der Erbin von Auerbachs Hof und Raschwitz bei Leipzig, die im Haus ihres Stiefgroßvaters, des damaligen Gouverneurs von Leipzig, Ingenieuroberst Titel, erzogen wurde. Bessers angenehme Gestalt, seine höflichen Manieren und insbesondere seine Gedichte verschafften ihm nach siebenjähriger Werbung – wie Jakob einst Rahel – im Jahre 1681 ihre Hand, und die Fürsprache des durch seine Bravour erquickten Herzogs von Dessau, des Vaters des Alten Dessauers, brachte ihm im selben Jahr die Anstellung als Legationsrat beim Großen Kurfürsten in Berlin. Die Geheimräte Fuchs und Meinders – später Danckelmann und Kolbe-Wartenberg – wurden Bessers Gönner; 1684 erhielt er eine Mission nach England, wo er in mehreren Vorfällen wieder seine Bravour und Geistesgegenwart erkennen ließ.

Von London kehrte Besser über Paris – wo er wegen Sprachunterrichts drei Monate verweilte – nach Potsdam zurück, und zwar zum Weihnachtsfest 1685. Drei Jahre darauf verlor er seine Frau; 1690 ernannte ihn Friedrich III. zum Zeremonienmeister und erteilte ihm ein Adelsdiplom »wegen der an ihm verspürten sonderbaren Gelehrsamkeit, Geschicklichkeit, Sitten, vernünftigen Comportements und in den allgemeinen Welt-Sachen erlangten Wissenschaft.« Bei der preußischen Königskrönung 1701 wurde Besser Oberzeremonienmeister und Geheimrat, zuletzt – seit 1706 – mit 1200 Talern Besoldung. Nach dem Tod König Friedrichs I., 1713, entließ ihn aber Friedrich Wilhelm I. mit einem großen Teil des Hofstaats. Besser trat 1717 durch Flemmings und Manteuffels Vermittlung als Geheimer Kriegsrat und Zeremonienmeister mit 1500 Talern Gehalt in sächsische Dienste; hier verlebte er in Ruhe sein Alter. Bei Hof erschien er aber selten, »da die Gesandten-Aufführung und dergleichen Dinge, die Bessern in Berlin obgelegen hatten, vom Hofmarschallamt und der Ober-Kämmerei besorgt wurden« – und der neue Adel ihm hier mehr als in Preußen im Weg stand. Er wurde mehr wie ein Zeremonienrat angesehen, bei dem sich der Hof in zweifelhaften Fällen Rat holte.

Die nächste Veranlassung seiner Anstellung war die bevorstehende Vermählung des königlichen Kurprinzen mit der Erzherzogin gewesen, die 1719 vor sich ging. Besser mußte einen Entwurf zur Einholung und zu deren Einzug aufsetzen; dieser wurde aber, »weil der König es in dergleichen Anordnungen allen Menschen zuvorthat«, beiseite gelegt und durch August wurde selbst alles und jedes veranstaltet. Besser lebte noch zwölf Jahre ziemlich einsam in Dresden unter seinen kostbaren Büchern – 18 000 auserwählten Bänden, den seltensten Ausgaben, die er seit mehr als fünfzig Jahren aus allen Ecken Europas unter unglaublichen Kosten gesammelt hatte; aus allen Ländern wurden ihm die Bücherverzeichnisse zugeschickt.

Trotz des ansehnlichen Vermögens seiner Frau, das ihn in die Lage versetzt hatte, sich am Berliner Hof »in einer ansehnlichen Ausrüstung hervorzuthun«, war er in große ökonomische Verlegenheiten geraten; besonders drückte ihn eine Schuld an seinen Schwiegersohn, den Gemahl seiner einzigen Tochter, den Tribunalrat von Drost in Königsberg. August riß ihn aus dieser großen Verlegenheit: er kaufte ihm 1727 seine Bibliothek um 10 000 Taler ab, überließ ihm aber deren Benützung bis zu seinem Tod in seiner eigenen Wohnung. Besser starb 1729, vierundsiebzig Jahre alt. Sein Nachfolger war sein langjähriger Sekretär, designierter Nachfolger und Biograph Johann Ulrich von König, ein Schwabe aus Eßlingen, der Sänger der verunglückten Pferdeepopöe »Augustus im Lager« (zu Mühlberg); er war ein Freund Hasses, gab eine Sammlung damaliger Opern heraus, schrieb selbst 1726 »Die verkehrte Welt« und starb als Hofrat und Zeremonienmeister, 1740 während des Reichsvikariats von August III. geadelt, im Jahre 1744, sechsundfünfzig Jahre alt. Sein Sohn wurde wieder als Legationsrat Aide des Directeurs des plaisirs, Herrn von Dieskau.

Der Hauptzeremonienmeister war, wie gesagt, August der Starke selbst: Er entwarf in eigener Person die Pläne zu allen großen Hoffeierlichkeiten; es war seine Lust, in den Vorbereitungen zu diesen mannigfaltigen und immer wechselnden Vergnügungen zu leben. Seine allgemein bekannte Leutseligkeit und Huld machte ihn zu einem der liebenswürdigsten Wirte, ebenso wohl bei den kleinen Festen, den »parties fines«, zu denen nur die vertrautesten Damen und Herren des Hofs geladen waren und an der sogenannten »Konfidenztafel« gespeist wurde, wie bei den großen ordentlichen und außerordentlichen Solennitäten. Mit der größten Aufmerksamkeit sorgte er für alle Genüsse seiner Gäste, wie die Erzählung der Markgräfin von Bayreuth von dem Karnevalsbesuch nachweist, den ihr Vater mit dem damaligen Kronprinzen Friedrich dem Großen 1728 in Dresden abstattete. Europäische Zelebrität erlangten seine durch besondere Kupferwerke dem größeren Publikum anschaulich gemachten Feste. Schon im Jahre 1695, im ersten Jahr seiner Regierung, ließ er im Karneval einen prächtigen Götter- und Göttinnenaufzug halten und darauf in Folio auf zwanzig Kupferplatten stechen; er mußte später, 1709, im zweiten Jahr nach der Schwedennot, unter Anwesenheit des Königs von Dänemark noch einmal und noch kostbarer aufgeführt werden.

»Die Kostbarkeit«, berichten die »Frankfurter Relationen«, »wird sich niemand besser einbilden können, als der es mit angesehen oder aus seinem Beutel dazu contribuiren müssen, denn mancher redliche Cavalier, der die schwedische langwierige Visite noch in betrübtem Andenken empfindet, bei der Lustbarkeit mehr als ein 1000 Thaler verwendet hat, obschon er lieber zu Haus geblieben wäre, als daß er mit betrübtem Herzen und großen Kosten ein Götter-Ballett tanzen helfen.«

Herrlich und glänzend waren Augusts Jagden: teils Parforcejagden auf Hirsche und anderes Hochwild in den Forsten des Landes, teils Sauhatzen im Saugarten vor der Neustadt Dresdens, teils Hasen-, Fasanen- und Rebhühnerschießen im Großen Garten bei Dresden, teils Kampfjagden mit wilden Tieren im Jäger- und im Schloßhof, teils Fuchsprellen auf der königlichen Stallbahn im Schloß. August liebte vor allem Schießübungen nach dem Ziel und den Nickfang der wilden Schweine (sowohl mit dem Hirschfänger als mit dem Fangeisen), weil ihm in diesen beiden Stücken kaum jemand gleichkam; er vererbte diese Vorliebe auch auf seinen Sohn August III. Herrlich und glänzend waren seine Ritterspiele, Karussells und Fußturniere, seine Nachtschießen in der Stallbahn oder im Zwinger oder auf dem Altmarkt und seine Scheiben- und Vogelschießen im Hofschießhaus. 1728, als König Friedrich Wilhelm I. von Preußen mit seinem Kronprinzen, Friedrich dem Großen, vom 14. Januar bis 12. Februar vier Wochen lang zu Besuch war, war am 15. Januar nach dem Souper ein Nachtschießen in der mit vielen tausend Lampen illuminierten Stallbahn; der König von Preußen hatte diese Art Schießübungen noch nicht gemacht, traf aber so gut ins Zentrum, daß dadurch eine Menge Raketen hochstiegen; das gefiel ihm so gut, daß er bis Mitternacht blieb. Am 25. Januar gab es ein Armbrustschießen; die schlechten Schützen, unter denen auch Friedrich war, erhielten satirische Geschenke, nämlich »einen lebendigen schwarzen Ziegenbock mit einem Schellengeläute und mit Fuchsschwänzen in einen sauber verfertigten Rennschlitten gespannt, auf der Pritsche saß statt des Führers ein als Kavalier gekleideter lebendiger schwarzer Pudelhund; in dem Schlitten eine lebendige Katze als Frauenzimmer gekleidet, in einem Umhängepelze.«

Herrlich und glänzend waren die Hofwirtschaften des Königs, wobei das Schloß zum Wirtshaus eingerichtet wurde. August spielte dabei den Wirt und eine von ihm auserwählte Dame die Wirtin. Sie empfingen im Riesensaal den in verschiedene Gruppen von Bauern und Bergleuten verkleideten Hof, der teils zu Fuß über die Gänge kam, die um die Festung herumführten, teils zu Wagen durch die Straßen der Stadt zog. Ähnliche Hofwirtschaften und sogenannte »Mercerien«, nächtliche Märkte, wurden ebenfalls auf den Straßen vor dem Schlosse, im Zwinger und auf dem Altmarkt bei glänzender Illumination frei öffentlich zur Ergötzlichkeit des Volkes gegeben. Die Kaufleute und Handwerker mußten dabei zur Förderung der Industrie ihre Galanteriebuden aufschlagen; Italiener mit italienischen Waren, Früchten und dergleichen mußten sich ebenso einfinden wie Marionettentheater und Taschenspieler; der Hof genoß inmitten des fröhlichen Menschengetümmels seine Kurzweil.

Herrlich und glänzend waren Augusts Schlittenfahrten, zu denen einmal, 1728, im Karneval zu einem Damenringelrennen mehrere hundert Bauern in über 300 Wagen Tausende von Schneefudern auf den Altmarkt, wo das Rennen stattfand, und auf die Straßen führen mußten, da Tauwetter einfiel.

Ganz besonders prächtig waren die Maskeraden und die Redouten des Königs; sie fanden im Riesensaal des Schlosses statt. Der Riesensaal oder Heldensaal – wie schon erwähnt vom großen Ahnherrn der albertinischen Kurfürsten, Moritz, erbaut – war im Jahre 1701 bei einem großen Schloßbrand in seiner ursprünglichen Gestalt zugrunde gegangen, aber im Jahre 1718 neu erbaut worden und nicht weniger prächtig als früher. Heute existiert er nicht mehr; er ist bereits im Jahre 1782 in mehrere Parade- und Audienzsäle geteilt worden. In diesem großen Riesensaal war es, wo sich damals unter August dem Starken das Gewühl der Masken, von sieben großen Kristallkronleuchtern bestrahlt, auf denen etwa 5000 Wachslichter brannten, in den ungeheuren ovalen venezianischen Wandspiegeln aufs glänzendste reflektierte. Im angrenzenden Audienzsaal standen achtzehn Tafeln, an denen die einheimischen und die fremden Kavaliere bewirtet wurden. Der König erschien dabei in seinem Brillantenschmuck, von dessen Pracht noch heutzutage das Grüne Gewölbe Zeugnis gibt; selbst die fromme Königin Eberhardine erschien – jedoch ohne Maske – sie pflegte aber nur eine Stunde lang vor der Tafel zu verweilen.

Mehrere Wochen hindurch war im Karneval jeden Abend regelmäßig Redoute. Die Festlichkeiten begannen am Anfang der Regierung Augusts um fünf Uhr abends, später nach dem Theater – das damals um fünf Uhr begann –, um neun Uhr; sie dauerten bis zum Morgen – wenigstens bis zwei Uhr. Auf diesen Redouten durften damals alle anständig gekleideten Masken erscheinen; es war nur ein besonderer Tanzplatz für »die allgemeinen und bürgerlichen Masken« und ein anderer für »die Herrschaften des Hofs und die andern hohen fürstlichen, gräflichen und adeligen Herrschaften« eingerichtet.

Auf den Platz, wo der Hof war, kam niemand, ohne die Maske beim Eintritt abzunehmen und, wenn er nicht bekannt war, seinen Namen beim Hauptmann der königlichen Wache anzugeben, der ihn aufschrieb. Der Hof tanzte meist polnische Tänze. Die Hofmasken erschienen als Dominos und »nobles venitiens«. Hinter der herrschaftlichen Tanzfläche, die durch Stufen erhöht war, lagen die Spielzimmer, wo Bank gehalten, L'hombre, Schach, Brettspiele und Billard gespielt wurden. Die Polizei im Schloß bildeten Posten der Fußtrabanten, die in den Sälen und Zimmern des Schlosses in Parade aufgestellt waren; auf den Kreuzwegen in den Straßen der Stadt wurden Wachtposten von der Miliz und der Bürgerschaft gestellt. Selbst die Bauern kamen herein und nahmen an den Maskeraden in den Straßen teil; bei Exzessen wurden sie mit Eselreiten bestraft. Dasselbe widerfuhr auch den Taschendieben und Beutelschneidern, die bei der Tat ertappt wurden.

»Was mir am seltsamsten vorkam«, schreibt der bekannte Reisende des achtzehnten Jahrhunderts, Johann Michael von Loen, »war dieses, daß man sich Abends einander vermaskirt in den Häusern und ohne sich an den meisten Orten zu erkennen zu geben, besuchte. Ich wurde etlichemal in Gesellschaft von einigen Herren und Damen mit zu dieser Lustbarkeit gezogen. Nichts ist mir je abenteuerlicher vorgekommen: Kutscher, Diener und alles stak in Masken. Wir aßen und tranken, wo wir hinkamen und die Leute am Tisch saßen. Wir kamen unter andern in ein vornehmes Haus, wo ein schönes Kind mich für ihren Liebhaber ansah: sie sprach mit mir italienisch und sagte mir bei dieser Gelegenheit so außerordentliche Dinge, daß ich mich des Lachens nicht mehr enthalten konnte. Sie bekam darüber einen Argwohn und wollte mir die Maske mit Gewalt vom Gesicht reißen. Ich schrie: ›Maskenfreiheit!‹ Sie aber wollte solche nicht gelten lassen, sondern verfolgte mich, indem ich mich rettete und die Treppen hinunter sprang, bis vor die Tür.

Wir besuchten bei diesem Herumschwärmen auch einen gewissen Geheimen Rath, der mitten unter seinen Papieren saß und uns zum Willkommen, da wir ins Zimmer traten, zu allen Teufeln wünschte, wer wir auch sein möchten. Der ehrliche Mann hatte den Kopf voller Geschäfte, man konnte es ihm recht ansehen. Unsere Damen waren demungeachtet so mutwillig und nötigten den guten alten Mann mit den artigsten Caressen mit ihnen auf die Redoute zu fahren. ›Fahrt hin in die Hölle, ihr bösen Engel‹, sprach er endlich in Ungeduld, ›und laßt mich hier in Ruhe.‹ Er ließ darauf seine Lakaien kommen und tat als ob er sie zerreißen wollte, daß sie uns in sein Zimmer gelassen hatten. Diese entschuldigten sich damit, daß die Hausthüre offen gestanden und wir hinauf geschlichen wären.
Dergleichen Historien wurden um diese Zeit die Menge gespielt.«
August der Starke liebte es besonders, sich in das Maskengewühl des Karnevals von Venedig zu versetzen; der Altmarkt in Dresden und der Zwinger mußten daher die Stelle des weltberühmten Markusplatzes ersetzen. So war im Karneval des Jahres 1723 drei Tage hintereinander, vom 7. bis 10. Februar, öffentliche Redoute auf dem Altmarkt: ringsumher standen Buden, jeweils mit fünfzehn Lampen illuminiert; mitten auf dem Markt brannten vier Pyramiden mit je neunzig Lampen. Dasselbe wiederholte sich im Karneval 1728, zu dem König Friedrich Wilhelm von Preußen mit seinem Sohn Friedrich dem Großen kam.
Vor allem prächtig, herrlich und glänzend waren unter August dem Starken das Theater, die Französische Komödie, das Ballett und die Italienische Oper. Eine der heute noch größten Zierden Dresdens, die »Musikalische Kapelle«, erlebte in der Zeit Augusts den Anfang ihrer weltweiten Berühmtheit. »Die zweierlei Banden der Comödienspieler«, schreibt Loen, »sind die ausgesuchtesten ihrer Art: die eine besteht aus Italienern, die andere aus Franzosen. Auch die Tänzer und Tänzerinnen sind Franzosen. Die berühmte du Parc [eine der Favoritinnen des Königs, auf die ich zurückkomme] hat ihres Gleichen nicht in der Behendigkeit und in den geschickten Wendungen; allein man zieht ihr [Loen schrieb die Schilderung des Dresdner Hofs im Jahre 1718] nun eine schlechte Tänzerin, nämlich die Clement, vor, weil diese noch alle ihre Jugendkräfte beisammen zeiget, die jene verschwendet hat.«
Die Oper wurde im Jahre 1717 durch venezianische Künstler neu organisiert; ihre Gehälter betrugen zusammen bis zu 40 000 Taler. Der Venezianer Antonio Lotti, der größte italienische Kirchenkomponist seit und nächst Palestrina, hielt sich von 1717 bis 1720 in Dresden auf, seine Gattin Santa Stella sang in der Oper als Primadonna; sie und Lotti erhielten zusammen 10 500 Taler Gehalt. Der Sopranist Fernando Senesino – ein Kastrat – erhielt 7000 Taler;

Margarita Durastanti, »die Gräfin unter den Sopranistinnen« genannt, 4000 Taler; dazu kam der berühmte Violinist Francesco Maria Veracini aus Florenz, einer der kühnsten Violinspieler seiner Zeit, der Rivale Tartinis, der 1200 Taler erhielt und auf Lebenszeit engagiert wurde. Seine Laufbahn in Dresden endete aber bereits 1722, wo er sich aus Künstlereifersucht und durch das Lesen alchimistischer Schriften erhitzt, in Geistesabwesenheit zwei Stock herab aus dem Fenster stürzte – zum Glück brach er sich nur ein Bein. Er ließ sich auskurieren und verließ später Dresden; er starb erst um 1750 in London. Lotti und die anderen italienischen Künstler wurden nur für die Dauer der Italienischen Oper engagiert.

»Die außerordentlichen Besoldungen«, schreibt Loen, »die der König reichen läßt, haben aus Italien, als der hohen Schule der Musik, die besten und vortrefflichsten Meister dieser Kunst nach Dresden gelockt. Wenn Senesino und Berselli singen, Lotti aber die Tonweise setzt, so hört man alles, was die Musik Schönes und Zärtliches hat. Das ganze Orchester ist dabei mit den besten Instrumentalisten erfüllt. Die Schaubühne ist [Loen schrieb ein Jahr vor der Einweihung des großen Opernhauses] zwar an und für sich selbst viel kleiner, als dasjenige in Wien, allein die Besetzung und Auszierung desselben ist unvergleichlich.«

Ebenso unvergleichlich waren die Kosten. Sie betrugen nach Fürstenaus in seiner »Geschichte der Dresdner Kapelle« neuerlich gegebenen offiziellen Mitteilungen aus dem Archiv zusammen jährlich 85 626 Taler, ungerechnet die Kosten der Inszenierungen der einzelnen Opern, die gewöhnlich 40 000–50 000 Taler betrugen. Die Jahresausgaben bestanden aus folgenden Posten:

42 938 Taler für italienische Opernsänger,
5 338 Taler für die italienischen Schauspieler,
1 900 Taler für die französischen Sänger und Sängerinnen,
11 250 Taler für die französischen Schauspieler,
7 400 Taler für die französischen Tänzer und Tänzerinnen,
17 760 Taler für die Kapelle.

Die Oper fand ihr Ende im Jahre 1720, als Lotti Dresden verließ; von 1720 bis 1731 gab es nur Französische Komödie und Ballett. 1731, zwei Jahre vor dem Tod des Königs, wurde aber für die Oper wieder der berühmte Hamburger Adolf Hasse als Oberkapellmeister berufen; mit ihm kam seine als Sängerin nicht weniger berühmte Gattin Faustina, auf die ich unter August III. noch zurückkommen werde. Etwa zur selben Zeit (1729) wurde von dem großen Kapellmeister und Organisten Johann Sebastian Bach, der aus Eisenach in Thüringen gebürtig war und in der zweiten Hauptstadt des Landes,

Leipzig, gemütlich und in aller Stille lebte, aber zuweilen auch am bewegten Hof zu Dresden erscheinen mußte, die weltberühmte Passionsmusik komponiert.

Sowohl Theater wie Oper, Lustspiel und Ballett wurde damals ebenfalls noch – wie die Maskeraden – öffentlich gegeben: alle anständig gekleideten Personen hatten ohne Bezahlung Zutritt. Für die Aufführung der großen Opern wurde im Jahre 1718 anläßlich der Vermählung des Kurprinzen mit der kaiserlichen Prinzessin Josephine von Bibiena und Joseph Galli das große Opernhaus errichtet – dasselbe, in dem bis zum Maibrand 1849 zuletzt die Palmsonntagskonzerte aufgeführt wurden. Für die Pracht der inneren Ausschmückung sorgte der Maler Pompejo Aldrovandini aus Bologna. Das Haus faßte 8000 Menschen, das Theater über 500 Personen.

An Augusts Hof herrschte ein unaufhörlicher Wechsel von Lustbarkeiten aller Art; dazu wurde nicht nur der ganze Hofstaat in Bewegung gesetzt, sondern auch die Schiffer, die Bergleute, ja sogar die Armee mußte für die Hofbelustigungen dienen. Als im Juni 1725 eine seiner beiden natürlichen Töchter, die er mit der Gräfin Cosel hatte, den Grafen Friesen heiratete, ließ August vom 3. Juni an drei Wochen lang eine dem Lustschloß Pillnitz gegenüber angelegte und mit Truppen in Janitscharenuniform besetzte Festung nach allen Regeln der Kunst durch ein Belagerungskorps von Grenadieren belagern, die Trancheen eröffnen, Parallelen ziehen, Breschen schießen und endlich durch angelegte Minen von den Belagerten in die Luft sprengen, wobei fünfzehn ausgestopfte Grenadiere in voller Uniform mit in die Luft flogen. Die türkische Mannschaft zog sich auf die kleine Elbinsel bei Pillnitz zurück, verschanzte sich hier von neuem und versuchte sich dann durch Einschiffung zu retten; die Kavallerie der Belagerer zwang sie, als sie landen wollte, durch einen Angriff, der auf sie gemacht wurde, sich als kriegsgefangen zu ergeben. Darauf wurde Viktoria geschossen, und ein großes Feuerwerk auf der Elbinsel beschloß das militärische Schauspiel.

Gleichzeitig fanden, um die Hochzeit zu veherrlichen, sogenannte Bauerndivertissements in dem damals neugebauten, sogenannten »französischen Dorf« von Pillnitz statt, wo der König die französischen und die italienischen Schauspieler, Tänzer, Sänger und Musiker seiner Kapelle in einer Reihe von dreißig auf seine Kosten möblierten Häusern untergebracht hatte. Die Bauerndivertissements, bei denen die Künstler in Bauernkleidern fungierten, bestanden aus einem Maienfest, wo der Hof unter den Maien speiste und tanzte; aus Johannisfeuern; aus Korndreschen in den Scheunen des »französischen Dorfs«; einer Entenjagd auf der Elbe, einer Hasenjagd im Schloßgarten, wobei die Hofzwerge die Oberjägermeister und kleine, grüngekleidete Knaben mit kleinen Hunden die Jäger vertraten; aus einer Bauernschule, wo der Hofzwerg den Schulmeister darstellte, und aus einem Bauernprozeß, wo er den Dorfrichter spielte; aus einer Bauernwirtschaft des Hofs und aus einem Bauernkarussell, wo sich die leibhaftigen Bauern die Umgebung in ihrer Gutmütigkeit dazu hergaben, sich nebst ihren Mädchen mit Wasser einweichen zu lassen, wobei über die Bauern, wenn sie das Ziel verfehlten, bei jedem Fehlstoß gefüllte Wasserkübel über die Köpfe ausgegossen wurden; die Mädchen aber gerieten, wenn sie nach einer ausgestopften Puppe liefen, um ihr den Kranz zu entreißen, in einen ausgehöhlten, mit einem großen Wasserfaß mit Deckel und kleinen Löchern ausgefüllten Boden. Sobald sie auf den Deckel traten, spritzte ihnen durch die Löcher das Wasser unter die Röcke – zur höchsten Lust von Hof und Adel!

Einmal speiste der Hof sogar in Zigeunerkleidern.

Außerdem gab es bei diesen dreiwöchigen Lustbarkeiten der Hochzeit der natürlichen Tochter des Landesherrn – deren Mutter damals in strengem Gewahrsam auf der Festung Stolpen in der Nähe saß, weil sie von einem Eheversprechen, das ihr der König gegeben hatte, nicht abstehen wollte – die gewöhnlichen Vogel- und Scheibenschießen, ein solennes Ringelrennen – übrigens stets offene Tafel und Komödien. Auch eine Tour zu der Festung Königstein fand statt. Erst am 23. Juni begab sich der Hof wieder nach Dresden. Tausende von Menschen, Einheimische und Fremde, verweilten während jener drei Festwochen in Pillnitz; Treckschuten nach holländischer Art, von Pferden gezogen, fuhren unaufhörlich die Elbe hinauf und hinab, zur Beförderung der Einheimischen und Fremden.

In ebenso großem Stil wie dieses Mars- und Bauernfest, gab August Venusfeste in den Lustgärten, Dianenfeste in den Wäldern, Neptunsfeste auf der Elbe und Saturnusfeste in den Bergen des Plauenschen Grundes.

Bei allen außerordentlichen Gelegenheiten wurde höchste Pracht entfaltet. Eine solche Gelegenheit war die Vermählung des Kurprinzen mit der kaiserlichen Prinzessin Josephine im Jahre 1719. Die Einholung der von Wien kommenden Braut geschah auf der Elbe. Eine Flottille von fünfzehn holländischen Jachten mit weiß- und rotgekleideten Schiffern, die Kanonen führten, und hundert reichvergoldete Gondeln fuhren der Braut bis nach Pirna entgegen; hier bestieg sie den für sie bestimmten Buzentaur. Die Vergoldung dieses, dem berühmten Schiff in Venedig nachgeahmten Fahrzeugs hatte allein 6000 Taler gekostet. Auf ihm befanden sich die königliche Kapelle und der Offizier, der die Flottille durch ein Sprachrohr kommandierte. Die Schiffsleute des Buzentauren waren nach holländischer Art in gelben Atlas und weiße Seide gekleidet.

Vom feierlichen Einzug der Prinzessin in Dresden am 2. September 1719 reden die Annalen der Zeit mit staunender Bewunderung. Es figurierten dabei an die 2000 Personen, die teils zum Hofstaat, teils zum einheimischen und fremden Adel gehörten. Von auswärts waren sieben Fürsten, beinahe 200 Grafen, über 200 Barone und über 500 Edelleute gekommen. Von Besser existiert noch eine Zeremonienbeschreibung in seinen »Gesammelten Werken«; er gibt aber ausdrücklich an, daß – wie schon erwähnt – der König in eigener Person der Festordner war.

Der König empfing die Neuvermählten vor der Stadt auf der Vogelwiese unter einem Zelt aus gelbem Samt mit Silbergalonen. Er trug für zwei Millionen Taler Juwelen an seinem Kleid, das aus Purpursamt war. Den Zug in die Stadt eröffnete der Generalhofpostmeister Baron Mordax mit seinem massivgoldenen, mit Edelsteinen besetzten Posthorn; ihm folgten hundert Postoffizianten in Gelb und Blau. Dann kamen über hundertfünfzig Jäger in Grün und Silber, fünfzig in der alten Hoffarbe Sachsens – Gelb und Schwarz – gekleidete Hartschiere zu Pferd mit Partisanen, hundert Landstände in schwarzsamtenen Röcken und Westen aus Drapé d'or, geführt vom Oberkammerherrn Graf Vitzthum und dem Erbmarschall Thamm von Löser; sodann die fremden Kavaliere, hundert Kavaliere des sächsischen Hofs, die Kammerjunker, Kammerherren und Minister zu Pferd; zuletzt der Oberhofmarschall Baron Löwendahl. Außerdem folgten noch dreihundert reichbehängte Pferde und Maulesel mit silbernem Geläut, mehr als hundert sechsspännige Karossen und ein Schwarm von Läufern mit Läuferstöcken, Heiducken, Schweizer mit Hellebarden – alle in der alten Hoffarbe Sachsens –, Türken und Mohren in den polnischen Farben Scharlachrot und Weiß, Pagen in spanischen Kleidern und Mänteln, Bajotten in ungarischer Kleidung mit Streithämmern.

Von der Armee zeigten sich vierundvierzig Personen, die zur Generalität gehörten, in Scharlachuniform mit vergoldeten Knöpfen; an ihrer Spitze ritt einer der größten Kapitäne aller Zeiten, der damals jüngste Generalmajor Münnich, sechsunddreißig Jahre alt; den Schluß bildete Generalfeldmarschall Flemming, der ihn im Jahr darauf vertrieb. Ferner folgten neun Schwadronen Reiter – darunter die Gardes du Corps, die Grenadiers à cheval und zwei Schwadronen Kürassiere, eine mit vergoldeten, die andere mit versilberten Kürassen – und 6000 Mann neu uniformierte Infanterie. Dazu kamen noch 1500 Mann von der Dresdener Bürgerschaft, weiß und rot gekleidet, mit ihren sechs Fahnen. In den Straßen der Pirnaer Vorstadt, durch die sich der Zug zum Schloß bewegte, bildeten die Bürger die Parade, in den Straßen der Stadt das Militär; im Schloß standen die Chevaliergarde und die Kadetten.

Der Kurprinz, ebenfalls in reichstem Purpurkostüm, mit Diamanten besetzt, saß auf einem spanischen Pferd; vor ihm trugen vier in prächtigen Brokat gekleidete Türken einen Roßschweif. Die Kurprinzessin, in spanischem Kostüm, fuhr in einem achtspännigen Galawagen, der mit rotem Samt und Goldstickereien ausgeschlagen war; die acht schwarzen neapolitanischen Pferde wurden in goldenen Zügeln und Schnüren geführt. Vor dem Wagen ritt der Leibmohr, gefolgt von vierundzwanzig anderen Mohren in weißem Atlas und scharlachfarbenen Talaren und Turbanen und Reiherbüschen. Von den Wällen der Stadt wurden während des Einzugs 330 Kanonenschüsse abgefeuert.

Auf diesen solennen Einzugstag folgten nach den Memoiren des Reisenden Pöllnitz, der Augenzeuge war, und laut den »Dresdner Merkwürdigkeiten« für das Jahr 1719, die zugleich nur beiläufig berichten, daß damals – infolge eines ungemein heißen Sommers – gerade eine große Teuerung im Land geherrscht habe, noch folgende, vier ganze Wochen hindurch andauernde Hoffeierlichkeiten.

3. September: Tedeum und große Tafel bei Hof, wo die Hofherren und Hofdamen und die Fremden an neun Tafeln – jede zu dreißig Gedecken – speisten. Bei der Tafel gab es Musik und abends die erste Oper – »Giove in Argo«, von Lotti – im neuerbauten Opernhaus, womit es eingeweiht wurde.

4. September: Feierlicher Ball im Riesensaal von 7 Uhr abends bis 4 Uhr morgens; vierundneunzig Musikanten spielten dabei auf, und drei Erfrischungen wurden aufgetragen; die erste von vierundzwanzig polnischen Pagen in den polnischen Farben, die zweite von vierundzwanzig sächsischen Pagen in spanischen Mänteln und die dritte von vierundzwanzig Mohren und Türken – in denselben Kostümen, die sie alle beim Einzug getragen hatten.

5. September: Ein Stück von Corneille im Opernhaus.

6. September: Großes Kampfjagen mit wilden Tieren im Jägerhof.

7. September: Probe zum feierlichen Karussell und wieder Oper: »Teofane« von Lotti. Da diese Aufführung sehr lange dauerte – von 7 Uhr abends bis 2 Uhr nachts –, soupierte der König im Parterre und ließ den Damen in den Logen kleine Tafeln vorsetzen.

8. und 9. September: Solennes Karussell im Zwinger.

10. September: Beginn der sogenannten »Sieben-Planeten-Lustbarkeiten« mit dem Pastorale »La Gara degli Dei«; musikalisches Fest im Japanischen Palais, wobei von sieben Kastraten gesungen wurde, die, in einer Wolke sitzend, die sieben Planeten darstellten: jeder Planet lud zu einem besonderen Festin ein. Darauf folgte ein Souper auf Porzellan an zehn Tafeln, jede zu zwanzig Gedecken, und nach dem Souper ein großes Sonnen- oder Apollofest, bestehend in einem prächtigen Feuerwerk auf der Elbe: »Jason erobert das Goldene

Vlies«. Während das Kastell des Königs von Kolchis auf der Elbe mit Leuchtkugeln beschossen wurde, wütete ein furchtbares Gewitter; der Blitz schlug ein und entzündete ein Haus in der Pirnauer Vorstadt.
11. September: italienische Komödie.
12. September: Marsfest, bestehend aus einem solennen Roß- und Fußturnier auf dem Altmarkt, wie es seit der Zeit des Kurfürsten Johann Georg I. nicht gehalten worden war.
13. September: Oper.
14. September: Französische Komödie.
15. September: Jupiterfest: ein prächtiges Karussell der vier Elemente, das im Zwinger aufgeführt wurde. Dabei stellte der König mit sechzehn Reitern, die er anführte, das Feuer dar; er war gekleidet in feuerroten Atlas, geziert mit Brillanten, flattergoldenen Flammen und Salamandern; er und alle seine Reiter ritten Rappen. Der Kurprinz stellte mit seinen sechzehn Reitern das Wasser dar; sie trugen wasserblaue Kleider, mit silbernen Fischen, Delphinen, Muscheln und Korallen geziert; alle ritten Schimmel. Der Herzog von Sachsen-Weißenfels stellte mit seinen sechzehn Reitern die Erde dar; sie kamen in erdbraunen Kleidern, geziert mit Löwen und Tigern in Gold; alle Pferde waren braun. Schließlich kam der Herzog von Württemberg – der spätere Gemahl der Fürstin von Teschen, einer früheren Favoritin des Königs –; er stellte die Luft dar und war wie seine sechzehn Reiter in Blau gekleidet, mit Silber verziert, mit weißen Zündeln, mit Flügeln und fliegenden Paradiesvögeln.
16. September: Jagd in Pillnitz.
17. September: Türkenfest zu Ehren des Planeten Erde. Es wurde gegeben im sächsischen Serail in der großen Plauenschen Gasse, im ehemaligen Italienischen Garten Sorlysis, den der König mit zwei Millionen Taler Kosten neu erbauen und ganz türkisch hatte einrichten lassen; es war sein Hochzeitsgeschenk für die kaiserliche Schwiegertochter. Bei diesem Türkenfest warteten 350 Janitscharen auf; abends gab es Nachtschießen und Illumination.
18. September: Dianenfest; es bestand aus einer Wasserjagd bei der Elbbrücke, wobei 400 Hirsche geschossen wurden, und wurde Luna zu Ehren aufgeführt. Darauf folgte die Kantate »Diana sur l'Elba« von Kapellmeister David Heinichen († 1729 in Dresden), den der Kurprinz nebst Lotti aus Venedig mitgebracht hatte.
20. September: Merkurfest, bestehend aus einer maskierten Nationenwirtschaft mit Lotterie und Jahrmarkt in sechzig Buden im mit über 60000 Lichtern erleuchteten Zwinger.
21. September: Oper.
22. September: Französische Komödie.

23. September: Venusfest – ein solennes Ringelrennen mit Wagen von als Amazonen gekleideten Damen, aufgeführt im Großen Garten. – Darauf folgte eine Aufführung der »Quattre Saisons«, eines französischen Singspiels von Oberkapellmeister Johann Christoph Schmidt († 1728 in Dresden), einem Schüler Christoph Bernhards; es wurde mit Tänzen im Theater des Großen Gartens im Freien durch die Kavaliere und Damen des Hofs aufgeführt. Darauf folgten ein Souper im Großen-Garten-Palais; eine Illumination im Großen Garten durch 600 große Wachsfackeln, viele Tausende von Lampen und ein großes Feuer aus vierzig Klaftern Holz auf dem jenseitigen Elbufer; zuletzt ein Ball im Venustempel am Teich des Großen Gartens – er dauerte bis 5 Uhr morgens.
24. September: Oper »Ascanio«, wieder von Lotti.
25. September: Schauspiel.
26. September: Das weit und breit berühmte große Saturnusfest im Plauenschen Grund. Es begann mit einer Jagd, bei der Hirsche und Bären von den Felsen herabgestürzt wurden. Abends folgte ein Bergaufzug von 1500 Bergleuten mit Grubenlichtern und Fackeln. Wo jetzt im Plauenschen Grund die sogenannte »Königsmühle« steht, stand der Tempel des Saturnus, und zu seinen beiden Seiten wurden zwei künstliche feuerspeiende Berge errichtet. Es wurde angenommen, Saturnus selbst wollte zur Feier des hohen Brautpaars die Saturnalien begehen; deshalb hatte er seine Bergleute aus allen Klüften des Erzgebirges, dessen Anfang der Plauensche Grund bildet, herausgepocht – sie brachten Erzstufen und Edelsteine als Geschenke. Cupido war dabei Münzmeister, und die von ihm in Silber und Gold geprägten Münzen sind noch vorhanden.
27. September: Oper.
28. September: Französische Komödie.
29. September: An diesem Tag wurden die Hochzeitsfeierlichkeiten mit einer Oper abgeschlossen.

Zum Karneval 1728 kam König Friedrich Wilhelm von Preußen mit Friedrich dem Großen; er blieb vier ganze Wochen. Zwei Tage nach seiner Ankunft schrieb er an Seckendorff: »Die hiesige Magnificence ist so groß, daß ich glaube, sie habe bei Louis XIV. ohnmöglich größer sein können und was das liederliche Leben betrifft, so bin ich zwar nur zwei Tage hier, aber ich kann in Wahrheit sagen, daß dergleichen noch nicht gesehen und wenn der sel. Franke lebte und hier wäre, würde er es nicht ändern können, daher Ich auch Ursache habe hier recht vergnügt zu sein ...«
Die Festlichkeiten, mit denen die polnische Majestät die preußische zu vergnügen suchte, waren nach den »Lettres historiques« in Kürze folgende:

Dienstag, 13. Januar: Der König von Preußen verließ Wusterhausen in Begleitung der Generäle Grumbkow und Loeben, des Obersts Kröcher, des Oberstleutnants Dreschau, des Leutnants Haake und des Kammerherrn Ferrand; er nahm Nachtquartier in Elsterwerda, wo ihm Feldmarschall Graf Flemming entgegenkam und mit ihm soupierte. Bei Tisch eröffnete Flemming dem König, der König von Polen habe sich geschmeichelt, der Kronprinz werde mitkommen. Hierauf fertigte Friedrich Wilhelm einen Kurier nach Berlin ab.
Mittwoch, 14. Januar: Der König dinierte in Großenhain und kam um halb fünf Uhr nach Dresden; er fuhr im Wagen des Feldmarschalls, um inkognito zu bleiben, und stieg im Zeughaus beim Grafen Wackerbarth ab. Der König von Polen und der Kronprinz hatten sich schon in Dominomasken zum Feldmarschall begeben, wo für diesen Tag die Assemblee angesagt war; auf die Nachricht von der Ankunft des preußischen Königs kamen sie in den Masken ohne Begleitung ins Zeughaus, um den König zu überraschen. August und Friedrich Wilhelm umarmten sich zärtlich; August stellte dem Preußenkönig seinen Kronprinzen vor. Die Bitte, im Schloß in den Appartements der verewigten Königin zu wohnen, lehnte der König von Preußen ab. Der König von Polen und der Kronprinz kehrten in die Assemblee zum Feldmarschall zurück; der König von Preußen folgte nach einer halben Stunde auch in Dominomaske. Dann folgte die Vorstellung bei der Kronprinzessin.
Um neun Uhr gab es Souper von gegen zwanzig Tafeln, die der Feldmarschall trefflichst in zwei Galerien und den Zimmern hatte arrangieren lassen; die der Majestäten hatten fünfzehn Gedecke. Die Kronprinzessin saß zwischen den Majestäten; man blieb zwei Stunden bei der Tafel. Dann folgte der Ball bis drei Uhr – der König von Preußen zog sich jedoch um Mitternacht zurück.
Donnerstag, 15. Januar: Zwischen neun und zehn Uhr morgens machten die sächsischen und polnischen Minister dem König von Preußen ihren Hof. Dieser besichtigte das Zeughaus; bei der Rückkehr fand er in seinen Zimmern August und den Kronprinzen, die ihn zum Diner mit aufs Schloß nahmen. Vorher besuchte der König die Kronprinzessin, die er zur Tafel führte; sie saß wieder zwischen den Majestäten. Die übrige Gesellschaft bildeten der Kronprinz, die Suite des Königs von Preußen, die Gesandten Frankreichs, Rußlands und Hollands und die vornehmsten polnischen und sächsischen Minister. Bei der Rückkehr ins Zeughaus traf der König den Grafen Wackerbarth noch bei der Tafel und hörte hier ein Instrumentalkonzert mit an, das ihm sehr wohl zu gefallen schien.
Abends gab es Französische Komödie und Souper mit dem König an der Konfidenztafel; nach dem Souper Nachtscheibenschießen in der

illuminierten Stallbahn, das dem König so sehr gefiel, daß er bis Mitternacht blieb.

Freitag, 16. Januar: Der König besichtigte die Ställe und die Rüstkammer; darauf Besuch beim Kronprinzen, den er noch nicht in seiner Wohnung gesehen hatte. Der Kronprinz empfing ihn unten an der Treppe; nach einer Unterhaltung von einer Stunde führte der Kronprinz den König zu seinem Vater; dann Diner an der Konfidenztafel.

Abends Assemblee in Masken beim Feldmarschall. Der König von Preußen soupierte in einem Appartement des Schlosses, das ihm angewiesen war, mit einer von ihm gewählten Gesellschaft von einem Dutzend Personen.

An diesem Abend kam der Kronprinz Friedrich der Große an und wohnte beim Feldmarschall Flemming, wo der größte Teil der Suite des Königs wohnte.

Sonnabend, 17. Januar: Der Kronprinz von Polen besuchte am Morgen den Kronprinzen von Preußen. Nachmittags fand das Ringelrennen im Schlitten auf dem Altmarkt statt. Jede der vier Quadrillen frühstückte bei ihrem Chef: dem Kronprinzen von Polen, dem Prinzen von Weißenfels, dem Grafen Rutowsky – einem mit der schönen Tscherkessin Fatime gezeugten natürlichen Sohn des Königs – und dem Feldmarschall Flemming; bei letzterem befand sich Friedrich der Große. Auf dem Altmarkt waren vier Rennbahnen mit einer Balustrade aus grünen Tannenzweigen errichtet. Um ein Uhr begann das Ringelrennen beim Schall der Trompeten und Pauken, die jeder Quadrille vorauszogen; der König von Preußen und der Kronprinz sahen aus dem Haus des Generals Lützelburg zu, wo der König diniert hatte. Das Spiel fand in bester Ordnung statt, und die Damen machten sich die Preise mit der Lanze, dem Wurfspeer, der Kugel und dem Degen streitig. Um fünf Uhr war alles vorbei, und die Quadrillen zogen in das alte Palais des Grafen Flemming, wo sie tanzten und jede an einer besonderen Tafel nach der Ordnung der Preisverteilung soupierten. Die Majestäten und der Kronprinz von Preußen speisten an der Konfidenztafel – um Mitternacht trennte sich die Gesellschaft.

Sonntag, 18. Januar: Dieser Tag begann um zwei Uhr mit dem Feuerlärm wegen des großen Brandes im Quartier des Königs von Preußen, dem Zeughaus, beim Grafen Wackerbarth. Der Kronprinz von Polen erschien zu Pferd auf dem Platz und blieb bis sechs Uhr früh – das Feuer konnte nicht gelöscht werden. Der König von Preußen rettete sich auf die Moritzstraße zum Feldmarschall, wohin sich der Kronprinz sofort begab, um die Wohnung im Schloß anzubieten; der König war schon zu Bett gegangen, und der Prinz wollte ihn nicht wecken.

Der König von Preußen hörte am Morgen die Predigt im Schloß bei Dr. Marperger, dem Oberhofprediger, und dinierte dann beim Kronprinzen von Polen; der Kronprinz von Preußen tat dies beim Feldmarschall. Nach Tisch besichtigten sämtliche Herrschaften das Grüne Gewölbe. Abends gab es Komödie, dann Souper bei der Krongroßschatzmeisterin Przebendowska.

Montag, 19. Januar: Der König von Preußen und der Kronprinz besuchten das Kadettenhaus in der Neustadt; abends folgte Redoute bis Mitternacht.

Dienstag, 20. Januar: Der König von Preußen besichtigte die Kunstkammer und speiste in seinem Zimmer im Schloß mit dem Kronprinzen und der Kronprinzessin von Polen, die er hatte einladen lassen. Abends gab es Komödie, zu der sich auch der König von Polen einfand, der zwei Tage lang unwohl gewesen war. Dann folgte ein Souper beim Feldmarschall, dann Maskerade bei der Gräfin Reuß, wo die Hochzeit des Grafen Sinzendorff mit Gräfin Callenberg gefeiert wurde.*

Mittwoch, 21. Januar: Die fünf Herrschaften besuchten den Jägerhof; Déjeuner, Gefecht wilder Bestien. Der König von Preußen soupierte mit vier bis fünf Damen an runder Tafel, der Prinz mit einigen anderen Damen beim Grafen Manteuffel. Nach dem Souper wieder Redoute bis Mitternacht.

Donnerstag, 22. Januar: König und Kronprinz von Preußen besichtigten im Holländischen Haus [dem Japanischen Palais] das Porzellan. Der König speiste beim Oberschenk Baron Seiffertitz, der Prinz beim Feldmarschall. Abends wieder Redoute.

Freitag, 23. Januar: Um neun Uhr morgens großes Ringelrennen im Zwinger, wo wieder Rennbahnen angelegt worden waren und alles mit einer grünen Einfassung, besetzt von 1000 Mann Infanterie, umgeben worden war. Die vier Quadrillen, die ritten, führten

der König: lauter Polen in galonierten Goldkleidern mit weißen und blauen Federn auf den Hüten, alle auf Schimmeln;

der Kronprinz: in grauen Kleidern, mit Gold galoniert, mit roten Federn auf den Hüten;

der Herzog von Weißenfels: in kaffeebraunen Kleidern, mit Gold galoniert, mit roten Federn;

der Herzog von Holstein: in gelben Kleidern, mit Silber galoniert, mit weißen Federn.

* Der Geheimrat Friedrich Christian Sinzendorff war der Bruder des Bischofs der Herrnhuter und selbst Protestant; er war der Vater der beiden Konvertiten und österreichischen Minister Ludwig und Karl, mit denen das Geschlecht erlosch. Die Gräfin Callenberg war die Tochter des 1709 verstorbenen Geheimrats und Gesandten in Wien Graf Kurt Reinicke Callenberg und einer Tochter des Geheimen Ratsdirektors Friesen.

Man ritt zu je vier Mann nach den Ringen und stach Lanzen gegen Figuren. Der König und der Kronprinz von Preußen sahen aus einem der Säle des Zwingers zu. Hier wurde auch nach dem Karussell gespeist.
Abends gab es Komödie; der König von Preußen speiste beim Feldmarschall, der Prinz beim Herzog von Weißenfels.
Sonnabend, 24. Januar: Der König von Preußen besichtigte das Türkische Palais in der Plauenschen Gasse. Beim Rückweg in die Stadt sah er den Grafen Manteuffel, den ehemaligen Gesandten in Berlin, mit einigen Freunden am Fenster; er kam zu ihm hinauf und begehrte da zu speisen. Die Majestät war besonders guter Laune. Graf Manteuffel ließ ein schönes Glas mit dem weißen und dem schwarzen Adler bringen, dessen Inschrift »FrIeDrICh VVILheLM 8. AVgVstVs« gerade die Zahl 1728 gab; es führte die Devise:

> »Hier sieht man Weiß und Schwarz freundbrüderlich vereint,
> Es lebe, wer es treu mit beiden Adlern meint!«

Der König ließ den Pokal die Runde machen und verbreitete sich über die Allianz zwischen Sachsen und Preußen, die schon von den Vorfahren stamme.
Der Kronprinz hatte beim Kronprinzen von Polen gespeist, später die Komödie besucht und dann einen großen und schönen Ball, den ihm die Krongroßschatzmeisterin gab.
Sonntag, 25. Januar: Der König von Preußen hörte die Predigt beim Oberhofprediger Marperger und besichtigte dann nochmals, von beiden Kronprinzen begleitet, das Grüne Gewölbe. Die Herrschaften begaben sich sodann zur Jungfernbastion hinter dem Zeughaus [wo heute der Pavillon auf der Brühlschen Terrasse steht], wo sie der König und die Kronprinzessin von Polen erwarteten. Man dinierte und schoß dann mit der Armbrust – hier war es, wo die obenerwähnten possierlichen Preise verteilt wurden. Sieur König, der Hofpoet, legte mit seinen die Treffer und Fehler begleitenden Versen große Ehre ein.
Um vier Uhr zog sich der König in seine Wohnung zurück, speiste mit der Feldmarschallin Prinzessin Radziwill und ging abends wie gewöhnlich auf die Redoute.
Montag, 26. Januar: Der König von Preußen und der Kronprinz von Polen belustigten sich mit der Fasanen- und Hasenjagd im Großen Garten; dann speiste der König beim Grafen Watzdorf, dem Intendanten der Fasanerie, und zog sich dann für einige Stunden zurück. Nach der Komödie speiste er mit dem König und dem Kronprinzen von Polen an der Konfidenztafel.
Der Kronprinz von Preußen hörte am Morgen ein Konzert, speiste beim Feldmarschall und besuchte ebenfalls die Komödie. Abends

speiste er wieder beim Feldmarschall; vor und nach der Tafel war Ball.

Graf Rutowsky trat als Generalmajor in preußische Dienste und erhielt das Regiment Garde du Corps zu Pferd.

Dienstag, 27. Januar: Die preußische Majestät besichtigte die Sehenswürdigkeiten der Stadt. Nach der Komödie fand ein Ball statt.

Mittwoch, 28. Januar: Wildschweinjagd im Saugarten vor der Neustadt. Teils mit der Lanze zu Pferd, teils mit Wurfspieß und Pfählen wurden 300 Stück erlegt.

Donnerstag, 29. Januar: Der König von Preußen besichtigte das von Sulkowsky erbaute, im Jahre 1725 vom König gekaufte Lustschloß Übigau an der Elbe; es gefiel ihm so, daß er sich den Plan erbat, um sich ein ähnliches Schloß zu bauen.

Freitag, 30. Januar: Der König von Preußen fuhr mit beiden Kronprinzen nach Königstein, wo er speiste. Nachdem er die Festung besichtigt hatte, fuhr er nach Großsedlitz, wo Graf Wackerbarth, der Intendant dieses Schlosses, ein Souper für ihn gab; er übernachtete mit seiner Suite in Sedlitz.

Sonnabend, 31. Januar: Der König besichtigte die Festung Sonnenstein, die Pavillons von Pillnitz und kehrte abends in die Stadt zurück.

Sonntag, 1. Februar: Nichts Außerordentliches.

Montag, 2. Februar: Der König von Preußen sah aus den Fenstern des Schlosses einem Fuchsprellen im Schloßhof zu.

Dienstag, 3. Februar: Nichts von Bedeutung.

Mittwoch, 4. Februar: Diner im Schloß. Um zwei Uhr gaben die Kadetten im Zwinger ein Fußturnier, geführt von ihrem Gouverneur, dem Grafen Wackerbarth. Sie waren in zwei Bataillone geteilt: eines mit schwarzen, das andere mit blanken Kürassen; jedes Bataillon bestand aus drei Quadrillen zu je sechzehn Mann; die Kapitäne trugen vergoldete Kürasse. Die Quadrillen unterschieden sich durch die Farben der Fahnen, Federbüsche und Waffenröcke; die Waffen waren Piken und Degen. Jede Quadrille hatte vorn und hinten ein Detachement Infanterie in den Hoffarben Gelb und Schwarz zugeordnet mit Kasketten und Piken. Das Turnier begann Mann gegen Mann mit Pike und Degen und mit geschlossenen Helmen; dann gab es eine Viertelstunde lang allgemeines Gefecht, währenddem vier Bataillone, die die Kampfbühne einschlossen, fortwährend mit den Musketen feuerten, worauf die Preisverteilung folgte.

Am Abend gab es Redoute.

Donnerstag, 5. Februar: Der König von Preußen besuchte den Plauenschen Grund.

Freitag, 6. Februar: Um 10 Uhr Vogelschießen im Hofschießhaus: Man schoß mit Kugeln und setzte das Schießen auch bei der Tafel fort, indem jeder der vierundzwanzig Schützen der Reihe nach aufstand und aus dem Fenster schoß. Vor der Tafel zogen Bauern und Bäuerinnen aus der Umgebung ein, die die schon bei der Hochzeit der Gräfin Cosel vorgekommenen Festlichkeiten mit den Wasserkübeln und Spritzdeckeln und Tänze veranstalteten. Der Kernschuß geschah während der Tafel; die fünf Preise waren Medaillen von vierzig bis achtzig Dukaten – der König von Preußen, Oberstleutnant Derschau und der Prinz von Weißenfels gewannen sie.
Sonnabend, 7. Februar: Nichts Besonderes.
Sonntag, 8. Februar: Der König von Polen verlieh dem preußischen Kronprinzen und General Grumbkow den Weißen Adlerorden. Ringelrennen in der mit Tausenden von Lampen illuminierten Stallbahn; der Kronprinz von Polen führte eine Quadrille von Ungarn, der Prinz von Weißenfels eine von Türken.
Montag, 9. Februar: An diesem Tag fand eine außerordentliche Maskerade, eine sogenannte ›Nationenwirtschaft‹ statt. Zwischen 11 und 12 Uhr versammelten sich die Gruppen. König August und die Fürstin von Teschen stellten den Wirt und die Wirtin dar; ihre zwei Gruppen waren aus den auserlesen schönsten Herren und Damen des Hofs und der Stadt formiert; der Hofmarschall von Loß führte sie. Die vier Gruppen der Gäste waren: Französische Bauern, geführt vom Kronprinzen und der Kronprinzessin von Polen; italienische Komödianten, geführt vom Prinzen von Weißenfels und der Gräfin Orselska; Bergleute, geführt vom Grafen Rutowsky und der Gräfin Manteuffel [geborene Bludowsky aus Schlesien]; sowie norwegische Bauern unter der Führung des Feldmarschalls Flemming und seiner Gemahlin, Prinzessin Radziwill. Der König von Preußen war in der Gruppe des Prinzen von Weißenfels in der Pantalonmaske, der Kronprinz in der des Feldmarschalls als norwegischer Bauer.
Diese vier Gruppen bestanden aus je dreizehn Paaren, die Chefs inbegriffen, die ihre Gäste bei sich oder bei ihren Moitiés speisten.
Um vier Uhr nachmittags zogen diese vier Gruppen, jede unter Führung eines Musikkorps, ins Wirtshaus, das in den zwei Paradesälen des Schlosses aufgeschlagen war. Jede Gruppe wurde vom Wirt an der Spitze seiner Familie, seiner Diener und Dienerinnen, die »en haye« auf der Treppe rangiert waren, empfangen. Als alles versammelt war, begann der Tanz. Um neun Uhr fand das Souper in der Bildergalerie [dem Riesensaal] statt; es gab 104 Gedecke. Die Offiziere und Diener des Hofs, alle maskiert, bedienten die Tafel, der Wirt und die Wirtin bedienten die Gäste. Nach zwei Stunden

wurde die Tafel aufgehoben, und man begab sich wieder in die beiden Tanzsäle, wo der Ball bis in die späte Nacht fortdauerte.

»Cette fête«, sagen die »Lettres historiques«, »étoit des plus brillantes qui se soient peut être jamais données dans ce genre là, tant à cause de l'ordonnance que par rapport à la magnificence des habillements; mais ce qui fut le plus admiré, ce furent les soins que le Roi se donnoit pour remplir lui même toutes les fonctions d'un bon hôte et la richesse immense de l'habit que S. M. portoit, qui étoit presque tout couvert des plus beaux brillans, parmi lesquels il y en avoit un au chapeau, dont Elle n'avoit fait l'acquisition que depuis une quinzaine de jours qui pèse au delà de 194 grains et est d'une beauté achevée.«

Dienstag, 10. Februar: Der König und der Kronprinz wohnten einem Pastorale bei, das um vier Uhr nachmittags im Theater für die Komödien dargestellt wurde, wo ihnen der Kronprinz von Polen ein prächtiges Souper an fünf Tafeln – jede zu vierundzwanzig Gedekken – gab. Später fand man das Theater herrlich illuminiert, das Parterre zum Ball hergerichtet und alle Logen mit Masken besetzt.

Der Ball, der um elf Uhr begann, dauerte bis sechs Uhr morgens; der Hof und die Standespersonen tanzten im Parterre, die Stadtleute im Theater.

Mittwoch, 11. Februar: Endlich folgte der Schluß der vierwöchigen Lustbarkeiten. Der König von Polen war am frühen Morgen nach Moritzburg gefahren; der König von Preußen und die beiden Kronprinzen folgten um zehn Uhr. Man blieb den Tag über in Moritzburg. Um neun Uhr abends nahm der König von Preußen Abschied, ohne die Stunde seiner Abreise zu bestimmen.

Donnerstag, 12. Februar: Der König von Preußen erhob sich um drei Uhr morgens; der König von Polen war bereits aufgestanden und begleitete ihn noch bis an den Wagen. Hier nahm man den letzten Abschied, und die preußischen Herrschaften fuhren unter einer Salve von zwanzig Kanonenschüssen ab, wie man sie schon bei ihrer Ankunft hatte lösen lassen.

Mitten unter diesem Schwall von Lustbarkeiten hatte der fromme preußische König am 22. Januar an seinen Freund, den österreichischen Gesandten in Berlin, Graf von Seckendorff, geschrieben: »Ich bin in Dresden und springe und tanze, ich bin mehr fatiguiret, als wenn ich alle Tage zwei Hirsche toht hetze. Der König tuet uns so viell Höflichkeit, das es nicht zu sagen ist.« Und am 3. Februar: »Ich gehe zukommende Mittwoche nach Hause fatiguiret von alle guhte Tage und wohlleben; ist gewiß nit christlich leben hier, aber Gott ist mein Zeuge, daß ich kein plaisir daran gefunden und noch so Rein bin als ich von Hause hergekommen.«

Anders war es mit dem Kronprinzen, Friedrich dem Großen: in dieser Karnevalszeit begannen seine Liaisons mit der schönen Formera und der noch schöneren Orselska, von denen seine Schwester in ihren Memoiren berichtet.

Das grandioseste und in allen seinen Verhältnissen kolossalste Fest der polnischen Periode Sachsens, das August gegeben hat, war das durch ganz Europa berühmt gewordene, durch Königs Pferdeepopöe verherrlichte große Lustlager bei Mühlberg an der Elbe – an dem glücklichen Ort, wo sich der Ahnherr der Albertiner einst die Kur erstritten hatte –; es kommt auch unter dem Namen »Zeithainer Lager« in den Zeitberichten vor. Dieses militärische Fest dauerte wiederum einen ganzen Monat – den Monat Juni 1730 – hindurch. Der König hatte in Person wieder alle und jede Einrichtungen und alle und jede Einteilungen der mannigfaltigen Lustbarkeiten angegeben.

Das Terrain des Lagers umfaßte einen Raum von drei Meilen im Umfang; es war durch und durch planiert; der Wald, der zum Teil auf der Pläne gestanden hatte, war durch 500 Bauern und 250 Bergleute aus Freiberg gerodet worden. August hatte im Lager 20000 Mann Infanterie und 10000 Mann Kavallerie versammelt – teils sächsische, teils polnische Truppen; alle waren nach der neuen französischen Manier eingeübt und alle ganz neu ausgerüstet. Unter diesen Truppen zeichneten sich durch ihre reichen Uniformen besonders aus: die Chevaliergarde, die Grands Mousquetaires zu Pferd, die Grenadiers à cheval, die Gardes du corps zu Pferd, die Spahis und die Kosaken sowie von den Fußtruppen das Janitscharenbataillon und das Bataillon Leibgrenadiergarde Rutowsky.

Die Stiftung der Schwadron Chevaliergarde fällt in das Jahr 1704; es bestand ursprünglich aus sechzig Offizieren unter Oberst Johann Wenzel von Kospoth, der im Jahre 1711 nebst seinem Bruder, dem Obermarschall beim Prinzen von Oranien, gegraft wurde und 1727 unbeerbt starb. Kospoth hatte die geheime Order, die beiden Sobieski-Prinzen aufzuheben.

Diese Chevaliergarde blieb und bestand jetzt aus 200 Mann Adeliger mit Leutnantscharakter; es kommandierte sie der italienische Graf Lagnasco, General und Kabinettsminister des Königs. Die Montur bildeten Lederkollette, mit Gold und Violett besetzt, und darüber blaue, mit Goldtressen besetzte Westen; auf Brust und Rücken waren, sofern sie auch der polnischen Periode zu liegen schienen, die Worte gleichsam als theologisches Amulett gestickt: »Jehovah vexillum meum – Gott ist mein Schild« – die Devise Kurfürst Johann Georgs III.

Die Schwadron Grands Mousquetaires bestand aus 100 Mann – ebenfalls lauter Adelige mit Leutnantscharakter –, und es kommandierte sie der polnische Fürst Georg Lubomirsky, Gemahl der Gräfin Dönhoff, der früheren Favoritin des Königs. Diese Schwadron trug Paillettekollette und darüber rote, mit Silbertressen besetzte Westen; hinten und vorn befand sich darauf ebenfalls das gestickte »Jehovah«.

Die Grenadiers à cheval bestanden aus zwei Schwadronen; es kommandierte sie ein Prinz von Gotha; die Uniform war rot und blau.

Die Gardes du corps oder die »Reitenden Trabanten« bestanden aus sechs Schwadronen; der Herzog von Sachsen-Weißenfels kommandierte sie; die Montur war karmesin mit hellblauen und gelben Borden; die Kürasse waren rot gefirnist, bei den Offizieren rundherum vergoldet, und in der Mitte befand sich ein goldener Stern.

Das Janitscharenbataillon ging ganz in Goldstoff.

Das Bataillon Leibgrenadiergarde Rutowsky bestand aus den größten Leuten der Armee; es entzückte deshalb besonders den zum Besuch des Lagers gekommenen König Friedrich Wilhelm I. von Preußen. Seine Montur war zitronengelb und ponceau mit silbernen Borden; kommandiert wurde es vom Grafen Rutowsky.

Das Hauptquartier des Königs war in Zeithain. Es bestand aus einem leichten, aus Holz erbauten, aber kolossalen und reichdekorierten viereckigen Pavillon; dieser hatte vier Eingänge, bestand aus zwei Etagen und einem Souterrain und war innen und außen mit grüner und buntbemalter Leinwand verkleidet. Die Malerei hatten sechs extra aus Italien geholte Maler hergestellt. Dieser Pavillon war mit Wall und Graben befestigt; außen versahen die Janitscharen, innen die Kadetten die Wache. Auf dem Dach wehten zwei Flaggen mit den Worten »Otia martis – die Ruhezeit des Kriegsgottes«. Hier wohnten der König und zwei seiner natürlichen Töchter, die die Honneurs bei ihm machten: die mit der französischen Madame Renard gezeugte Gräfin Orselska, die wenige Wochen später den Prinzen von Holstein-Beck heiratete, und die mit dem polnischen Grafen Bielinsky vermählte Schwester des Grafen Rutowsky.

Außer diesem kolossalen Pavillon standen dem König und seinem Gefolge noch zwei große Zelte zur Verfügung.

Zu Besuch gekommen waren: der König von Preußen mit seinem Kronprinzen, dem späteren König Friedrich dem Großen, der Alte Dessauer und siebenundvierzig Herzöge und Fürsten vom Haus Sachsen, von Hessen-Kassel und Darmstadt, von Braunschweig, Mecklenburg, Holstein, Anhalt, Schwarzburg, von Württemberg, Liechtenstein, Lobkowitz, Fürstenberg; ferner fünfzehn Gesandte des deutschen Kaisers und des Zaren von Rußland, der Könige von Frankreich und England, von Holland, Preußen und Schweden; außerdem noch neunundsechzig Grafen und achtunddreißig Baro-

ne. Auch Augusts berühmtester natürlicher Sohn von der Gräfin Königsmark, der Marschall von Sachsen, war aus Frankreich gekommen. Das Lager glich wegen der zahllosen Besucher und der vielen Kaufbuden einer großen Messe.
Vier Wochen lang wechselten mit den Revuen, Manövern und Treffen Bälle, Konzerte von italienischen Sängerinnen, Italienische und Französische Komödien, Jagden, Illuminationen und Feuerwerke. Eines dieser Feuerwerke währte von neun Uhr abends bis zwei Uhr Morgens – fünf volle Stunden! Die kolossalen Gerüste dazu nahmen eine Breite von 244 Ellen ein und waren 96 Ellen hoch. Nicht weniger als 18 000 Stämme Holz des ausgerodeten Waldes und 300 Schock Bretter wurden dafür verwendet und 6000 Ellen Leinwand, die die sechs italienischen Maler bemalt hatten. Über ein halbes Jahr lang hatten 200 Zimmerleute daran gearbeitet, und es brannten dabei 32 000 Lampen.
Ein Riesenkuchen ist berühmt geworden, den man bei diesem Mühlberger Lustlager einmal bei einem Bankett auftrug. Er hatte eine Länge von 14 Ellen, eine Breite von 6 Ellen und war 1½ Ellen dick; er war neun Stunden lang gebacken worden, und in seinem gigantischen Eingeweide steckten 17 Scheffel Mehl, 4 Tonnen Milch und 82 Schock Eier. Er wurde auf einem ungeheuren Wagen mit acht Pferden zur königlichen Tafel gefahren; ein Zimmermann schnitt ihn mit einem drei Ellen langen Messer unter der Aufsicht des Oberlandbaumeisters auf.
Wie August der Starke zu dem ersten großen Fest, dem Götter- und Göttinnenaufzug, das er beim Antritt seiner Regierung im Jahre 1695 gegeben hatte, ein großes Kupferwerk hatte stechen lassen, so ließ er auch zu diesem letzten und größten Fest seines Lebens, dem Mühlberger Lustlager, durch den Venezianer Zucchi, ein eigenes Kupferwerk stechen. Es enthält 200 Realfolioblätter, und die Kosten betrugen allein 200 000 Taler. Der Zeremonienmeister und Hofpoet König besang das Lager in seiner – freilich bedeutend verunglückten – Pferdeepopöe »Augustus im Lager«.
Die Gesamtkosten aller Festlichkeiten des Mühlberger Lustlagers sollen sich nur auf eine Million Taler belaufen haben; Keyßler gibt aber in seinem Reisebericht fünf Millionen an. Dafür bezeugte aber auch der »Mercure historique« der gesamten großen Welt von Europa, daß dieses Lustlager Augusts des Starken jenes Lustlager weithin übertroffen habe, das dereinst der prächtige Ludwig XIV. bei Compiègne veranstaltet hatte. Im Jahre 1753 ließ Friedrich der Große den Oberst von Balbi ein Buch herausgeben: »Erklärung und genaue Beschreibung des Manövers im Lager zwischen Spandau und Gatow.« Da bekannt geworden war, daß Seine königliche Majestät dazu selbst Materialien geliefert habe, wurde das Buch »Höchst-

denenselben« zu Gefallen mit Begierde gekauft und gelesen. Bald aber merkten auch die Leute, die gerade keine Taktiker waren, daß es nichts anderes als eine Mystifikation war – es war die Persiflage von Augusts Lustlager bei Mühlberg.

Nicht bloß der König gab am Dresdner Hof glänzende Feste, sondern auch seine Favoriten und Favoritinnen. Herr von Loen sah im Sommer 1718 zwei solche Feste, bei denen es ziemlich jovial, ja tumultuarisch zuging.

»Den 12. Mai 1718«, erzählt er, »gab die Gräfin von Dönhoff dem Könige auf dessen Geburtstage ein Fest in ihrem Garten.* Alle zu dem Fest eingeladene junge Damen erschienen in weißen mit Blumen ausgeschmückten Kleidern als Schäferinnen. Sie hatten Kränze auf den Häuptern und Stäbe in den Händen. Eine jede erhielt einen nach dem Lose ihr zugefallenen Cavalier. Den Anfang machte ein französisches Schauspiel. Darauf begab sich die ganze Gesellschaft in ein von Laubwerk erbautes großes Sommerhaus. Der ganze Garten war erleuchtet und hatte in den beiden Ecken zwei Kabinette. In jenem speiste der König mit den vornehmsten Herren und Damen, und in dem andern die übrigen Gäste. Die Musik ließ sich oben über dem Lustgebäude des Königs hören, doch so, daß man die Spielenden nicht sehen konnte. In der Vertiefung zeigte sich ein mit Lichtern erhelltes Grottenwerk mit Wasserfällen und brennenden Sinnbildern. Alles gefiel mir bei diesem herrlichen Feste. Nur zuletzt sah ich, daß die Menschen ihrer Lust nicht ehrende Schranken setzen können, als bis die Unlust dazu kommt. Man trank stark wo der König war. Einige polnische Magnaten, denen die Deutschen wacker zugesetzt hatten, fanden sich übermannt. Sie wollten ausweichen und jene als Sieger hinterlassen, allein die Wache schützte vor, daß sie Befehl hätte, niemanden den Ausgang zu verstatten. Einige darunter sahen so blaß aus wie der Tod; ihre Köpfe wackelten auf ihren Schultern und ihre Füße thaten ungewisse Tritte. Es hieß: ›Sta pes, sta mi pes!‹ Sie taumelten dem ungeachtet voller Ehrerbietung vor dem Könige herum. Ein polnischer Herr weckte bei mir Mitleiden – Er that nicht anders, als ob er den Geist aufgeben wollte. Ein anderer Polacke wurde wild. Er schwur bei dem deutschen Teufel, man solle ihn herauslassen... Als man seinen Ernst sah, ließ man ihn gehen. –

* Die Gräfin Dönhoff war die Favoritin des Königs nach dem 1716 erfolgten Sturz der Gräfin Cosel. Ihr Garten war ein Lustgarten, den die Gemahlin Johann Georgs I. angelegt hatte, zu Ende des 17. Jahrhunderts dem General von Birkholz gehörte und jetzt ein öffentlicher Ort vor dem Wilsdruffer Tor in Fischersdorf ist, der noch den Namen Birkholz führt. Als die Gräfin das Birkholzische Haus und den Garten bewohnte, hieß es das Türkische Haus, weil es – wie das später für die Kurprinzessin Josephine eingerichtete Sorlysische Haus und der Garten – ebenfalls türkisch möbliert und nach Art des Serails eingerichtet war.

Ein anderes Lustfest gab den 31. Juli der Günstling des Königs, der Feldmarschall Graf von Flemming. Er ließ sechs Regimenter eine Stunde vor Dresden (auf eine große Wiese nach Laubegast, Pillnitz gegenüber) ins Feld rücken. Die ganze königliche Leibwache zu Pferde befand sich mit dabei. Auf den Höhen waren Kanonen aufgepflanzt und Alles regte sich, um dem Hof das Schauspiel von einem förmlichen Treffen zu geben. Hier lief der Krieg überaus schön. Die Horden trafen auf einander mit einem gleichen Feuer. Ihre Schwenkungen, ihre Angriffe, ihre Abzüge – kurz alle ihre Bewegungen zeigten etwas Fürchterlichlustiges, weil Niemand dabei zu Schaden kam. Der König, mit der Gräfin Dönhoff und der litthauischen Kronfeldherrin Potzki (ihrer Schwester), welche als Amazonen gekleidet waren, nebst den meisten großen Herren waren zu Pferd, die übrigen Damen in Kutschen mit Sechsen bespannt.
Nach geendigtem Treffen setzte sich der König unter einem großen Gezelt mit den vornehmsten Herren und Damen zur Tafel. Noch zwei große Tische waren in zwei andern Gezelten für die Cavaliers und Fremden aufgedeckt. Während der Mahlzeit ließen sich die Kanonen, Trompeten und Pauken mit abwechselnder Musik hören. Das lustigste Schauspiel begann nach geendigter Tafel. Die Tische wurden nicht aufgehoben, sondern das Eßwerk den hungrigen Soldaten preisgegeben. Weil es an Brod gebrach, so befahl der Feldmarschall 1000 harte Gulden in die vorhandenen Stücke Brot zu stecken. Es wurde hierauf zum Sturme geblasen, die in Schlachtordnung gestellten Soldaten rannten mutig auf die mit Speisen gefüllten Tische los, die Vordersten wurden von den Hintersten zu Boden gedrückt, sogar, daß auch das eine Tischblatt mitten von einander geborsten und also wohl über 100 Mann auf einem Haufen unter einander wühlten.
Darauf wurde alles aus dem Wege geschafft, in dem königlichen Zelt aber ein Teppich ausgebreitet und abends bis 7 Uhr getanzt. Der Feldmarschall trank dabei seinen Gästen wacker zu und wurde selbst betrunken. Der König schien auch nicht mehr ganz nüchtern, doch beging er nicht die geringste seiner Majestät unanständige Ausschweifung. Ich beobachtete hier mitleidigst die Marter eines gewissen Kammerherrn, welcher die Aufwartung bei demselben hatte. Dieser stand wohl eine halbe Stunde lang mit einem Glas Wasser hinter dem Könige und war dabei so wankelmütig auf den Füßen, daß man ihn mit einem Finger hätte über den Haufen stoßen können. Der Feldmarschall aber war vor Freuden außer sich. Er fiel dem Könige, als er sich wegbegeben wollte, ganz vertraulich um den Hals. ›Bruder‹, sprach er, ›ich sage dir die Freundschaft auf, wenn du weggehst.‹

Die Gräfin von Dönhoff, welche den König nie verließ, suchte ihn von solchen Unanständigkeiten zurückzuhalten. Allein Flemming war viel zu vergnügt, als daß er sich diesmal mit dem Wohlanstande hätte viel zu schaffen machen sollen. Er wollte die Gräfin liebreich in seine Arme schließen. Er machte ihr Komplimente in den allervertraulichsten, ja nach unsern Begriffen gar ehrenrührigen Ausdrükken. ›Du kleine H...‹ sprach er, ›du bist doch eine gute H...‹ Dergleichen Komplimente war die Gräfin von dem Feldmarschall, wenn er getrunken hatte, schon gewohnt. Sie beantwortete solche mit Lachen und bemühte sich nur, ihn vom König abzuhalten.«

Der Reisende gibt aber doch zu, daß beim Heimritt nach Dresden der König wirklich und auch die Gräfin von Dönhoff beinahe vom Pferd gefallen sei. Der König war mit seinem Pferd hintenüber geschlagen; einer von seinen starken Läufern, der gleich bei der Hand war, griff ihm unter die Arme. Alles lief deshalb zusammen. Man machte ihm von allen Seiten Vorhaltungen, zu geruhen, sich in eine Kutsche zu setzen. Den Stallmeister Racknitz, der etwas heftig in den Vorstellungen war, stieß er im Zorn von sich; der Gräfin erwiderte er mit aller Galanterie: »Laissez moi, Madame, je connois mon cheval, ne vous en mettez pas en peine.« Damit sprengte er in Galopp nach Dresden, die Chevaliergarde und der ganze Hof ihm nach.

Die Gräfin wurde, als sie vom Pferd sank, durch einen der Kavaliere gerettet; sie bedachte sich darauf – obwohl sie ebenfalls eine gute Reiterin war – nicht lange und setzte sich in eine sechsspännige Kutsche.

»Nachdem sich auf solche Weise der Hof entfernt hatte, begann der Feldmarschall immer noch lustiger zu werden. Er griff in Ermangelung der Damen nach den anwesenden Grisetten und sprang mit ihnen herrlich und in Freuden herum. Endlich brach die Nacht darüber ein und machte dieser sehr natürlichen Kurzweil ein Ende.

Ich befragte einen von meinen guten Freunden, der des Hofs kundig war, ob die bezeigte Unehrerbietung des Feldmarschalls gegen den König ihm so hingehen würde. ›Ha!‹ sprach er im Lachen, ›das sind wir so gewohnt. Flemming hat wohl noch andere Sachen angefangen; allein wenn der Rausch verschlafen ist und er wieder nach Hof kommt, so heißt es: ‚Ich höre, Flemming ist gestern ein wenig närrisch gewesen, Ihro Majestät werden es ihm doch nicht ungnädig nehmen!' Der König lacht darüber und dann ist Alles wieder gut.‹«

Herr von Loen beschreibt zu diesem Maifest der Gräfin Dönhoff und zu diesem Julifest Flemmings noch ein drittes Fest, das der König selbst am 14. August 1718 in Moritzburg gab, eine sogenannte »Nationenwirtschaft«, wobei die ungefähr 200 Personen starken

Nationen der vier Weltteile, der König, Graf Moritz von Sachsen, die Fürstin von Teschen und die Gräfinnen Königsmark, Dönhoff und Potzki, die Fürstin von Weißenfels und eine Menge Personen von erstem Rang, Einheimische und Fremde figurierten. Der Hauptschauplatz der Lustbarkeiten war eine beim großen Teich vor Moritzburg zierlich aufgeworfene Luftschanze, auf der verschiedene, durch Galerien verbundene und alle mit grünem Laubwerk umwundene Säle und Kabinette aufgeschlagen waren. Es fanden Schifferrennen mit holländischen Kähnen und venezianischen Gondeln und Entenjagden auf dem großen Teich und besonders Hirsch- und Wildschweinjagden um den Teich herum statt. Das Besondere daran war, daß das Schloß und die dabeiliegenden Scheunen und die längs des Teichs aufgeschlagenen paar Reihen Baracken für so viele Menschen nicht ausreichten; daher mußten viele unter den Zelten, in den Kutschen, ja im Freien unter Bäumen und Gebüschen schlafen, wobei sich manche beim Aufwachen am nächsten Morgen ihrer Hüte, Perücken, Degen und Schuhe beraubt sehen mußten.
Sat prota biberunt!
Herr von Loen schließt mit folgenden Worten über den Hof von Dresden in der »polnischen« Periode Augusts des Starken, nachdem er den Karneval des Jahres 1723 beschrieben hat – und bei jedem Karneval dauerten die Festlichkeiten der Maskeraden Abend für Abend hindurch mehrere Wochen: »Dresden scheint ein bezaubertes Land, welches sogar die Träume der alten Poeten noch übertrifft. Man konnte hier nicht wohl ernsthaft sein, man wurde mit in die Lustbarkeiten und Schauspiele hineingezogen. Es ist zu verwundern, daß bei einem solchen, stets fortstreichenden Gewühl der Menschen, da es nicht anders schien, als ob sie bloß lebten, um sich lustig zu machen, die Geschäfte nicht das geringste Hindernis fanden. Wenn ein Teil der Nacht mit allerlei Lustbarkeiten war zugebracht worden, so sah man den andern Morgen jedermann wieder auf seinem Posten, den Kaufmann in seinem Gewölbe, den Soldaten auf seiner Parade, die Schreiber auf ihren Kanzeleien, die Räthe in ihren Collegien und die Rechtsgelehrten in ihren Gerichtsstuben. Hier giebt es immer Maskeraden, Helden- und Liebesgeschichten, verirrte Ritter, Abentheuer, Wirthschaften, Jagden, Schützen- und Schäferspiele, Kriegs- und Friedensaufzüge, Zeremonien, Grimassen, schöne Raritäten usw. Kurz, Alles spielt. Man sieht zu, spielt mit und man wird selbst gespielt!«

Es würde ein großer Irrtum sein, wenn man glauben wollte, der allerdings kolossale Aufwand für die Hoflustbarkeiten, im Land selbst gemacht, habe allgemeine Unzufriedenheit erweckt – im Gegenteil, er fand im Volk – die wenigen Tieferblickenden ausge-

nommen – ungeteilten Beifall! Zunächst ist gar nicht abzustreiten, daß der glänzende Hof eine ungeheure Menge Fremde sowohl nach Dresden als nach Leipzig auf die Messe – die der Hof sehr häufig besuchte – zog, die allerdings sehr viel Geld flüssig machten. Und dann galt nach den – heutzutage freilich kaum mehr faßbaren – beschränkten damaligen Begriffen von Nationalökonomie und Finanzkunst der Satz als unfehlbar – und zwar in fast allen Schichten der Gesellschaft: »Wenn nur das Geld im Lande bleibt, so kann der Hof aufgehen lassen, was und wieviel er will; ja es ist gerade gut, wenn er recht viel depensiert, damit das Geld unter die Leute kommt, damit die Gewerbetreibenden ihren Verdienst haben.«
»Der König«, schreibt der Reisende Loen, »scheint recht geboren zu sein, den Menschen Lust und Freude zu machen. Alle seine Lustbarkeiten sind auf eine Art angestellt, daß sein Volk nicht darunter leidet und seine Schätze nicht erschöpft werden. Er befördert dadurch die Künste, die Wissenschaften, die Handlung und den Umlauf des Geldes, wovon alle Hanthierung und Nahrung ihren ersten Trieb bekommt. Viele meinen, August hätte das Geheimnis Gold zu machen. Es ist glaublich, daß, wo diese Wissenschaft der Verwandlung der Metalle möglich wäre, dieser König solche besitzen müßte. Alle chemische Philosophen haben ihre Künste hier probirt und die Ausgaben des Königs beziehen sich gleichsam auf unerschöpfliche Einkünfte. Ich bin aber der Meinung, daß diese Destillirer nichts dazu beitragen, wohl aber die stattliche Handlung, die reichen Bergwerke, der gesegnete Ackerbau und eine Menge Volk, das sich durch Fleiß und Arbeit nähret – Quellen, die nicht zu erschöpfen sind, wenn das Geld fein im Lande herum läuft, da mehr hineingebracht, als hinausgeschleppt wird. Sachsen hat es unter allen deutschen Ländern darin am weitesten gebracht.«
Die ohne alle weitere reifliche Prüfung zäh festgehaltene doktrinäre Ignoranz des sogenannten Merkantilsystems hielt also – und das ist zur Entschuldigung des Hofs sehr zu betonen – in diesem Punkt mit der öffentlichen Meinung Schritt. Der Hof machte sich durch das Geld, das er bei den unaufhörlichen Lustbarkeiten wenigstens in den nächsten Umgebungen und namentlich unter die Bürger der Residenz brachte, bei diesen wirklich beliebt. Und dann ist vor allem nicht zu übersehen, was so ganz auf der Hand liegt: Der Hof erlangte bei den fort und fort angestellten Festlichkeiten damit eine nicht geringe Popularität, daß er sich noch nicht – wie später unter August III. und seiner Gemahlin, der stolzen kaiserlichen Prinzessin Josephine – vornehm abschloß, sondern jedermann an aller und jeder Lust möglichst teilzunehmen vergönnte. Die Leute fühlten eben damals noch, daß sie für ihr gutes Geld etwas für ihre Ergötzlichkeit und Kurzweil hatten.

Viertes Kapitel

Intrigen zur Einführung des Katholizismus. Die Ermordung des Magisters Hahn

In einem anderem Punkt wich die öffentliche Meinung sehr stark und einschneidend von dem ab, was in den Hofkreisen festgehalten wurde; in punkto Religion.

In Natur und Wesen des Königs lagen, wie ich schon bemerkt habe, gewiß nicht Bigotterie und Proselytenmacherei. »August, sagt man«, schreibt Loen, »hat die Religion verändert! Ich würde es zugeben, wenn ich gewiß wüßte, daß er zuvor eine gehabt hätte. Es ist bekannt, daß er von Jugend auf ein kleiner Freigeist war, der nicht mehr glaubte, als was viele unserer Fürstenkinder insgemein zu glauben pflegen; nämlich daß ein Gott im Himmel sei, sie aber als Fürsten auf Erden thun können, was sie wollten. August hatte demnach, als er zur römischen Kirche überging, eigentlich noch keine Religion: man kann also nicht von ihm sagen, daß er die seinige verändert hätte; er nahm nur eine an. Wie eifrig aber er sich darin erzeigt, lehret unter andern das Exempel mit seinem großen Hund, dem er den Rosenkranz um den Hals hing, da ihn sein Beichtvater erinnerte, der Messe mit beizuwohnen. Wir könnten dergleichen Begebenheiten noch verschiedene anführen, um zu beweisen, daß die Herren Catholiken eben gar keinen eifrigen Proselyten an S. Kön. Maj. gemacht haben.«

Noch auf seinem Totenbett bekannte Patkul: »Der selige Kaiser [Leopold I.] schrieb mir einstmals, ich sollte den König mit guter Manier zu einem regulären Stande bringen. Diesen Brief wies ich dem König; da lächelte er, sprechend: ›Der Alte sollte sich ums Fegefeuer bekümmern, Er kommt eher dahin, als ich. Ihro Hoheit, die Frau Mutter des K. August haben mich in selbigem Falle versuchet; ich habe es gethan, aber Undank verdienet und mich deswegen in Ungelegenheit gesetzet.‹«

August war indifferent – aufgeklärt war er nicht. Er dachte nicht daran, ein Toleranzedikt zu erlassen, wie dies in Preußen und Hessen geschehen war, und fleißige reformierte Emigranten ins Land zu ziehen, obgleich, wie Wolframsdorf sehr richtig bemerkt, »dies Mittel ihn in den Stand würde gesetzt haben, die Unverschämtheit und den Geiz seiner Geistlichkeit zu zügeln, die ihm beständig entgegen ist und in ihren Predigten das Volk gegen ihn aufregt: eine bedenklichere Sache, als sie dem Anschein nach ist«.

Obgleich der König seiner Natur gemäß im Religionspunkt indifferent war und in der Hauptsache das Mandat von Lobskowa einhielt, das den Protestanten – der einzigen im Land bestehenden Religionspartei der Lutheraner – den vollen und ganzen Umfang ihrer Rechte versichert hatte, geschah doch sehr bald auf Anstiften der Jesuiten und des Papstes manches zum Vorschub des Katholizismus, und das Volk zeigte sich dabei sehr schwierig und widerborstig. Es wurde, ohne daß es dessen gewahr wurde, von der lutherischen Geistlichkeit nach deren hierarchischen Zwecken gelenkt. Schon die Ernennung eines Katholiken zum Statthalter im Jahre 1697 in der Person des Fürsten von Fürstenberg – auf den ich noch zurückkomme – hatte böses Blut gemacht. »Ich fürchte sehr«, schrieb damals der englische Gesandte in Wien, Lord Lexington, am 6. Juli 1697 an seine Regierung, »daß das die Ursache großer Unruhen werden und über kurz oder lang einen Religionskrieg bringen wird.«

Die englische Regierung – um das nebenbei zu erwähnen – zeigte recht expressiv ihr Mißfallen über die Konversion des Hauptes der Protestanten in Deutschland: Nach den kürzlich erschienenen »Lexington Papers« wurde August der Hosenbandorden, um dessen Verschaffung er Lord Lexington ausdrücklich gebeten hatte, geradezu abgeschlagen.

Als August im Herbst 1699 aus Polen wieder in seine Erbstaaten zurückgekehrt war, hatten ihn sein Beichtvater Pater Vota – einer der weltklügsten und witzigsten Jesuiten, damals schon ein vierundsiebzigjähriger Mann – und verschiedene polnische Prälaten begleitet; bald kam auch der päpstliche Nuntius Davia nach. Schon im Sommer vorher war der Bischof von Raab in Geschäften des Königs nach Sachsen gekommen, hatte sich überall in seinem geistlichen Ornat gezeigt und im kaiserlichen Gesandtschaftshaus in der Moritzstraße am Johannisfest und am Sonntag darauf bei offenen Türen vor einer neugierigen Menge die Messe gelesen. Kaum war August in Sachsen angelangt, so bestürmten ihn die Katholiken um Schritte zu ihren Gunsten. August aber, an der Schwelle des Nordischen Krieges stehend, erhoffte von Sachsen schwere Leistungen und vertröstete sie vorerst auf bessere Zeiten. Das Mandat von Lobskowa vom 7. August 1697 besagte unter Versicherung, daß er »nicht etwa aus Consideration einiger Würden oder Nutzens, sondern allein Gott vor Augen habend, den römisch-katholisch-apostolischen Glauben unlängst angenommen«; daß er seine »lieben Landstände und Unterthanen bei dero Augsburgischen Confession, hergebrachten Gewissensfreiheit, Kirchen, Gottesdienst, Ceremonien, Universitäten, Schulen und fort allen andern, wie dieselbe solche anjetzo besitzen, allergnädigst kräftigst erhalten und handhaben, sodann auch niemand zu seiner jetzt angenommenen katholischen Religion zu zwingen, sondern jedwedem sein Gewissen frei lassen« werde.

In einem späteren Mandat aus Krakau vom 29. September 1697, das die Stände erwirkten, hieß es: »Gleichwie nun S. K. Maj. die zu Dero Königl. Dignität allerunterthänigst abgelegte Gratulation und dabei offerirtes freiwilliges Präsent [es waren 100000 Taler] allergnädigst annehmen, also versichern sie hingegen bei Dero Königl. und Churfürstl. hohen Worten Dero getreue Landschafft und Stände, auch alle Dero Unterthanen und Inwohner insgesamt und besonders, in Ecclesiasticis et Politicis, vornehmlich aber bei der einmal erkannten Evangel. Religion und der unveränderten Augsburg. Confession, auch Libris Symbolicis enthaltenen Bekenntnüß, wiederholten Lehre und Gewissens-Freiheit, ohne allen Eintrag, Hindernüß und Beschwerden zu lassen; wegen verbotenen Exercitii frembder Lehre, Religion und Gottesdienst, sie bei dem einer getreuen Landschafft ihres Churfürstenthums Sachsens in dem Anno 1695 den 31. Mertz publicirten Landtags-Abschied, auch ausgestellten Reversalien von selbigem dato gethanen Versprechen, geruhig bleiben zu lassen und zu schützen, auch ein widriges nicht zu verhängen.«

Diese Urkunde war vom Bischof von Raab als dem damaligen Großkanzler gegengezeichnet. Außer seiner Schloßkapelle in Dresden richtete daher August 1699 nur die Kirche des Jagdschlosses Moritzburg für den katholischen Gottesdienst ein; sie wurde Weihnachten 1699 feierlich eingeweiht, Pater Vota hielt die Messe, während die Glocken geläutet und Posaunen geblasen wurden; es assistierten Vota der Kapuziner Benigno und der Weltpriester Paldam, ein geborener Sachse, in der Propaganda zu Rom erzogen und kürzlich in sein Vaterland erst als österreichischer Gesandtschaftspriester zurückgekehrt. Nur noch die Kirche einer Johanniterkommende gab der König den Katholiken zurück. Einen Kirchenbau in Leipzig, zu dem sich die Katholiken gegen Zusicherung der Religionsfreiheit aus eigenen Mitteln erboten hatten, genehmigte er nicht; als er sich aber zur Neujahrsmesse des folgenden Jahres 1700 nach Leipzig begab, ließ er durch den ihn begleitenden Nuntius in seinem Quartier eine Messe lesen und unter großem Andrang des Volkes deutsch predigen, worauf sofort die lutherischen Prädikanten Gegenpredigten anstellten.

Rom hatte seit dem Übertritt des Landesherrn sein Augenmerk auch auf das Land gerichtet. In einer archivalischen Handschrift, die Förster in seiner »Hofgeschichte Augusts des Starken« mitteilt – »Copia der Secreten Staats-Finten aus Ihro päpstlichen Heiligkeit Cabinet« –, heißt es unter anderem, daß man »bei Hebung eines am Thore der Hauptkirche zu Wittenberg vergrabenen Kirchen-Ornats an Kapellen, Kelchen, Bischofsstäben, Patellen, Leuchtern und andern dergleichen dahin trachten« solle, »wie man ein Sceleton aus der Kirche mit wegbringen« könne, »was vor eines es auch sei«, und daß man in Rom am 4. Juni 1698 mittels eines Konsistorialschlusses dekretierte: »Solches Sceleton zu Rom, zu Versicherung des Volks, unter dem Namen des Erzketzers Luther verbrennen und die Asche aus einem Mörsel in die Gruft verstreuen zu lassen, um den Lutheranern eine Scheu zu verursachen und sie zur Profession [Ablegung des katholischen Bekenntnisses] zu locken, die Widerspenstigen aber zu beschimpfen und zur Raison bringen.« Unwahrscheinlich ist so ein Coup nicht – der Zweck heiligte das Mittel!

Einzelne Bekehrungen von Privatpersonen folgten frühzeitig der Konversion des Königs; sie geschahen zum Teil aus demselben Grund, aus dem sich August konvertiert hatte. An der Spitze dieser Konversionen steht die des Sachsen Johann Christian Götze, der 1711 in Wien die erste Tonsur erhielt, dann nach Rom ging, 1717 erster Kaplan beim Kurprinzen, später (1724) Bibliothekar in Dresden wurde und 1749 starb; er ist der Autor der »Merkwürdigkeiten der Dresdner Bibliothek«, von denen er dieser auf seinen Reisen in Italien viele selbst zugeführt hatte.

Sobald Clemens XI. Albani die Tiara empfangen hatte (im Jahre 1700), lag er dem König durch den Fürsten von Fürstenberg fortwährend in den Ohren, mehr Eifer als bisher für die Förderung der katholischen Religion in Sachsen zu bezeigen. Am 4. September 1701 versprach August dem Papst die katholische Erziehung des Kurprinzen mit der Beteuerung, daß er für den Heiligen Stuhl selbst sein Blut zu verspritzen entschlossen sei, deutete aber an, daß seine augenblickliche Lage noch Schwierigkeiten biete. Fünf Monate später, am 8. Februar 1702, versprach August wieder den protestantischen Ständen, daß »die education Ihrer Hoheit zu Gottes Ehren und des Landes consolation und vergnüglichem Besten geschehen« solle.

Der Nordische Krieg und namentlich der Einfall des streng lutherischen Karl XII. ließen die päpstliche Ungeduld wiederum warten. Nach dem Abzug der Schweden wurde am Gründonnerstag 1708 die damals aus dem alten Opernhaus – dem heutigen Staatsarchiv – umgebaute katholische Schloßkapelle in Dresden mit einem öffentlichen Gottesdienst eingeweiht. Der Jesuit Vota, nunmehr von der Propaganda zum apostolischen Präfekten der Missionen von ganz Sachsen ernannt, leitete die Eröffnungsfeierlichkeit; der König gab der Kirche einen Vorsteher, sechs Kapläne, zehn Kleriker für das Chor und die Altäre, einen Glöckner, einen Kapellmeister, einen Organisten und einen Pförtner. »Mit dieser Hauptkirche, Heiliger Vater«, hatte August am 13. Februar 1708 an den Papst geschrieben, »werde ich, fest entschlossen, unter den heiligsten Auspizien Eurer Heiligkeit die katholische Religion in allen meinen Staaten wieder aufblühen zu lassen, meine Aufgabe keineswegs für erledigt erachten. Diese Mutter wird in kurzer Frist, wenn der Himmel meine Bemühungen segnet, viele Töchter haben.«

Alsbald wurden 1200 Taler für die Mission in Leipzig ausgesetzt. Zugleich wurden in genauen Statuten Rechte und Pflichten des der neuen Kirche zugeordneten Klerus bestimmt; der König besoldete sie hinlänglich, verbot aber die Annahme aller und jeder Akzidenzien für Beichten, Taufen, Trauungen usw., weil, wie es in den »Reglements du Roi pour l'Eglise etc.« heißt, die der Oratoriumspriester Theiner in seiner »Geschichte der Zurückkehr der Häuser Braunschweig und Sachsen in den Schoß der katholschen Kirche« (Einsiedeln 1843) mit hat abdrucken lassen – »ce désintéressement édifiera les adversaires«. Bald nach Pfingsten 1708 kam auch der 1706 zum Kardinal erhobene ehemalige Bischof von Raab nach Dresden, hielt ein glänzendes Pontifikalamt, saß etliche Tage zur Beichte und erteilte die Firmung. Der Papst empfahl Vertrauen zu den katholischen Räten – insbesondere zu Fürstenberg – und deren Vermehrung. Fürstenberg erhielt besonderes Lob für den Erfolg der Missionare und den Rat, diese überall nur mit Bescheidenheit und gewinnender Milde auftreten zu lassen.

Im Januar 1710 erschien als außerordentlicher Nuntius der Neffe des Papstes, Annibale Albani, mit seinem Begleiter Giovanni Battista Salerno, einem schlauen Jesuiten, Rektor des deutschen Kollegiums in Rom, der jedoch nur in der Verkleidung eines Hofkavaliers auftrat. Er blieb – nachdem Albani, der später Kardinal wurde, wieder abgereist war – in Sachsen, und jetzt begannen die Missionare ein freieres Spiel. Im Juni 1710 wurde in Leipzig die erste öffentliche Messe gelesen; bald darauf zogen Emissäre umher, suchten übergetretene Mönche und andere Personen, die nach Sachsen geflüchtet waren, zum Rücktritt zu bestimmen und zeigten ein päpstliches Dekret vom 4. Oktober 1710 vor, das nicht nur Amnestie für den Abfall und alle etwa begangene Verbrechen, sondern auch unter gewissen Bedingungen die Wiedereinsetzung in Ehren und Würden verhieß. Die Jesuiten kauften unter fremden Namen ein Haus in Dresden und errichteten darin eine Erziehungsanstalt; Priester besuchten Kranke und Inquisiten, boten Geld, verlockten Kinder und Gesinde.

Im Oktober 1710 hatten die Königin und die Königinmutter den Kurprinzen konfirmieren und das Abendmahl nach evangelischem Ritus einnehmen lassen. Im Mai des folgenden Jahres nahm August ihn mit nach Polen; bei der Rückkehr traf sich der König mit dem Kardinal von Sachsen in Prag, und hier wurde der Hofstaat des Kurprinzen geändert; er erhielt lauter Katholiken. Sobald der König nach Dresden kam, sandte er den – obgleich schon sechsundachtzig-

jährigen – Pater Vota, seinen Beichtvater, zum Papst nach Rom. Das alles erregte Verdacht; indessen besuchte der Prinz nach wie vor den lutherischen Gottesdienst in Dresden und in Frankfurt, wohin er Ende 1711 zur Kaiserkrönung ging. 1712 kam August wieder nach Dresden und begehrte vom Landtag Truppen, Pferde und dreizehn Tonnen Gold für den polnischen Krieg. Zur selben Zeit reiste der Kurprinz von Frankfurt nach Italien – wie es hieß, nur zum Karneval in Venedig.
Die Stände erinnerten den König an sein Versprechen vom 8. Februar 1702 bezüglich seines Sohnes, der sich eben im gefährlichen Italien befände. Er vertröstete die Stände auf die baldige Rückkehr und ließ wiederholt seine Minister dessen Standhaftigkeit in der evangelischen Religion »bei den ihm aufstoßenden mächtigen Versuchungen« anpreisen. Gleichzeitig versicherte er der Königin Anna von England – die ebenfalls um Rückholung des Kurprinzen aus Italien gebeten hatte und daß er sie in England besuchen möge – am 30. September 1712, daß er niemals die Absicht gehabt habe und auch jetzt nicht habe, den Sohn übertreten zu lassen. Zwei Monate nach dieser vom Vater an die englische Königin gegebenen Versicherung geschah aber in Bologna der Übertritt des Sohnes. Fünf Jahre wurde er aus Rücksicht für die Königinmutter Anna Sophie – sie starb 1717 – noch geheimgehalten; sobald sie, die Dame, auf die man besondere Rücksichten nehmen mußte und für die der König auch nach ihrem Tode sechs volle Wochen lang alle Glocken läuten ließ, ihre Augen geschlossen hatte, erfolgte der öffentliche Übertritt in Wien. Der König gab auch die öffentliche Erklärung, die der geheimen, die er am 16. November 1710 dem Papst gegeben hatte – »j'avais ordonné expressement, que le Prince n'embrassât pas la religion lutherienne« –, schnurstracks entgegen: Es sei »dem Prinzen von Jugend auf vollkommene und ungehinderte Gewissensfreiheit gelassen worden«; er habe »jedoch einen besonderen Trieb und Neigung, sich zur römisch-katholischen Religion zu begeben bei sich verspürt und« habe »sich vor Kurzem zu Wien öffentlich zu derselben bekannt, weilen er nach ratsamer Überzeugung befunden, daß es sich vor ihn als einen königlichen Prinzen nicht schicken würde, die von ihm allbereits vor fünf Jahren angenommene Religion länger zu verbergen«.
Die alte Herzogin Elisabeth Charlotte von Orléans, geb. von der Pfalz, schrieb damals – am 27. November 1717 – an ihre Schwester, die Raugräfin Luise: »Wo Pfaffen sich einflicken, helfen Versprechungen gar nichts; also mag der König in Polen seinem Land wohl viel versprechen; steckt er Mönchen und Pfaffen und Klöster in Sachsen, wird nichts gehalten werden. Die armen Sachsen und auch die Königin jammern mich von Herzen. Die Königin soll zweimal

ohnmächtig geworden sein, diese arme Königin leidet wohl in diesem Leben. Ich kann die Falschheit vom König in Polen nicht leiden, daß er thut, als wenn er nichts davon gewußt hätte, da er doch mit dem Papste angelegt alles, was vorgangen. Ich fürchte, daß der Sohn eben so falsch ist, als der Herr Vater. Das ist wohl wahr, daß es gar nicht christlich ist, Leute wegen der Religion zu plagen, ich finde es abscheulich; aber wenn's man recht ausgründet, hat die Religion den wenigsten Part daran, und geschieht alles aus Politik und Interesse, dienen alle dem Mammon, aber unserm Herr Gott nicht.«

Die lutherische Geistlichkeit in Sachsen konnte sich über des Königs und des Kurprinzen Übertritt gar nicht beruhigen; ihr Einfluß, der unter Johann Georg I., dem sächsischen David, kulminiert hatte, schwand immer sichtbarer dahin. An der Spitze der lutherischen Geistlichkeit in Sachsen stand der damalige in der gelehrten Welt und im Volk sehr einflußreiche Superintendent von Dresden, Dr. Valentin Ernst Löscher, der erst unter der folgenden Regierung (1747) starb. Löscher war ein namhafter Gelehrter, Kirchenhistoriker und Herausgeber der »Unschuldigen Nachrichten von alten und neuen theologischen Sachen«, dabei ein starrer Orthodoxer, ein entschiedener Widersacher des Pietismus Speners. Er predigte eifrig auf der Kreuzkirchenkanzel gegen Papsttum und Indifferentismus und gab 1728 sogar eine »allerklärste mathematische Überzeugung des Papstthums« heraus – natürlich ohne zu überzeugen. Er machte 1729 eine »Rettung der ersten Reformationswahrheit gegen die melodischen Lehrsätze« bekannt – natürlich ohne mit seiner nicht sehr melodisch lautenden Polemik die protestantische Wahrheit gegen den Indifferentismus zu retten. Still, aber herb wirkte die Gärung in den Gemütern; im Jahre 1726 brach sie schließlich in einem wütenden Volkstumult aus.

Am 16. Juli 1724 war der berüchtigte Thorner Tumult vorausgegangen. Bei einer katholischen Prozession in Thorn in Polen hatte man die protestantischen Bürger auf den Straßen mit Gewalt zu Kniebeugungen vor der Monstranz nötigen wollen; diese hatten Widerstand geleistet; aus dem Jesuitenkollegium war auf sie geschossen worden, und die Bürger hatten darauf das Kollegium gestürmt. August hatte nun den Fürsten Lubomirsky mit 2400 Mann einrücken und nach summarischem Prozeß den Bürgermeister Rösner und neun Magistratspersonen und Bürger hinrichten lassen. Der König von Preußen, Friedrich Wilhelm, hatte in einem Schreiben vom 9. Januar 1725 unter Hinweisung auf »die Sentiments, die eine so grausame und barbarische Action in der ganzen raisonnablen Welt, ohne Unterschied der Religionen erweckt«, an die Traktate des Friedens von Oliva erinnert und sich energisch für »die armen Evangelischen verwendet, damit sie nicht in Polen den äußersten Tort und Unfug erleiden müßten«. August entschuldigte sich beim Reichstag in Regensburg, wo die Sache zur Sprache kam, damit, daß die Marschälle und Reichsgerichte in Polen während des Reichstags nach eigenem Gefallen handelten, ohne seinen Vorstellungen Gehör zu geben, und daß ihm auch kein Begnadigungsrecht zustehe.

Der Dresdner Tumult folgte zwei Jahre darauf; er begann wegen der Ermordung des protestantischen Archidiakons Magister Hahn an der Kreuzkirche. Magister Hahn hatte den katholischen Schloßtrabanten Laubler konvertiert. Dieser, dem die Konversion irgendwie in der Folge verleidet worden war, faßte den blutigen Entschluß, seinen Bekehrer zu kreuzigen. Er kaufte sich einen Strick, drei große Nägel und am 20. Mai 1726 auf dem Neustädter Jahrmarkt ein Messer. Mit diesen Mordwerkzeugen begab er sich am folgenden Tag in die Wohnung des Magisters und legte ihm die Frage vor, ob er den Spruch verstehe: »Ein guter Hirte läßt sein Leben für die Schafe« – darauf vollzog er die entsetzliche Tat. Als sie bekannt wurde, kam ganz Dresden in Aufruhr: In den Wohnungen der Katholiken wurden die Fenster eingeworfen, sie selbst gerieten in Lebensgefahr. Der Gouverneur, Generalfeldmarschall Graf Wackerbarth, war genötigt, zwei Regimenter Infanterie und zwei Regimenter Kavallerie einrücken zu lassen; Kanonen wurden auf dem Altmarkt aufgefahren – sie mußten zwei Jahre lang stehen bleiben. Alle lutherischen Prediger wurden um ihr Leben besorgt; der Superintendent Löscher erhielt sechzehn Mann Schutzwache, die übrigen Prediger nach der Rangabstufung in geringerer Anzahl, um sie vor ähnlichen katholischen Mördern zu sichern. Laubler wurde schon am 18. Juli 1726 auf dem Altmarkt unter unglaublichem Andrang des Volkes von oben herab gerädert.

Schon damals war die merkwürdige Wut, den öffentlichen Hinrichtungen zuzusehen, in allen Ständen der Gesellschaft verbreitet: 1713, bei der Exekution des berüchtigten Räuberhauptmanns Livs Tullian, eines geborenen Dresdners und lange gefürchteten Oberhaupts einer sechzig Mann starken Räuberbande, zählte man 20 000 Zuschauer – darunter 144 Kutschen und 300 Reiter, wie die »Dresdner Merkwürdigkeiten« zu diesem Jahr berichten. Mehrere solche Räuberbanden machten sich damals in Sachsen – und namentlich im Gebirge – gefürchtet; der schwedische Einfall und der damals in Deutschland geführte spanische Erbfolgekrieg hatte eine Menge Deserteure geliefert, die das Raubhandwerk dem Kriegshandwerk vorzogen.

FÜNFTES KAPITEL

Baron Böttiger, der Erfinder des Porzellans

Unter der großen Flut bemerkenswerter Leute aller Schattierungen, die in jener viel bewegten Zeit auftauchten, ist als einer der bemerkenswertesten Baron Johann Friedrich von Böttiger zu nennen, der Erfinder des weltberühmt gewordenen schönen Meißener Porzellans. Böttiger war ein geborener Sachse; seine Vaterstadt war Schleiz im Vogtland, wo sein Vater bei der Münze angestellt war, der später in Magdeburg Münzmeister wurde. Da seine Mutter in zweiter Ehe den Magdeburger Stadtmajor und Ingenieur Tiemann heiratete, erhielt er frühzeitig Unterricht in Mathematik und Fortifikationskunst, zeigte aber auffallende Neigung zur Chemie. Schon mit zwölf Jahren kam er 1696 als Lehrling in die Zorn'sche Berliner Apotheke, wo er sich sofort im Labor mit Goldmachen beschäftigte, aufgemuntert vom berühmten Kunkel, einem Gevatter und Freund Zorns, der von dem jungen Mann – nachdem er auf seinem Gut Dreißighufen »eine Demonstration auf fein Silber« gesehen hatte, ganz bezaubert war und überall seine seltenen Talente und Kenntnisse rühmte.

Einige Zeit später erschien in Berlin ein merkwürdiger Fremder im Aufzug eines Mannes von Stand, der in den Hauptstädten Europas herumreiste, um alles Sehenswürdige in Augenschein zu nehmen. Dieser Fremde nannte sich Laskaris und wollte Archimandrit eines griechischen Klosters auf der Insel Lesbos sein; er führte auch als solcher Beglaubigungsschreiben vom Patriarchen von Konstantinopel bei sich. Da er perfekt Griechisch sprach und sich sonst keine Blöße gab, wurde er als Grieche anerkannt, und man war geneigt, ihn für einen Abkömmling der alten Kaiserfamilie Laskaris zu halten. Er sammelte Almosen zur Loskaufung in türkische Gefangenschaft geratener Christen; allein man wollte bemerkt haben, daß er weit mehr an die Armen verschenkte, als seine Kollekte eintrug. Laskaris war nach Schmieders »Geschichte der Alchemie« einer der fünf, von denen es wahrscheinlich, wenn nicht gewiß ist, daß sie wirklich die Tinktur besessen haben. Diese fünf waren: Seton, der unter Kurfürst Christian II. zu Anfang des 17. Jahrhunderts aufgetreten ist; ferner noch im Lauf des 17. Jahrhunderts Philatetha, ein Engländer; Wagnereck, ein Bayer; unser Laskaris und Sehfeld, der als der letzte um die Mitte des 18. Jahrhunderts unter Kaiser Franz I. in Österreich verschwand.

Als jener merkwürdige Fremde Laskaris im Jahre 1701 in Berlin weilte, erkundigte er sich bei seinem Gastwirt, ob es in Berlin auch

Alchemisten gebe. An dergleichen sei kein Mangel, entgegnete der Wirt treuherzig und nannte unter anderen den Apotheker Zorn, bei dem Böttiger in Lehre stand. Der Fremde begab sich bald darauf in die ihm genannte Offizin und verlangte ein chemisches Medikament. Der Provisor trug einem Gehilfen auf, »den Laboranten« zu rufen. Es erschien ein junger Mensch: der Lehrling Böttiger, wie sich ergab. Der Fremde fragte ihn, warum er Laborant genannt werde. Böttiger gab gutmütig lachend zur Antwort, man nenne ihn zum Scherz so, weil er in seinen Nebenstunden zuweilen alchemistische Experimente mache. Der fremde Herr fand Gefallen an dem jungen Menschen und lud ihn ein, ihm ein Präparat aus Antimon zu machen und ihm dieses ins Gasthaus zu bringen.

Als Böttiger das Bestellte brachte, plauderte der Fremde mit ihm. Böttiger wurde bald zutraulich und gestand, daß er den »Basilius Valentinus« besitze und sorgfältig nach ihm arbeite. Er wiederholte seine Besuche und gewann immer mehr die Gunst des Fremden. Als dieser endlich abreisen wollte und die Pferde schon bereitstanden, eröffnete er dem herbeigerufenen Böttiger, daß er Inhaber des »großen Geheimnisses« sei, und schenkte ihm zwei Unzen von seiner Tinktur im Wert von 80 000 Talern mit der Anweisung, daß er noch einige Tage nach seiner Abreise schweigen, dann aber die Wirkungen der Tinktur zeigen möge, wem er wolle, damit man in Berlin die Alchemisten nicht mehr Narren schelte.

Böttiger tat, wie ihm geheißen, und es gelang ihm, mehrere Transmutationsprozesse glücklich ins Werk zu setzen. Die Sache verursachte großes Aufsehen; die Stadtgespräche drangen bis zu König Friedrich I. Er gab Befehl, sich des jungen Adepten zu bemächtigen, aber Böttiger wurde zur rechten Zeit gewarnt und entkam aus Berlin. Als er bei Wittenberg über die Elbe gesetzt wurde, sah er hinter sich ein preußisches Kommando, das man ihm nachgeschickt hatte. In Wittenberg wohnte der Bruder von Böttigers Mutter, der Professor der Sprachkunst, Kirchmaier, der die Chemie als Steckenpferd betrieb; bei ihm wollte Böttiger bleiben. Aber der preußische Hof requirierte ihn nun förmlich in Dresden als Magdeburger und preußischen Untertan. Der sächsische Hof wurde aufmerksam; man hatte fortwährend Absichten auf die Goldmacherei – »alle chemischen Philosophen haben in Dresden ihre Künste probirt«, bezeugt der Reisende Loen in der schon oben angeführten Stelle über die Ausgaben des Königs, die sich »gleichsam auf unerschöpfliche Einkünfte beziehen«. Böttiger wurde, weil sich ergab, er sei in Schleiz geboren, nicht ausgeliefert – im Gegenteil: August ließ ihn am 29. November 1701 von Wittenberg nach Dresden bringen. Er hatte hier die Ehre, dem Statthalter Fürstenberg die Tinktur und ihre Wirkung zu zeigen und überließ ihm eine Probe des Arcanums.

Fürstenberg reiste damit zum König nach Polen; dieser schrieb schon am 16. Dezember 1701 durch einen Kurier eigenhändig an Böttiger und nahm ihn unter seinen Schutz.
Das Postskriptum dieses Briefes, der in der Engelhardtschen Biographie Böttigers mitgeteilt ist, lautete: »Noch fige hier zuh das er wolle sich gegen niemanden, es sei auch wer es wohlle heraußlassen sondern anstehen bis ich selbsten mit ihm mich besprechen kan welches ich verhoffe wills Gott bald geschehen zu kehnen.«
Es wird später bei den Personalien des Großkanzlers Beichlingen aus den Memoiren Haxthausens mitgeteilt werden, welch sonderbares Schicksal Böttiger hatte, denn die beiden ersten Leute im damaligen Sachsen, der Statthalter Fürstenberg und der Großkanzler Beichlingen, suchten ihn beide für ihre verschiedenen Zwecke zu benützen. Es handelte sich darum, den König glauben zu machen, Beichlingen, der Geldbeschaffer, sei durch den Goldmacher zu ersetzen – anders war Beichlingen nicht zu stürzen. Es gelang, den König zu überzeugen, daß Böttiger, der nur eine Probe von der wahren Tinktur hatte, wirklich Gold machen könne, soviel er wolle, und damit setzte Fürstenberg den Sturz Beichlingens durch.
Böttiger hatte dem Statthalter nebst der Probe seines Arkanums auch ein Gläschen voll Merkur (Quecksilber) übergeben und ihn, ehe er nach Warschau zum König reiste, unter Eid geloben lassen, mit dem König nicht eher die Probe zu machen, als bis er auf Ehre und Gewissen versprochen habe, keine Zeugen zuzulassen, auch niemandem weder jetzt noch künftig etwas von dem Geheimnis zu verraten; überdies hatte er ihm eingeschärft, »nicht ohne die aufrichtigste Gottesfurcht und Frömmigkeit ans Werk zu gehen, weil darauf unendlich viel ankommt«.
Kaum war Fürstenberg beim König angelangt, als schon in den ersten Stunden ein Hund im Zimmer des Königs die Schachtel umwarf, in der sich das Glas mit dem Merkur befand, so daß dieses zerbrach. Böttiger hatte versichert, dieser Merkur sei von ganz besonderer Beschaffenheit, er war also in Warschau nicht zu ersetzen; nichtsdestoweniger nahmen in der Nacht des zweiten Weihnachtsfeiertags in einem der innersten Zimmer des Schlosses bei verriegelten Türen Fürstenberg und der König die Probe vor. Die beiden Tiegel, die Böttiger ausdrücklich mitgegeben hatte, wurden mit Kreide bestrichen; in den größeren Tiegel wurde die Böttigersche Tinktur mit etwas Merkur, wie er in Warschau zu kaufen war, und Borax gegeben, der zweite Tiegel wurde daraufgestürzt, und dann wurde die Masse über anderthalb Stunden ins Feuer gestellt. Das Resultat des Prozesses war nicht Gold, sondern eine so feste Masse, daß man sie nur gewinnen konnte, indem man den Tiegel zerschlug.

Fürstenberg schrieb am 28. Dezember 1701 an Böttiger, daß »der König selbst über zwei Stunden beim Feuer gesessen« habe, »an gehöriger Frömmigkeit« habe »es bestimmt nicht gefehlt, da der König zwei Tage vorher das heilige Abendmahl genossen«, er, der Fürst, »aber selbst seine Gedanken einzig auf Gott gerichtet« habe – dennoch sei der Prozeß, dessen Gelingen er dem König so sicher vorgespiegelt habe, gänzlich mißlungen.

Schon im Januar 1702 kehrte Fürstenberg wieder nach Sachsen zurück. Er traf Böttiger, der in seinem Haus wohnte, mit seinem Zustand – da er wie ein Gefangener behandelt wurde – höchst unzufrieden; der siebzehnjährige lebenslustige, eingesperrte Jüngling war mehrmals vor Wut außer sich und drohte, sich umzubringen, wenn man ihn nicht freilasse. Schon am 15. Februar ließ ihn Fürstenberg der Sicherheit halber aus seinem Haus weg- und auf den Königstein bringen; hier wurde Böttiger aber noch viel zorniger. Nach einem Bericht des Kommandanten vom 12. April 1702 »schäumte er wie ein Pferd, brüllte wie ein Ochse, knirschte mit den Zähnen, rannte mit dem Kopf gegen die Wand, arbeitete mit Händen und Füßen, kroch an den Wänden herum, zitterte am ganzen Leib, so daß zwei starke Soldaten seiner nicht Herr werden konnten, hielt den Kommandanten für den Engel Gabriel, zweifelte wegen der Sünde gegen den Heiligen Geist an seiner ewigen Seligkeit und trank dabei tüchtig oft zwölf Kannen Bier des Tags, ohne trunken zu werden«. Man konnte, wie der Kommandant meldete, durchaus nicht klar sehen, ob nicht Verstellung im Spiel sei.

Hierauf kam vom Statthalter Befehl, Böttiger wieder nach Dresden zu schaffen. Fürstenberg nahm ihn wieder in sein Haus, und hier war es, wo er bald mit dem berühmten Tschirnhaus bekannt wurde. Ehrenfried Walther von Tschirnhaus gehörte zu Fürstenbergs vertrautesten Freunden, wohnte, sooft er nach Dresden kam, bei ihm und hatte ein großes Laboratorium im Fürstenbergschen Haus, wo der Fürst mit ihm im Labor arbeitete; sonst wohnte er auf seinem alten Stammgut Kieslingswalde bei Lauban. Er war einer der ausgezeichnetsten Naturverständigen seiner Zeit; durch ihn sind unter anderem die Glashütten in Sachsen eingeführt worden. Er war zwölf Jahre auf Reisen durch ganz Europa gewesen, Mitglied der Akademie der Wissenschaften in Paris und starb 1708, siebenundfünfzig Jahre alt. Wie Kunkel in Berlin Böttiger ins Herz geschlossen hatte, so schloß Tschirnhaus ihn in Dresden ins Herz, und dies war es, was Böttiger die Möglichkeit verlieh, daß man jahrelang mit ihm Geduld hatte und immer hoffte, er werde das große Werk vollbringen. Er selbst hoffte dies auch und verließ sich auf die Winke, die Laskaris ihm gegeben hatte und die ihn, wie er glaubte, auf die rechte Spur führen würden, die Tinktur selbst zu bereiten.

Böttiger erhielt nun seine Einrichtung wie ein großer Herr im Schloß zu Dresden. Er bekam hier zwei große Zimmer mit Aussicht auf den jetzt nicht mehr vorhandenen Hofgarten, den sogenannten Probiersaal und einige Gewölbe zwischen diesem und dem Schloßbrunnen als Labor, die sogenannte große Opernstube als Billardzimmer und das Kirchstübchen des Gärtners für seine Andacht; das Ganze war neu möbliert. Er durfte in dem an seine Wohnung stoßenden sogenannten Feigengarten, einem Teil des Hofgartens, und gegen Vorzeigung einer vom König selbst unterzeichneten und gesiegelten Karte auch auf dem um die ganze Festung Dresden herumführenden Schwarzen Gang, an den das Grüne Zimmer Böttigers stieß, spazierengehen. Außerdem stand ihm die königliche Equipage zur Verfügung, wenn er ausfahren wollte – aber nicht allein, sondern in Begleitung. Zu seiner Beaufsichtigung war der Sekretär Nehmitz – der später Erster Kabinettsrat wurde – angewiesen, der deshalb ein besonderes Zimmer im Schloß, königliche Tafel, Equipage und Bedienung hatte und nach Belieben Gäste einladen konnte, dafür aber unter Verlust seiner Freiheit verantwortlich war; ohne seine Erlaubnis durfte niemand – Tschirnhaus ausgenommen – zu Böttiger gehen. Ein Baron von Schenk – wahrscheinlich derselbe oder ein Verwandter dessen, der 1709 Gesandter in Rom war und der ebenfalls im Schloß wohnte – war angewiesen, Böttiger außerhalb den Arbeitsstunden Gesellschaft zu leisten und ihm die Zeit zu vertreiben, auch, wenn er es verlangte, mit ihm im Roten Zimmer zu speisen. Außer Schenk und Nehmitz speisten gewöhnlich noch einige andere Personen an Böttigers Tafel: der berühmte Metallurg, Oberzehntner und spätere Bergrat Pabst von Ohain aus Freiberg; der Geheime Kämmerer Starke, ein Liebling des Königs, der seine Schatulle besorgte; Nehmitz' Bruder, der später bei der Porzellanmanufaktur angestellt wurde, und der Sekretär Matthieu. Tschirnhaus, der Böttiger so liebgewonnen hatte, daß er sich mehr in Dresden als in Kieslingswalde aufhielt, war wiederholt sein Gast; öfter kam auch der Statthalter mit. Böttigers Deputat im Schloß waren mittags und abends fünf Gerichte mit Wein und Bier; das Tafelgerät war aus Silber. Nach den Memoiren Haxthausens konnte er Geld haben, soviel er wollte; ja man hielt ihm sogar Mätressen wie einem vornehmen Kavalier.

Böttigers Umgang hatte, wenn er bei Laune war, ungemein viel Anziehendes; er war ein jovialer Mensch, von lebendigster Unterhaltungsgabe, mit der er alle zu bezaubern wußte. Der Statthalter lebte mit ihm auf vertrautestem Fuß; er holte ihn oft an seine Tafel, fuhr mit ihm nach Moritzburg zur Jagd, die Böttiger mit Leidenschaft liebte, und schrieb ihm die zärtlichsten Briefe, die er oft mit folgenden Worten schloß: »Habt mich lieb! Lasset nicht nach, mich zu lieben! Haltet mich vor den, der Euch die Zeit seines Lebens allezeidt lieben wirdt.« Am 1. Mai schrieb ihm Fürstenberg einmal aus Leipzig, daß er viel an Podagra, »auff gutt theutsch das hernhuterische oder verfluchte Zipperle«, leide. Böttiger erwiderte höchst freimütig, es könne »gar nicht schaden, wenn große Herren auch bisweilen gezüchtigt« würden, »damit sie fein fromm sein und bleiben möchten«.

Auch der König, der in allem Ernst auf Böttiger die überschwenglichsten Hoffnungen setzte, behandelte ihn in dem vertraulichen Briefwechsel, den er unausgesetzt mit ihm unterhielt, mit allergrößter Rücksicht. Er gratulierte ihm zum neuen Jahr, meldete ihm wiederholt, daß der Statthalter Vollmacht habe, alles nach seinem Belieben einzurichten und ihm niemanden »von widrigem Naturell« aufzudringen. In einem Schreiben vom 20. Februar 1702 schätzte er sich glücklich, daß Böttiger »durch Gottes Fügung« sich in seine »Protection begeben«, Gott habe nur aus ganz besonderen Ursachen ihn »zu Böttiger's Schutz erkoren«; er versprach, »in Allem nach Gottes Willen und Böttiger's Verlangen zu handeln«, und lebte in der Zuversicht, »der höchste Gott« werde ihn »gewiß immer so regieren«, daß er sich »des großen Werks würdig mache und nichts von Böttiger verlange, als was mir Gott eingebe«. Einmal schrieb er ihm: »Ich sehne mich, bald Euch mündlich zu sagen, wie sehr ich verlange zu zeigen, daß ich wahrhaft der Eurige mit affection und Zuneigung bin, Augustus R.«

In Briefen des Königs an dritte Personen wird er »Monsieur Schrader« oder »die Person«, »der Bewußte«, auch »l'homme de Wittenberg« genannt; Böttiger unterzeichnete sich nur mit seinen beiden Vornamen oder mit »Notus«.

Anderthalb Jahre lang, bis Mitte des Jahres 1703 – zu Ostern dieses Jahres erfolgte der Sturz Beichlingens –, schützten Böttiger vor dem Mißtrauen des Königs der Hund, der im Zimmer des Königs in Warschau die Schachtel mit dem Merkurglas umgeworfen hatte, und der Vorwand des Mangels an Geschick, mit dem der König und Fürstenberg bei ihrem Laborversuch zu Werke gegangen seien. Während dieser anderthalb Jahre lebte Böttiger in Herrlichkeit und Freuden. Sein Aufenthalt kostete den König vom Dezember 1701 bis zum April 1704 40 000 Taler; darunter war freilich alles – auch die Reisekosten – inbegriffen. Allein Böttigers Oberaufseher, der Sekretär Nehmitz, erhielt für jede Reise nach Polen 300 Taler ohne Rechnungslegung.

Böttiger war in Dresden bei Leuten von gutem Ton ein allgemein beliebter Mann. Man speiste gern bei ihm, denn jedem Gast legte er eine talergroße goldene Schaumünze von eigener Arbeit unter den Teller; dies bewog sogar die Damen, sich zahlreich bei ihm einzufin-

den. Man spielte auch gern mit ihm, weil er gern verlor, und er gab Feste in größtem Stil. Als ihm Fürstenberg aus Furcht, Böttiger könne sie zur Flucht benutzen, eine Maskerade abschlug, die er am 5. März 1704 zum Namenstag des Königs, der in Polen war, geben wollte, drohte er wieder, sich zu ermorden.
Aber nach und nach ging der ihm von Laskaris anvertraute Schatz zur Neige. Noch immer verließ sich Böttiger auf einige Winke, die dieser im Gespräch hatte fallen lassen und die, wie er glaubte, ihn auf die rechte Spur führen würden, die Tinktur selbst zu bereiten. Aber diese Hoffnung schlug fehl, als er ans Werk ging; was er auch versuchte – nichts wollte gelingen.
Daraufhin versuchte er zu fliehen. Schon im Sommer 1703 gelang es ihm, glücklich bis Enns in Österreich zu kommen; aber der Statthalter ließ ihn von hier durch den Major von Bomstorf zurückbringen, und nun wurde er sehr streng bewacht. Am 1. Januar und am 1. Dezember 1704 kam der König selbst zweimal nach Sachsen und lernte hier Böttiger persönlich kennen. Er konsultierte seinen Beichtvater, den alten, gescheiten Jesuiten Vota, über den Goldmacher. Dieser schrieb ihm am 1. März 1705: »Böttcherus ille videtur mihi esse vir honestus, egregiae eruditionis et excellentissimi ingenii.« Darauf wurde am 5. März der Bergrat Pabst zu Erlernung des großen Arkanums förmlich in Pflicht genommen: er, der Statthalter und Tschirnhaus beschworen feierlich sechsunddreißig Kontraktspunkte, die auch der König durch einen schriftlichen Eid – am 6. März ausgestellt – unverbrüchlich zu halten versprach. Unter sechsunddreißig Punkten bezogen sich siebzehn auf Geheimhaltung; Böttiger machte ausdrücklich zur Bedingung, daß »nichts zur Ueppigkeit, sündlichen Actionibus, boßhafter Verschwendung, unnöthigen und unbilligen Kriegen und dergleichen sündlichen Werken verwendet werden« solle; auch dürfe, »wer das Arcan besitzt, nie einem Herrn dienen, der öffentlichen und schändlichen Ehebruch, unschuldiges Blutvergießen und dergleichen treibt«.
Am 7. September 1705 übergab Böttiger auf zwanzig Folioseiten seinen »Prozeß zum Universal« und machte danach einen Versuch, der gelang, doch bemerkte der Geheime Kämmerer Starke, es wären »verschiedene Umstände passirt, so zu einem concentrirten Betruge ziemlichen Subcon geben«. Fürstenbergs Tingirversuch nach Böttigers Prozeß zum Universal mißlang. Wiederholt bat nun Böttiger um seine Freiheit; am 17. September 1705 machte er den König vor Christi Richterstuhl deshalb verantwortlich. August ließ ihn aber nicht frei, sondern befahl am 25. September 1705, ihn auf die Albrechtsburg in Meißen zu schaffen.
Böttiger fügte sich dem unabwendbaren Schicksal. Nachdem er der Schweden halber vom September 1706 an wieder über ein Jahr auf

dem Königstein zugebracht hatte, kam er wieder nach Dresden; hier ließ er Materialien aller Art herbeischaffen und verfuhr nach der berühmten Memphitischen Tafel, d. h. er kochte alles durcheinander. So erfand er durch Zufall in seinem neuen Laboratorium, der »Jungfernbastei« – da, wo heute der berühmte »Balkon Dresdens«, der Pavillon auf der Brühlschen Terrasse, steht –, gegen Ende des Jahres 1707, im sechsten Jahr seiner Versuche, das braune Jaspisporzellan; dem folgte im Jahre 1709 das weiße Porzellan. Nach dem Rat von Tschirnhaus bildete er diese Erfindungen technisch aus, wobei er seiner enthusiastischen Natur gemäß so eifrig war, daß er mehrere Nächte nicht ins Bett kam.
Im Jahre 1709 wurde der unter dem Vorwand der angeblichen Adeptenschaft Böttigers gestürzte Beichlingen wieder freigelassen; Böttiger gestand hierauf in einem dem König von Polen am zweiten Weihnachtsfeiertag 1709 übersandten Schreiben, das ein de- und wehmütiges Gedicht begleitete, daß er kein Adept sei.
Man begnügte sich mit dem Porzellan, daß bei der damaligen Kostbarkeit des chinesischen dem König beinahe ebenso lieb war wie eine Goldfabrik. August hatte Millionen ausgegeben für chinesisches und japanisches Porzellan, das seine Passion war und das noch jetzt die achtzehn großen Zimmer des Erdgeschosses des Japanischen Palais füllt. Einmal hatte er in China unter anderem einige Vasen und Becher mit dem polnisch-sächsischen Wappen für die hohe Summe von 50 000 Taler bestellen lassen. Die Manufaktur wurde nun sofort im großen durch herbeigeholte »holländische Steinbacker« betrieben; seit 1710 wurde das weiße Porzellan auf der Albrechtsburg in Meißen fabriziert. Es verdrängte bald das chinesische und japanische und wurde einer der begehrtesten Luxusartikel der eleganten Welt. Eine Menge Dinge, die bisher aus Marmor, Metall oder Holz gemacht worden waren, wurden jetzt aus Porzellan hergestellt; ja man versuchte sogar Porzellansärge: Die Witwe des Oberstallmeisters von Thielau wurde in einem Porzellansarg begraben; beim Hinuntersenken in die Gruft zerbrach dieser aber und gab den Blick auf die halbe Leiche frei – wahrscheinlich hatten die Tischler, die neidisch waren, die Leichenträger bestochen! Seitdem wurde kein Porzellansarg mehr bestellt, aber ständig wurden Tischplatten, Türpfosten, Öfen und Kamine angefertigt.
Doch die Hauptkunstwerke, die man in Meißen herstellte, waren die kleineren und größeren aufs feinste und schönste bemalten Porzellanfiguren. Bis zu welcher Vollendung man es in dieser Branche brachte, davon können der berühmte »Zerbrochene Spiegel«, »Das Blumenmädchen«, »Die fünf Sinne« usw. Zeugnis geben, die man in der reichhaltigen Porzellansammlung bewundert, die im Erdgeschoß des Japanischen Palais aufgestellt ist. Das »Mädchen mit

dem zerbrochenen Spiegel« kommt dem schönsten Netscher und Mieris in seiner Art gleich.
Doch nur bis zum Siebenjährigen Krieg blühte diese Kunst, dann ging es mit ihr bergab. Damals stieg der Vertrieb der Fabrik auf weit über 200 000 Taler; die Kosten betrugen etwa die Hälfte; man hatte gegen achtzig Kommissionslager und Handelshäuser, die den Verkauf durchführten. Auf Brühls Industrie, die er mit der Porzellanmanufaktur trieb, deren teuerster Gönner und Abnehmer er war – er kaufte Tafelaufsätze zu 30 000 Taler und darüber, blieb aber die Bezahlung schuldig –, komme ich unten zurück. Zwar mußte Böttiger wegen des Fabrikgeheimnisses noch eine Zeitlang Gefangener bleiben; der König aber zeigte sich ihm gegenüber höchst gnädig: Er besuchte ihn wiederholt auf der Bastei und schoß dort mit ihm nach der Scheibe; noch öfter ließ er ihn zu sich kommen, und Böttiger erhielt Zutritt zu Privataudienzen, sooft er es wünschte. Zu wiederholten Malen befahl der König, ihn vor allem Ärger zu schützen; er schenkte ihm einen Ring mit seinem Bildnis, einen jungen Bären und ein paar Affen und gab ihm offenen Kredit beim Hofjuden Meyer.
Endlich, sechs Jahre nach der Erfindung des Porzellans – im Jahre 1715 –, wurde ihm die Meißner Porzellanfabrik auf Lebenszeit zur freien Disposition ohne alle Rechnungslegung »wegen seiner stets bewiesenen Treue und Devotion« überlassen – unter der Bedingung, die Geheimnisse gehörig zu bewahren. Dabei genoß er noch die Freiheit, sooft er nach Meißen kam, hier stets auf königliche Rechnung zu speisen; Gäste konnte er mitbringen, so viele er wollte. Schon 1714 war er völlig auf freien Fuß gesetzt worden – seine Gefangenhaltung hatte dreizehn Jahre gedauert. Er lebte nun wie früher in Dresden im Großen Train; außer einer zahlreichen Dienerschaft hielt er sich eine Menge Hunde und ganz besonders herrliche Gärten in Dresden auf der Bastei und in Meißen auf dem Schloßberg. Das Böttigersche Glashaus in Dresden enthielt über 400 Orangenbäume und seltene Gewächse; die Orangerie war so bedeutend, daß oft Fremde kamen, um sie zu bewundern; die Gräfin Cosel erhielt von Böttiger fast täglich frische Orangenblüten zugeschickt.
Er starb am 13. März 1719 in Dresden, erst vierunddreißig Jahre alt: Exzesse in der Liebe und im Trunk – er trank alle Tage ein halbes Dutzend Bouteillen Wein und zuletzt Branntwein – beschleunigten seinen Tod.
Weit schlimmer erging es einem anderen Goldmacher, dem Oberst Baron Johann Hektor von Klettenberg, einem geborenen Frankfurter. Klettenberg scheint ein reiner Glücksritter gewesen zu sein, den das Bedürfnis, Gold für sich, aber nicht für andere zu machen, nach

Sachsen führte. Er wußte August für sich einzunehmen, schloß am 7. Januar 1714 in Leipzig mit dem jüngeren Grafen Hoym einen Vertrag ab, wurde vorläufig zum Kammerherrn und Amtshauptmann von Senftenberg ernannt und erhielt ein hohes Gehalt von monatlich 1500 Taler angewiesen. Er versprach dafür, dem König binnen vierzehn Monaten eine Universaltinktur auszuarbeiten, wurde aber, als er über vier Jahre lang seine sogenannten »Rotationen« verschliffen hatte, als Betrüger entlarvt und nach zweijährigem Arrest auf Hohnstein 1719 im März auf den gegenüberliegenden Königstein abgeführt. In der Nacht auf den 1. Mai 1719 – in der »Hexennacht« – gelang es ihm glücklich von dieser hohen Bergfestung zu fliehen. Er wollte sich in einem im Wald verborgen gehaltenen Kahn über die Elbe hinüberretten, wurde aber von einem Bauern, gegen den er sich für einen Studenten ausgab, an seinen rotseidenen Strümpfen mit Silberzwickeln erkannt und nun in festeren Gewahrsam genommen. Trotzdem gelang es Klettenberg noch ein zweites Mal – am 16. Januar 1720 –, sich an einem Seil herunterzulassen; das Seil war aber zu kurz, und er verletzte sich trotz des hohen Schnees so schwer, daß er nicht aufstehen konnte. Nach diesem ungemein kühnen zweiten Ausbruchsversuch ließ ihn der König am 1. März 1720 enthaupten, und zwar im Angesicht der sogenannten »Königsnase«, einem Platz hinter dem Wald der Festung, auf dem er gefaßt und ergeben mit schnellen Schritten in sein Schicksal in gesticktem Scharlachrock und Allongenperücke gegangen war.

Sechstes Kapitel

Die Hofgesellschaft Augusts des Starken

Die Gunstdamen

In der Geschichte Augusts des Starken und seines Hofes ist eine Erwähnung der verschiedenen Damen, die seine besondere Gunst besessen haben, nicht zu umgehen – sie haben eine zu bedeutende und einflußreiche Stelle in seinem Leben und im Land eingenommen. Nicht zu Unrecht sind seine ausschweifenden und weit verzweigten Galanterien namentlich wegen ihrer Kostbarkeit einem strengen Urteil der Nachwelt unterlegen. Um gerecht zu sein, darf man aber nicht übersehen, daß die ganze Zeit, in der August lebte, einer unglaublichen Demoralisation verfallen war. Diese Demoralisation war von Italien ausgegangen, wo sich der 1655 verstorbene Papst Innozenz X. Pamfili öffentlich die berüchtigte Donna Olympia Maldachini als Mätresse hielt; sie war dann am Hof Ludwigs XIV. und an dem der Stuarts in England – und zwar in größtem Stil – nachgeahmt worden, wie uns die Memoiren Saint-Simons und Grammonts unterrichten. Seit der Zeit nach dem Dreißigjährigen Krieg war diese Moral auch allgemein an allen deutschen Höfen eingerissen. Selbst der einzige Hof, der eine rühmliche Ausnahme machte, der königlich preußische, hat dem Makel der Kolbe-Wartenbergischen Geschichte nicht entgehen können – von der späteren Wirtschaft unter Friedrich Wilhelm dem Dicken und der Gräfin Lichtenau gar nicht zu reden! Es galt damals an allen europäischen Höfen geradezu für unumgänglich erforderlich und zum guten Ton gehörend, eine oder mehrere Mätressen zu haben.
Am sächsischen Hof war man also nicht schlechter als anderswo in dieser Partie, die damals überall in Europa die »partie honteuse« war. August der Starke bewies allerdings seine Stärke auch in der Anzahl der Rosenfesseln der Liebe, die er nahm und mehr oder weniger rasch wieder von sich abstreifte – er war der Don Juan auf dem Thron. Mit Ausnahme Friedrich Wilhelms I. von Preußen war aber vielleicht nicht einer der deutschen Fürsten, die gleichzeitig mit ihm lebten, von Vorwürfen freier als er. Nicht geringere Debauchen als August der Starke machte der Kurfürst Max Emanuel von Bayern in Brüssel und in der famosen Badenburg des Nymphenburger Schlosses bei München; zwanzig Jahre lang lag Herzog Eberhard Ludwig von Württemberg in den Banden der Gräfin Grävenitz, der Landverderberin; Markgraf Wilhelm von Baden-Durlach hielt sich 160 Gartenmägdlein im Bleiturm von Karlsruhe. Der erste Kurfürst

von Hannover, Ernst August, hatte seine böse Gräfin Platen, die die unglückliche Prinzessin von Ahlden für zweiunddreißig Jahre ins Gefängnis brachte; sein Nachfolger Georg I., der erste König von England, hatte seine Gräfin Schulenburg, die spätere Herzogin von Kendal, die die Engländer den Elefanten, und die Gräfin Kielmannsegge-Darlington, die sie die lange Kletterstange nannten; Georgs I. Sohn, Georg II., hatte wieder seine Gräfin Suffolk und die Gräfin Walmoden-Yarmouth. Die Memoiren von Horace Walpole und Lord Hervey haben uns bezüglich eines Hofes, der sonst als der reinste und säuberlichste gehalten wurde, schwer enttäuscht.
Unter den Kaisern war schon Joseph I. – wie die Herzogin von Orléans einmal schrieb – »galant à outrance«; sein Bruder, der phlegmatische Karl VI., hatte seine geistvolle, muntere Spanierin Althann-Pignatelli, und obwohl Franz I. der Gemahl der schönen Maria Theresia war, lebte er noch bis zu seinem Tod (1765) mit der Fürstin Auersperg als seiner allbekannten Mätresse – ja noch Leopold II. verdankte seinen frühzeitigen Tod den bodenlosen Ausschweifungen, denen er sich hingab.
Die Markgräfin von Bayreuth hat es sich in ihren Memoiren nicht entgehen lassen, die Nachricht niederzulegen, daß man August dem Starken 354 natürliche Kinder aufgerechnet habe, und später hat ihm der französische Professor Philarethe Chasles in einem Aufsatz über die unglückliche Prinzessin von Ahlden in der »Revue des deux mondes« 700 Frauen – also 300 weniger, als der weise König Salomo hatte – zugewiesen. Augusts Unglück war sein heißes Blut, der frühere Aufenthalt in Paris und später der in Polen – bekanntlich nach Frankreich dem galantesten Land Europas, einem wahren Venusberg des Ostens –, vor allen Dingen aber der Geist seiner Zeit, der sich mit dem Aberglauben und den Vorurteilen auch über alle Schranken der Sitte und Ehrbarkeit hinwegsetzte – ein Geist, dem das schöne Laster als die empfehlenswerteste Sache des guten Tons galt.
Die vielberühmte »Saxe galante«, die dem bekannten preußischen Reisenden und Oberzeremonienmeister Baron Pöllnitz zugeschrieben wird – einem Mann, von dem Friedrich der Große, der die Hofgeheimnisse nicht gern veröffentlicht sah, urteilte: »divertissant beim Essen, hernach einsperren« –, enthält die Liebschaften Augusts des Starken – freilich in romanhafter Umhüllung. »Sie ist aber«, sagt der bekannte Reisende von Loen, ein unparteiischer, redlicher, wohl unterrichteter Mann, »mit nichten als ein bloßer Roman zu betrachten und es finden sich in Ansehung des Hofs darin sehr viele Wahrheiten.« Als reine Quelle kann man das Buch jedoch nicht betrachten, denn man stößt darin auf notorische Unrichtigkeiten, Anachronismen und sonstige Flüchtigkeiten. Die Hauptquelle,

der ich in diesem Kapitel über die Hofgesellschaft Augusts des Starken gefolgt bin, sind die handschriflichen Memoiren Haxthausens, der mit allen Notabilitäten am Hof Augusts bekannt und namentlich ein Freund der Gräfin Cosel war.

Man kennt zwölf erklärte und fürstlich beschenkte Favoritinnen, die der königliche Don Juan hatte, mit Namen; der Zeitfolge nach waren es folgende:

1. Fräulein Kessel, die spätere Frau von Haugwitz; eine Sächsin.
2. Seit 1694, dem Regierungsantrittsjahr in Sachsen: Maria Aurora Gräfin von Königsmarck, geboren um 1662, später Pröpstin von Quedlinburg; sie war eine Schwedin und die Mutter des Marschalls von Sachsen.
3. Fatime, eine in Ofen erbeutete Türkin, als Maria Aurora getauft; sie war Gesellschafterin bei Maria Aurora Königsmarck, hieß später Frau von Spiegel und war die Mutter des Grafen Rutowsky und der Gräfin Bielinska, später Bellegarde.
4. Seit dem Aufenthalt in Wien (1696): Gräfin Esterle, geborene Gräfin Lamberg; eine Österreicherin.
5. Seit 1697, dem Regierungsantrittsjahr in Polen: Fürstin Lubomirska, geborene von Bockum, nach ihrer Scheidung Fürstin von Teschen, später wieder vermählte Herzogin von Württemberg; eine Polin, geboren 1680, die Mutter des Ritters von Sachsen.
6. Vor dem Weggang aus Polen nach Sachsen (1706): Madame Henriette Renard, die schöne Weinschenkin zu Warschau; eine Französin, von deren Bruder die schlesischen Grafen Renard abstammen, Mutter der Gräfin Orselska.
7. Seit 1706, dem Jahr der Rückkehr nach Sachsen: Gräfin Anna Konstanze Cosel, geschiedene Frau von Hoym, geborene von Brockdorf; eine Dänin, geboren 1680, Mutter des Grafen Cosel und der Gräfinnen Moszinska und Friesen – die mächtigste »Maîtresse en titre«.
8. Beim Franzosenfeldzug am Rhein (1709): die Brüsseler Tänzerin du Parc, eine Französin.
9. Vor 1716, als die Cosel gestürzt wurde: die Gräfin Dönhoff, geborene Bielinska; eine Polin.
10. Fräulein von Dieskau, später Frau von Loß, die Gemahlin des ersten Grafen seines Geschlechts; eine Sächsin.
11. Fräulein von Osterhausen, später Frau von Stanislawsky; eine Sächsin.
12. Die Gräfin Anna Orselska, später Herzogin von Holstein-Beck, geboren 1707 von Madame Renard; sie war die bemerkenswerteste.

August der Starke wußte, wie Loen schreibt, »seine Liebhabereien vortrefflich zu wählen, er war in der That großmüthig und es kostete

ihm jedesmal ein grausames Leiden, so oft ihn eine neue Leidenschaft hinriß, welche das Opfer der vorigen verlangte«.
Unter den Favoritinnen Augusts sind hauptsächlich sechs Damen berühmt geworden: die Königsmarck, die Spiegel, die Lubomirska, die Cosel, die Dönhoff und die Orselska; gleichzeitig mit den Hauptflammen zu diesen Hauptodalisken flammten die Nebenflammen mit den flüchtigeren Liebschaften.

Maria Aurora Gräfin von Königsmarck und ihr Sohn Moritz, der Marschall von Sachsen

Maria Aurora Gräfin von Königsmarck war eine geborene Schwedin. Sie war die Enkelin des berühmten Parteigängers im Dreißigjährigen Krieg, Hans Christoph Königsmarck, der diesen Krieg durch die Eroberung der Prager Kleinseite beendete und 1663 als Feldmarschall in Stockholm starb; die Nichte des nicht weniger berühmten Generalissimus der Landmacht der Republik Venedig, Otto Wilhelm Königsmarck, der beim Krieg in Morea (1688) vor Negroponte fiel, und schließlich die Schwester von Augusts Jugendfreund und Reisegesellschafter, des Grafen Philipp Königsmarck, der als Liebhaber der Prinzessin von Ahlden am hannoverschen Hof 1694 ein so tragisches Schicksal erlitt. Dieses Schicksal war es, das Aurora mit August zusammenführte.
August war im Frühling 1694 eben Kurfürst geworden. Aurora wandte sich in der Angelegenheit ihres Bruders an ihn, der, von August unmittelbar nach seinem Regierungsantritt zum Generalmajor über ein Regiment Kürassiere ernannt, im Begriff war, von Hannover nach Dresden abzureisen, als er am 1. Juli 1694 durch die böse Gräfin Platen in Hannover zur Seite geschafft wurde und plötzlich verschwunden war, als ob ihn die Erde verschluckt hätte.
Aurora war die erste Schönheit, die Augusts wandelbares Herz dauernder als bisher in Fesseln schlug. Nach den neuesten Nachrichten kam sie aber weder so jung noch so jungfräulich, wie man das früher geglaubt hat, an August – sie war keineswegs »im Namen und in der Tat eine Aurora«!
»Ich glaube«, schrieb die Herzogin von Orléans am 20. März 1699 (also fünf Jahre nach Auroras Epiphanie in Dresden) aus Port-Royal an ihre Schwester, »daß die Königsmarkin sich eilen muß, wo sie noch gefallen will, denn sie ist nun die jüngste nicht mehr.« Aurora hatte wahrscheinlich am sehr koketten hannoverschen Hof schon schöne Sonnenuntergänge erlebt, wie die von Palmblad über das Verhältnis Königsmarcks zur Prinzessin von Ahlden mitgeteilten Briefe erkennen lassen; sie scheint sogar ein Liebesabenteuer mit

dem Gemahl der Prinzessin von Ahlden, dem damaligen Kurprinzen und späteren ersten König von England aus der Hannoverdynastie, gehabt zu haben.*

Aurora wurde um das Jahr 1662 auf der von ihrem berühmten Großvater zu Ehren seiner Gemahlin erbauten Agathenburg bei Stade geboren, wo dieser Gouverneur war, da es seit dem Westfälischen Frieden unter schwedischer Hoheit stand. Ihr Vater – erst schwedischer, dann holländischer General – fiel bei der Belagerung von Bonn. Ihre Mutter stammte aus dem durch erbliche Schönheit berühmten Geschlecht Wrangel und war eine Tochter des Feldmarschalls Hermann, des Stiefbruders des berühmten letzten großen Generals des Dreißigjährigen Krieges, Gustav – desselben Hermann Wrangel, der 1675 bei Fehrbellin die entscheidende Schlacht gegen den Großen Kurfürsten verlor. Aurora Königsmarck erhielt ihre Erziehung und Bildung in Hamburg, in Stockholm, in Hannover; 1691 verlor sie die Mutter und lebte seitdem mit ihrer Schwester, die mit dem schwedischen Grafen Löwenhaupt, General in sächsischen Diensten, vermählt war, in Hamburg, besuchte aber von da wiederholt die Höfe von Hannover, Wolfenbüttel und Quedlinburg, wo sie schon als Kapitularin eingetreten war. Ihr Bruder liebte sie sehr und nannte sie in seinen Briefen an die Herzogin von Ahlden nur »die Aventurière«. 1694, als sie den König kennenlernte, war sie schon zweiunddreißig Jahre alt.

Sie war jedoch mit allen natürlichen und gesellschaftlichen Gaben ausgestattet, die Augusts Herz fesseln konnten: Sie sprach und schrieb vortrefflich außer Schwedisch und Deutsch die französische, italienische und englische Sprache, verstand sogar Latein, sang vortrefflich, tanzte ebenso gut, spielte Laute und Gambe, komponierte, malte und machte sehr hübsche Verse. Selbst Voltaire urteilte über eines ihrer französischen Gedichte, man könne glauben, daß die Verfasserin in Versailles geboren sei. Zeitgenossen berichteten in höchsten Lobpreisungen von ihrer hohen, schlanken Gestalt, ihrem runden, blühenden Gesicht, ihrem reichen, vollen Haar, das echt schwedisch blond war, der offenen, erhabenen Stirn, ihren großen dunklen, feurigen, wunderbaren Glanz ausstrahlenden Augen und den geheimnisvollen Reiz ausübenden feinen Brauen darüber; es

* Königsmarck, der Liebhaber der Prinzessin, schrieb einmal an diese: »Mon beau frère aura aussi une affaire. C'est que dans une débauche on doit avoir dit: oh, vraiment, quand on a une belle sœur qui couche avec le prince, l'on peut avoir bien des régiments. L'on nomme pour auteur de cette histoire le lieutenant-colonel Grot ou un petit comte Stenbock lieut.-colonel de vellein (?). On demandera une explication l'épée à la main.« – »Ma sœur qui a en S. Alt. [Son Altesse] pour mari, n'aura pas laissé échapper une si belle occasion pour se justifier et pour montrer son innocence, elle vous en avertira apparement. Je souhaite qu'elle a y reussi.« Palmblad, »Aurora Königsmarck und ihre Verwandten«, Bd. 2, S. 262, 266.

wird, um das Bild der schönen Dame vollends auszumalen, noch versichert, sie habe eine selten vollendet schöne Nase gehabt und einen ausnehmend kleinen Mund mit den schönsten roten Lippen und blendendweißen Zähnen.
So viele Liebenswürdigkeiten übten auf August ihre Macht aus, ließen aber auch das drastische Schicksal des geliebten Bruders in Hannover bald vergessen; es wird nirgends gesagt, daß August etwas Wesentliches für die Königsmarckschen Angelegenheiten getan habe – er ließ die Sache auf gesandtschaftlichem Weg betreiben, Hannover ließ sich aber zu keiner Erklärung herab.
Desto mehr tat er für Aurora. Bei einem zu Ende des Jahres 1694 in Moritzburg gegebenen Fest wurde sie mit einer Reihe der glänzendsten mythologischen Aufzüge und sonstigen Huldigungsfeierlichkeiten empfangen; das Schloß selbst wurde ihr zu Ehren Dianenburg betitelt. Als erstes Geschenk erhielt sie ein Bukett von Brillanten, Rubinen, Smaragden und Perlen, das beim Souper auf ihrem Teller lag – damals wurde sie in Moritzburg seine Geliebte.
Im Mai 1695 begleiteten Aurora Königsmarck und Fräulein Klengel, ihre Vorgängerin, den Kurfürsten nach Karlsbad, von wo er zum türkischen Feldzug nach Ungarn abreiste. Zum Karneval 1696 kam er wieder nach Dresden. Am 28. Oktober 1696 gebar Aurora in Goslar im Harz – wo damals der Kurfürst noch Schutzherr war – einen Sohn, den berühmten Grafen Moritz, Marschall von Sachsen. Damals war August wieder beim Türkenfeldzug in Ungarn; einen Monat später kehrte er aus Wien zurück; am 17. Oktober 1696 war ihm auch der Kurerbe August III. geboren worden. Er brachte aber aus Wien eine neue Maîtresse en titre mit, die er inzwischen erkoren hatte: die Gräfin Lamberg, spätere Esterle. Er nahm Aurora, die Lamberg und die Spiegel mit nach Warschau. Über das Leben im Warschauer Schloß mit diesen drei Mätressen, von denen keine wußte, daß sie eine Nebenbuhlerin habe, berichten die Memoiren Haxthausens kuriose Details.
Das Verhältnis mit der Königsmarck endete, als sie von Warschau nach Sachsen zurückgereist war; als Maîtresse en titre war sie daher allerdings wirklich nur eine Aurora. Sie blieb aber, ihrem sanften Charakter gemäß, mit dem König in gutem Einvernehmen, tröstete sich und wurde getröstet. Im Jahre 1698 wurde sie Koadjutorin in der Abtei Quedlinburg, wo sie jedoch – da damals die Schutzherrlichkeit über Quedlinburg an Preußen verkauft wurde – die Nachfolge als Äbtissin nicht erlangen konnte. Im selben Jahre 1698 schenkte ihr der neue König von Polen 50 000 Taler; mit diesen ging sie nach Schlesien, lebte in Breslau und kaufte das Gut Wilksen bei Oels. Herzog Christian Ulrich von Württemberg-Oels bot ihr seine Hand – aber August versagte seine Einwilligung. In Breslau blieb sie

bis zum Ausbruch des großen Nordischen Krieges. Im Dezember 1701 reiste sie zu August nach Warschau, der sie 1702 für die verunglückte Mission mit Karl XII. brauchte.
Im Jahre 1700 erreichte sie, wenigstens als Pröpstin in Quedlinburg eingeführt zu werden. Sie lebte teils hier in der Abtei, teils in Dresden und Leipzig, teils in Hamburg – überall in großem Stil. In Quedlinburg empfing sie den Besuch von zahlreichen Fremden – Adel und Fürstlichkeiten –; unter anderen verweilte im Jahre 1711 Zar Peter der Große in Begleitung der herzoglichen Familie von Braunschweig und seines Kronprinzen Aleksej – der eben im Begriff stand, sich mit einer braunschweigischen Prinzessin zu vermählen – drei Tage bei ihr in Quedlinburg. Sie erhielt die denkbar galantesten Briefe von den benachbarten Fürsten: den Herzögen Ludwig Rudolf und Anton Ulrich von Braunschweig-Wolfenbüttel und vom Herzog von Braunschweig-Bevern, von den beiden ersten Fürsten von Schwarzburg-Sondershausen, vom Alten Dessauer und selbst vom gestrengen König Friedrich Wilhelm I. von Preußen. Mit ihrem ehemaligen Geliebten, August dem Starken, wurde nur noch eine Korrespondenz im Kurialstil gepflogen, die in den herkömmlichen Gratulationsschreiben zu Neujahr usw. bestand.
Die Gräfin hatte eine Menge neue Liebschaften, ward sehr stark und gab sich viel mit Geldgeschäften ab, da sie immer in Geldnöten war. Die von ihr erhaltenen Schriftstücke, die ihr Biograph Cramer mitteilt, weisen sie als eine humorvolle, höchst galante und splendide Dame nach – aber zugleich als zärtlich besorgte Mutter. Sie starb sehr verschuldet im Jahre 1728, sechsundsechzig Jahre alt, und wurde in Quedlinburg begraben. Sie starb so arm, daß ihr Begräbnis länger als ein Jahr aufgeschoben werden mußte; es konnte aber nur deshalb aufgeschoben werden, weil sich bei ihrer Leiche zeigte, daß sie nicht in Verwesung überging – noch im neunzehnten Jahrhundert sah man an der unverwesten Leiche noch unverkennbare Spuren hoher Schönheit; erst in neuester Zeit sollen die Züge verfallen sein. In Quedlinburg sieht man auch noch ein Gemälde von ihrer Hand, das sie selbst und ihre Schwester Amalie – seit 1689 mit dem sächsischen General Löwenhaupt vermählt – darstellt, in Jagdkleidern unter Bäumen sitzend; im Hintergrund zeigen sich zwei von Jägern verfolgte Rehe – wahrscheinlich sollte das Bild eine Allegorie auf ihre eigene Lebensgeschichte sein.
Der Sohn Augusts des Starken und der Gräfin Aurora Königsmarck, Graf Moritz, gewöhnlich der Marschall von Sachsen genannt, wurde der berühmteste unter allen Söhnen Augusts. Er war kaum aus der Wiege, als er nach Trommeln und Pauken verlangte. Seine Mutter ließ ihn im Haag erziehen, und zwar lutherisch. Schon mit dreizehn Jahren (1709) diente er als General-Aide-Major unter Graf

Schulenburg, dem späteren Feldmarschall Venedigs, am Rhein. Den eindringlichen Vorstellungen dieses ebenso braven und redlichen wie genialen und gebildeten Mannes hatte Moritz, mit dessen Studien es sich anfangs übel genug anließ, es zu danken, daß er in sich ging, fleißig wurde und lernte. Wiederholt sagte und schrieb Schulenberg ihm: »Il n'y a rien de si horrible que d'être ignorant.« Beim Rheinfeldzug hieß der »kleine muntere Taugenichts (notre petit eveillé dépravé)« – wie ihn seine Mutter einmal in einem Brief an Schulenburg aus Hamburg am 29. Oktober 1709 nannte – nach den »Lettres historiques« noch Comte de Rosencranz; im Jahre 1710 aber erkannte ihn der König als seinen Sohn an und setzte ihm eine Rente von 10000 Talern aus. 1711 wurde er zum Reichsgrafen erhoben, während der König das Reichsvikariat führte.
Moritz war der Erbe des leichten Blutes seines Vaters. Er vermählte sich schon mit siebzehn Jahren (1713) mit einer reichen Lausitzerin: mit der Gräfin Viktoria von Löben. Sie stand schon vor der Heirat nicht im besten Ruf, und 1721 ließ sich Moritz wieder von ihr scheiden; sie heiratete dann einen Herrn von Runkel. Im Jahr zuvor, in seinem vierundzwanzigsten Jahr, war Moritz nach Paris gegangen und in französische Kriegsdienste getreten, weil er mit dem König in gespannte Verhältnisse geraten war, und der ehrgeizige Flemming ihn in der sächsischen Armee nicht fördern wollte. Hier begann im Jahre 1722 sein Verhältnis mit der schönen und geistreichen Schauspielerin am Théatre français, Adrienne le Couvreur, der Rahel des 18. Jahrhunderts. Moritz hat sie selbst in einem Brief an seine Mutter vom Jahre 1726 beschrieben: »Hier schicke ich Ihnen das Porträt der geistvollen Französin, mit der Versicherung, daß ihr darauf nicht geschmeichelt wird. Sie ist ungefähr von der Größe der Gräfin Cosel, hat eine schöne Taille, einen niedlichen Fuß, volle Schenkel und ein holdes Anlitz, ist gegen sechsundzwanzig Jahre alt, unverheiratet, von guter Familie, unbeschränkte Herrin ihrer Handlungen, geliebt und angebetet von aller Welt.«
Das Jahr 1726 war das Jahr, das Moritz aus den Armen dieser schönen Französin entführte, die ihn mit derselben Leidenschaft, aber mit mehr Treue liebte als er sie. Moritz ging nach Kurland, wo ihn die Stände als Nachfolger des letzten Kettler zum Herzog von Kurland wählten, und zwar am 28. Juni 1726. Aber er verscherzte das Herzogtum und sogar den Thron von Rußland, weil er in Mitau der verwitweten Herzogin Anna von Kurland, der Tochter des Zaren Iwan – des Bruders und Vorgängers Peters des Großen –, die nachher (1730) als Zarin Anna den Thron in Petersburg bestieg und die ihm ihre Hand reichen wollte, nicht treu blieb, sondern wieder einen neuen Liebeshandel mit einem von ihren Hoffräuleins anspann. Noch regierte die Witwe Peters des Großen, Katharina I. von

Rußland; sie und ihr allmächtiger Günstling Menschikow waren Moritz' Absichten entgegen und wußten auch seinem Vater, dem König von Polen, als Lehnsherrn von Kurland zu imponieren. Sein Vater ließ ihn ohne Hilfe; am 22. November 1726 schrieb Moritz seiner Mutter: »Was den König betrifft, so ist er wie aus Stein und weicht nicht; er befindet sich in der Lage jenes Barbiers, der sich versteckte und unaufhörlich schrie: ›König Midas hat Eselsohren!‹«

Eine andere Fassung des Unwillens des martialischen Sohnes über den nicht martialischen, von Rußland eingeschüchterten Vater, die aber im französischen Original des fraglichen Briefs ausgestrichen ist, lautete: »Le Roi est un Roi en peinture.«

Vergebens unterstützte ihn seine Mutter mit den Trümmern ihres Vermögens; vergebens verkaufte die treue Adrienne in Paris alle ihre Juwelen und Kostbarkeiten und schickte dem ungetreuen Liebhaber 40 000 Franc nach Mitau. Als Moritz wieder nach Paris kam, knüpfte er, um durch sie dem französischen Hof Unterstützung abzuhandeln, ein anderes Liebesverhältnis mit der Herzogin von Bouillon an. Als er mit dieser einst im Theater erschien, ereignete sich die famose Szene, wo Adrienne als Phädra, gegen die Loge der Herzogin gekehrt, diese mit den Donnerworten von den »unverschämten Frauen, die, nicht mehr erröten könnend, ihres Verbrechens sich freuen«, apostrophierte. Die Herzogin, auf die sich alle Blicke richteten und die vor Wut in Ohnmacht fiel und das Theater verlassen mußte, antwortete bekanntlich mit Gift auf diese Szene.

Schon im März 1727 mußte Moritz von seiner zweiten Reise nach Kurland zurückkehren – die Russen vertrieben ihn. Er hatte zuletzt, wie einer seiner Getreuen seiner Mutter schrieb, den größten Teil des Tages im Bett zugebracht und sich den Don Quichotte vorlesen lassen. Er ging erst nach Warschau, dann nach Breslau, und 1729 kam er wieder nach Paris, wo er von nun an zwanzig Jahre lang blieb; von der kurländischen Donquichotterie blieb ihm nur der Titel eines Herzogs von Kurland. Aus Sachsen bezog er die Einkünfte der thüringischen Herrschaft Tautenburg, die ehemals den Schenken von Tautenburg und Vargula zuständig war.

Die militärische Laufbahn, die den schönen Sohn des schönen Königs glorreicher als seinen Vater gemacht hat, begann im Österreichischen Erbfolgekrieg – freilich im Dienst Frankeichs gegen Deutschland. Moritz kommandierte im Österreichischen Erbfolgekrieg die Truppen, die, mit den sächsischen verbunden, in Böhmen einfielen und im Jahre 1741 Prag einnahmen.

Sein Bruder, der zweite August von Sachsen-Polen, bot ihm den Oberbefehl über seine Armee an; Moritz schlug ihn aber aus, um

sich nicht unter einen Brühl, den allmächtigen Günstling, stellen zu müssen, und ging nach Frankreich zurück. 1744 wurde er zum Maréchal de France erhoben und verdiente den Bâton in den drei Siegesschlachten in den Niederlanden: 1745 bei Fontenay, 1746 bei Raucoux und 1747 bei Laveld. Er starb, 1746 als Franzose naturalisiert, 1750, vierundfünfzig Jahre alt, auf dem Schloß Chambord, dem Inselschloß, das ihm Ludwig XIV. geschenkt hatte und das auch 1809 von Napoleon wieder als Siegeslohn zum Fürstentum Wagram erhoben wurde.
Der galante Marschall von Sachsen war es, der die Hofgenüsse und die Hoflustbarkeiten ins Feldlager versetzte. Er sagte: »Mit den Franzosen geht es nicht besser, als wenn sie heiter geführt werden. Nichts fürchten sie im Krieg mehr als die Langeweile.« In seinem Hauptquartier befand sich deshalb stets ein Theater; der Theaterdirektor war Favart.
Die Tänzerinnen und Sängerinnen des Theaters des Marschalls von Sachsen bildeten eine Art Serail. Von den Favoritsultaninnen – Mademoiselle de Chantilly, die 1749 mit ihrem Holzschuhtanz allen Parisern die Köpfe verdrehte und die später Madame Favart wurde, und Mademoiselle de Beaumenard – pflegte er zu sagen: »Sie machen mir mehr zu schaffen als die Husaren der Königin von Ungarn.«
Vor der Schlacht bei Fontenay ließ sich Moritz mit höchster Bravour erst punktieren; er hatte die Wassersucht und war dem Tod nahe. Der Duc de Noailles erklärte deshalb bei dieser Gelegenheit Ludwig XV.: »Ms. le Maréchal est le premier homme de monde que la gloire ait désenflé.« Als in dieser Schlacht bei Fontenay, wo sich die französischen und die englischen Garden erst gegenseitig bekomplimentierten, wer zuerst schießen solle, die königlichen Haustruppen mit dem Ruf »Vive le roi« – denn der König war selbst gegenwärtig – die feindlichen Batterien unterliefen, die sie scharenweise niedermähten, glaubte der König, sie seien toll geworden; Moritz aber brummte: »Que voulez vous, Sire, c'est le cœur de l'homme!«
Am Vorabend der Schlacht von Raucoux trat Favart nach Beendigung des Theaters heraus und verkündete in Couplets die Ordre du jour: »Demain: Relâche à cause de la bataille, que donnera M. le Maréchal. Après demain: Jour de victoire, nouvelle pièce le coq du village.«
Nach dem dritten Sieg bei Laveld bekränzten die Theaterheldinnen den Sieger im Schauspielhaus mit Lorbeeren. Nach Baron Grimm zwang der Marschall seinen Theaterdirektor Favart, ihm die während der Belagerung von Maastricht entführte Mademoiselle Chantilly – die er unterhielt, bei der er aber keine Gegenliebe fand – wieder abzutreten, trotzdem Favart sie geheiratet hatte; er erwirkte eine Lettre de cachet gegen ihn und nahm sie mit auf sein Schloß

Chambord, aber sie wurde hier nach einem Jahr die – freilich unschuldige – Ursache seines Todes. Sein prächtiges Denkmal steht – weil Moritz Protestant war – in der protestantischen Sankt-Thomas-Kirche in Straßburg, wo man es noch jetzt sieht. In der Revolution entging dieses Monument von Pigalle nur dadurch der Zerstörung, daß die Munizipalität von Straßburg die Kirche in ein Heu- und Strohmagazin umschuf.
Bekanntlich ist die berühmte George Sand die Enkelin eines natürlichen Sohnes des Marschalls von Sachsen.

Frau von Spiegel und ihr Sohn, Graf Rutowsky

Ich komme noch mit einigen Worten auf die Nebenflammen zurück, die das Herz des Königs während der ersten Hauptflamme – mit der Königsmarck – und der dritten – mit der Lubomirska – beschäftigten; es waren dies Fräulein Kessel und die Gräfin Lamberg-Esterle; die zweite Hauptflamme war die Frau von Spiegel.
Sophie Eleonore von Kessel war die erste unter den bekannten Favoritinnen; sie erhielt für 60 000 Taler Diamanten und wurde später an den Sohn des sich unter Johann Georg III. an der Macht befindlichen Hauptfavoriten Haugwitz, Hans Adolf – Hofmarschall und späterer Oberküchenmeister und Oberschenk – vermählt.
Die Gräfin Lamberg, die Scheingemahlin des kaiserlichen Kammerherrn Johann Anton Graf Esterle, eines Böhmen, erhielt als erstes Präsent einen Schmuck im Wert von 40 000 Gulden, und ihr Mann bekam nebst der Oberhofmarschallscharge ein Jahresgehalt von 20 000 Gulden. Aus dem Briefwechsel der Gräfin Löwenhaupt, der Schwester der Gräfin Königsmarck, geht hervor, daß man bereits im Mai 1698, kurz nach der Krönung in Polen, die Dame, die schwanger war, ihrem Gemahl nachsenden wollte, daß dieser aber die 50 000 Taler ausschlug, die ihm deshalb geboten wurden. Die Gräfin Esterle hielt sich noch eine Zeitlang in Warschau neben der Fürstin Lubomirska, dann schickte man sie fort.
Am 6. Februar 1701 schrieb General Löwenhaupt aus Warschau an seine Frau: »Mit der kleinen Gräfin ist alles vorbei, und man erzählt sich, sie wolle in ihr Vaterland zurückreisen, so daß es scheint, als würden die blonden Haare den Sieg davontragen, wenn die schwarzen Augen sie nicht noch aus dem Feld schlagen.« Am 18. Januar 1702 schrieb er aus Warschau: »Wir wissen, daß die Gräfin Esterle in Breslau ist, doch hat es nicht den Anschein, daß sie wieder an unseren Hof zurückkehrt; sie soll dort sein, um mit ihrem Eheherrn eine Übereinkunft zu treffen.« Nach einem Brief der Generalin Löwenhaupt vom 28. Oktober 1702 verlor sie ihre Pension.

Frau von Spiegel war die zweite Hauptflamme Augusts und die Scheingemahlin des Kammerdieners Spiegel, der später Oberstleutnant und geadelt wurde. Sie war ein schönes türkisches Mädchen, hieß Fatime und war eine Tscherkessin von hoher Geburt, die 1686 als Fünfjährige bei der Eroberung von Ofen erbeutet wurde und bei der Taufe den Namen Maria Aurora erhielt.

Nachdem der König Frau von Spiegel in Polen zurückgelassen hatte, lebte sie hier nach ihrer großen und freigebigen Weise und verbrauchte den Großteil der 100 000 Taler, die sie vom König erhalten hatte; nachdem sie mehrere Jahre so in Polen zugebracht hat, langweilte sie sich schließlich. Das Reich der Gräfin Cosel ging damals zu Ende, und Flemmings Cousine, die Krongroßschatzmeisterin Przebendowska, die die Cosel nicht liebte, aber für die Spiegel eine große Freundschaft hegte, brachte sie mit nach Sachsen, ließ sie bei sich wohnen, an ihrer Tafel speisen und behandelte sie ganz wie eine Freundin.

Frau von Spiegel gehört zu den fünf Damen, von denen der König Kinder anerkannt hat; es waren dies vier Söhne und vier Töchter: der Marschall von Sachsen von der Gräfin Königsmarck; der Ritter von Sachsen von der Fürstin Teschen; der Graf Cosel und seine beiden Schwestern, die Gräfinnen Friesen und Moszinska von der Gräfin Cosel; die Gräfin Orselska von Mademoiselle Renard und schließlich die beiden Kinder, die die Spiegel ihm gebar: der Graf Rutowsky und die Gräfin Bielinska, spätere Bellegarde.

Graf Friedrich August Rutowsky wurde im Jahre 1702 geboren. Er erhielt seine Erziehung in Frankreich und trat später in die Dienste von König Viktor Amadeus von Savoyen und kurze Zeit in die König Friedrich Wilhelms I. von Preußen, bei dem er sehr wohl gelitten war. Von da trat er in sächsische Dienste und führte hier das preußische Exerzitium ein; »die Canaille hat uns Alles abgestohlen«, sagte Friedrich der Große später in seinem – freilich gerechten – Grimm gegen Sachsen. Nach den Berichten des englischen Gesandten in Dresden, Sir Charles Williams, war Rutowsky kenntnisreich und begabt, aber wie der Chevalier de Saxe, der Sohn der Fürstin von Teschen, untätig und träge. Er ist noch dadurch erwähnenswert, daß er 1738 die erste Freimaurerloge Zu den Drei Adlern in Dresden gestiftet hat. Er bekleidete in Sachsen die Posten eines Generalfeldmarschalls, Chefs der Artillerie und Obersthaus- und Landzeugmeisters; zugleich war er Gouverneur von Dresden. Er war es, der im ersten Jahr des Siebenjährigen Krieges die gesamte sächsische Armee im Lager von Königstein an Friedrich den Großen überlassen mußte, wobei aber die Schuld mehr Brühl als Rutowsky traf. Verheiratet war er seit dem Jahre 1739 mit einer polnischen Dame, einer Prinzessin Lubomirska, der Enkelin des Oberkammer-

herrn Vitzthum. Er starb ein Jahr nach dem Siebenjährigen Krieg, im zweiundsechzigsten Lebensjahr.
Das zweite Kind der Frau von Spiegel war eine Tochter namens Katharina. Sie wurde 1706 geboren, heiratete 1728 ebenfalls einen Polen, den Grafen Michael Bielinsky – einen Bruder der Gräfin Dönhoff, der Nachfolgerin der Cosel –, trennte sich aber nach herkömmlicher polnischer Weise wieder von ihrem Gemahl und lebte in Paris. 1735 wurde sie geschieden und vermählte sich 1736 zum zweiten Mal mit dem französischen Grafen Claudio Bellegarde, der als Generalleutnant in sächsische Dienste trat. Beim Tod des Königs erhielt sie dank seines Testaments 8000 Taler Jahresrente – wie die Orselska.

Die Fürstin Lubomirska-Teschen und ihr Sohn, der Chevalier de Saxe · Prinz Ludwig von Württemberg

Die zweite Hauptfavoritin König Augusts war die schon genannte Polin Ursula Katharina Fürstin von Lubomirska, spätere Fürstin von Teschen. Sie wurde 1680 geboren und war ebenfalls eine der schönsten Frauen, wie ihre Bilder im Saal des Großen Gartenpalais und in der Galerie zu Dresden bezeugen: eine üppige Blondine. In ihren Adern floß französisches Blut; sie war ein geborenes Fräulein von Bockum, Tochter des Stolniks von Litauen, eines eingewanderten Franzosen. Der Kardinal-Primas von Polen, Radzijewsky, war ihr Oheim, und ihr Gemahl wurde der Sohn des alten, 1667 in Breslau verstorbenen Krongroßfeldherrn Lubomirsky, der junge Fürst Georg Dominik, Kronoberkammerherr. Man sagt, der König hätte ihr erst seine Neigung zugewandt, als er beim Ringelstechen im Karneval 1697 vom Pferd geworfen wurde und sie vor Teilnahme und Schreck über den königlichen Helden in Ohnmacht fiel. Kurz darauf führte der König die Fürstin auf die Leipziger Neujahrsmesse, um sie der Gemahlin Friedrichs I. von Preußen, der philosophischen Königin Sophie Charlotte, vorzustellen.
Diese geistreiche Dame machte sich einen höchst vergnüglichen Scherz: Sie veranstaltete einen Maskenball, zu dem sie außer der Fürstin von Teschen noch drei frühere Geliebte des Königs – die Gräfin Königsmarck, die Gräfin Esterle und Frau von Haugwitz, geborene Kessel – einlud, ohne daß eine dieser Damen von der Anwesenheit der anderen etwas wußte. Diese vier Damen suchten den König wegen seiner Unbeständigkeit zu necken; als sie sich aber gegenseitig erkannten, kam es zu einer leidenschaftlichen Szene, die die Festgeberin dadurch beendete, daß sie den König aus der Quadrille zurückzog, in die sie ihn mit den vier Damen engagiert hatte.

Nach beendetem Karneval führte August die Fürstin Lubomirska mit zur Krönung nach Polen. Nach polnischer Sitte war es während der Fastenzeit gestattet, in jeder Woche einige Tage der Andacht im Kloster zuzubringen. Die Fürstin sah hier wiederholt den König: Er schlich in der Kapuzinerkutte zu ihr; die Liebenden setzten den vertraulichen Ton dann auch in der Gesellschaft bei Hof fort. Der junge Lubomirsky wurde eifersüchtig; er wollte vom Hof weg und auf seine Güter ziehen. Die Gemahlin sollte folgen, sie wollte nicht; es kam zur Trennung, und der Papst annullierte die Ehe, wie er das den Polen zu Gefallen so oft getan hat. Die Fürstin leistete dem König gute Dienste, um den Primas, der bei der polnischen Königswahl die Hauptstütze des Prinzen von Conti gewesen war, auf seine Seite zu bringen. Sie wurde zur Reichsfürstin von Teschen erhoben, als sie ihm im Jahre 1700 seinen Sohn Georg, den »Chevalier de Saxe«, gebar. Als Maîtresse en titre hielt sie sich einige Jahre, bis sie von der Gräfin Cosel abgelöst wurde.
Als sie der Cosel weichen mußte, lebte sie von den Einkünften der ihr 1704 überlassenen Herrschaft Hoyerswerda mit 20000 Talern Rente und anderen Gütern, die ihr August in der Lausitz angewiesen hatte; sie hielt sich ein großes Haus in Dresden, so daß sie immer – auch noch in ihren späteren Jahren – einen bedeutenden Kreis Prominenter um sich versammelte. Im Jahre 1713 sah sie der Reisende Pöllnitz in Breslau, wo sie ein prächtiges Haus hielt. Im Jahre 1718 (also mit achtunddreißig Jahren) sah sie in Dresden der Reisende Loen; er bemerkte, daß er auf ihrer Stirn kaum mehr eine Spur der Möglichkeit gesehen habe, daß sie so eine große Rolle an diesem galanten Hof habe spielen können. Dennoch verheiratete sie sich noch einmal mit einem nachgeborenen Prinzen des Hauses Württemberg, der schon 1703 an den Dresdner Hof gekommen war, sie hier kennengelernt hatte und in der sächsischen Armee diente. Dieser zweiunddreißigjährige tapfere Prinz Ludwig, der Bruder des regierenden Herzogs Karl Alexander, heiratete im Jahre 1722 ganz heimlich die reiche, zweiundvierzigjährige Fürstin. Er trat später in kaiserliche Dienste und fiel in der Schlacht bei Guastalla (1734); seine Gemahlin starb erst 1743 in Dresden, dreiundsechzig Jahre alt.
Das Palais der Fürstin in Dresden, das sogenannte »Württembergische Palais«, war das Beichlingsche Haus in der Pirnaer Gasse, das sie durch eine Schenkung des Königs von 1705 besaß und das nach ihrem Tod unter dem Namen »Hôtel de Saxe« in den vierziger und fünfziger Jahren durch seinen neuen Besitzer La Fond ein vielbesuchter Ort wurde, wo die prächtigsten, damals von der ersten Gesellschaft Dresdens stark besuchten Maskeraden gegeben wurden; beim preußischen Bombardement 1760 brannte es ab und

wurde dann ab 1772 Amtshaus. Die Fürstin von Teschen war es, die den später an die Grafen Brühl und Marcolini gekommenen Garten in der Friedrichsstadt anlegte.
Der Sohn der Fürstin, der Chevalier de Saxe, starb als Malteserritter, Generalfeldmarschall und Gouverneur von Dresden im Jahre 1774 erst unter Friedrich August III. Der englische Gesandte Sir Charles Williams, der in den vierziger und fünfziger Jahren Gesandter in Dresden war, nannte ihn einen Mann, der nicht ohne Fähigkeiten und Kenntnisse sei; er meinte aber, er sei untätig und träge. Er besaß das von den Erben des Feldmarschalls Wackerbarth gekaufte sogenannte »Wackerbarthsche Palais«, das Gebäude, in dem heute die chirurgisch-medizinische Akademie untergebracht ist, und den heutigen Prinz Johannschen Garten, wo er nach dem Siebenjährigen Krieg 1764 das noch jetzt stehende Palais bauen ließ. Der Chevalier war unter den berühmten natürlichen Söhnen König Augusts derjenige, der am längsten lebte.
Mit der jüngeren Schwester der Fürstin von Teschen, Therese von Bockum, die mit einem in sächsischem Kriegsdienst stehenden pommerschen Baron Glasenap verheiratet, aber von ihm geschieden worden war, zeugte der berühmte Schulenburg, der bis 1711 in sächsischen Diensten stand, um das Jahr 1710 einen natürlichen Sohn »Glasebeck«, der 1768 unter Kuratel in Deutschland gestorben ist. Frau von Glasenap war, wie die Memoiren Haxthausens wiederholt dokumentieren, eine der gefürchtetsten Personen am Dresdner Hof, die durch ihre Intrigen und Verschwörungen größten Unfrieden stiftete: Sie hatte ihrer eigenen Schwester zu schaden gesucht und tat namentlich alles, was sie konnte, zum Sturz der Cosel – ich komme auf diese Dame zurück.

Aufstieg und Fall der Gräfin von Cosel

Eine dritte Hauptfavoritin König Augusts des Starken und die mächtigste unter allen war Anna Konstanze Gräfin von Cosel, eine Dänin. Sie war ein Fräulein von Brockdorf aus Holstein, geboren wie die Lubomirska 1680, Tochter eines dänischen Obersts und Kammerfräulein der Prinzessin von Holstein-Plön, Gemahlin des Erbprinzen von Braunschweig. Schon hier am braunschweigischen Hof hatte sie ihre heroische Natur sehen lassen: Prinz Ludwig Rudolf, der 1731 zur Regierung gelangte, wollte sie einst küssen – sie ließ ihm dafür eine derbe Ohrfeige zukommen. Nach dem Tod ihrer Prinzessin ging sie nach Holstein zurück; hier heiratete sie im Jahre 1699 Hoym, der sie schon in Wolfenbüttel kennengelernt hatte. Dessen Vater war der oben erwähnte Kammerdirektor Ludwig Gebhard von Hoym, der Liebling von Kurfürst Johann Georg IV.,

»der ihm hatte ducken müssen«. Ihr Gemahl war Hoyms älterer Sohn, Adolph Magnus von Hoym, der Geheimrat war und später Kabinettsminister wurde. Er war bei der Heirat neunundzwanzig, sie neunzehn Jahre alt. Der Hof war damals in Polen, und Frau von Hoym war noch nicht vorgestellt. Als der Hof im Jahre 1704 nach siebenjähriger Abwesenheit zurückkam, rühmte, so wird erzählt, bei einem Bankett, dem der König beiwohnte, jeder der Gäste die Schönheit seiner Geliebten, der Minister von Hoym die seiner Gemahlin. Der König bot ihm eine Wette an – Hoym brachte hierauf seine Gemahlin an den Hof. Der König erklärte sich auf der Stelle besiegt und besiegte nun sofort auch die junge, schöne Frau.
Nach den handschriftlichen Memoiren des Barons Haxthausen, des Sohns des Geheimrats und Hofmeisters Augusts des Starken, war Hoym ein Mann, der eine echte Don-Juan-Natur hatte. Er hatte früher die sehr schöne Schwester Haxthausens, die später die Schwägerin des Großkanzlers Beichlingen wurde, heiraten wollen – später besiegte ihn die noch größere Schönheit der Holsteinerin. Aber auch ihrer wurde er überdrüssig. Sie weigerte sich lange, dem König zu Willen zu sein – endlich kam ein Arrangement zustande. Lady Montague erzählt, als August zum erstenmal zu Frau von Hym gekommen sei, habe er in einer Hand ein Hufeisen gehabt, das er zerbrochen hatte, und in der anderen einen Sack mit 100 000 Krontalern. Aber Frau von Hoym ließ sich ganz andere Bedingungen versprechen: Der König mußte ihr 100 000 Taler jährlich versprechen, für immer der Verbindung mit der Fürstin von Teschen entsagen und ihr durch einen eigenhändigen Kontrakt die Versicherung geben, sie nach dem Tod der Königin als Königin anzuerkennen und ebenfalls die mit ihr erzeugten Kinder als legitime Prinzen und Prinzessinnen von Sachsen zu behandeln. Frau von Hoym wurde daraufhin von ihrem Gemahl geschieden.
Sie behauptete sich in dieser Eigenschaft als Frau des Königs, nachdem dieser sich von der Fürstin von Teschen getrennt hatte, etwa acht Jahre lang in der höchsten, aufmerksamsten, hochachtungsvollsten Gunst des wankelmütigen August; sie beherrschte ihn in diesen acht Jahren fast unumschränkt. Im Jahre 1706 wurde sie auf Augusts Veranlassung von Kaiser Joseph I. zur Reichsgräfin von Cosel erhoben (nach einem Brockdorfischen Familiengut in Holstein); im selben Jahr erhielt auch die ganze Familie Brockdorf den deutschen Reichsgrafenstand. Sie gehörte zu den seltenen Schönheiten, die sich ungemein lange bis ins hohe Alter anziehend erhalten. Die Gräfin Cosel hatte große schwarze, lebhafte Augen, einen sehr reinen weißen Teint, einen sehr schönen Mund mit kleinen Zähnen und eine sehr fein gebildete Nase. Ihre Gestalt war hoch und schlank, ihre Formen waren voll, schwellend, fast üppig. Obgleich

ihre ganze Erscheinung mehr den Ausdruck des Großen und Erhabenen einer heroischen Natur hatte, zeigte sie dabei – was so selten vorkommt – dennoch den Liebreiz der weiblichen Anmut und vereinigte so zwei sich ganz zu widersprechen scheinende Individualitäten. Das Feuer ihrer berühmten schwarzen Augen soll gleichsam strahlend und ihr Umgang bezaubernd gewesen sein. Ein sehr schönes Porträt, das ich in Dresden beim ehemaligen Oberbibliothekar Falkenstein gesehen habe, läßt sie als eine Frau wenigstens in den Vierzigerjahren sehen; der weiße Teint ist schon ins Bräunliche übergegangen, aber sie ist noch im vollen Glanz des Zaubers ihrer heroischen und doch höchst anmutsvoll weiblichen Schönheit. Nur das Auge blickte in diesem Bild siegesgewiß männlich.
Die Gräfin Cosel beherrschte den König nicht bloß durch das Übergewicht ihrer Schönheit, sondern auch durch das ihres Geistes; sie hatte auch einen höchst energischen Charakter.
Die Gräfin Cosel war ihrem königlichen Herrn in jeder Beziehung teuer: Nach Haxthausen erhielt Hoym für die Abtretung 50 000 Taler. Sie selbst erhielt, wie erwähnt, ein Jahresgehalt von 100 000 Talern und außerdem noch bedeutende Geschenke. August hatte ihr schon im Jahre 1705 das Lustschloß Pillnitz geschenkt, das früher der Gräfin Rochlitz gehörte und später wieder an den König zurückfiel. Im Jahre 1706, als er ganz aus Polen zurückkam und sie zur Gräfin Cosel ernannt wurde, ließ er ihr neben dem Schloß eine wahrhaft fürstliche Wohnung einrichten; sie stand durch eine bedeckte Galerie mit diesem in unmittelbarer Verbindung, war in höchster Pracht und Üppigkeit der Zimmer nach den vier Jahreszeiten angelegt, und die Möbel darin kosteten allein 200 000 Taler. Nach dem Wunsch des Königs hielt sie hier einen sehr animierten Hof, ihre Gesellschaften gehörten zu den glänzendsten und zahlreichsten in Dresden. Später, als ihre Ungnade schon entschieden war, mußte die Gräfin dieses Haus verlassen, da der König es umbauen ließ. Der Neubau war das Palais, das heute das prinzliche Palais auf dem Taschenberg ist; es wurde im Jahre 1719, nachdem die Gräfin Cosel in Ungnade gefallen war, dem Kurprinzen überwiesen. »Sie kostete«, schrieb der Reisende Loen, »soviel, wie eine Armee zu unterhalten. Unsägliche Summen gingen drauf, um die Hochachtung zu zeigen, die der König für dieses Weib hatte.«
Ihr Einfluß auf August war fast allmächtig. Sie drang einmal sogar darauf, einen Geistlichen an der Kreuzkirche exemplarisch zu bestrafen, der eine ziemlich deutliche Anspielung auf sie als die Bathseba Sachsens gewagt habe. Der König aber meinte, als dieses Ansinnen an ihn kam, daß die Prediger jede Woche einmal eine Stunde und einen Ort hätten, wo sie sagen könnten, was sie wollten; sollte sich ein Prediger außerhalb dieser Stunde und außerhalb dieses

Ortes einfallen lassen, unziemende Worte gegen sie fallen zu lassen, so werde er ihn sofort festnehmen lassen; »allein die lutherische Kanzel«, fügte er scherzend hinzu, »ist schon zu hoch für den Papst – um wieviel mehr also für mich, ein bloßes Weltkind.«
Die Eifersucht und noch mehr die Herrschsucht der Gräfin Cosel kannten keine Grenzen. Zur Eifersucht gab der König allerdings reichlichen Anlaß, da er fortwährend ganz heimlich eine Menge Nebenliaisons unterhielt. Der Ehrgeiz der Gräfin fand durch die Huldigungen Nahrung, die ihr Einheimische und Fremde brachten. Zu ihren großen Verehrern gehörte unter anderen der heroische, abenteuerliche Lord Peterborough, der im Jahre 1707 am Dresdner Hof weilte; er spricht mit Entzücken von der »schönen Amazone, die« ihm »den Pantoffel gegeben« habe, wie er sich in einem Brief an den Marschall Schulenburg – der in dessen Memoiren steht – ausdrückt. Bei Hof wurden ihr die höchsten Ehren erwiesen, selbst von fremden Souveränen. Als im Jahre 1709 der große Götteraufzug in Anwesenheit ihres ehemaligen Landesherrn, des Königs von Dänemark, stattfand, wo dieser den Jupiter, August den Apollo, darstellte, erschien die Gräfin Cosel als Diana mit ihrem Nymphenchor und einer Musikgruppe in einem prächtigen Triumphwagen; die Königin dagegen figurierte als bescheidene Vestalin im Tempel der Vesta. Bei einem Damenringelrennen, das zur selben Zeit gegeben wurde und das die Königin nur mit ansah, wurde die Gräfin vom Dänenkönig geführt, August war ihr Assistent zur Rechten, ein Kammerherr zur Linken.
Bis zum Jahre 1712 gebar die Gräfin Cosel dem König drei Kinder: zwei Töchter bis 1709 und noch 1712 einen Sohn. Um diese Zeit aber wurde der König, der in Polen war, veranlaßt, eine neue Maîtresse en titre zu nehmen, und zwar eine Polin: Flemming führte ihm diese in der Person der Gräfin Marie Dönhoff, geborene Bielinska, zu; als Staatsräson wurde angeführt: »Um die Polen nicht eifersüchtig zu machen, daß der König keine Polin als Mätresse hat.«
Die Gräfin Cosel war aber nicht die Frau, die ohne weiteres geneigt gewesen wäre, einer Nebenbuhlerin das Feld zu räumen; sie hatte die Eheverschreibung des Königs in den Händen und brüstete sich laut damit. Der König machte zwar einen Versuch, den Vertrag von ihr zurückzuerbitten; sie gab ihm aber die Antwort, daß sie ihm eine Kugel vor den Kopf schießen werde.
Etwa im Jahre 1712 erfuhr der König in Warschau, daß die Gräfin Cosel mit Postpferden aus Dresden abgereist sei, um ihn in Warschau zu überraschen und von der Liaison mit der Dönhoff abzuziehen; er gab dem Oberst la Haye den Befehl, sie mit einem Kommando der Chevaliergarde in Breslau von der Weiterreise abzuhalten. Man behielt sie im Auge, und sie blieb eine Zeitlang

in Breslau; endlich nötigte man sie, wieder nach Dresden zurückzugehen. Das »Theatrum Europaeum« berichtete im Jahre 1713: »23. Decbr. (1712) traf der König in Dresden ein und ging bald weiter nach Leipzig fort, dasiger Neujahrsmesse beizuwohnen; da des Tags vor seiner Ankunft die sonst bei ihm in Gnaden gestandene Gräfin Cosel aus Dresden hinweg nach Bautzen gegangen, wie man davor hielt nicht ohne heimlich ertheilten Befehl, sintemal die sonst vor dero Hause gewöhnlich gewesene Wache allda weggenommen worden.«

Die Gräfin Dönhoff kam damals mit aus Polen, und darauf erfolgte der Sturz der Cosel. Die Memoiren Haxthausens enthalten interessante Details über diesen; man ersieht daraus unter anderem, welche Zumutungen die ehemals mit Furcht und Zittern verehrte Favoritin von den höchsten Hof- und Staatsbeamten erdulden mußte, sobald ihr Sturz bekannt geworden war.

Haxthausen war ein Freund der Cosel, der lange Zeit fast täglich bei ihr zu Abend speiste und ihr ganzes Vertrauen besaß. Er hatte sie schon lange gewarnt, nicht zu sicher zu sein und sich gegen das sie bedrohende Ungewitter zu wappnen, namentlich den König nicht allein nach Polen reisen zu lassen.

Der Fall der Gräfin Cosel erfolgte, nachdem sie im Jahre 1712 zum letztenmal ihre Macht hatte sehen lassen: Durch ihren Einfluß erhielt nach dem Tod des Grafen Pflug Baron Löwendahl, ihr Landsmann, und durch seine Frau, eine geborene Brockdorf aus Holstein, zugleich ihr Verwandter, die Oberhofmarschallstelle, zu der Flemming Wackerbarth vorgeschlagen hatte.

Haxthausen erzählt, daß Flemming damals damit umgegangen sei, sich seine große Geschäftslast zu erleichtern und die später ein Jahrhundert lang bestandenen drei Departements im Kabinett einzurichten und sie an Manteuffel, Watzdorf und Wackerbarth zu geben, so daß sie den Vortrag beim König haben sollten, unter Vorbehalt des Hauptvortrags und der entscheidenden Stimme für sich. Flemming nahm damals Haxthausen mit zu einer Spazierfahrt in seinen Wagen, um ganz ausführlich und ungestört mit ihm über diesen Plan zu sprechen; er eröffnete ihm, wenn er früher hätte einwilligen wollen, in des Königs Dienste zu treten – Haxthausen hatte damals abgelehnt –, so würde er sein Mann gewesen sein; jetzt habe er sich zu sehr mit Manteuffel und Watzdorf eingelassen etc. Haxthausen riet Flemming damals aufs heftigste, er solle den Vortrag nicht an seine Unterminister überlassen, weil ihnen das den Weg zum Herzen des Königs bereiten und dazu führen werde, ihn nach und nach zu beseitigen.

Das »Theatrum Europaeum« war über den Ort, wohin die Gräfin Cosel ausgewiesen worden sei, falsch unterrichtet: Der König hatte ihr durch Flemming nur befehlen lassen, sich auf ihr Lustschloß Pillnitz zu begeben.

Haxthausens Befürchtung, man werde die Gräfin nicht wieder mit dem König zusammentreffen lassen wollen, zeigte sich bei der Breslauer Reise nur zu wohlbegründet: Als der König mit der Dönhoff nach Sachsen kommen wollte, kam Befehl nach Dresden, vorher die Cosel nach Pillnitz zu verweisen!

Ohne jemandem ein Wort zu sagen, verließ die Gräfin also Pillnitz und begab sich mit einem Teil ihrer Schätze nach Berlin, wo ihr der gestrenge Friedrich Wilhelm I. seinen Schutz zusicherte. In Berlin blieb sie etwa anderthalb Jahre, und nun, als sie sich hier sicher glaubte, begann sie, aufs rücksichtsloseste über den König zu schimpfen. Ihr Verwandter, der Oberhofmarschall Löwendahl, den sie gefördert hatte, war ihr größter Feind geworden und umgab sie mit Spionen; er und Watzdorf, die verschmähten Anbeter und die neue Favoritin Gräfin Dönhoff lagen dem König fortwährend in den Ohren, sich der Cosel als einer gefährlichen Person zu bemächtigen. So wurde der Plan mit den preußischen Behörden eingeleitet, und der König von Preußen ließ sie nach Halle bringen. Hier sah sie der Reisende Loen. »Sie hielt sich«, schrieb er, »ganz verborgen in einer abgelegenen Straße bei einem Bürger, unweit dem Ballhaus auf. Ich ging fast täglich zu einem guten Freund, der gleich nebenbei wohnte. Das Gerücht breitete sich aus, daß sich daselbst eine fremde Schönheit aufhielt, die ganz verborgen lebte. Das Studenten-Volk ist witzig. Ich sah sie etliche Male mit gen Himmel aufgeschlagenen Augen in tiefen Gedanken hinter dem Fenster stehen; sobald sie aber gewahr wurde, daß man sie betrachtete, so trat sie erschrocken zurück. Außer den Leuten, die ihr das Essen über die Straße brachten, sah man niemand als einen wohlgekleideten Menschen bei ihr aus- und eingehen, den wir für ihren Liebhaber hielten.* Man kann keine schönere und erhabenere Bildung sehen. Der Kummer, der sie nagte, hatte ihr Angesicht blaß und ihren Blick sehnend gemacht. – Es muß dem König nicht leicht gewesen sein, sich von ihren Fesseln los zu machen.«

Von Halle wurde die Gräfin Cosel auf Augusts Befehl durch die preußischen Behörden nach Sachsen, zuerst auf das Schloß zu Nossen, dann nach sechs Monaten auf das feste Bergschloß Stolpen gebracht, die ehemalige Residenz der Bischöfe von Meißen; hier hatte man ihr in den Räumen des einstigen Johannis-, später sogenannten Coselturms einige Zimmer eingerichtet. Es war gerade der erste Weihnachtsfeiertag 1716, als sie hier ankam – sie fiel in

* Wahrscheinlich war das van Tinen, den die Memoiren Haxthausens erwähnen, der vor Watzdorf mit ihr über ein Arrangement mit dem König unterhandelt hatte.

Ohnmacht und hatte periodische Anwandlungen von lauter Wut und dann wieder von stillem Wahnsinn. Sie war sechsunddreißig Jahre alt und noch in der völligen Blüte ihrer großen Schönheit. Acht Jahre vorher war sie schon einmal in Stolpen gewesen, aber unter glücklicheren Sternen: um mit dem König hier im Tiergarten zu jagen. Sie schrieb jetzt zahllose Briefe an den König, die ungelesen verbrannt wurden. Wie früher ihre Liebe, so war jetzt ihr Haß gegen August, der sie so ganz verlassen hatte, unbegrenzt.
»Sobald die Cosel in ihrem Schloß war«, berichtet Haxthausen, »suchte man alle ihre Habseligkeiten. Löwendahl entdeckte deren viele; der König nahm alles weg, indem er sagte, es geschehe, um diese großen Summen, Edelsteine usw. ihren Kindern zu erhalten und um zu verhindern, daß sie diese Reichtümer zu anderen Zwecken gebrauche. Man hat mit der Zeit alles ausfindig gemacht; der König setzte eine Kommission ein, um die Administration des Vermögens zu führen. Der Gräfin ließ man ungefähr 3000 Taler jährlich. Sie hat sich einmal durch die Flucht retten wollen, und zwar mit Hilfe eines Kapitäns, der deshalb den Kopf einbüßte.«
Dieser Fluchtversuch scheint noch einmal wiederholt worden zu sein: Es wird an anderer Stelle berichtet, daß sie – und zwar im achten Jahr nach ihrer Ankunft in Stolpen (also 1724) – mit Hilfe eines Leutnants Helm habe entweichen wollen, der sich für sie begeistert hatte – der Plan wurde nochmals entdeckt. Helm sollte erschossen werden, erhielt aber noch auf dem Neumarkt in Dresden, wo die Exekution vor sich gehen sollte, Pardon. Drei Jahre darauf kam der König selbst nach Stolpen, um die Wirkung der Kartaunenkugeln auf Basaltköpfe zu beobachten. Die Gräfin Cosel redete ihn hier vom Fenster herab an – er grüßte sie leicht mit dem Hut, blieb aber stumm und sprengte davon. Ihr Haß war wieder der früheren schwärmerischen Liebe gewichen: Bei der Nachricht von seinem Tod zerfloß sie in Tränen; aber weder Versprechungen noch Drohungen hatten ihr das Eheversprechen entreißen können. Nach dem Tod des Königs erhielt sie ihre Freiheit, blieb aber in Stolpen nun, da sie sich eingerichtet hatte, freiwillig wohnen.
Sie hatte sich allmählich in ihre Lage ergeben und studierte in den Büchern ihrer Bibliothek. Dabei las sie hauptsächlich Orientalia und ganz besonders jüdische Literatur, wobei sie sich auf die Kabbala spezialisiert hatte. Außerdem bebaute sie noch einen kleinen Garten und verkehrte viel mit Juden, die sehr häufig bei ihr aus und ein gingen und mit denen sie auch lebhaften Handel trieb: Sie mußten ihr unter anderem die ungalanten, garstigen, derben Spottmünzen aufkaufen, die der König, der über sie ungemein aufgebracht war, auf sie hatte schlagen lassen. Ebenso sorgfältig sammelte sie die Münzen mit ihrem und des Königs Wappen, die August in der

Glückszeit einst auf ihr Bitten in sehr geringer Anzahl hatte prägen lassen; nach ihrem Tod fanden sich vierzig sogenannte Coselsche Speziestaler und Guldenstücke im Polster ihres Leibstuhls.
Noch im Gefängnis behielt die Gräfin Cosel ihren ganzen Favoritinnenstolz: Sie redete jeden, der sie besuchte – selbst den Ortsprediger und den Amtmann –, mit »Du« an und ließ vornehmen, ja selbst fürstlichen Personen, die nach Stolpen kamen, ihren »gnädigen Gruß« melden. Nach den siebzehn Jahren Gefängnis während Augusts Lebzeiten erlebte die Gräfin noch in Stolpen das ganze Regiment des Premierministers Brühl, die beiden schlesischen Kriege und den ganzen Siebenjährigen Krieg. Bemerkenswert ist, daß der erste Pistolenschuß dieses Krieges, der über Sachsens Schicksal entschied, in Stolpen abgefeuert wurde: Der preußische General Warnery schoß ihn ab, als er mit noch drei anderen die von Invaliden besetzte Bergfestung durch Überrumpelung nahm. Während des Krieges ließ Friedrich der Große der Gräfin regelmäßig ihre Pension zahlen – aber in Ephraimiten. Die Gräfin benagelte aus Ärger mit diesen schlechten Münzen ihre Zimmer.
Interessante Mitteilungen über die Lebensweise der Gräfin Cosel in Stolpen enthalten die Fragmente der bisher ungedruckten Memoiren des Prinzen von Ligne, die in der »Revue nouvelle« bekanntgemacht wurden. Der Prinz sah die Gräfin während der Zeit des Siebenjährigen Krieges, im Jahre 1762. Er besuchte sie von Dresden aus, das damals die Österreicher besetzt hielten, bei denen er als Dragoneroberst stand. Die Gräfin teilte dem Prinzen mit, sie habe sich damit beschäftigt, alle Religionen zu studieren, und zuletzt habe sie sich für die jüdische entschieden. Ihrem Bekenntnis nach war sie Protestantin und blieb es auch äußerlich mit ihren Kindern – wie die Gräfin Königsmarck und der Marschall von Sachsen. Sie erzählte dem Prinzen ferner, daß sie schon nach Augusts des Starken Tod hätte freikommen können, sie habe es aber vorgezogen, in Stolpen zu bleiben, weil sie niemanden mehr auf der Welt gekannt und damals nicht geglaubt habe, daß sie noch so lange zu leben haben werde. Die Gräfin schenkte ihrem liebenswürdigen Freund beim Abschied eine Bibel, die sie – wie sie es mit allen ihren Büchern zu tun pflegte – mit eigenhändigen Noten, mit dickem Rotstift geschrieben, ausgeschmückt hatte; »sie suchte diesen Schatz«, schreibt der Prinz, »mit einer Feierlichkeit hervor, daß ich glaubte, sie werde mir den wertvollsten Diamanten verehren«.
Als dieser Besuch des Prinzen von Ligne stattfand, war die Gräfin zweiundachtzig Jahre alt. Kurz darauf erhielt er von ihr noch einen kaum leserlichen und noch weniger verständlichen Brief; er meint, er habe ihn nicht entziffern können, »so voll von mystischem und magischem Unsinn« sei er gewesen.

Auch eine im Jahre 1847 erschienene Biographie des Apothekers Martius bestätigt die rabbinisch-talmudischen Prädilektionen der interessanten Frau – aus Mitteilungen eines gelehrten Orientalisten seiner Zeit, des Superintendenten Bodenschatz im bayreuthischen Städtchen Bayersdorf. Dieser renommierte Mann erhielt einst, als er noch Pfarrer in Uttenreuth war, einen Brief mit zwanzig Reichstalern, in dem ihm ein angeblicher Borromäus Lobgesang aus Bischofswerda bei Stolpen den Auftrag erteilte, ihm die »Pirke Aboth« aus dem Hebräischen zu übersetzen. Er besorgte das in wenigen Tagen und erhielt darauf sechs Dukaten Honorar nebst vielem Dank. Darauf wurden ihm noch mehrere hebräische Traktate zur Übersetzung zugesandt, und er erhielt jeden Bogen mit einem Louisdor honoriert. Bodenschatz wurde angewiesen, seine Briefe nach Dresden zu adressieren, und erfuhr auf Erkundigung, daß ein Bote aus Schmiedefeld die Briefe sowohl bringe als auch abhole – nach weiterem zu forschen, sei nicht ratsam.
Endlich kam einmal eine Einladung von dem unbekannten Korrespondenten, persönliche Bekanntschaft in Dresden zu machen; das Reisegeld werde – wie es auch geschah – erstattet werden. Bodenschatz traf den unbekannten Korrespondenten in Dresden; dieser trat ihm in vollem Ornat des jüdischen Hohenpriesters im Alten Testament entgegen: Es war die Gräfin Cosel – Bodenschatz erkannte sogleich das Gesicht einer Dame unter der Mitra. Sie empfing den gelehrten Herrn nun öfter, erwies ihm alle mögliche Auszeichnung und begehrte fortwährend genaue Aufschlüsse über Stellen im Talmud, jüdische Gebetbücher und andere hebräische Dinge. Er sollte die Stadtpfarrerstelle in Stolpen erhalten; die Gräfin hatte deshalb beim Vater ihrer Schwiegertochter – dem Grafen Holzendorf, dem allzeit willfährigen Oberkonsistorialpräsidenten – Schritte unternommen. Die Sache kam nur deshalb nicht zur Ausführung, weil Bodenschatz von seinem eigenen Landesherrn, dem Markgrafen von Bayreuth, befördert wurde. Als die Gräfin »allerlei Dinge aufs Tapet brachte, die gegen die Lehre Christi und seine heilige Person gerichtet waren«, zog der geistliche Herr sich von der Gräfin zurück; seine Frau, der er das Mysterium von der – obgleich sechzigjährigen – noch immer sehr schönen Oberpriesterin mitgeteilt hatte, war unruhig oder vielmehr eifersüchtig geworden und fürchtete, ihr gelehrter Eheherr könnte verführt werden.
Die Gräfin Cosel starb nach fast fünfzigjährigem Aufenthalt in Stolpen am 2. April 1765, fünfundachtzig Jahre alt, unter der vierten Regierung, die sie erlebte: unter Kurfürst Friedrich August III. Noch ihre Leiche trug den Angaben von Augenzeugen zufolge die deutlichsten Spuren der Schönheit und des Heroismus. Ihr Ver-

mögen war bedeutend – ihre drei Kinder wurden sehr kostbar von ihr ausgestattet.
Ihr und des Königs Sohn Graf Friedrich August Cosel, geboren 1712, wurde General der Kavallerie und Chef der Garde du Corps und war Herr auf Sabor an der Oder bei Grünberg in Niederschlesien. Er baute das Coselsche Palais an der Frauenkirche und legte den Coselschen Garten in der Neustadt an der Elbe beim Linkeschen Bad an. Er war seit 1749 mit der Tochter des ersten Grafen Holzendorf, des erwähnten Oberkonsistorialpräsidenten, einer geschiedenen Frau von Schönberg, vermählt und starb schon fünf Jahre nach seiner Mutter, 1770. Mit seinem Sohn Gustav Ernst, der preußischer Leutnant war und 1789 in Dresden starb, erlosch das Geschlecht wieder.
Außer diesem Sohn hinterließ die Gräfin Cosel noch zwei mit dem König gezeugte Töchter. Die ältere von ihnen, Augusta Konstanzia, wurde im Jahre 1725 mit dem später mit seinen Personalien aufzuführenden Oberfalkenier Graf Friesen, der 1726 Oberkammerherr wurde, verheiratet, und bei dieser Vermählung in Pillnitz fanden die oben beschriebenen Lustbarkeiten statt. Sie brachte ihrem Gemahl die Standesherrschaft Königsbrück zu, starb aber schon 1728.
Die jüngere Tochter Friederike, geboren 1709, heiratete 1730 den polnischen Hofschatzmeister und Oberhofmeister des Sohnes des Kurprinzen Friedrich Christian, den Grafen Anton Moszinsky. Bei dieser Vermählung, die im Palais der Gräfin Orselska in der Pirnaischen Gasse – dem heutigen Landhaus – gefeiert wurde, erschien König Friedrich Wilhelm I. von Preußen inkognito. Der Graf starb schon 1737; die Gräfin überlebte ihn fast noch fünfzig Jahre. Sie war unter Brühl, den sie beherrschte, die allmächtige Gebieterin Sachsens. Sie erbaute 1741 mit einem Aufwand von einer Tonne Gold das Moszinskysche Palais und den Garten, Architekt war der Oberlandbaumeister Schwarze. Sie starb 1784, dreiundsiebzig Jahre alt; ihr Grabmonument auf dem Johanniskirchhof in Dresden – das prächtigste dieses Friedhofs – weist sie als Protestantin aus.

Die Gräfin Dönhoff

Noch während die Gräfin Cosel in größter Gunst stand, war August während des Feldzugs am Rhein gegen die Franzosen im Jahre 1709 eine Liaison mit der Brüsseler Tänzerin du Parc eingegangen. Er schenkte ihr zwar nur einen Theateranzug, aber dessen Taschen waren mit Diamanten gefüllt; sie erhielt, um nach Dresden zu kommen, hundert Dukaten Reisekosten.
Die Dame, die die Gräfin Cosel aber als Maîtresse en titre ersetzte, war Gräfin Marie Dönhoff, die Tochter des sehr einflußreichen

polnischen Krongroßmarschalls Bielinsky. Sie wurde – wie die Lubomirska und die Cosel – von ihrem Gemahl, dem Grafen Dönhoff, geschieden, der litauischer Oberkammerherr und Generalleutnant der Kronarmee war. Die Dönhoff hatte weder die Schönheit noch den Geist der Cosel, aber sie war munter und lebhaft, immer aufgeräumt, voll guter Einfälle und dem König außerordentlich ergeben; das ging so weit, daß sie, um nur ihren geliebten Herrn zu vergnügen, ihm sogar ihre gute Freundin, die litauische Kronfeldherrin Potzky, zuführte. Diese Potzky – »très fameuse pour son libertinage«, nannte sie 1728 die Markgräfin von Bayreuth in ihren Memoiren – war eine kleine, zarte Person, hatte aber, wie von Loen berichtet, Mut für zehn Männer! Sie flog fast, wenn sie zu Pferd saß; einmal soll sie mit ihrem Geliebten, dem Grafen Friesen – auf den ich später komme – Post von Warschau nach Danzig und von Danzig nach Dresden geritten sein.
Wie die Dönhoff nicht eifersüchtig war, so war sie auch nicht herrschsüchtig, wie die Cosel. Dagegen, behauptet Pöllnitz, sei sie die Geliebte gewesen, die, obgleich sie der König vielleicht am wenigsten liebte, ihm am höchsten zu stehen gekommen sei. Haxthausen, der Intimus der Cosel, stellt ihr ein sehr übles Zeugnis aus.
Die Herrschaft der Dönhoff dauerte nicht lange: Im Jahre 1719 verheiratete sie sich in zweiter Ehe mit dem Fürsten Georg Lubomirsky, dem polnischen Krongroßfähnrich und sächsischen General, einem Sohn der älteren Schwester der Fürstin von Teschen, und starb im Jahre 1730.
Nun folgten eine Reihe unbedeutende und flüchtige, meist auf der Leipziger Messe gemachte Bekanntschaften, unter denen Fräulein Dieskau und Fräulein Osterhausen als die unmittelbaren Nachfolgerinnen der Dönhoff zu nennen sind.
Fräulein Erdmute Sophie von Dieskau war die Tochter des sächsischen Geheimrats Geisler von Dieskau auf Zscheplin. Sie wird als eine von Angesicht und Gestalt sehr schöne, aber weder mit Geist noch mit Lebhaftigkeit ausgestattete Dame geschildert; der König nannte sie einen »Schneeball, der in der Hand schmilzt, ohne daß man sich daran wärmen kann«. Sie heiratete später (1721), dreiundzwanzigjährig, den Hofmarschall Johann Adolf von Loß, der später Oberstallmeister, Gesandter in Paris, Kabinettsminister und erster Graf seines Geschlechts wurde.
Fräulein Henriette von Osterhausen war durch Bescheidenheit, ein höchst einschmeichelndes Wesen und eine unbegrenzte Ergebenheit in alles, was der König mit ihr machen wollte, ausgezeichnet: Sie ließ sich sogar katholisch machen. Als die stolze Erzherzogin Josephine als Gemahlin des königlichen Kurprinzen 1719 nach Dresden kam,

veranlaßte sie, daß die Osterhausen in ein Kloster nach Prag entfernt wurde. Von hier entführte sie drei Monate später ein Pole, ein Herr von Stanislawsky, in seine Heimat; sie wurde vom König noch reich beschenkt, als sie auf dieser Reise durch Dresden kam.

Die Gräfin Orselska

Die sechste Hauptfavoritin Augusts des Starken schließlich war die bemerkenswerteste von allen – es war die Gräfin Anna Orselska. Das Verhältnis Augusts zu dieser Dame war allerdings nicht nur unehrbar, sondern sogar ein unnatürliches; es gibt einen Maßstab, in welch ausschweifendem Grad die Machthaber des 18. Jahrhunderts, des demoralisiertesten Jahrhunderts der ganzen christlichen Zeitperiode, sich nicht bloß über die bürgerliche, sondern auch über die natürliche Sitte hinwegsetzten. Gegen das Extrem einer theologischen, übertrieben asketisch-tristen Geistesrichtung, die sich im Verlauf der Reformation festgesetzt hatte, stellte sich jetzt der Gegensatz in einer Libertinage dar, die alle religiöse, alle sittliche, ja selbst, wie gesagt, alle ganz natürliche Gewissenhaftigkeit von sich stieß. Die Gräfin Orselska, die August der Starke schon am sinkenden Abend seines von Lebensgenuß überfüllten Lebens zur Geliebten nahm – war seine eigene Tochter! Mit ihr wiederholte sich das Verhältnis, in dem der Regent von Frankreich zu seiner leiblichen Tochter stand, mit der Herzogin von Berry.
Gräfin Anna Orselska wurde im Jahre 1707 geboren; August hatte sie mit der Französin Henriette Renard, gebürtig aus Lyon, gezeugt, deren Mann, der Franzose Duval, sich in Warschau als Gast- und Weinwirt etabliert hatte. Die Wahrheit dieser unnatürlichen, aber in jenem demoralisierten Jahrhundert ebenfalls nicht vereinzelt dastehenden Tatsache ist durch eine Dame beglaubigt: die Markgräfin von Bayreuth; sie schreibt darüber in ihren Memoiren bei der Erzählung von einem Besuch ihres Vaters und ihres Bruders in Dresden im Karneval des Jahres 1728. Sie berichtet, daß letzterer – Friedrich der Große, damals noch Kronprinz – trotz der ungeheuren Eifersucht Augusts des Starken mit der Gräfin Orselska in ein ziemlich gutes Einverständnis gekommen sei. Die Markgräfin selbst sah die Orselska bei einem darauf noch im selben Jahr vom sächsischen Hof in Berlin abgestatteten Gegenbesuch. Am 31. Mai erschien sie bei der großen Generalrevue bei Tempelhof in Soldatentracht – einem Kleid aus roter Seide, mit Gold besetzt, und mit dem Weißen-Adler-Orden – zu Pferd. Kurze Zeit später verlautete, daß sie guter Hoffnung sei; das Kind, mit dem sie in Dresden niederkam, wurde in Preußen bei dem französischen Richter Carrel in Frankfurt an der Oder untergebracht.

Die Markgräfin beschreibt die Orselska als eine Dame, die, ohne eine regelmäßige Schönheit zu sein, viel Einnehmendes gehabt habe; »übrigens«, setzt sie dann hinzu, »hat sie neben ihrem über fünfzigjährigen Vater alle ihre Brüder, deren es einen ganzen Schwarm gab, begünstigt«. Der Bevorzugte dieser Brüder war Graf Rutowsky. Er stellte seine schöne und geistvolle Schwester, die der König noch nicht als seine Tochter anerkannt hatte und die in Warschau sehr vernachlässigt lebte, hier einst dem Vater in der Uniform des Großen Grenadierregiments von Potsdam – wie sie mehrmals im sogenannten »Venustempel« in Pillnitz abgebildet wurde – vor, und damals war es, wo dieser von ihr so entzückt wurde, daß er sie selbst als Mätresse behielt.

Die Gräfin Orselska soll nach Pöllnitz ihrem Vater bemerkenswert ähnlich gewesen sein, sowohl in den Gesichtszügen wie in Temperament und Charakter. Sie gehörte zu den entschiedensten Löwinnen des 18. Jahrhunderts: Sie ritt wie ein Tatar, tat im Trunk Bescheid und rauchte Tabak. In ihrem von der berühmten Rosalba Carriera gemalten Porträt in der Galerie zu Dresden kann man eines der durchlebtesten Gesichter, die jemals existiert haben, nicht verkennen.

Sie heiratete später, am 10. August 1730, dreiundzwanzigjährig den bei der sächsischen Armee dienenden und katholisch gewordenen Prinzen Karl Ludwig von Holstein-Beck, einen Mann von sehr mittelmäßigen Eigenschaften. Sie besaß in Dresden das Flemmingsche Palais, das heutige Landhaus, das der König dem Feldmarschall Flemming im Jahre 1727 abgekauft, dann nach dem Zeughausbrand 1728 an Wackerbarth gegeben und diesem nochmals abgekauft hatte. Er schenkte es ihr als Hochzeitsgabe neu eingerichtet zum Geburtstag am 23. November 1730; es wurde mit einem prächtigen, die ganze Nacht durch währenden Ball mit Illumination eingeweiht. Aus diesem Palais wurde, wie Hasche erzählt, 1731 ein Gang quer über die Schießgasse hinweg zu dem um die Festung führenden Schwarzen Gang gebaut, aus dem man ungesehen ins Schloß kommen konnte. 80 000 Taler ließ der König der geliebten Orselska zum Hochzeitsgut zahlen; dazu schenkte er ihr noch bedeutende Güter – wie der »Mercure historique« berichtet – für 300 000 Taler in Böhmen, und im Testament erhielt sie eine Jahresrente von 8000 Taler nach seinem Tod. Die Ehe mit dem holsteinischen Herzog, der die Orselska nur geheiratet hatte, um durch den König seine Karriere zu machen, dauerte nur drei Jahre; sie wurde schon 1733 nach des Königs Tod wieder geschieden. Er lebte später in Königsberg, sie in Venedig und Avignon, wo sie 1769, zweiundsechzig Jahre alt, starb. Ihr mit dem Herzog gezeugter Sohn Karl Friedrich starb 1772, vierzig Jahre alt, als kursächsischer Generalmajor.

Die Mutter der Gräfin Orselska war, als August nach der Schlacht bei Klissow aus Polen nach Sachsen flüchten mußte, von ihm mitgenommen worden; die Gräfin wurde gerade in dem Jahr geboren, in dem die Schweden in Sachsen im Lager standen; sie lebte später unter dem Namen Madame Renard in Rom.

Mit ihr war ihr Bruder nach Sachsen gekommen, der sofort in sächsische Militärdienste trat, und zwar unter Schulenburg, der ihn einen sehr verständigen Mann nennt, während der Feldzüge in Flandern sein Aide-Major war und schnell avancierte. Beim Tod des Königs war er Generalquartiermeister mit dem Rang zwischen einem Generalmajor und einem Oberst. Er wurde 1740 in den Reichsgrafenstand erhoben und starb 1746 in Dresden als General der Infanterie.

Dieser Jean Baptiste Renard ist der Ahnherr der reichbegüterten Grafen Renard in Schlesien, die hier mit dem guten sächsischen Geld Fortune machten und die große Herrschaft Großstrehlitz, ehemals dem gräflichen Haus Colonna-Fels gehörig, erwarben.

Lady Montague schreibt in ihren Briefen vom Jahre 1718, daß die Damen in Sachsen in punkto Ehre damals nicht sehr skrupelhaft gewesen seien. Sie sagt von ihnen ferner: »Sie sind sehr gut nach der englischen und französischen Mode gekleidet und haben im allgemeinen hübsche Gesichter, aber sie sind die entschiedensten Zieräffinnen der ganzen Welt. Sie glauben, es sei eine Todsünde gegen die gute Sitte, wenn sie jemals auf natürliche Weise sprechen oder sich bewegen. Sie affektieren alle ein artiges, sanftes Lispeln und ein unglückseliges, niedliches Trippeln.«

Der Reisende von Loen bezeugt, daß damals das Sprichwort Wahrheit gewesen sei: »In Sachsen, wo die schönen Mädchen wachsen.« Er sagt: »Der Hof zu Dresden war der prächtigste und galanteste der Welt. Das sächsische Blut ist das beste in Deutschland: Es ist feuriger, zärtlicher und verbuhlter als das seiner Nachbarn. Bei Hof, bei den Damen und im Umgang überhaupt gibt es keine artigeren Leute als die Sachsen. Das Frauenzimmer und darunter vorzüglich das Meißnische hat etwas überaus Holdseliges und Liebreizendes. Hier findet man die besten Sprachmeisterinnen der Deutschen, und der liebliche Klang ihrer Stimme macht auch unsere sonst rauhen Töne zärtlich und angenehm. Das sächsische Frauenzimmer übertrifft noch die Engländerinnen an Wuchs und Schönheit. Es hat die Freiheit der Französinnen und das Feuer der Italienerinnen; im schmeichelhaften und zärtlichen Wesen aber geht es allen vor. Es hat dem Ansehen nach etwas sehr Sittsames und Unschuldiges; es schlägt aber die Augen insgeheim nur deswegen nieder, um mit einem geschärften Blick desto mehr Unheil anzurichten.«

Am stärksten drückt sich das Porträt Wolframsdorfs aus: »Die sächsischen Damen machen ihren Fürsten keine Ehre, wenn sie von ihnen zu Mätressen gewählt werden; ihre Gesinnung ist zu niedrig und ihr Geist zu unbedeutend; sie erwecken kein Ehrgefühl, sondern reißen nur zur Ausschweifung fort. Es gibt eine eigene Klasse Leute bei Hof, die, da sie aus eigenen Mitteln nicht leben können, ihre Frauen dem Vergnügen des Königs opfern, um sich in seiner Gunst zu erhalten.« Wolframsdorf rät dem König, mit diesen Damen so zu verfahren: »Leur donner un coup de pied, après s'en être servi.«
Der Prediger Hasche, der Geschichtsschreiber Dresdens, hat sich die nicht sehr theologische Mühe gemacht, sein Gutachten über die Kosten der verschiedenen Geliebten Augusts abzugeben, die eine Schrift – die er nicht nennt – auf zwanzig Millionen Taler berechnet; der geistliche Herr glaubt, daß die Summe nicht übertrieben sei.

Die drei Günstlinge Augusts des Starken

Unter den Günstlingen Augusts des Starken sind besonders drei bemerkenswert – ein Staatsmann, ein Hofmann und ein Soldat –: der Großkanzler Beichlingen, der Oberstkämmerer Vitzthum und der Generalfeldmarschall Flemming.

Der Großkanzler Beichlingen, sein Sturz und seine Befreiung vom Königstein

Graf Wolfgang Dietrich von Beichlingen, Geheimrat und Großkanzler, wollte aus einer Nebenlinie der 1567 erloschenen alten Grafen von Beichlingen in Thüringen abstammen, die nur den Adelsstand führte. Wahrscheinlich waren die neuen Herren von Beichlingen nur Ministerialen, Burg- und Dienstleute der alten Grafen, die den gleichen Namen mit der Burg führten, wo sie dienten. Dietrich von Beichling oder Beuchling – so hieß er ursprünglich – wurde 1665 geboren und war der Sohn des Hans Gottfried Hermann von Beichling oder Beuchling, der als Geheimrat, Oberhofrichter in Leipzig und Oberkonsistorialpräsident in Dresden im Jahre 1705 starb; er überlebte noch den Sturz seines mächtigen Sohnes und war Herr auf mehreren lausitzischen Gütern: Dallwitz bei Bautzen, Doberschau, Zschorna, Baselitz usw. Er war tief verwickelt in die Neitschützische Doppelehegeschichte und wurde beschuldigt, sogar das Eheversprechen des Kurfürsten konzipiert und im Oberkonsistorium zugunsten der Doppelehe gewirkt zu haben. An Spener, der ihn am 12. September 1694 wegen seiner Entlassung vom Oberkonsistorialpräsidentenposten – in den er erst

1698 wieder eingesetzt wurde – getröstet hatte, erließ er am 21. September ein langes Verteidigungsschreiben.* Die Mutter des Großkanzlers war eine Tochter des Geheimrats und Kanzlers Wolf Siegfried von Lüttichau auf Zschorna bei Wurzen.

Dietrich von Beichlingen hatte bereits früher unter Kurfürst Johann Georg IV. eine große Rolle am sächsischen Hof gespielt, da seine Frau, Katharina Neitschütz, eine ältere Schwester der Gräfin von Rochlitz war. Beim Regierungsantritt Augusts war er Hofrat und befand sich in Wien, wohin ihn Johann Georg IV. wegen der Freilassung Schönings und der Betreibung der Erhebung der Gräfin Rochlitz in den Reichsfürstenstand gesandt hatte. Er hatte für diese beiden Negotiationen bedeutende Geldsummen erhalten, über die er Rechenschaft abzulegen hatte; er zog aber vor, sich nach Holland zurückzuziehen. August pardonierte Beichlingen, denn dieser war schon sein Geldbeschaffer, als er noch Prinz gewesen war; er fuhr in diesem Beruf fort und wußte sich bald bei August einen festen Stand zu verschaffen.

Flemming aber war es, der Beichlingens Glück machte und die große Undankbarkeit Beichlingens – eine seiner Haupteigenschaften neben der zweiten, Untreue in Geldsachen – zeigte sich sehr bald. Flemming war, nachdem er die Wahl Augusts zum König von Polen durchgesetzt hatte, Minister geworden; Beichlingen, den Flemming zur Wahl mitgenommen hatte, wurde auch Minister. Flemming überließ ihm die Finanzen, die Beichlingens Lieblingsfach waren und die ihm beim König, der vor allen Dingen immer und immer Geld brauchte, immer steigenden Kredit verschafften. Er wußte sich beim König so in Gunst zu setzen, daß er kurze Zeit darauf – im Jahre 1700 –, nachdem er Mittel gefunden hatte, den Bischof von Raab, Großkanzler und Ersten Minister, zur Abdankung zu veranlassen, an seine Stelle rückte; von da an stand er Flemming in allem entgegen. Bleichlingen wurde auch noch Oberhofmarschall und stand so an der Spitze von Hof und Staat; sein schneller Aufstieg bestätigt allerdings, was Wolframsdorf im »Portrait de la cour de Pologne« sagt: »Es war der fast allgemeine Fehler des Hofs, die Leute zu schnell und über Verdienst in die Höhe zu bringen.«

Beichlingen, einer der größten Projektemacher, wußte den König mit immer neuen glänzenden Aussichten auf reiche Hilfsmittel zu unterhalten; er vergaß sich aber dabei selbst nicht und fand Wege, dem König nach und nach binnen sechs Jahren anderthalb Millionen Taler bar vorzuschießen; außerdem wurde ihm noch im Jahre 1700 schon die Herrschaft Hoyerswerda in der Oberlausitz um 250 000 Taler eingeräumt.

* Spener, »Letzte theologische Bedenken«, Art. 3, Sekt. 45, S. 746.

Beichlingen wurde hierauf im selben Jahr von Kaiser Leopold in den Grafenstand erhoben. Sein Einfluß war sechs Jahre lang geradezu allvermögend; aber sein Sturz folgte, und zwar auf orientalische Weise plötzlich: schon am 11. April 1703, am dritten Osterfeiertag, zu Thorn in Polen – wohin er damals zum König gegangen war, der eben gegen Karl XII. im Feld lag.

Die erste Ursache seines Sturzes waren der russische Hof und das politische System, dem August sich von jetzt an entschieden zuneigte, um sich in Polen zu behaupten und Subsidien zu erhalten. »Der König«, schrieb einst Patkul am 18. September 1703 aus Warschau an Peter den Großen, »hat sich recht mit Bewegung um den Beichling beklaget, wie gefährlich der Mann mit ihm umgegangen und an allem Ursache sei, desfalls auch seinen verdienten Lohn bekommen sollte. Bat auch E. Zarische Maj. möchten doch alles passirte vergessen und sich versichert halten, daß er von der Freundschaft mit E. Z. M. die Er anitzo recht estimirte, sich nicht wollte trennen lassen, sollte es auch Kron und Zepter kosten.«

Beichlingen hatte geraten, »sich statt aufs engste mit Rußland, lieber aufs engste mit dem Kaiser zu verbinden und deshalb im Spanischen Erbfolgekrieg dem Kaiser als Reichsfürst baldige Hilfe zu leisten, wie kraft ihrer wegen dem Kurhut und der Königskrone geschlossenen Verträge Preußen tat und Hannover«. Die richtigste Politik wäre – eben weil diese zwei Mächte schon mit dem Kaiserhof waren – die gewesen, die das »Portrait de la cour de Pologne« angibt: »Sich ganz neutral zu halten und sich von Österreich und Frankreich – das man doch wegen der Polen schonen mußte – zugleich den Pelz streichen zu lassen.« Wirklich wurden damals zwecks einer bewaffneten Neutralität Kursachsens in Verbindung mit Dänemark, Wolfenbüttel, Gotha und Münster Verhandlungen gepflogen, und erst der Eintritt Kursachsens in die Allianz für Österreich am 16. Januar 1702 machte diese Verhandlungen zunichte: Wolfenbüttel, das 12000 Mann zur Aufrechterhaltung der Neutralität mit französischem Geld gestellt hatte, wurde mit Gewalt von dem Plan abgebracht; ebenso mußte Gotha zurücktreten, das 6000 Mann – auch mit französischem Geld – aufgebracht hatte.

Außer den Insinuationen des russischen Hofs, denen infolge der von August ergriffenen Politik, sich vornehmlich an Rußland anzulehnen, nachgegeben wurde, wirkten zu Beichlingens Sturz noch sein Zerfall mit dem gut russisch gestimmten Statthalter Fürstenberg, die Feindschaft mit Pflug und zunächst seine Abneigung gegen die Fürstin Lubomirska, die neue Mätresse des Königs, die die von ihm gehaltene österreichische Gräfin Esterle verdrängt hatte.

Aber der Hauptgrund seines Sturzes war: Er war in den sechs Jahren seiner Herrschaft sehr reich geworden – und der König wollte sein

Geld. Man hatte Beichlingen vergebens gewarnt; sogar der Kaiser und Hannover hatten ihm Zufluchtsstätten angeboten. »Le roi«, schreibt Haxthausen, »prince le plus dissimulé du monde reçut Beichlingen avec le dernier accueil de faveur et jusqu'au dernier moment lui montra la dernière confiance, le consultant sur tout, lui faisant tout expedier selon ses sentiments et lui disant encore deux heures, avant le coup, en l'embrassant qu'il le croyoit l'unique à les faire regner heureusement et ne se fieroit qu'à lui seul.«

Beichlingen wurde in Thorn mitten in der Nacht durch den General Lagnasco aus dem Bett heraus arretiert und im Schlafrock unter einer starken Eskorte auf den Königstein geschafft; hier saß er sieben Jahre lang gefangen mit seinem Bruder, dem Oberfalkenier, und seinem Faktotum, dem Hofrat und Referendar Georg Gottlieb Ritter – der in seiner Abwesenheit den Vortrag beim König gehabt hatte –, einem sehr geschickten, beredten und federgewandten Juristen, den man fürchtete und der sich übrigens wie sein Herr zu bereichern verstanden hatte; er war ursprünglich ein armer Advokat gewesen und besaß jetzt ein Vermögen von ein paar Tonnen Gold.

Mit Beichlingen fiel seine ganze Fraktion: In Danzig wurde seine Schwägerin Rechenberg, die ihn als Geliebte beherrschte, verhaftet; ebenso seine beiden Brüder, von denen der eine, Gottlob Adolf, früher Generaladjutant, jetzt Oberfalkenier war und der andere Oberpostmeister. In Dresden verhaftete man den Kammerpräsidenten Heinrich von Einsiedel. Noch eine Menge andere einflußreiche Leute – wie z. B. der Generalleutnant von Benckendorf – kamen damals auf den Königstein, den Sonnenstein und andere Festungen; auch Beichlingens alter Vater, der Konsistorialpräsident, war darunter.

In einem am 29. Oktober 1703 aus Dresden erlassenen Patent, das an allen Amts- und Rathäusern in Sachsen öffentlich angeschlagen wurde, wurden Beichlingen eine ganze Reihe »Malversationen und Untreuen«, die er verübt haben sollte, vorgeworfen. An der Spitze stand, daß er »negromantischer Künste gegen des Königs höchste Person selbst, gefährlicher Weise, und andere, so er für seine Feinde gehalten, sich zu bedienen intentionirt gewesen«; die Sache reduzierte sich darauf, daß Beichlingen eine ungemeine Liebe zu den geheimen Wissenschaften – zur Alchemie, zur Geomantie und zur Punktierkunst – besaß. Sein Sekretär Raphael war in dieser Kunst wohlbeschlagen und hatte den Großkanzler damit so eingenommen, daß er nicht eher ein Staatsgeschäft in Angriff nahm, bis die Punktierungen Heil versprochen hatten. Ferner wurde der Graf bezichtigt, »Correspondenzen, Schreiben und Berichte, sogar solche, die zu des Königs eigenhändigem Empfang gestellt gewesen, hinterhalten und unterschlagen, auch sonst die Geschäfte verschleift zu haben«; es ging allerdings das Gerücht, daß man unter den Sachen des Grafen eine ganze Kiste mit zum Teil schon vor längerer Zeit eingegangenen Schreiben – davon mehrere unerbrochen – gefunden habe, und Wolframsdorf spricht von der natürlichen Faulheit und Geschäftsunwissenheit Beichlingens als ganz notorischen Tatsachen. Weitere Anklagepunkte waren: »Der Graf hat Blanquette gemißbraucht, die der König ihm auf sein Verlangen zu gewissen Geschäften ausgestellt hat«; – »der Graf hat unter der fortwährenden Vorspiegelung, daß er dem Könige einen starken Vorschuß gethan, die Administration der königlichen Revenüen an sich gezogen, die königlichen Kassen mit seiner Kasse vermengt und falsche Rechnungen geführt.« Der letztere Punkt war der faulste; das Manuskript Wolframsdorfs sagt ausdrücklich, daß Beichlingen seit dem Jahre 1700 alle Untersuchungen, die man in Sachsen wegen Veruntreuung von Einkünften angestellt habe, habe fallen lassen und aus denen, die Rechnung hätten ablegen sollen, Geld gezogen habe. Nach und nach sei er so geldgierig geworden, daß jedermann ihn habe für Geld haben können – »und ohne dieses tat er für keinen Menschen etwas«.

Ferner wurde Beichlingen zum Verbrechen gemacht: »Er hat sich gewisser Hauteurs angemaßt, namentlich eine Genealogie drucken lassen, worin er gegen die Wahrheit erweisen lassen wollen, wie sein Geschlecht aus dem Wittekindischen Stamme und sächsischen Hause entsprossen sei, auch über das ihm vom Kaiser verliehene Wappen einen Fürstenhut setzen lassen«; die Wahrheit ist, daß Beichlingen im Jahre 1702 allerdings eine Medaille in Form eines sächsischen Talers hat schlagen lassen, wo über dem Beichlingschen Wappen im Mittelschild ein gekrönter Fürstenhut steht. Das Gerücht ging, der Großkanzler wolle alle seine Güter in Sachsen verkaufen und ein Fürstentum in Schlesien erwerben – wie es später (1716) sein Nachfolger, der Minister von Hoym, der ehemalige Gemahl der Gräfin Cosel, wirklich getan hat. Die Geneaologie der Beichlingen, die das Geschlecht auf Wittekind zurückführt, hatte allerdings bereits im Jahre 1701 ein Historiker Knauth in Druck gehen lassen, um dem großmächtigen Minister zu schmeicheln; die Schrift enthielt aber so grobe Irrtümer, daß der Graf den kursächsischen Historiographen, den berühmten Tentzel in Weimar, anging, sie in einer anderen Schrift zu verbessern; dieser tat der Sache aber so weit Genüge, daß er nach dem Fall des Grafen um sein Historiographenamt kam.

Weitere Verbrechen, die dem Grafen in dem Patent zur Last gelegt wurden, das damals ungeheures Aufsehen erregte, waren: »Er hat gegen des Königs Willen bis an sechs Tonnen Goldes an sogenannten rothen Sechsern ausmünzen lassen«; diese Sechser, die sprichwörtlich in Sachsen die »Seufzer« genannt wurden, enthielten allerdings kaum ein Lot Silber, statt daß sie vier Lot enthalten sollten! Besonders aber wurde dem Grafen – und allerdings ganz zu Recht – noch als schweres Verbrechen angerechnet, »daß er dem König gerathen hat, so viele Landestheile von Sachsen abkommen zu lassen; sein Vorschlag ist gewesen, noch andere solche Landesveräußerungen bis zu einer Werthhöhe von vier Millionen Thaler ins Werk zu setzen«; »er hat ferner am Statthalter Fürst von Fürstenberg sich durch verbotene Mittel vergriffen, da er seine meiste Zeit auf verbotene Künste, delicieuses Leben und andere Zeit verderbende Verrichtungen gelegt, darneben auch sich groß und reich zu machen seinen einigen Vorsatz sein lassen, wären dadurch die königlichen Affairen versäumet und importante Staats- und Geldsachen durch ihn seinem Bruder dem Oberfalkenier und der Freifrau von Rechenberg [seiner Schwägerin] anvertraut worden«; endlich und zuletzt habe »er in Verwaltung seines Kanzleramtes sich nur das Geldschneiden angelegen sein lassen, die Salzwerke in Polen untreu verwaltet und die sächsische Kammer zum Höchsten geschwächt«.

Es liegt auf der Hand, daß das volle und gerüttelte Maß von Schuld, das hier auf das Haupt des mißliebig gewordenen Ministers ausgeschüttet wird, nur deshalb ausgeschüttet wurde, weil man das Volk täuschen und irreführen wollte. »Es wurde der Graf«, sagt der jüngere Moser, »auf alt Russisch durch ein im Lande ausgestreutes Patent prostituirt, wovon kein vernünftiger Mensch was glaubte, hingegen die wahre, aber ungedruckte Ursache seines Falles in den Kaffeehäusern erzählt wurde.«

Beichlingen kam im Karneval 1709 wieder frei, da sich die Königinmutter und besonders die Gräfin Cosel für ihn verwandte, bei der die Frau von Rechenberg – die sie schon früher befreit hatte, durch ihre Unterhaltungsgabe sehr viel vermochte. Die Beichlingenschen Güter und alles bare Vermögen – anderthalb Millionen – hatte der König konfisziert: 1704 erhielt die Lubomirska die Herrschaft Hoyerswerda, und im Jahre 1705 schenkte ihr August das Beichlingische Haus in Dresden in der Pirnaer Gasse – das heutige Amtshaus.*

Beichlingen lebte nun auf seinem Gut Zschorna bei Wurzen. Er ließ sich von seiner Gemahlin, der Schwester der Gräfin Rochlitz – der er nachwies, daß sie während seines Arrests ein Kind gehabt habe –, ohne Prozeß scheiden und gab ihr eine Pension von 300 Talern. Nach ihrem Tod verheiratete er sich noch einmal (1715), fünfzig

* Beichlingens Bruder, der Oberfalkenier, baute später (1713) ein neues Haus in der Moritzstraße.

Jahre alt, mit einer Tochter des Geheimrats und Oberhofmeisters der Königinmutter, von Miltitz, auf Scharfenberg und starb 1725 im Alter von sechzig Jahren. Seine beiden Söhne starben wenige Jahre nach ihm. Von seinen Töchtern heiratete eine 1736 den Grafen Nikolaus Willibald von Gersdorf, Geheimrat auf Baruth, den Sohn des ersten Grafen; die andere nahm 1739 einen Sohn des Geheimrats Graf Karl Siegfried Hoym zum Gemahl, der ein Sohn des mehrfach genannten Kammerdirektors unter Johann Georg IV. war. Aus seinem Geschlecht wurde später die Tochter des Geheimrats Gottfried Dietrich geboren, die seine Großnichte war und regierende Herzogin von Württemberg als Gemahlin Ludwig Eugens, der 1795 starb.

Haxthausens Schwester, die schöne Babette, hatte den Bruder des Großkanzlers, den Oberfalkenier, kurz vor der Katastrophe geheiratet, und durch Haxthausen wurde die Befreiung der Beichlingen eingeleitet.

Beichlingen, ein Mann, den, wie Haxthausen urteilt, in dem Ausschweifenden seiner Entwürfe niemand so leicht übertraf und der, als er in der Macht war, auch diese Entwürfe durch seine Beredsamkeit und Rhetorik so siegreich durchzusetzen verstand, daß ihm niemand bei Hofe und im Ministerium widerstehen konnte, mußte im Unglück erfahren, daß alle Rednergabe nichts helfe, um verlorene Macht wiederzuerlangen. Nicht nur Fürstenberg und Pflug, sondern auch Flemming widersetzte sich seiner Wiederanstellung, und der König war am wenigsten der Mann, der auf einen entlassenen und zwar mit solchem Eklat entlassenen Minister wieder zurückkam, auch hielt er in Erinnerung fest, daß ihn Beichlingen nur zu oft mit schönen Versprechungen getäuscht hatte.

Die Befreiung Beichlingens war das Werk zweier Damen, die überhaupt am Hof Augusts des Starken großen Einfluß ausübten: der Frau von Vitzthum und der Frau von Rechenberg. Die Vitzthum war die Schwester Hoyms; die Rechenberg war eine Tochter des berühmten Feldmarschalls Schöning, die Schwägerin und Freundin des Großkanzlers, die durch das Aszendant, das sie über die Gräfin Cosel erlangt hatte, diese in Bewegung setzte – sie war früher selbst die Geliebte Augusts des Starken gewesen!

Graf und Gräfin Vitzthum

Der zweite Günstling Augusts war ein Hofmann: der Oberstkammerherr Graf Friedrich Vitzthum von Eckstädt. Die Vitzthume sind nachweislich eins der ältesten thüringischen Geschlechter, sie waren in die Linien Apolda und Eckstädt geteilt, der alten Landgrafen in Thüringen mächtige und – wie der berüchtigte Apel Vitzthum von

Apolda im 15. Jahrhundert bewies – zuzeiten furchtbare Vasallen. Rudolf Vitzthum von Apolda auf Lichtenwalde bei Chemnitz* war Oberstkämmerer unter Kurfürst Johann Georg I.; mit ihm, dem Stifter des Vitzthumschen Geschlechtsgymnasiums in Dresden, starb 1638 die Linie Apolda aus.

Der Oberstkammerherr Friedrich Vitzthum von Eckstädt wurde 1675 geboren; sein Vater Christoph war Kammerherr und Landeshauptmann der Oberlausitz bei den Kurfürsten Johann Georg II. und III. Christophs erste Frau war eine Erbtochter des berühmten Oberhofmarschalls Heinrich von Taube, des Freundes Kurfürst Johann Georgs I., die ihm das Taubesche Hauptgut Harthau bei Chemnitz zubrachte. Seine zweite Frau, die die Mutter des Oberstkammerherrn wurde, war seit 1668 Helene Neitschütz, eine ältere Schwester der Gräfin Rochlitz; Friedrich Vitzthum machte seiner Tante Rochlitz den Hof, wurde aber durch Johann Georg IV. verdrängt. Mit zwölf Jahren war er schon als Page an den Hof Johann Georgs III. gekommen, wo er sofort der Liebling Augusts wurde. Er begleitete diesen seit 1687 als sein Page und Kammerjunker auf seiner ganzen europäischen Tour.

Als August an die Regierung kam, stieg er schnell die Erfolgsleiter empor: Zuerst wurde er Kammerherr und Stallmeister, dann, nach dem Sturz des Großkanzlers Beichlingen (1703), erhielt er den von dessen Bruder bekleideten Posten eines Oberfalkeniers, folgte dann Pflug und Reibold 1719 als Oberkammerherr und wurde 1721 auch Kabinettsminister – aber ohne Departement.

»Vitzthum«, sagen die Memoiren Haxthausens, »hat kein großes Vermögen gehabt; er war ein sehr schöner Mann, ein dienstbeflissener Hofmann, aber ein Kleingeist, ein sehr rechtschaffener Mensch; er mengte sich in nichts ein und tat niemandem weder etwas zu Schaden noch zu Nutzen. Ganz vortrefflich verstand er sich auf alle Exerzitien: Er ritt gut, schoß vortrefflich und war ein großer Ballonspieler. Aber sein einziges Metier war das Spiel: Er spielte Tag und Nacht, wenn er konnte. Er hatte einen sanften Charakter und suchte keine Händel; er hat große Summen im Spiel gewonnen und großes Vermögen verloren; leider büßte er aber auch wegen des Spiels im Duell sein Leben ein.«

Ebenso äußert sich der Tourist von Loen: »Vitzthum«, schreibt er, »ist des Königs Vertrauter, Liebling und Mitgenosse in allen seinen Lustbarkeiten. Er ist der erste Hofmann, artig, belebt, ansehnlich und immer aufgeräumt; er hat die muntersten Einfälle der Welt und

* Dieses alte, durch seine Gartenanlagen und Wasserkünste berühmte Stammgut der Vitzthume gehörte lange Zeit der Familie Harras; es kam dann 1693 nach dem Heimfall an die Bünau, durch Tausch gegen Pillnitz; später an die Familien Hoym und Watzdorf und erst in neuerer Zeit wieder an die Vitzthume zurück.

weiß zu kurzweilen, ohne jemals ins Lächerliche zu verfallen – kurz, er ist recht für den Hof geboren.«
Das Manuskript Wolframsdorfs behandelt ihn sehr en bagatelle; Wolframsdorf meint, er könne »nicht glauben, daß ein solcher Mensch dem hochgebildeten Geist des Königs genügen« könne. »Er gehört zu der großen Adelsclique, die den König umgibt und verhindert, daß er so bedient wird, wie es sich gehört, was geschehen würde, wenn er diese Leute von seinem Hof entfernte. Da er zuweilen auf die Vergnügungen des Königs eingeht, wird er dreist, und andere bedienen sich seiner mit Vorteil, um den König für oder wider eine Sache einzunehmen. Er ist unverschämt und dient dem König nicht so pünktlich wie er sollte; öfter macht er sich mehr familiär mit ihm, als die Achtung es gestattet.«
Vitzthum blieb der Günstling des Königs; er begnügte sich damit, der Person des Königs zu dienen, und hielt sich von den Staatsgeschäften fern. Er übernahm nur einige außerordentliche Gesandtschaften, wie 1702 an Karl XII. von Schweden, der ihn dabei festnehmen ließ, wie oben erwähnt wurde; 1710 war er Botschafter beim Zaren Peter dem Großen, und 1720–24 war er in Stockholm. 1711 wurde er während des sächsischen Reichsvikariats in den Reichsgrafenstand erhoben – das erste Exempel einer solchen Grafung!
Seit dem Jahre 1699 war er mit der Gräfin Rahel Charlotte von Hoym verheiratet; sie war eine Tochter des Kammerdirektors Ludwig Gebhard Hoym unter Johann Georg IV., eine Schwester des ersten Gemahls der Gräfin Cosel und eine ungemein splendide Dame. »Sie ist sehr intrigant«, sagt Wolframsdorf, »und ersetzt durch ihren Verstand, was ihrem Gemahl mangelt. Der König selbst hat diese Heirat gestiftet.«
Die Gräfin Vitzthum, die großen Anteil an den Staatsgeschäften hatte, brachte unter anderem den ersten Grafen Bünau als Kanzler ins Amt. Es wird unten bei den Personalien des Grafen Watzdorf anzuführen sein, daß sich die Gräfin Vitzthum an diesen anschloß, um Flemming, dem Ersten Minister, entgegenzuarbeiten, den sie nicht mochte und dessen große Freundin, die Kronschatzmeisterin Frau von Przebendowska, geborene Flemming, sie haßte. Sie stiftete eine große Freundschaft zwischen ihrem Mann und dem so wunderbar aus dem Nichts emporgestiegenen Watzdorf, den sie früher nur mit Verachtung angesehen hatte: Vitzthum mußte dem neuen Finanzminister alles mitteilen, was um den König vorging, um die Gelegenheiten gleich zu benützen.
Beim zweiten Besuch des Zaren Peter in Dresden (1711) machte sie diesem in Abwesenheit des Königs die Honneurs in ihrem Haus. »Am 20. September«, berichtet die »Europäische Fama«, »langten

S. Groß Czarische Maj. nach 4 Uhr in Dresden an ... und hatten des H. Grafen von Vitzthum Exc. die Ehre, daß der Abtritt in dero auf der Scheffelgasse gelegenen Behausung geschah, in welcher auch seine Groß Czarische Maj. diesen Abend magnific tractiret wurden. Bei der Tafel saßen S. Groß Czarische Maj. oben an, zu dero Rechten aber die Frau Ober-Falckenirern Gräfin von Vitzthum, zur Linken die Frau Geh. Räthin Gräfin von Hoym und hernach von beiden Seiten einige hohe Moscowitische und Sächsische Ministres, wobei der H. Ober-Falckenirer Graf von Vitzthum S. Groß Czarische Maj. bedienten ... Den 21. Sept. Abends 7 Uhr sind S. Czarische Maj. wieder bei den H. Grafen von Vitzthum abgestiegen. Alle hohe Dames waren hierher zur Tafel geladen, welche denn auch in den nettesten Habiten erschienen. Wie man heute als den 22. Sept. vernimmt, haben sich S. Groß Zarische Maj. bei der gehaltenen Assemblée bis Abends gegen 10 Uhr divertiret und sich überaus vergnügt erwiesen ... geschah darauf der Aufbruch nach dem Carlsbade ...«

Später (in den Jahren 1720–24) ließ die Gräfin Vitzthum während einer vierjährigen Abwesenheit ihres Gemahls das damals wegen seiner fürstlichen Einrichtung hochgepriesene Vitzthumsche Palais bei der Kreuzkirche in Dresden an der Ecke der Kreuzgasse bauen, das später vom Grafen Rutowsky bewohnt wurde, von dem aber, da es 1786 gänzlich durch Feuer zerstört wurde, jetzt keine Spur mehr vorhanden ist. Nächst diesem Vitzthumschen Palais in Dresden ist auch noch der schöne Park in Großwölkau bei Leipzig ein Denkmal Friedrich Vitzthums. Er galt als der reichste Mann in Sachsen, wie der »Mercure historique et politique« zum Jahre 1726 versichert; in diesem Jahr nahm er aber durch dasselbe gefährliche Ding, das ihn glücklich gemacht hatte, ein tragisches Ende: Er wurde am 13. April – erst einundfünfzig Jahre alt – von dem jungen Piemonteser Marquis de Saint-Giles, einem natürlichen Sohn des Königs Viktor Amadeus von Sardinien, in einem berühmten Pistolenduell zu Pferd in der Nähe von Warschau erschossen.

Er hatte sich mit diesem Marquis, der Kammerherr und Generaladjutant des Königs war, beim Spiel in der Antichambre am königlichen Hof in Warschau entzweit. Das Spiel ging hoch; der hitzige Italiener verlor; er geriet mit Vitzthum in einen Wortwechsel, und zuletzt wurden sie gar handgreiflich. Der König hatte Saint-Giles wegen seines Betragens zu drei Monaten Arrest in der Festung Leipzig verurteilt – wo sein Oheim, der Graf von Kastell, Gouverneur war – und ihm unter der strengen Weisung, nie wieder am Hof zu erscheinen, den Abschied erteilt. Dennoch kam Saint-Giles, nachdem er seinen Arrest verbüßt hatte, heimlich nach Polen und sandte Vitzthum aus Nadarzin, einem Städtchen vier Meilen von

Warschau, eine Aufforderung zum Duell zu. Dieser nahm sie an und gelobte zugleich die strengste Verschwiegenheit, damit der König nichts erfahre; das Rendezvous wurde für den folgenden Tag festgesetzt. Vitzthum speiste bei seiner Tochter, der Fürstin Lubomirska, zu Abend; er war dabei von heiterstem Humor und spielte bis Mitternacht Piquet. Um zwei Uhr früh fuhr er mit seinem Sekundanten, dem General Graf Montmorency, nach Nadarzin.

Hier langte er zwischen fünf und sechs Uhr an, fand seinen Gegner und dessen Sekundanten, den französischen Offizier Freneuse, und stieg zu Pferd. Beide Kombattanten näherten sich einander mit kaltem Blut; als sie aufeinandertrafen, schoß der Marquis zuerst und traf den Grafen Vitzthum so schwer, daß dieser auf der Stelle tot vom Pferd stürzte. Auch Vitzthum hatte in dem Moment, ehe er die Todeskugel empfing, seine Pistole abgefeuert; seine Kugel streifte aber Saint-Giles nur die Wange und die Perücke.

Der Marquis hatte nun die Vermessenheit, nach Warschau zu kommen; er suchte hier im Theatinerkloster ein Asyl. Aber der König befahl dem Krongroßmarschall, das Asyl nicht zu respektieren, sondern den Gesetzen gemäß gegen Saint-Giles zu verfahren; das Kloster wurde also mit 150 Mann Truppen umgeben. Dennoch aber entkam Saint-Giles in der Verkleidung eines Lakaien über Berlin und Leipzig nach Italien. Vitzthums Leichnam wurde in das Erbgrab in Großwölkau gebracht; der König ließ ihm zu Ehren überall, wo die Leiche durchkam, mit den Glocken läuten.

Vitzthum hieß vorzugsweise der Favorit des Königs; er hinterließ mehrere Kinder. Von den beiden Töchtern hatte die eine 1717 den polnischen Generalfeldzeugmeister und sächsischen General Fürst Ignaz Lubomirski geheiratet, die andere 1723 den Grafen Friedrich Karl Watzdorf, den älteren der beiden Söhne des Kabinettsministers, der damals Kammerherr und Gesandter in Florenz war, dann als Gesandter nach London ging und 1767 als Geheimrat starb. Von den beim Tode des Vaters noch ganz jungen Söhnen wurde Johann Friedrich Vitzthum, geboren 1712, General in der sächsischen Armee und starb 1786; Ludwig Siegfried, geboren 1716, wurde wie sein Vater Oberkammerherr; er spielte als angeblicher Geliebter der Gemahlin des Kurfürsten Friedrich Christian, des Vaters Friedrich Augusts, des ersten Königs von Sachsen, eine Rolle, auf die ich zurückkomme – und fiel 1777 merkwürdigerweise wieder, wie sein Vater, im Zweikampf.*

* Noch ein dritter Vitzthum, Georg Friedrich, Generaladjutant Augusts III., fiel 1754 im Duell bei Sorau gegen den späteren preußischen Oberst und Kommandanten eines Freibataillons Johann von Mayer, ein Kind natürlicher Liebe aus Wien, über den er sich verächtlich geäußert hatte.

Graf Flemming · Die Grafen Schulenburg und Schmettau, seine Rivalen · Die Krongroßschatzmeisterin Frau von Przebendowska, geborene Flemming

Der einflußreichste Günstling Augusts war ein Militär: Graf Jakob Heinrich von Flemming, sein Generalfeldmarschall. Seine Familie stammte aus Pommern; eine Linie von ihnen war in Schweden, eine andere in Polen verbreitet. Sein Vater Georg war preußischer Geheimrat und Hofgerichtspräsident in Hinterpommern.

Flemming wurde im Jahre 1667 geboren und hatte die Universitäten in Frankfurt an der Oder und in Utrecht besucht. Hier studierte er unter dem berühmten Grävius und lernte, sich im Lateinischen mit Zierlichkeit auszudrücken, was ihm bei seiner späteren Ministerkarriere sehr zugute kam. Von Holland aus hatte er sich 1688 dem weltgeschichtlichen Zug Wilhelms III. von Oranien nach England angeschlossen. 1689 trat er in die Dienste des Sohnes des Großen Kurfürsten, bei dem sein Oheim, der 1700 vom Kaiser gegrafte Heino Heinrich – früher schon im Dienst Brandenburgs, dann sächsischer Generalfeldmarschall – 1690 wieder als Feldmarschall eintrat. 1694 aber wurde er von Johann Georg IV. als sein Generaladjutant und Oberstleutnant angestellt und blieb fortan am sächsischen Hofe; August gab ihm ein Regiment Grenadiere. Er begleitete diesen 1695 und 1696 auf den Feldzügen in Ungarn – hier entleibte er einen Oberstleutnant Baron von Löwel im Duell.

Nächst dem Militärdienst wurde Flemming hauptsächlich für diplomatische Geschäfte verwendet; er war es auch, der August die Krone von Polen verschaffte. Eine Cousine von ihm, eine Tochter des Feldmarschalls Flemming, war schon seit 1684 mit dem in Polen und nachher auch in Sachsen sehr angesehenen Krongroßschatzmeister und Kastellan von Kulm, Przebendowsky, verheiratet, und Flemming besaß durch diese Familienverbindung einen großen Anhang in Polen; sie und die mit vollen Händen ausgeteilten Geldsummen – mehr als seine Geschicklichkeit zu verhandeln – setzten die Wahl durch. Später übernahm Flemming, seit 1699 zum Generalleutnant, Geheimrat und Großstallmeister von Litauen befördert, noch Negotiationen an den Höfen von Kopenhagen und Berlin, wo aber, wie das »Portrait« Wolframsdorfs berichtet, seine Persönlichkeit den Königen unangenehm war. »Seine Hinterlist und die ganze Art und Weise, wie er die Geschäfte behandelt, machen ihn verdächtig und sind nicht geeignet, ihm das Vertrauen solider Leute zu verschaffen. Man kann ihn nur für einen Spion oder Agenten gelten lassen, der die Gesinnungen eines Hofs auskundschaftet, nicht für einen Minister von erstem Rang, den man, so wie er von seinem Herrn beglaubigt ist, beim Wort hält.«

»Der General Flemming«, schrieb einmal Patkul in einer Depesche vom 20. November 1703 an den Zaren, »ist auf des Königs Befehl zu Berlin gewesen, hat aber nichts ausgerichtet, auch wegen seines an selbigem Hofe bereits erloschenen Credits nichts entdecken können, so daß er eben so klug abgereiset, als er dahin gekommen ist.«
Seit dem Jahre 1700 führte Flemming den Grafentitel, den Kaiser Leopold seinem Oheim und seinem Vater verliehen hatte. 1706 übernahm er nach Errichtung des Geheimen Kabinetts in Sachsen das Kriegsdepartement, 1711 wurde er Generalfeldmarschall und erhielt das Oberkommando über die gesamte sächsische Armee; 1712 schließlich stand er nach dem Tode des Oberhofmarschalls und dirigierenden Kabinettsministers Graf Pflug als dirigierender Kabinettsminister an der Spitze aller Geschäfte in Sachsen, und zwar sechszehn Jahre lang, bis zu seinem Tode 1728. Er beseitigte die einzigen zwei Männer, die ihm noch hätten gefährlich werden können: 1710 den Grafen Hoym, der die Domestikenaffären im Kabinett dirigierte, den Finanzminister bei der Armee, und 1711 den Grafen Schulenburg. An Hoyms Stelle setzte Flemming Watzdorf, und damals teilte er das Kabinett in die drei Departements: Minister für Inneres wurde Watzdorf; Minister des Äußeren war Manteuffel; Minister für militärische Angelegenheiten wurde Wakkerbarth. Alle drei waren ihm untergeordnet; er allein hatte den Vortrag beim König. Er war zuletzt dirigierender Geheimer Staats- und Kabinettsminister, Generalfeldmarschall, wirklicher Geheimrat, Präsident des Geheimen Kriegsratskollegiums, Großstallmeister des Herzogtums Litauen, Erbmarschall des Herzogtums Pommern, Komtur des Johanniterordens, Ritter des polnischen Weißen-Adler-, des dänischen Elefanten- und des russischen Sankt-Andreas-Ordens.
In den Memoiren Haxthausens, im »Portrait« Wolframsdorfs und in den Memoiren von Pöllnitz wird Flemming als ein Mann geschildert, der ausgezeichnete Eigenschaften besessen habe, einen höchst lebhaften, unternehmenden und an Plänen und Hilfsquellen fruchtbaren Geist und eine große persönliche Bravour, der aber mit diesen Eigenschaften einen unangemessenen, weit über den wahren Wert, den er wog, hinausgreifenden Ehrgeiz vereinigt habe. Flemming äußerte sich einmal gegen Haxthausen: »Mein Prinzip ist: Die Geschäfte machen den Mann; jeder Mensch ist zu allem fähig, wenn er nur die Gelegenheit bekommt, sich darin zu versuchen. Ich selbst bin dafür ein Exempel: Ich habe mich nur aufs Militärische verlegt und ursprünglich keinen anderen Ehrgeiz gehabt, als ein Regiment zu erhalten; dennoch bin ich dahin gelangt, Erster Minister und Feldmarschall zu sein, ohne jemals in einem Kollegium gesessen zu haben. Ich gouverniere sozusagen Polen und Sachsen, ohne die

Verfassungen dieser Länder zu kennen; dennoch entledige ich mich meines Regiments mit allen Ehren.«
Mit dieser großen Zuversichtlichkeit warf sich Flemming in die Geschäfte des Krieges und des Friedens. »Flemming«, sagt Wolframsdorf, »hat alles mit vieler Effronterie und Keckheit durchgeführt, und die glücklichen Erfolge, von denen einige Zeit lang seine Unternehmungen begleitet waren, machten ihn glauben, daß er die Staatsgeschäfte vollkommen verstehe, und flößten ihm einen unangemessenen Stolz ein. Allein mit der Zeit hat man bemerkt, was einsichtige Leute schon immer gesagt hatten, daß seinen schönen Talenten für den Krieg – für das Ministerium hat er keine – noch die Erfahrung fehle. Er kommandierte die sächsische Reiterei, obgleich er niemals zu Pferd gedient hat. Seine Insolenz und seine Unwissenheit haben ihn veranlaßt, dem König zum schwedischen Krieg zu raten, wobei man keineswegs genau erwogen hat, ob es im Interesse des Königs war, mit Schweden zu brechen, unter welchem Vorwand, mit welcher Unterstützung ein solcher Bruch gemacht werden durfte, welche Folgen er nach sich ziehen mußte, wenn er nicht gelang, da Schweden eine durch eigene Kräfte wie durch seine Verbündeten bedeutende Macht war, die noch dazu anstatt des Kriegs unsre Freundschaft suchte.«
Wolframsdorf spricht an anderer Stelle die Ansicht aus, daß es im entschiedenen Interesse des Königs gelegen habe, sich mit Schweden und Frankreich zu verbinden; mit Frankreich besonders, um von ihm Subsidien zu erhalten, die polnischen Senatoren – von denen die vornehmsten im Sold Frankreichs standen – zu Freunden zu behalten und dem König von Preußen die Spitze zu bieten. Er tadelt es hart, daß der König das Bündnis mit Frankreich abgebrochen habe, das sein Gesandter in Paris, General Jordan, dem Abschluß nahegebracht hatte und dem der König den Frieden verdankt haben würde, statt daß es zur Katastrophe des schwedischen Einmarsches in Sachsen kam. August zog das Bündnis mit Rußland und Österreich vor und wurde von beiden geopfert. Wolframsdorf hob wiederholt hervor, daß die sächsischen Minister vom Vater auf den Sohn vom kaiserlichen Hof bestochen seien und regelmäßige Pensionen aus Wien beziehen würden. »Nicht viel besser«, fährt Wolframsdorf fort, »war der Rat, den Flemming dem König erteilte: seine Zustimmung zur Erhebung Preußens zum Königreich zu geben, ohne daß der König von Preußen uns dafür im geringsten verbindlich gemacht wurde, und wahrscheinlich hat er nicht eingesehen, wie nachteilig dies für den König sowohl in Sachsen wie in Polen war. Flemmings Rat erschien als sehr verdächtig, da er Vasall und geborener Untertan des Königs von Preußen ist, gegen den er wegen seiner Familie eine Menge Rücksichten zu nehmen hat.«

»Ich weiß nicht«, bemerkt Pöllnitz, »ob ich Flemming Unrecht tue, wenn ich sage: Er war mehr Minister des Königs von Preußen als des Königs von Polen.«

Die in der Politik sicher und weiter blickende Partei am Hof riet, sich mit England und Dänemark näher zu verbinden, um dem König von Preußen gewachsen zu sein – gerade diese Partei aber war die schwächste.

Die Zeitgenossen schildern Flemming als einen lebhaften, immer munteren, nicht umzubringenden Bonvivant, als einen Mann, der in seinem Gehabe vor allem das Soldatische habe hervortreten lassen, obgleich er im Kabinett, wo er nicht gerade glücklich war, doch noch glücklicher war als im Feld. Alle seine Befehle waren kurz und rasch, und wenn ihnen nicht auf der Stelle gehorcht wurde, wurde ihr Austeiler rasch jähzornig. Aber durch einen glücklichen Scherz konnte man ihn leichter wieder versöhnen als durch weit hergeholte Vernunftsgründe. Er liebte den Witz, war selbst witzig und verließ sich nur zu sehr auf diesen seinen Witz, so daß er mit größter Kühnheit große Dinge unternahm. Er war stets geschäftig und voller Anschläge, hurtig in der Auffassung und schnell in der Ausführung. Dieser Eile entsprechend, war seine Handschrift so schlecht, daß es oft vorkam, daß er das, was er geschrieben hatte, selbst nicht lesen konnte. Sein Benehmen war sehr brüsk, seine Sitten waren roh, »und nach seinen groben Manieren«, sagt Pöllnitz, »hätte man ihn eher für einen Dragoneroffizier als für einen Minister halten können«.

Er affektierte – ähnlich wie Grumbkow, sein Zeitgenosse in Preußen – eine gewisse Freimütigkeit in seinen Reden, der aber seine Handlungen sehr widersprachen. »Er glaubte«, sagt Loen, »daß er sich als Politikus verstellen müsse, aber seine Verstellungen waren gar nicht natürlich und fein.« Nur drei Jahre älter als der König, war er dessen Busenfreund, sein innigst vertrauter Duz- und Herzensbruder geworden, und es bestand eine große Charakterähnlichkeit zwischen beiden. Welche Vertraulichkeiten sich Flemming gegen August erlaubt habe, beweist der oben von Loen mitgeteilte Vorgang beim Soldatenfest auf der Laubegaster Pläne.

Haxthausens Memoiren berichten noch seltsamere Dinge: »Es kam vor, daß man Flemming für in Ungnade gefallen hielt; es war dem wirklich so, und die Ausfertigung des Abschieds war schon expediert. Wenn Flemming das erfuhr, kam er eiligst mit Postpferden herbei, ging schnell zum König hinein, sprach mit ihm, anfangs wider seinen Willen; dann aber wußte er ihn dergestalt an seiner schwachen Seite zu fassen, daß er im Verlauf von zwei Stunden mehr in Gunst als jemals wegging; darauf begab er sich in die Kanzlei und zerriß die gegen ihn gemachte Ausfertigung.«

»Flemming«, sagt Wolframsdorf, »schmeichelt dem Schein nach dem Interesse des Königs, beabsichtigt aber nur seinen eigenen Vorteil; sein Benehmen gegen den König ist sehr brüsk und wenig respektvoll. Überall sucht er ihn zu beherrschen.«

Flemmings großem Einfluß beim König gelang der Hauptstreich, den schon so lange gewünschten Fall der Cosel zu bewirken; er vereinigte sich dazu mit Vitzthum und dem Statthalter Fürstenberg, seinem sonstigen steten Gegner, kurz vor dessen Tod 1716.

Flemming, der schon durch seine Cousine, Frau von Przebendowska, einen großen Anhang in Polen hatte, verstärkte seinen Einfluß hier noch dadurch bedeutend, daß er selbst eine Polin heiratete: die verwitwete Fürstin Franziska von Radziwill, eine geborene Sapieha. Sie war eine sehr böse Polin, durch die dieser Herkules viel leiden mußte; »er ertrug es«, sagen die Memoiren Haxthausens, »mit englischer Geduld«. Sie zwang ihn, sich von ihr scheiden zu lassen. Beliebt war Flemming in Polen jedoch ebensowenig wie sein Herr. Bei einer der Insurrektionen der Malkontenten erließen sie ein Manifest gegen ihn (1716), in dem sie ihm androhten, ihn »in den polnischen Bock einzuspannen« – er mußte sich damals in einer Kapuzinerkutte retten! 1725, drei Jahre vor seinem Tod, vermählte er sich zum zweitenmal mit einer Polin; und zwar mit Thekla, der Tochter des Großkanzlers von Litauen, Fürst Radziwill; sie war aber noch ärger als die erste Polin gewesen war.

Flemmings Haushalt war fürstlich: außer einer großen Menge von Bedienten hielt er sich einen Stall von etwa hundert der schönsten Pferde. In seinem Vorzimmer erschienen so viele Minister, Räte, Offiziere und andere Standespersonen wie bei einem großen Monarchen. Er war der polnischen, französischen und lateinischen Sprache mächtig und sehr arbeitsam: schon frühmorgens pflegte er mit seinen Sekretären zu arbeiten, auch wenn er erst spät von Versammlungen und Banketten nach Hause gekommen war. Er schlief oft nur auf einem Stuhl und war gleich aufgeweckt und munter, wenn etwas vorfiel und man ihn weckte. »Wenn er«, sagt Loen, »an einem Tag hundert Menschen anzuhören und Bescheid zu geben hat, so ist ihm das nicht mehr Arbeit, als wenn andere einem Schauspiel beiwohnen. In seiner Kanzlei sah es Tag und Nacht geschäftig aus. Hier war die hohe Schule für junge Leute, die für die wichtigsten Geschäfte zugerichtet werden sollten. Der Feldmarschall war ein guter Lehrmeister und machte vortreffliche Schüler*. Leute wie Flemming«, schließt Loen, »sind für die Geschäfte und für die große Welt geboren.«

* Suhm, auf den ich bei der Diplomatie unter August zurückkomme, war einer von ihnen.

Bei der ausgezeichneten Leichtigkeit und Ausdauer in den Geschäften besaß Flemming doch sonst eine vollkommen phlegmatische Indolenz; um aber seine Zwecke zu erreichen, hatte er keine Bedenken in der Wahl seiner Mittel – er scheute selbst Betrügerei und Treulosigkeit nicht.
Von der Gestalt her war er ein kurzer, untersetzter, fleischiger Mann; sein Gesicht war gravitätisch, feurig, aber von zarten Linien, so daß es mehr den Eindruck eines Lebemannes als eines Ehrgeizigen machte; er trug meist sein eigenes langes Haar, in das ein paar Knoten geknüpft waren.
Flemming wurde wie Vitzthum ebenfalls ein sehr reicher Mann; er gewann seinen Reichtum hauptsächlich durch den Güterhandel, den er fortwährend trieb. Er gründete damit eine seither ganz neue Industrie in großem Stil und mit glücklichem Erfolg. Er kaufte Güter in Polen, in Schlesien, aber mit Vorbedacht nur wenige in Sachsen. Sein oben angeführter Titel schloß mit folgenden Prädikaten: »Schloß- und Burggesessener auf Martentin und Böck [Flemming gehörte der Martentinischen Hauptlinie seines Geschlechts an], Herr der freien Standsherrschaft Freyhan in Niederschlesien, Starost auf Buchol und Wilkowo, Herr auf Putzkau [bei Stolpen in Sachsen], Posterstein [bei Greitz], Vollmershayn, Crossen [bei Naumburg], Renczay, Secemin und Zabrodie usw.«
»Flemming hat«, sagen die Memoiren Haxthausens, »unglaubliche Summen aufgehen lassen und wußte sich ebenso unglaubliche Einnahmen zu verschaffen, ohne daß man ihm deshalb hätte zu Leibe gehen können. Solange er Minister war, hatte er stets 100 000 Taler bar in seiner Kasse; er kaufte und verkaufte fortwährend große Güter; ebenso kaufte er Häuser; sein Meublement, seine Vaiselle war glänzend, er hatte fünf bis sechs Service, darunter vergoldete sich befanden, er lebte wie ein Prinz und spielte großes Spiel.«
Er baute das heutige Japanische Palais – damals das Holländische Palais genannt –, das ihm der König im Jahre 1717 um eine Tonne Gold abkaufte. Er baute das Lustschloß Übigau, das ihm der König ebenfalls später (1725) abkaufte. Außerdem besaß er noch das von der Witwe des Grafen Pflug gekaufte heutige Landhaus, das August ihm 1727 ebenfalls abkaufte, dann nach dem großen Brand 1728 Wackerbarth schenkte, diesem aber wieder abkaufte, um es 1730 der Gräfin Orselska einzurichten. Seitdem bezog Flemming sein neues Haus in der Moritzstraße, Ecke des Neumarkts, die heutige »Stadt Rom«. Hier wohnte 1728 der Kronprinz von Preußen im Karneval bei ihm und nach dem Brand des Gouvernementshauses auch der König von Preußen.
August waren die vielen Mittel und Wege, wie Flemming zu Geld kam, sehr wohl bekannt; der jüngere Moser erzählt davon in seinem

Buch über Regenten und Minister ein bemerkenswertes Beispiel. Bei der Abschließung eines Erbfolgevergleichs, den ein ansehnliches deutsches Haus mit Sachsen machte, war alle Mühe des Verhandelns vergebens, bis man Flemming mit 50000 Talern gewann. Ehe der König unterzeichnete, ließ er den fremden Gesandten kommen, bezeugte ihm seine Zufriedenheit über die Beendigung des Streits, eröffnete ihm aber auch zugleich, daß er den Vergleich nicht eher ratifizieren werde, bis ihm aufrichtig berichtet worden sei, wieviel Flemming bekommen habe. Dem Gesandten blieb keine Wahl, als zu gestehen. Mit den Worten: »Das ist honett, soviel habe ich nicht geglaubt«, unterschrieb der König. Unmittelbar darauf ließ er seinen Liebling kommen und sagte ihm: »Flemming, das ist zuviel für dich!« Er mußte mit seinem König teilen und wurde noch dazu ausgelacht, als er unter fürchterlichem Geschimpfe von dem Gesandten, der geplaudert hatte, das wiederhaben wollte, was er hatte hergeben müssen.

Flemmings grenzenloser Ehrgeiz ließ ihn nicht ruhen, bis er alle ihm hinderlichen, noch so genialen Nebenbuhler verdrängt hatte. Der gefährlichste von ihnen war der berühmte Johann Matthias Graf von der Schulenburg, der 1747 als venezianischer Feldmarschall in Verona starb.

Schulenburg war wie Flemming ein geborener Preuße; er wurde 1661 auf dem Familiengut Emden bei Magdeburg geboren. Sein Vater Gustav Adolf, von der älteren, weißen Linie des Geschlechts, war Geheimrat und Kammerpräsident in Magdeburg und früher unter dem Großen Kurfürsten schon Gesandter in Dresden gewesen. 1702 trat Schulenburg als General der Infanterie in sächsische Dienste. Er und Flemming, der General der Kavallerie war, standen bis zum Jahre 1706 unter dem Oberbefehl von Feldmarschall Steinau. Aus den Memoiren Schulenburgs gehen die schweren Mißverhältnisse hervor, die zwischen beiden bestanden; Schulenburg sah sowohl Flemming als auch Steinau für seine geschworenen Feinde an. Flemming, der älterer General war, ging so weit, in der königlichen Antichambre zu äußern, er werde denjenigen General, der sich ein Subordinationsvergehen zuschulden kommen lasse, vor ein Kriegsgericht stellen und ihm den Kopf vor die Füße legen lassen. Darauf folgte ein Duell zwischen Schulenburg und Flemming; ersterer schlug sich ohne Sekundanten, Oberst Thiesenhausen sekundierte Flemming. Als Flemming ausglitt, setzte ihm Schulenburg den Degen auf die Brust und nötigte ihn, um sein Leben zu bitten. Flemming weigerte sich, es zu tun, Thiesenhausen aber sprang dazwischen. Schulenburg konnte schon damals nur dadurch abgehalten werden, seinen Abschied zu nehmen, daß der König ihn und Flemming völlig abgesondert voneinander unter sein eigenes

Kommando stellte. Diese Bestimmung blieb auch, als Steinau 1706 abging und ihm der bisherige russische Feldmarschall Ogilvy im Oberkommando folgte. Als Ogilvy 1710 in Danzig starb, ernannte der König Flemming »als älteren General« zu seinem Nachfolger als Feldmarschall, und nun nahm Schulenburg sofort seinen Abschied; Flemming ließ ihm noch durch den König ein Geschenk von 10 000 Talern zukommen. »Ich glaube nicht«, hatte er schon einmal im Jahre 1707 an den Baron Löwendahl geschrieben, »daß man sich zu Tiberius' Zeiten größerer Finessen und Malizen bedient hat, als ich erfahren habe.«

»Schulenburg«, schrieb Wolframsdorf mit sehr richtiger Beurteilung schon 1705, »ist ein Mann von gewandtem Geist, Ehrgefühl und gesundem Urteil. Obschon er noch kein alter, erfahrener Soldat ist, kann man ihn doch vielen anderen vorziehen, die länger gedient haben. Dem Grafen Flemming ist er ein Dorn im Auge; dieser dient nicht gern mit ihm zusammen, um nicht bekennen zu müssen, daß er sein Feuer mehr zurückzuhalten und sich besser zu benehmen weiß als er. Schulenburg ist ein guter Hofmann, gewandt, von feinem Benehmen, unterhaltend; er würde sich zum Gouverneur des Kronprinzen eignen, da in jedem Fall diese Stelle eher einem Militär von seiner Bildung zuzuteilen wäre als einem Pedanten; man darf nicht vergessen, daß ein Knabe die Manieren und Gesinnungen, die man ihm in seinem achten bis zehnten Jahr beibringt, lebenslänglich behält – sie mögen gut oder schlecht sein.«

Schulenburg war schon in damaliger Zeit, als er noch in sächsischen Diensten am Rhein focht, ein enger Freund von Marlborough, dem Schulenburg das Zeugnis gibt, einer der feinsten und geriebensten Männer seiner Zeit gewesen zu sein; er bewies auch nachher selbst im venezianischen Dienst, wie sehr er Flemming vorzuziehen gewesen wäre.

Ebenso, wie Flemming Schulenburg nötigte, in venezianische Dienste zu treten, nötigte er den berühmten unglücklichen Patkul, der bis 1701 sächsischer Generalmajor war, und den weltberühmten Münnich in russische; den sehr unterrichteten, von Eugen hochgeachteten Grafen Heinrich Seckendorff in österreichische; den Grafen Samuel Schmettau – den späteren Grand Maître der Artillerie Friedrichs des Großen – in preußische und schließlich den General Sessan als Generalkapitän von Katalonien in spanische Dienste. Ja, Flemming hielt selbst den König davon ab, seinen eigenen Sohn, den Grafen Moritz von Sachsen, in seiner Armee zu befördern, so daß dieser französische Dienste nahm und für Frankreich einer der größten Generäle des 18. Jahrhunderts wurde. Die Memoiren Haxthausens berichten, daß er zuletzt große Pläne gehabt habe; der Plan aber, Herzog von Kurland zu werden, schlug ihm fehl.

Im letzten Jahr seines Lebens (1728) befand sich Flemming als Gesandter in Berlin, wo er mit dem dortigen Minister des Auswärtigen, Ilgen, über die schon lange projektierte polnische Teilung verhandelte, die aber immer und immer nicht zustande kommen konnte, wie man auch die Gewichte hin und her schob. Flemming hatte hier in Berlin – wie die Markgräfin von Bayreuth in ihren Memoiren erzählt – den Plan, um die Allianz zwischen Sachsen, Polen und Preußen recht zu befestigen, sie, die junge, erst siebzehnjährige Prinzessin, mit dem alten, bereits achtundfünfzigjährigen König August dem Starken, der gerade im Jahr zuvor seine Gemahlin Eberhardine verloren hatte, zu vermählen. »Hätte der Kurprinz«, meint sie, »sich nicht dem Projekt widersetzt, so wäre die Ehe zustande gekommen.«

Flemming reiste darauf, um das große polnische Teilungsprojekt weiter zu fördern, von Berlin nach Wien. Hier in Wien starb er noch im selben Jahr 1728, einundsechzigjährig, beim Brieflesen am Schlagfluß. Sein Leichnam wurde ganz in der Stille, nur ein wenig einbalsamiert und in wohlriechende Kräuter eingepackt – wobei man die Sehnen an den Knien durchgeschnitten hatte – in einen großen Reisekoffer gelegt. Man fuhr diesen Koffer, in dem sich die Papiere des Grafen befinden sollten, auf das Flemmingsche Gut Putzkau bei Stolpen, wo er beigesetzt wurde. Man hatte für das Begräbnis in Wien nicht weniger als 20 000 Taler Gebühren verlangt; die Gemahlin des Feldmarschalls, die Prinzessin Radziwill, die für ihren Eheherrn nicht soviel ausgeben wollte, hatte sich deshalb beim Kaiser beklagt, und dieser hatte ihr zu dem geraten, was sie tat – Karl VI. wagte es nicht direkt, die Kirche um ihre Gebühr zu bringen. In Dresden wurden dem Toten zu Ehren in der Kreuzkirche feierliche Exequien gehalten, bei denen drei Tage lang hintereinander eine Stunde lang mit allen Glocken geläutet und vom Superintendent Löscher eine Gedächtnispredigt gehalten wurde.

Flemming hinterließ angeblich ein Vermögen von sechzehn Millionen Talern – außer seinen großen Gütern allein zwölf Tonnen in bar; acht Millionen soll seine Witwe, als unrechtmäßig erworben, an die Kammer haben zurückgeben müssen.

Flemming hatte nur einen Sohn von seiner zweiten Gemahlin, und dieser folgte noch 1728 dreijährig dem Vater im Tod nach; ebenso starb eine Tochter in frühester Jugend. Von zweien seiner Brüder, Joachim Friedrich und Bogilaus Bodo, die beide in der kursächsischen Armee Generäle waren, wurden nur je zwei Töchter hinterlassen; von denen Joachim Friedrichs – der Gouverneur in Leipzig war – heiratete die eine den späteren ersten Hofmarschall und ersten Grafen Einsiedel, die zweite den als Liebhaber der russischen

Regentin Anna bekannt gewordenen schönen Grafen Lynar. Die ganze Linie des Geschlechts des Feldmarschalls erlosch im Jahre 1777.
Von einer anderen Linie desselben Geschlechts wurde später, unter August III., Graf Karl Georg Friedrich nach Brühls Tod Minister der Auswärtigen Angelegenheiten; er starb 1767, mit einer Fürstin Lubomirska vermählt. Sein Bruder Georg Detlev war sächsischer General; er starb, mit zwei Fürstinnen Czartorisky hintereinander vermählt, 1771. Aus einer dritten Linie, die vom berühmten Feldmarschall Heino Heinrich herstammte, war eine Deszendentin – eine Tochter des Sohnes von Heino Heinrich, Adam Friedrich, der Kammerherr am sächsischen Hof war – seit 1735 mit dem Hofmarschall des Kurprinzen Gallus Maximilian Baron von Racknitz vermählt, der sich durch sein Kupferwerk über die Geschichte des Geschmacks und die innere Verzierung der Gebäude und Zimmer und durch seine Kunst- und Natursammlungen einen Namen gemacht hat. Diese Baronin Racknitz, geborene Flemming, war eine Flamme Friedrichs des Großen. Er sah sie im Karneval 1728, im selben Jahr, wo er auch die Orselska kennenlernte, im Haus ihrer Verwandten, der Krongroßschatzmeisterin Przebendowska, und nannte sie nur die »kleine Schatzmeisterin«; sie war erst fünfzehn Jahre alt und schenkte ihm damals eine kostbare Flöte von Buffardin, dem ersten Flötisten König Augusts. Dafür schützte wiederholt der König seiner »bonne et ancienne amie« ihr Gut Lockwitz bei Dresden – das später in die Hände der Leipziger Kaufmannsfamilie Preußer kam – im zweiten Schlesischen und im Siebenjährigen Krieg durch Sauvegarden.

Die übrigen Minister Augusts des Starken

Der Statthalter Fürstenberg

Das Ministerium Augusts des Starken bildeten, seit er 1689 König von Polen geworden war, der damals zum Großkanzler erhobene Bischof von Raab, August Christian, Herzog zu Sachsen-Seitz, des Königs Vetter und Bekehrer sowie Flemming und Beichlingen. Es blieb beim König in Polen. Zu seinem Statthalter hatte dieser im Jahr zuvor aus Wien einen Ausländer, einen Reichsfürsten, mitgebracht, den er in Wien kennengelernt hatte; dieser Ausländer war der berühmte Statthalter Fürst Anton Egon von Fürstenberg-Heiligenberg. Er war der Enkel des Grafen Egon von Fürstenberg, demgegenüber einst Augusts Urgroßvater Johann Georg I. 1631 in der

Schlacht bei Breitenfeld standgehalten – oder vielmehr nicht standgehalten – hatte: Egon Fürstenberg warf ihn bis nach Eilenburg zurück. Der Statthalter Anton Egon war der Sohn des ersten Fürsten jenes altschwäbischen Hauses Fürstenberg, Hermann Egon, der bayrischer Oberhofmeister und einer unter den drei bekannten Egonisten oder Egoisten war, die dem Interesse Frankreichs und Ludwigs XIV. dienten. Der Statthalter Anton Egon wurde 1656 geboren; er hielt sich ganz auf den Wegen seiner Vorfahren und fiel dadurch schwer in die Ungnade des Kaisers, die so weit ging, daß dieser ihm Sitz und Stimme auf dem Reichstag aberkannte und seine Güter unter Sequestur stellte, nachdem er sich, einundzwanzigjährig, mit einer reichen französischen Dame Maria aus dem Hause Ligny, einer verwitweten Gräfin Reckheim, vermählt und in Paris niedergelassen hatte. »Es will«, berichtete ein Landschreiber zu Heiligenberg an den Grafen Froben Maria Fürstenberg am 9. August 1677, »einiger orthen spargirt werden ob hette Mein Gn. Herr sich von seiner Reiß nacher Paris mit einer Hoffdame am Kays. Hoff versprochen und seye dieses nit die wenigste Ursach der geschöpften Kays. Ungnad.«

Anton Egon war genötigt, nach Deutschland zurückzukehren; seine Gemahlin wollte ihm nicht nach Wien folgen und lebte daher getrennt von ihm in Paris; sie starb hier im Jahre 1711. Als Fürstenberg nach Dresden kam, übernahm er den Vorsitz im Geheimen Rat: Er hielt hier bereits am 8. August 1697 seine erste Sitzung. Er galt, als er nach Dresden kam, als erklärter Anhänger Frankreichs. Der englische Gesandte in Wien, Lord Lexington, schrieb am 19. Juni 1697 an seine Regierung: »Wenn der Kurfürst den Fürstenberg zu seinem Großmarschall und Faktotum machen will, fürchte ich, wäre es ebensogut als wenn wir Schöning noch am Leben hätten, und ich denke, darüber kann kein Zweifel sein, von wem die [neulich in Baden vom Kurfürsten dem Gesandten mitgeteilten] Friedensbedingungen Frankreichs kamen.«* Später vertrat Fürstenberg hauptsächlich das russische Interesse.

Fürstenberg wohnte damals, als er nach Dresden kam, im Frau-Mutter-Haus in der Kreuzgasse; ein Jahr später, nachdem er von der Krönung Augusts in Krakau – wohin er ihn begleitet hatte – zurückkehrte, wohnte er im Neitschützischen Haus, nächst dem Schloß, das lange Zeit nach ihm den Namen Fürstenbergsches Haus behielt, später an Brühl kam und jetzt das Gebäude des Finanzministeriums ist. Im Souterrain dieses Hauses legte Fürstenberg ein großes Laboratorium an, da er ein starker Anhänger der Al-

* Sie betrafen das Zurückziehen der sächsischen Truppen aus Ungarn und das Einhalten der Neutralität; dagegen sollte Sachsen wegen Polen »carte blanche« erhalten.

chemie war, wie oben bei der Geschichte Böttigers schon erwähnt wurde.

Fürstenbergs Epiphanie in Dresden muß in gewissen Kreisen nicht geringen Schrecken verbreitet haben; dies geht hervor aus einem mit unverhohlener Schadenfreude gestellten Passus in den »Brandenburgischen Hofgeschichten« der »Frankfurter Relationen« zum Jahre 1698. »Am chursächsischen Hof gingen der Zeit bei Ankunft des H. Statthalters von Fürstenberg Hochfürstl. Durchl. große Veränderungen vor, wobei viele Bedienungen eingezogen, theils gar cassiret, wie auch die Holz-Försterei-Tranksteuer- und andere Rechnungen nochmals scharf untersucht worden. Und weil einige gesucht, sich mit ihren paratesten Mitteln zu salviren, so wurden deßfalls zu Dresden einige Tage die Thore zugehalten und hernach alle ausgehende Kaufmannschaften und anderes genau durchsuchet, wobei mancher erfahren, daß bei großer Herren Dienste nicht gut Gänse zu essen, indem davon die Federn müßten verzollt werden.«

Es ist das Schicksal der vom oben erwähnten Duckmacher, dem Kammerpräsidenten Hoym, hinterlassenen Kreaturen, das hier verblümt genug angedeutet ist.

August brauchte damals Geld, sehr viel Geld. Die Wechsel, die Flemming mitgegeben werden mußten, um die Stimmen der Polen zu kaufen; die Truppen, die unterhalten werden mußten, um den Polen zu imponieren; der Krönungsaufwand; die vom Oberkämmerer Pflug gemachten Wiener Einkäufe; die Gräfinnen Königsmarck und Esterle, die Fürstin Lubomirska – sie alle verschlangen ungeheure Summen. Der König ließ scharf durchgreifen. Fürstenberg, ein Ausländer, ein Reichsfürst, mußte es mit seinem Ansehen durchsetzen, einmal – wahrscheinlich zum erstenmal seit den Zeiten des weisen August – das knorrige und dornige Gestrüpp der dunklen Hof- und Kammerwirtschaft mit der Rodeaxt anzugreifen: das half aber nur für den Moment, und es wurde oben erwähnt, wie 1700 der Großkanzler Beichlingen dazwischenkam und alle Untersuchungen niederschlug. Erst zwei Mächtigere – die Not und Friedrich August III. – mußten kommen, um jenes Dickicht nach den Zeiten des Siebenjährigen Krieges auszulichten.

Fürstenberg wurde sehr bald von der eng untereinander verbundenen Vetternwirtschaft der sächsischen Aristokraten auf ihre Seite gezogen, und in Kürze war er ihresgleichen; besonders die Familie Friesen war es, die ihn dominierte. Zu dieser Familie gehörten außer dem Kanzler Otto Heinrich – einem Neffen des Geheimen Ratsdirektors unter Johann Georg II., Heinrich (der 1717 starb), und dem mit einer Verwandten des Hauses Friesen verheirateten sehr einflußreichen Geheimrat Bose (dem Jüngeren, auf den ich weiter unten komme) – besonders der Minister Adolf Hoym, der Sohn des Kammerdirektors Hoym, der frühere Gemahl der Gräfin Cosel, der eine Tochter des Feldmarschalls und ersten Grafen Friesen – des Sohnes des Geheimen Ratsdirektors – in zweiter Ehe geheiratet hatte und als Finanzminister auch beim König einen guten Stand hatte. Schließlich gehörte dazu ganz besonders die vertraute Freundin des Statthalters, die Gräfin Henriette Amalie Reuß-Greitz, die Witwe des als sächsischer Feldmarschall und Kammerherr 1697 infolge seiner in der Türkenschlacht bei Zentea erhaltenen Wunden gestorbenen Grafen Reuß-Greitz, Heinrich VI. Sie war eine Tochter des alten Geheimen Ratsdirektors Friesen, die jüngste von acht oder neun Töchtern, die, wie ich erwähnt habe, sich alle durch Geist auszeichneten und viele Leute ins Haus ihres Vaters zogen. Sie starb erst wenige Monate vor August dem Starken – im Jahre 1732.

Übereinstimmend mit Haxthausen äußert sich das Manuskript Wolframsdorfs: »Fürstenberg hat der König nur durch Zufall [par hazard] zum Statthalter angenommen. Er wurde ihm von verschiedenen Seiten empfohlen, zum Teil von Herrn von Haxthausen, der ihn als Gesellschafter bei den Lustpartien brauchte, zum Teil von den anderen Petitmaîtres des Hofs, wie H. von Wackerbarth und anderen, die von den Geschäften nichts verstehen; auch vom Bischof von Raab und dem Pater Menegati, dem Beichtvater des Kaisers, als welche durch diesen Statthalter, der Katholik ist, die katholische Religion wieder in Sachsen einführen zu können verhofften. Der Fürst von Fürstenberg, so boshaft und verdorben er auch sein mag, ist dem König unentbehrlich, bis er einen besseren Mann findet. Der König ist genötigt, ihn zu behalten, damit er nicht vom Regen unter die Traufe kommt und unter die Rute seiner Minister und Adeligen, die so sehr nach der Herrschaft streben. Fürstenberg ist ein Mann von viel Fähigkeit; man erkennt seine Geburt an seinen noblen und kavaliermäßigen Manieren; er ist in Gesellschaft angenehm, was man einen Bonvivant nennt, in der Unterhaltung frei und mannigfaltig. Das Alter und die Erschöpfung machen, daß seine Galanterie nur in Worten besteht, und man merkt es wohl, daß er sich nur höflichkeitshalber in der Gesellschaft von Damen einfindet. Er ist von Natur fein und verschlagen, allein es fehlt ihm Festigkeit, so daß er in seinen Ansichten sehr veränderlich ist. Mit einem Wort: Er ist viel geeigneter, an einem Hofe zu arbeiten und zu intrigieren, als Statthalter eines Landes zu sein, das der Schikane so preisgegeben ist und wo die Minister von ihrem Herrn so unabhängig sind wie in Sachsen. Welch eine Misere, wenn man das Staats- und Kabinettsministerium versammelt sieht! Der Statthalter führt darin den Vorsitz ganz en famille; es gibt hier nichts weiter als Komplimente, Anerbietungen von Gefälligkeiten, Intrigen und Schikanen. Die Befehle des

Königs werden für gar nichts geachtet! Der Statthalter ist völlig untauglich für sein Amt, besonders, seit er in die Hände des Hauses Friesen gefallen ist. Die Liebe für Gräfin Reuß und ihre Verwandten macht ihn faul und hält ihn gefangen – wie Delila Simson –, wodurch er die Geschäfte des Königs öfter vernachlässigt. Fürstenberg befindet sich in einer ewigen Verwirrung, die durch Liebe, durch Eifersucht, durch Furcht, dem König zu mißfallen und seine Stelle zu verlieren, veranlaßt wird. Man tut ihm gar nicht unrecht, wenn man von ihm sagt: ›Er besitzt nicht mehr Kraft als Herkules am Spinnrocken!‹«

Fürstenbergs Macht zeigte sich beim Sturz Beichlingens im Jahre 1703; sie wurde aber schon wenige Jahre später von der der anderen Minister überflügelt: Als das Kabinett im Jahre 1706 gebildet wurde, verschwand an ein und demselben Tag der Stuhl des Statthalters aus allen Kollegien, die Kabinettsminister herrschten unumschränkt in ihren Departements; nur den Vorsitz im Geheimen Rat behielt der Statthalter noch, aber der Geheime Rat wurde dem Kabinett subordiniert. Zech, der Ahnherr der Grafen Zech, war hier sein Faktotum, wie es früher Imhoff, der später den Altranstädter Frieden schloß, in Finanzsachen gewesen war. Man nahm dem Statthalter zuletzt sogar die Hälfte seiner Einkünfte – er klagte erfolglos dagegen.

Fürstenberg hatte als Statthalter ein recht ansehnliches Gehalt von 24 000 Talern und 4000 Talern Deputat jährlich; dazu hatte ihm der König eine kleine Leibwache von siebenundzwanzig Pferden bewilligt, die aus den königlichen Kassen unterhalten wurden. Er war ein großer Jäger und residierte zuletzt, als er überhaupt keinen Kredit mehr hatte, meist in Wermsdorf zwischen Grimma und Oschatz – dem Ort, wo später durch August III. das Jagdschloß Hubertusburg gebaut wurde, das durch den Abschluß des Friedens des Siebenjährigen Krieges berühmt geworden ist. Fürstenberg hatte, nachdem seine Gemahlin in Paris gestorben war, zuletzt Kardinal werden wollen – wie die spanischen Minister es zu tun pflegten. Er starb in Wermsdorf aus Verdruß sechzigjährig im Jahre 1716, als er eben nach Leipzig auf die Michaelismesse reisen wollte; er war der letzte seiner Linie. Er hinterließ nur drei Töchter, die sich an französische Herren vermählten – die jüngste an einen Enkel des berühmten Colbert. Außerdem hatte er von einer Gräfin Cäcilia Attems eine natürliche Tochter, die später als Luisa Carlota Caritas Vizdumin bekannt wurde, und von Madame d'Assenburg, einer Maîtresse en titre, drei Kinder, von denen eine Tochter, Antonia Viktoria, 1710, in Prag getauft wurde.

Wie hinter allen Hauptmachthabern am Hof Augusts des Starken eine Dame stand – hinter dem König seine Mätressen, besonders die

Cosel, hinter Beichlingen Frau von Rechenberg, hinter Vitzthum seine Frau, hinter Pflug seine Frau, hinter Flemming seine Cousine, die Kronschatzmeisterin Przebendowska, geborene Flemming, usw. –, so stand auch hinter dem Statthalter eine Dame: seine Freundin, die Gräfin Reuß, deren Haus seiner Partei als Sammelplatz diente.

Graf Pflug, erster Direktor des Kabinetts und Oberhofmarschall

Die Stiftung des Geheimen Kabinetts fällt in das Jahr 1706 – das Jahr, in dem die Schweden in Sachsen erschienen. Dieses Kabinett wurde so angeordnet, daß die »Direktion« der Oberhofmarschall August Ferdinand Graf von Pflug übernahm; neben ihm wurden Generalfeldmarschall Graf Flemming für die auswärtigen und die Militärsachen und Graf Adolf von Hoym, der ehemalige Gemahl der Gräfin Cosel, für die »Domestiken-Affären« – zu denen besonders die Finanzsachen gehörten – als Kabinettsminister bestellt.

Der erste Direktor des Geheimen Kabinetts, August Ferdinand Graf von Pflug, gehörte einer Familie an, die zum ältesten deutschen Adel zählt, aus Böhmen stammte und hier zum Herrenstand gehörte. Ihre »armes parlantes« – ein Pflugschar mit einer Reutel – gaben zu der Sage Anlaß, daß der Urahn, ein Bauer im Dorf Staditz im Leutmeritzer Kreis, als er eben auf dem Pflugschar nach der Arbeit Mahlzeit gehalten hatte, von der Prinzessin Libussa zum König und Gemahl begehrt worden sei. Der beglückte Pflug habe Pflugschar und Reutel in den Acker gesteckt, und dies habe nachher zu grünen angefangen – beides sei dem Gründer der königlichen Bauernfamilie als Wappen beschieden worden. Sicherer als diese schöne Sage ist, daß das Geschlecht die Herrschaft Rabenstein schon seit dem Anfang des 12. Jahrhunderts besaß. Kaspar Pflug zum Rabenstein, Herr zu Schlackenwalde, Dachau, Petschau, hätte zur Zeit des Schmalkaldischen Krieges zum König von Böhmen erwählt werden sollen. Seine Güter wurden konfisziert; er wurde zum Tode verurteilt, flüchtete aber nach Magdeburg, wo er sich dem Dom gegenüber ein prächtiges Haus erbaute und 1576 starb. Besonders berühmt war Julius Pflug: Er starb 1564 als Bischof von Naumburg und als ein so gelehrter Mann, daß Luther ihm das Zeugnis gab, er sei würdig, zum Papst gewählt zu werden.

Die Familie besaß auch in Sachsen ansehnliche Lehen, namentlich schon seit dem 14. Jahrhundert Strehla an der Elbe – eine Herrschaft, die früher die Herren von Eilenburg besaßen und die böhmisches Lehen war. August Ferdinand Pflug stammte aus dem Haus Frauenhayn und war 1662 geboren; sein Vater Hieronymus Sigismund war Kammerherr und Trabantenhauptmann Kurfürst

Johann Georgs II. Er begann seine Laufbahn mit vierzehn Jahren als vertrauter Kammer- und Jagdpage Johann Georgs III., bei dem er sich durch kleine Intrigen geltend machte und die Liebesbotschaften im Haus des Oberhofmarschalls von Haugwitz besorgte, dessen Grundsätze er sich, wie das »Portrait de la cour de Pologne« sagt, aneignete, obschon er etwas feiner war. Mit zwanzig Jahren (1682) trat er die gewöhnliche Kavalierstour an, begab sich in Holland als Volontär in den Dienst des Prinzen Wilhelm von Oranien – des späteren Königs von England –, sah darauf England und Frankreich und wurde bei seiner Rückkehr 1685 Kammerjunker. Dann begleitete er den Kurprinzen Johann Georg IV. nach Frankreich, wurde 1688 als Kämmerer an den dänischen Hof geschickt und begleitete den Kurprinzen 1689 zum französischen Feldzug an den Rhein. Zurückgekehrt, wurde er 1690 Hofmarschall und begleitete dann wieder den Kurprinzen zur Krönung des römischen Königs Joseph I. nach Augsburg, von dem er zum Ritter geschlagen wurde. Von Augsburg ging er mit dem Kurprinzen nach Italien und wieder zu den Feldzügen am Rhein. Als Johann Georg IV. 1691 die Regierung antrat, erhob er Pflug zum Oberkammerherrn und schickte ihn als Envoyé extraordinaire nach Berlin, wo er die Vermählung des Kurfürsten mit der verwitweten Markgräfin von Ansbach einleitete. August der Starke machte ihn 1695 zum Geheimrat, da er den Oberkammerherrnschlüssel seinem bisherigen Gouverneur Haxthausen gab, dem Vater des Memoirenschreibers; als dieser schon 1696 starb, erhielt Pflug ihn zurück. Er ging 1697 als Oberkammerherr mit dem König nach Polen zur Krönung nach Krakau und wohnte auch den ersten Feldzügen des Nordischen Krieges bei. 1703 bekam er nach Beichlingens Sturz zum Oberkammerherrnschlüssel noch den Oberhofmarschallsstab.

Das Wolframsdorfsche »Portrait de la cour de Pologne« bezeichnet Pflug nebst Bose, auf den später zu kommen sein wird, als die Hauptstütze des Adels in Sachsen und als den Mann, der nach Beichlingens Sturz vornehmlich den Hof regiert habe. »Der König hat eine gute Meinung von ihm und lobt ihn, daß er sich beim Wein so gut zusammenzunehmen weiß und ihm alles zuträgt. Das Sprichwort aber sagt: ›Wer klug beim Wein ist, ist ein Narr nüchtern.‹ Pflug ist imstande, zehn Flaschen Wein in einem Zug auszutrinken, ohne die Fassung zu verlieren. Er hat sein Glück nur dadurch gemacht, daß er dem König alles hinterbringt. Er erhält sich nur durch den Sturz anderer, die nicht zu seiner Kabale gehören, und bringt seine Verwandten und Kameraden an den Hof. Er hat einen feinen und durchdringenden Verstand. Sein maliziöses Naturell macht, daß er sehr geschickt Zungenhiebe auszuteilen versteht, wodurch er vielen achtbaren Leuten beim König schadet. Seine

Erziehung bei Hof und seine guten Anlagen haben ihn zum Hofmann gemacht. Da er Page war, weiß er, wie es bei Hof zugeht, und kennt die Laune des Königs seit seiner Jugend. Er versteht es, den Verstand seines Herrn einzuräuchern und ihn nach seinem Willen zu lenken. Er weiß, wie man sich kleiden und wieviel man auf das Äußere geben muß; allein in der Nähe besehen, ist er nur ein falscher Edelstein. Seine Ansichten sind niedrig und gemein, er mißtraut seinen eigenen Kräften. Deshalb ist er furchtsam und eifersüchtig auf jeden, der sich dem König naht; er sucht genau zu erforschen, was man mit ihm gesprochen hat – aus Sorge, daß man seine eigenen Schwächen entdeckt. Er sieht diejenigen nicht gern, die dem Herrn guten Rat erteilen, und verfolgt mit Neid, dem gewöhnlichen Laster so kleiner Geister, wie er ist, alle die, die des Königs Absichten unterstützen und ihm treu dienen wollen. Ihm wäre es lieber, der König vernachlässigte die Geschäfte ganz. Deshalb liebt und treibt er Narrenpossen und läßt den König alles von der schlimmen Seite sehen. Seine Mäßigung und sein Phlegma, die er überall zeigt, dienen ihm nur, seine Unwissenheit zu verbergen.

Er ist um so gefährlicher, als er ohne Intrige und dem Interesse des Königs ganz ergeben zu sein scheint, obwohl er allein es ist, der die Verzögerung aller Expeditionen veranlaßt – er tut nichts ohne Rat der Geheimen Räte, die er protegiert. Gibt der König einen Befehl, so vergeht ein Monat über der Expedition; unterdessen unterrichtet man sich, auf wessen Veranlassung er gegeben wurde; kommt er vom Statthalter, so weiß man schon, daß die Eifersucht, die zwischen ihm und Pflug herrscht, die Ausführung hindern wird, selbst wenn der Befehl unmittelbar vom König gegeben wurde. Vermutet man den König entschlossen, die Sache durchzusetzen, so schreibt man an den Oberhofmarschall, um es zu verhindern, sei es durch Hinhalten oder dadurch, daß man es durch tausend Schwierigkeiten und Hindernisse dem König verleidet.

Pflug affektiert Uneigennützigkeit und überredet den König, daß er ihm treu sei. Bedenkt aber der König, daß alles Geld, das für den Hofhalt bestimmt ist, durch Pflugs Hände geht, daß er seine Geschäfte nur mit den Juden und Kammerschreibern macht, daß er ansehnliche Güter ankauft, an seine Verwandten und besonders an seine Frau große Geschenke macht, so würden ihm über diese geheuchelte Redlichkeit bald die Augen aufgehen.

Pflug ist der falscheste Mensch der Welt. Unter der Maske der Treue studiert er die Gesinnung des Königs, gewinnt durch Karessen die Kammerdiener, die ihm alles verraten, was der König denkt und tut, und trifft danach seine Maßregeln. Niemand am ganzen Hof liebt ihn, vielmehr fürchtet ihn ein jeder.«

1705 wurde Pflug von Kaiser Joseph I. in den Reichsgrafenstand erhoben. 1706 kehrte er mit August nach Sachsen zurück. Er wurde jetzt Erster Direktor des Geheimen Kabinetts, Premierminister, trat aber eine Zeitlang nach dem Frieden von Altranstädt (1707) auf Begehr des Königs von Schweden aus dem aktiven Dienst, bis dieser bei Poltawa geschlagen wurde. Er starb im fünfzigsten Lebensjahr, lange vom Podagra geplagt, 1712 auf seinem Gut in Tiefenau, ohne Kinder zu hinterlassen. Pflug war ein prunkvoller Herr im Leben wie im Tod: Noch im Sarg ließ er sich mehrere Tage lang sehen in einem purpurfarbenen, mit goldenen Fransen bordierten Kleid, das Haupt mit einer großen Perücke bedeckt, ihm zur rechten Seite den goldenen, mit köstlichen Diamanten gezierten Oberstkammerherrnschlüssel und links seine Orden.
Seine erste Frau war eine Holsteinerin aus der Familie der Gräfin Cosel, ein Fräulein von Brockdorf, wie diese eine schöne, wohlgewachsene Dame, aber sehr kokett; da Pflug seiner Pflicht nicht entsprechen konnte, verachtete sie ihn und ging ihren eigenen Weg. Er wandte sich nun an eine Gräfin Stubenberg, die Tochter einer österreichischen Emigrantin, die die Königinmutter unter ihre Hofdamen aufgenommen hatte. Die erste Frau wurde überführt, ein Kind gehabt zu haben – wie die Memoiren Haxthausens berichten –; darauf erfolgte die Scheidung. Die Gräfin wurde nun seine zweite Frau; sie war eine große, schöne Brünette und eine ganz vom Glanz ihrer Familie – der sie eine par excellence noble Abkunft vindizierte – erfüllte Dame. »Herr von Pflug hatte seine erste Gemahlin sehr schlecht behandelt [gourmandé fort], er setzte sich mit der zweiten auf denselben Fuß, aber er fand hier für seinen Stolz um die Hälfte noch mehr: sie hielt ihm die Stange und brachte ihn zuletzt unter den Pantoffel; nachdem sie ihn unter sich gebracht, gewann sie ihn dergestalt durch ihre Sorgfalt, ihre Liebkosungen und Zärtlichkeiten, deren Wert sie sich bezahlen zu lassen verstand, daß er sie zur Universalerbin einsetzte, indem er alle seine Verwandten, Schwestern und Neffen überging«; sie erbte unter anderem auch das von ihr selbst in der Pirnaischen Gasse erbaute Palais, das sie an Flemming verkaufte und dieser an den König – das heutige Landhaus. »Die Gräfin Pflug verheiratete ihren Bruder, der den Titel eines Kammerherrn, aber die Manieren, Mienen und Redensarten eines Bauern hatte und sich nur mit dem Gutsanbau beschäftigte, an ein reiches Mädchen; aus dieser Ehe wurden zwei Söhne und eine Tochter geboren; die Gräfin Pflug und ihre Schwester, Frau von Reibold*, beide Witwen und Erben ihrer Männer, adoptierten jede einen Sohn und hinterließen ihnen große Vermögen.«

* Die Gemahlin des Oberkammerherrn und ersten Grafen Reibold.

Nach Pflugs Tod, berichten die Memoiren Haxthausens, entstand ein förmlicher Wettkampf um das erste Hofamt, das Oberhofmarschallamt: Flemming interessierte sich für Wackerbarth, Fürstenberg wollte einen Katholiken anbringen, die Königinmutter arbeitete für ihren Landsmann, den Dänen Löwendahl, und für ebendiesen verwandte sich auch lebhaft die Gräfin Cosel; sie schrieb Briefe über Briefe wegen dieser Anstellung und schließlich erlangte sie es: Löwendahl wurde Oberhofmarschall.

Woldemar Baron von Löwendahl war ein natürlicher Sohn des Grafen Ulrich Friedrich von Güldenlöw und der Tochter eines dänischen Oberhofmarschalls, Sophie von Uhren; dieser Vater, der ihn anerkannt und mit Gütern ausgestattet hatte, war wieder ein natürlicher Sohn König Friedrichs III. von Dänemark, der in Norwegen bis zum Jahre 1700 als Statthalter gedient hatte und 1704 gestorben war. Baron Löwendahl wurde 1660 geboren; er diente den Holländern, dann dem Kaiser – als kaiserlicher Oberstleutnant war er 1683 beim Entsatz von Wien –; zuletzt war er in dänische Dienste getreten und hatte als Dragonerbrigadier im Jahre 1700 im Feldzug von Holstein gedient. Darauf hatte er sich als Kaufmann in Hamburg etabliert. Seine erste Gemahlin war eine reiche Holsteinerin, Dorothea von Brockdorf, eine Cousine der Gräfin Cosel, die schon 1706 starb.

Im folgenden Jahr, dem Jahr der Schwedennot – gerade zu einer Zeit, wo die Cosel beim König in höchster Gunst stand –, kam Löwendahl an den Dresdner Hof, wo er Geheimrat und anstelle des auf den Königstein gesetzten Imhoff – der die Kreatur des Statthalters Fürstenberg war – durch dessen Feinde Hoym, Pflug und Flemming Kammerpräsident wurde. »Gegen medium Junium 1708«, sagen die »Frankfurter Relationen«, »ist der König mit dem neuen Kammerpräsidenten H. von Löwendahl in das Gebürge gereist, daselbst sie zu Freiberg, Chemnitz, Annaberg, Marienberg, Schneeberg, Johann-Georgenstadt und anderen Orten mehr die Silber- und Berg-Hammerwerke, wie auch die Blaue-Farbe-Fabriquen und dergleichen in Augenschein genommen und zu deren Verbesserung allerlei gute Anstalten befohlen.«

1709 kam der König von Dänemark zu Besuch nach Dresden und veranlaßte Löwendahl nochmals, im Nordischen Krieg Dänemark zu dienen: er kommandierte als Vizekönig die dänische Armee in Norwegen gegen die Schweden. Er verheiratete sich 1710 zum zweitenmal mit einer Gräfin Rantzau aus Dänemark, einer von sechs Schwestern, von denen jede 70 000 Taler Mitgift erhielt. Bei seiner Rückkehr nach Dresden wurde er nach dem Tod des Grafen Pflug im Jahre 1712 Oberhofmarschall und Kabinettsminister. Er scheint ein intimer Freund des Marschalls Schulenburg gewesen zu sein: in »Schulenburgs Leben« finden sich Briefe von diesem an ihn, die von großer Vertraulichkeit zeugen. Er hatte ein prächtiges Haus in Dresden, liebte gute Tafel und empfing die Fremden mit großer Zuvorkommenheit. Er erwarb im Jahre 1716 die Herrschaft Elsterwerda – die er 1727 wieder an den König verkaufte – und Mückenberg, das später an die Familie Einsiedel kam; er starb erst unter der folgenden Regierung 1740, achtzig Jahre alt, in Dresden.

Seine erste Gemahlin hatte ihm zwei Söhne geboren. Der zweite, Woldemar II., früher sächsischer, dann russischer General, wurde der berühmte französische Feldmarschall, der Eroberer von Bergen-op-Zoom; er war zur katholischen Kirche übergetreten, wurde in Frankreich naturalisiert und starb 1755 in Paris. Von dessen Sohn, Woldemar III., der wieder französischer Marschall, dann dänischer General war, gibt es noch Grafen Daneskjöld-Löwendahl in Dänemark.

Der Erstgeborene des ersten Woldemar, des sächsischen Oberhofmarschalls, Ulrich Friedrich, der Bruder des Eroberers von Bergen-op-Zoom, war ein sehr übles Subjekt: er war Kammerherr am sächsisch-polnischen Hof, kam aber wegen Schulden und Ausschweifungen auf den Königstein und folgte seinem Bruder nach Frankreich, wo er auch katholisch wurde und 1746 starb. Dessen Tochter machte eine Mesalliance: sie heiratete – wie jener unter Johann Georg I. erwähnte Baron Taube 1735 eine Pastorstochter – 1755 einen Pastor in der Diözese Eilenburg.

Die noch blühenden Grafen Daneskjöld-Lawrigen in Dänemark stammen vom Stiefbruder des sächsichen Oberhofmarschalls aus der rechtmäßigen Ehe seines Vaters mit einer Gräfin Aldenburg. Die Grafen Daneskjöld-Samsoe schließlich stammen von König Christians V. Liaison mit einer Arzttochter ab.

Der Kabinettsminister Graf Watzdorf, der »Bauer von Mansfeld«

Christoph Heinrich, der erste Graf von Watzdorf auf Ebersdorf bei Chemnitz, war gebürtig aus Mansfeld und gehörte einem im Voigtland und in der Lausitz verbreiteten, aber nicht sehr reichen Geschlecht an; er stammte aus dem Hause Crostau in der Oberlausitz und legte den Grund zum Glanz seines Hauses. Er verdankte seine große Karriere und den großen Reichtum, den er mit ihr erwarb, dem Umstand, daß seine Schwester mit dem General Flemming, Gouverneur von Leipzig, einem Bruder des allvermögenden Generalfeldmarschalls Flemming, verheiratet war. Er wurde 1710 nach Adolf Hoyms Abgang Obersteuer- und Generalakzise-

direktor und Geheimrat, dann Kabinettsminister und dirigierte unter Flemming bis zu dessen Tod 1728 die inneren Angelegenheiten. 1719 wurde er in den Grafenstand erhoben. Er handelte viel mit Gütern – wie Flemming, der Feldmarschall. Er erwarb die von der ausgestorbenen Sprung-Familie Harras früher besessene Herrschaft Lichtenwalde bei Chemnitz, die später an Hoym kam, und von den Grafen Promnitz die große Standesherrschaft Forsta und Pförten in der Niederlausitz, die später an Brühl kam; er war außerdem Herr auf Crostau, Rodewitz, Birckenheyde, Auerswalde, Eulowitz, Wiesa mit dem Wiesenbad bei Annaberg und Ebersdorf bei Chemnitz usw. Er starb 1729, ein Jahr nach Flemming.
Von Watzdorfs zwei Söhnen heiratete der älteste, Friedrich Karl, 1723 eine Tochter des Oberkammerherrn Friedrich Vitzthum, wurde Geheimrat und Gesandter in London und starb 1764; mit ihm erlosch das Geschlecht wieder, da der zweite Sohn, Christian Heinrich, unvermählt 1747 auf dem Königstein starb – ich komme auf ihn zurück unter Brühl, der ihn auf die Festung brachte.
Von Watzdorf, dem gröbsten aller Minister am galanten Hof Augusts des Starken – dieser selbst nannte ihn nur »den Bauern von Mansfeld«; er war früher Haushofmeister bei Flemming, wie später »der Lakaigraf« Hennicke bei Brühl –, entwerfen die Memoiren Haxthausens ein sehr anschauliches Teniersbild.

Die beiden Kabinettsminister Hoym: Adolf, der frühere Gemahl der Gräfin von Cosel, und der jüngere Graf Hoym, der auf dem Königstein Selbstmord verübte

Der bereits als Gemahl der Gräfin Cosel angeführte Graf Adolf Magnus Hoym, Schwager des Oberkammerherrn Vitzthum, war Geheimrat, Obersteuerdirektor und Erster Direktor des 1703 errichteten Generalakzisekollegiums. Nach Errichtung des Kabinetts (1706) wurde er Erster Kabinettsminister für die inneren Angelegenheiten, zu denen hauptsächlich die Finanzsachen gehörten. Wegen seiner erfolgreichen Bemühungen, die königlichen Finanzen durch die Akzise zu heben, stand er bei August in hoher Gunst. Er war nach dem Manuskript Wolframsdorfs ein stolzer, im äußeren Betragen kalter Mann wie sein Vater, innerlich aber weit leidenschaftlicher bewegt als dieser.
Hoym gehörte nebst dem Marschall Schulenburg zu den Leuten, die der sonst allmächtige Flemming allenfalls noch zu fürchten hatte – er verdrängte beide. Hoym schüchterte er durch die Furcht ein, daß der König ihn auf den Königstein schicken und eine Kommission einsetzen könne, um seine Verwaltung der Steuer und Akzise zu untersuchen. Als er seinen Abschied nahm, äußerte er zu Haxthau-

sen in bezug auf Flemming: »Voila ou je suis réduit, ce diable là me chasse«, und als ihm Haxthausen seine Befürchtungen ausreden wollte: »Vous ne connoissez pas assez notre corruption, je suis haï du pays pour avoir établi l'accise; mon père est haï et toute ma famille. Je crains le roi le plus, le connoissant au fonds, il ne m'aime pas, mais a eu besoin de moi. Flemming n'aura aucun repos tant que j'y suis, il est tout puissant, il veut mettre Watzdorf à ma place.«
Seit Beichlingens Sturz verließ Hoym – wie der Marschall Schulenburg, einer seiner besten Freunde, äußerte – nie die Furcht vor dem Königstein. Geradezu aus Angst, dort eingesperrt zu werden, verkaufte er nach und nach seine Güter in Sachsen und gab auch den sächsischen Dienst auf. Watzdorf übernahm 1710 die Steuer- und Akzisesachen im Kabinett. Hoym verkaufte das Gut Schkölen an den Marschall von Sachsen und machte namentlich mit dem großen Güterhändler Flemming einen Gütertausch, um sich in dem damals noch österreichischen Schlesien niederzulassen und so das Geld, das er in Sachsen erworben hatte, sicher zu genießen; er trat im Jahre 1716 Burg- und Kirchscheidungen gegen die Herrschaft Schlawentschitz in Oberschlesien bei Cosel an Flemming ab. Er lebte hier und in Wien und starb 1723 in Ratibor in Schwermut; seine und seiner Brüder Deszendenz ging 1783 im Mannesstamm ab.
Der zweite Minister des Namens Hoym war der jüngste der vier Brüder, Graf Karl Heinrich von Hoym auf Ruhland in der Oberlausitz, der, nach Flemmings Tod aus Frankreich rappelliert, 1729 Premierminister wurde. Er ist durch ein sehr drastisches Schicksal bekannt geworden: Er starb durch Selbstmord; es war ein erstes und sehr charakteristisch vom Stand der Zeit, die die Leidenschaften bis zur Selbstvernichtung in die Höhe getrieben hatte, Zeugnis gebendes Beispiel. Sein Sturz erfolgte 1731 durch Wackerbarth, sein tragisches Ende durch Brühl fünf Jahre später. Soviel zu ersehen ist, hing sein Fall 1731 mit den damaligen politischen Konjunkturen zusammen.
Hoym war von seinem Schwager, dem hannoverschen Minister Graf Bothmer, ausgebildet worden, war dann gereist und, nachdem er 1719 Kammerherr geworden war, sechs Jahre lang in den Jahren 1723–29 Gesandter am französischen Hof gewesen; er hatte sich hier ganz französisiert. Dazu bediente er sich gar absonderlicher Mittel und Wege. Ludwig XIV. hatte einen Sekretär namens Rose gehabt, der ihm die Briefe an die europäischen Häupter schrieb, und diese Briefe wurden von den Franzosen selbst für Meisterwerke in ihrer Art gehalten; man pflegte im Sprichwort zu sagen: Ludwig rede nie besser, als wenn Rose diktiere, und schreibe nie besser, als wenn Rose die Feder führe. Roses Schwiegersohn war Portail gewesen, Erster Parlamentspräsident, und bei dessen Erben war Graf Hoym

auf die unschätzbaren Briefe – eine Kollektion von vielen Bänden – gestoßen. Sofort ließ er sie sich abschreiben und gebrauchte sie fortan als Stilmuster in den an seinen König zu richtenden Briefen, nicht bloß Phrasen, sondern ganze Sätze aus dem entdeckten »Rosengarten« aufnehmend. August war über die Stilfortschritte seines Repräsentanten höchlich verwundert; er bemerkte diese sogleich, ohne jedoch Unrat zu merken. Erst als Hoym wieder zurückkam, fragte er ihn, und der beschämte Diplomat mußte nun seinen gelehrten Diebstahl bekennen; um den König zu begütigen, schenkte er ihm ein prächtig eingebundenes Exemplar der nochmals sehr schön abgeschriebenen Briefe, mit Augusts Wappen drauf.
Nach seiner Rückkehr wurde Hoym 1729 anstelle des 1728 verstorbenen Flemming und anstelle Manteuffels, seines Nachfolgers, Premier im Kabinett und an Watzdorfs Stelle Generalakzise- und Obersteuerdirektor, darauf 1730 auch dirigierender wirklicher Geheimrat. Er stand an der Spitze der französischen Partei am Dresdner Hof, wie Fürstenberg an der Spitze der russischen, Wackerbarth an der Spitze der österreichischen stand und Flemming hauptsächlich zum preußisch-englischen Interesse hinneigte. Mit Hoym hielten die französische Partei im sächsischen Kabinett die beiden Kabinettsminister General Graf Lagnasco und der Marquis de Fleury, der nach Flemmings Tod die Direktion des Departements des Auswärtigen erhalten hatte, und die beiden als Assessoren im Kabinett fungierenden Geheimen Kriegsräte Anton Thioli und Baron Peter von Gaultier von der Berliner französischen Kolonie.
Diese französische Partei arbeitete auf den Plan hin, mit Hilfe der Krone Frankreichs bei bevorstehender Eröffnung der österreichischen Erbschaft die Pragmatische Sanktion umzustoßen, in Deutschland eine Art von Fürstenbund – wie ihn später Friedrich der Große zur Verwirklichung brachte – aufzurichten, in Polen aber eine Teilung durchzuführen und den auf Sachsen fallenden Anteil unter völlige und unumschränkte Herrschaft zu bringen. Man benützte dabei die Verlegenheiten des österreichischen Kabinetts, das sich durch Anknüpfung neuer Traktate mit dem französischen Hause Anjou in Spanien – die damals durch die Hände des famosen Ripperda gingen – mit seinen alten Alliierten, den Seemächten England und Holland, zerstritten hatte. Hoym ging in der Zurschaustellung seiner Abneigung gegen den österreichischen Hof so weit, daß er im Karneval 1730, als König Friedrich Wilhelm I. von Preußen nach Dresden kam, das Maskeninkognito benützte, um an diesen seine Galle gegen das Haus Habsburg auszuschütten.
Bereits im Dezember 1729 hatte Prinz Eugen dem sächsischen Gesandten in Wien, dem Grafen Wackerbarth-Salmour, dem Sohn des Feldmarschalls, unter dem Siegel eröffnet, daß einer der sächsi-

schen Minister durch den französischen Gesandten Marquis de Monti den Hof von Versailles von allem am laufenden halte, was im Dresdner Kabinett verhandelt werde – auch mit dem Wiener Hof. Als nun Österreich am 16. März 1731 seine Aussöhnung mit den Seemächten zustande gebracht hatte und dadurch sein altes politisches System wieder befestigt war, suchte sich der sächsische Hof notgedrungen wieder dem Kaiserhof zu nähern. Der bisherige Hauptwidersacher Österreichs, Graf Karl Hoym, wurde deshalb – Österreich zu Gefallen – auf orientalische Weise plötzlich ebenso verabschiedet, wie dreißig Jahre vorher der Großkanzler Beichlingen verabschiedet worden war – Rußland zu Gefallen. Am 17. März 1731 schrieb König Friedrich Wilhelm I. von Preußen, der damals noch in engstem Einverständnis mit Österreich war, an Seckendorff: »Ob Hoym fallen wird, muß sich in acht Tagen weisen, wie Grumbkow sagt.«

Hoym war eben am Tag nach Ostern 1731 in vollem Staat in einer Karosse, mit sechs Pferden bespannt, aus seinem Hotel in der Pirnaischen Gasse – wo die Hoyms zwei Häuser hatten: das heutige British Hotel und das gegenüberliegende Lokal der Harmoniegesellschaft – nach Pillnitz zur Audienz bei dem eben aus Polen zurückgekehrten König gefahren, als ihm der Gouverneur von Dresden, der Feldmarschall und Kabinettsminister Graf Wackerbarth, eine Viertelstunde vor Pillnitz mit einem versiegelten Brief des Königs nachkam. Der Brief enthielt die Order, daß Graf Hoym sich unverzüglich auf eines von seinen Gütern zurückzuziehen habe. In Dresden war er gar nicht beliebt, obgleich er ein Mäzen der Wissenschaften war und eine stattliche Bibliothek sammelte; alles freute sich daher über seinen Fall, den besonders noch im größeren Publikum die Kunde gerecht erscheinen ließ, daß der sächsische Premier einen geheimen Handel mit einigen dem sächsischen Staatsgut perfid entfremdeten Kisten Porzellanerde nach Frankreich gesandt habe.

Hoym ging auf sein Gut Skassa und wurde hier durch den Oberst und Generaladjutanten des Königs von Rochau und den Hof-, Justiz- und Appellationsrat Günther über achtzehn Anklagepunkte abgehört, die auf eigenmächtiges Regiment, Privatinteresse, Fälschung und Betrug gestellt waren. Er mußte sich durch einen eigenen Revers zu einer Reihe speziell ihm angeschuldigter Verbrechen bekennen, wurde aller seiner Ämter entsetzt, vom Dresdner Hof verwiesen, mußte 100 000 Taler Schadenersatz an die königliche Kasse zahlen und versprechen, sich aller Korrespondenzen – ausgenommen in Privatangelegenheiten – zu enthalten. Auf diese Bedingungen pardonierte ihn der König und erteilte ihm am 18. Juni 1731 Abolition.

Nach Augusts des Starken Tod (1733), als der polnische Sukzessionskrieg mit Frankreich ausbrach und die ganze französische Partei im sächsischen Kabinett fiel und entlassen wurde, wurde Hoym jedoch auf den Sonnenstein verbannt, weil er angeblich gegen den Revers verstoßen habe. Die Sache wurde nicht aufgeklärt; der »Mercure historique« erzählt nur, daß das Gerücht teils von einem Inzest Hoyms mit einer seiner Nichten, teils von einer unerlaubten Korrespondenz gesprochen habe. Es war ungefähr ein halbes Jahr nach Augusts Tod, als ihn ein Kommando von der Chevaliergarde auf seinem Gut Lichtenwalde festnahm. Auf Fürbitte seiner einflußreichen Verwandten kam er zwar wieder los und stellte einen neuen Revers aus, aber er machte sich neuer »übler Praktiken« schuldig.
Der Minister Brühl ließ ihn am 22. Dezember 1734 nochmals auf seinem Gut Lichtenwalde verhaften und auf den Königstein bringen. Es wurde ihm nun durch eine eigene Kommission förmlich der Prozeß gemacht; sie verurteilte ihn zur Konfiskation seiner sämtlichen Güter und zu lebenslänglicher Haft. Er saß über ein Jahr lang auf dem Königstein; darauf erhängte er sich am 22. Mai 1736. Man fand in seinem Gefängnis neben seinem Leichnam einen Zettel liegen, in dem er seine zwei Bedienten bat, ihn herabzuschneiden und ins Bett zu legen, als sei er am Schlag gestorben; den Bedienten sollte die Familie dafür 1000 Dukaten auszahlen. Bereits vorher hatte er einen Versuch gemacht, sich zu erschießen. In den Taschen seiner Kleider fand man Rasier- und Federmesser und Schere.
Er starb unvermählt und wurde in aller Stille begraben, nachdem er vierzehn Tage lang gehangen hatte, bis Order aus Warschau eingeholt war. Man scharrte ihn auf dem Garnisonskirchhof des Königsteins in einem mit Hobelspänen gefüllten Sarg ein, in denselben Kleidern, in denen er sich erhängt hatte.
Diese Entleibungsgeschichte Hoyms verursachte bedeutendes Aufsehen; August III. gab deshalb im Jahre 1737 ein eigenes Mandat heraus, das öffentlich angeschlagen wurde. Als Beilagen waren diesem die beiden Reverse beigegeben, die Hoym 1731 und 1733 eigenhändig ausgestellt hatte. Sein gesamtes Vermögen wurde konfisziert.
Haxthausen war ein Freund dieses Grafen Karl Heinrich Hoym und wohnte mit ihm in einem Haus, als er, von seinen Reisen zurückgekehrt, noch als ganz junger Mann in Dresden lebte.
Graf Karl Heinrich Hoym war, wie gesagt, der jüngste von vier Brüdern, die alle wie ihr Vater, der famose Duckmacher und Kammerdirektor unter Johann Georg IV., hohe Stellen am sächsischen Hof bekleideten und im Jahre 1711 während des sächsischen Reichsvikariats mit ihrem Schwager Vitzthum in den Reichsgrafenstand erhoben worden waren.

Die beiden mittleren Brüder Hoym waren der Geheimrat Karl Siegfried auf Guteborn in der Oberlausitz und der Oberhauptmann in Thüringen, Ludwig Gebhard auf Droyßig bei Zeitz, dem alten Stammhaus.
Karl Siegfried Graf Hoym, der Geheimrat auf Guteborn, ging, wie der Marschall Schulenburg erzählt, in Dresden nur sehr selten aus und bewachte fortwährend seine Frau, ein Fräulein von Löben, die er 1702, zweiundzwanzigjährig, geheiratet hatte, um mit ihr nicht das Schicksal seiner schönen Schwägerin Cosel zu erleben. »Er hatte«, sagt Schulenburg, »Geist, war aber bei dem extravagant und mondsüchtig.« Ein Sohn von ihm heiratete 1739 eine Tochter des Großkanzlers Beichlingen, und eine Tochter ehelichte 1729 den Grafen Bünau, den Geschichtsschreiber der Deutschen.
Ludwig Gebhard Graf Hoym, der Oberhauptmann in Thüringen auf Droyßig, hatte 1716 die Tochter des Kabinettsministers Graf Georg von Werthern geheiratet; sein Sohn heiratete 1750 eine Nichte Brühls und seine Tochter 1728 den jüngeren Oberkammerherrn Vitzthum, den Sohn des älteren, der 1777 – wie früher sein Vater – im Duell fiel. Der ältere Oberkammerherr Vitzthum, der Liebling Augusts des Starken, war der Schwager der vier Grafen Hoym. Ich führe diese Verwandtschafts-Partikularitäten an, um zu zeigen, wie wohlverschlungen die Familienverbindungen der sächsischen Hofadelsfamilien waren.
Die Linie Hoym-Droyßig erbte Schlawentschitz und Guteborn. Schlawentschitz fiel durch Heirat der ältesten Enkelin Ludwig Gebhard Hoyms auf Droyßig an die Fürsten von Hohenlohe-Oehringen, die dieses mit sächsischem gutem Geld erworbene Besitztum noch heute innehaben. Eine zweite Enkelin desselben Ludwig Gebhard Hoym brachte Droyßig und Guteborn an das fürstliche Haus Reuß-Ebersdorf. Der durch seine Sonderbarkeiten ausgezeichnete Fürst Heinrich LXXII., der 1848 resignierte, datierte von Guteborn seinen kuriosen Abtretungserlaß. Droyßig ging vom Hause Reuß an das Haus Schönburg-Waldenburg über.
Von dem ganzen Geschlecht Hoym existiert, wie gesagt, seit 1783 keine männliche Nachkommenschaft mehr. Eine zweite Familie von Grafen Hoym in Schlesien stammte von dem bekannten schlesischen Minister ab, der erst 1786 unter Friedrich Wilhelm dem Dicken gegraft wurde; die jetzt blühende Familie der Grafen Hoym wurde erst 1809 gegraft, und zwar ebenfalls von Preußen.

Gegen das Ende der Regierung König Augusts des Starken war das Kabinett aus elf Ministern zusammengesetzt. Außer dem ältesten, Baron Löwendahl, waren noch folgende zehn Kabinettsminister bestellt: der Generalfeldmarschall Graf Wackerbarth, die Generäle

Grafen Lagnasco und Lützelburg, der Marquis de Fleury, die Grafen Manteuffel, Promnitz und Wartensleben, der Oberkammerherr und General Graf Friesen, der Schwiegersohn der Gräfin Cosel, Brühl, der spätere Premier, und schließlich ein geistlicher Herr, der Herzog Moritz Adolf von Sachsen-Zeitz, Erzbischof von Pharsalien in partibus. Unter diesen Männern sind besonders die Grafen Wackerbarth, Friesen und Manteuffel und der Italiener Lagnasco auszuzeichnen; auf Brühl komme ich bei der Regierung König Augusts III. zurück. Im letzten Staatskalender, der unter August erschienen ist – dem für das Jahr 1733 –, fehlen: Lagnasco (gestorben) sowie Wartensleben und der Herzog von Zeitz als definitiv ausgeschieden; Brühl war noch nicht dem Namen, wohl aber der Tat nach Premierminister.

Generalfeldmarschall Graf Wackerbarth

Graf August Christoph von Wackerbarth stammte aus einem alten mecklenburgischen Geschlecht, das sich im Sachsen-Lauenburgischen, wo Kogel bei Ratzeburg ihr Stammhaus wurde, eingebürgert hatte. Er wurde 1662 geboren und kam in seiner Jugend als Page der Tochter König Friedrichs III. von Dänemark, die die Gemahlin des letzten Kurfürsten von Pfalz-Simmern, Karl, wurde, an den Heidelberger Hof. Als Kurfürst Karl 1685 starb und die dänische Prinzessin zu ihrer Schwester, der Gemahlin Kurfürst Johann Georgs III., nach Sachsen zog, begleitete sie Wackerbarth dahin und wurde nun am Dresdner Hof Page; in dieser Eigenschaft machte er – wie Pflug – sein Glück. Frühzeitig zeigte sich seine Neigung zur Ingenieurkunst. Johann Georg III. ließ ihn auf seine Kosten durch Europa reisen; er kam bis Griechenland, um überall die Festungswerke zu studieren und Fortifikationspläne zu sammeln. 1689 begleitete er den Kurfürsten beim Feldzug am Rhein. Auch Johann Georg IV. ließ ihn durch Italien, Ungarn und andere Länder reisen.
August der Starke nahm ihn 1695 als Ingenieur zum Feldzug in Ungarn mit, und als er 1697 König von Polen geworden war, begleitete ihn Wackerbarth als Artillerieoberst und Generaladjutant. Im selben Jahr ging er als Gesandter nach Wien und behielt diese Gesandtschaft lange Jahre, abwechselnd mit militärischem Dienst. Im Nordischen Krieg stieg er zum General, Oberland- und Haus-Zeugmeister, Generalintendanten aller Zivil- und Militärgebäude auf; auch erhielt er die später von Brühl bekleidete Charge eines Generalkommissars der Baltischen Meer-Pforten.
»Er hat sich«, schreibt von Loen, »emporgebracht, man weiß nicht wie? Er sieht wohl aus und hat verschiedene gute Eigenschaften, allein sein Glück und sein Ruhm haben ihn selbst übertroffen.«

»Alle Welt«, sagt das »Portrait« Wolframsdorfs, »ist über das Glück erstaunt, wie ein so dürftiges Genie wie Wackerbarth es so weit bringen konnte, bei der Armee als General und beim größten Hof Europas als Gesandter angestellt zu werden, wo er Geschäfte von größter Wichtigkeit zu führen hatte. Er besaß weder die nötigen Kenntnisse noch natürlichen Verstand genug, um sich auf diesen beiden Posten mit Ehren halten zu können. Er ist nichts als ein Stutzer, sehr von sich selbst eingenommen, langweilig, süßlich, fade, mit wenig Zurückhaltung und Verstellung. Wenn er spricht, währt es eine Stunde, ehe er die Worte herausbringt, und da er die Materien, über die er spricht, selten genau kennt, so verwirrt er sich und bricht dann kurz ab; dennoch hört er sich gern sprechen. Er bildet sich ein, schön zu tanzen, allein er tanzt unangenehm und geziert. Seine Haupteigenschaft als Hofmann ist Oberflächlichkeit, und dabei schmückt er sich oft mit fremden Federn. Wenn der König sich die Entwürfe und Zeichnungen von den Hofmalern Karger und Fehling vorlegen ließe, so würde er sie aus erster Hand erhalten.

Der Grund, weshalb er zum Gesandten in Wien erwählt wurde, war, daß das [1697] vom König neugebildete Ministerium, das aus dem Bischof von Raab, Beichlingen und Flemming bestand, sehr zufrieden war, am Wiener Hof jemanden zu haben, der die Unwissenheit der einen und die Bosheit der anderen nicht mehr durchschaute als sie selbst und der ihnen außerdem für die Erteilung eines so hohen Postens verpflichtet sein mußte. Der Wiener Hof, der damals am königlich polnischen Hof unumschränkter herrschte als der König selbst, war sehr damit einverstanden, einen Gesandten von dort bei sich zu haben, mit dem man machen konnte, was man wollte. Seine Bekanntschaft im Harrachschen Haus* kam hierbei vornehmlich in Anschlag: auf diesem Weg hoffte man die Hofgeheimnisse von sämtlichen Damen zu erfahren. Außerdem aber, daß seine Unterhaltung nicht allzu geistreich und angenehm war, erweckte er vielmehr nur das Mitleid der Damen, was diese nicht sehr lieben. Es liegt dem König sehr wenig daran, alle Koketterien des Wiener Hofs zu wissen; ebenso unnötig ist es, daß er die Damen bei ihren Intrigen unterstützt, wie es der französische Botschafter machte, der sein geschworener Feind ist und nun auf seinen Untergang sinnt. Es ist besser, ein Gesandter erfährt von den Ministern selbst, wo sie hinaus wollen, als durch die Damen, die mehrenteils nur schmeicheln und, wie es ihnen ihre Leidenschaft eingibt, falsche Vorstellungen erwecken. Man sieht dies aus den Berichten, die Wackerbarth an seinen Hof schickt, in denen weder

* Gemeint sind die Grafen Harrach, die berühmten Gesandten nach Spanien.

Zuverlässigkeit noch Wahrheit zu finden ist und die er nicht einmal selbst schreibt.
Wackerbarth ist ein großer Wucherer und hat viele Kollisionen mit Juden gehabt, weshalb der Großkanzler Beichlingen, der ihn um dieses schöne Talent beneidete, nicht immer mit ihm zufrieden war und sich ärgerte, daß er ihm den Profit wegnahm, z. B. beim Vertrag wegen des Salzhandels, bei dem der König etwa 600 000 Taler durch Wackerbarths unvorteilhafte Verhandlung verlor.
Wackerbarth trat in Wien mit größtem Glanz auf und empfing so die Lehen für seinen Herrn. Er vermählte sich 1707 in Wien mit der schönen italienischen Marquise Katharina von Salmour, geborenen Balbiani, der sogenannten »Madame de Brandenbourg«, Witwe des Markgrafen Karl von Brandenburg, eines Sohnes des Großen Kurfürsten. Sie galt als eine der geistvollsten Frauen ihrer Zeit, starb aber schon 1719.
1708 erhob Kaiser Joseph I. Wackerbarth in den Reichsgrafenstand. Darauf ging er zum französischen Feldzug in Brabant und stand von 1710 an wieder als Gesandter in Wien, bis zum Tod Josephs I. (1711).
Unterdessen hatte ihn August der Starke 1711 zum Kabinettsminister ernannt. Er ging wieder in den Nordischen Krieg nach Pommern; nach dessen Ende und nachdem er 1715 Stralsund eingenommen hatte, ging er nach Polen, wo er Warschau und andere Plätze in Verteidigungszustand setzte. 1717 war er wieder in Wien und unterhandelte die Vermählung des Kurprinzen mit der Erzherzogin Josephine. Nach seiner Rückkehr 1718 wurde er Gouverneur von Dresden und Oberkommandant aller sächsischen Festungen. 1720 ging er nach Berlin, um wegen der Auslieferung der beiderseitigen Deserteure zu vermitteln. 1726 stiftete er für den jungen Adel Sachsens die Ritterakademie in Dresden, deren erster Gouverneur er wurde.
Im Karneval 1728, als Friedrich Wilhelm I. mit seinem Kronprinzen nach Dresden kam, wohnte der preußische König bei ihm im Gouvernementshaus, im Zeughof. Während dieses Besuchs brach in einer Nacht ein Brand aus, der das Gouvernementshaus in Asche legte. Bei diesem Brand ging einer der größten Schätze Dresdens verloren: Wackerbarths seit vierzig Jahren angesammelte schöne Bibliothek und Plänesammlung; sie enthielt die seltensten Sachen, Manuskripte von höchstem Wert, wie z. B. die über den Dreißigjährigen Krieg, die der Graf bei Versteigerungen in Wien und Prag hatte aufkaufen lassen. Der König von Preußen, der mit dem Kronprinzen erst um Mitternacht vom Ball in dem vom König gekauften Palais des Feldmarschalls Flemming, dem heutigen Landhaus, zurückgekehrt war, mußte halbnackt dorthin zurückflüchten; kaum

konnte er ein wichtiges Kästchen mit Schriften retten. »Am Tag darauf speisten die preußischen Herrschaften bei der Krongroßschatzmeisterin Przebendowska. Sie hatten sich eben gesetzt, als Flemming vom König kam und erzählte, daß dieser Wackerbarths Bitte, ein Haus beim Arsenal zu räumen, um unterdessen dort zu wohnen, bis seines wieder aufgebaut sei, abgeschlagen habe. Die Gesellschaft staunte, Wackerbarth machte dem aber bald ein Ende, als er fortfuhr: ›Seine Majestät haben ein anderes Auskunftsmittel gefunden: Sie schenken mir das Palais, wo wir gestern getanzt haben, mit allen Möbeln.‹ Das freute den König von Preußen so, daß er aufsprang und, indem er Wackerbarth wiederholt umarmte und küßte, ihm auftrug, dem König von Polen in seinem Namen für eine so eklatante Generosität zu danken.«
Das Palais war 50 000 Taler wert; der König kaufte es später für die Orselska zurück. Kurze Zeit darauf starb Flemming, und Hoym, aus Frankreich zurückgekehrt, trat an die Spitze des Kabinetts. Wackerbarth stürzte ihn 1731 und wurde nun an seiner Stelle dirigierender Kabinettsminister; er stand zugleich – schon 1730 zum Generalfeldmarschall ernannt – an der Spitze der sächsischen Armee. Er begleitete August III. zur Krönung nach Polen, wurde hier krank und starb 1734 in Dresden an der Wassersucht.
Wackerbarth war ein stattlicher Hofherr, der einen sehr splendiden Haushalt führte. Er bürgerte 1724 unter anderem die Trüffeljagd in Sachsen ein und holte dazu Trüffeljäger aus Italien. Er war, wie sein königlicher Herr, ein großer Freund von Bauten. Schon 1728 wurde auf einen Befehl des Oberlandbaumeisters Knöfel das neue Gouvernementshaus erbaut, das sein Sohn, der Kabinettsminister, im Jahre 1740 an den Chevalier de Saxe und dieser 1773 an den Herzog Karl von Kurland verkaufte. Von dessen Tochter Maria kaufte es der Kurfürst Friedrich August vor ihrer Heirat mit dem Prinzen Karl von Carignan 1796 und bestimmte es wieder zur Wohnung des Gouverneurs von Dresden. 1813/14 wurde es Lazarett für verwundete Offiziere; schließlich wurde es 1815 der chirurgisch-medizinischen Akademie überwiesen.
In dem jetzt der Prinzessin Auguste gehörigen Dorf Großsedlitz bei Dresden ließ Wackerbarth ebenfalls durch Knöfel ein großes getürmtes Schloß und einen großartigen, terrassierten Französischen Garten im Stil von Versailles anlegen, der aber nur zur Hälfte fertig und im Siebenjährigen Krieg durch die Preußen verwüstet wurde; Schloß und Garten überließ Wackerbarth an den König, der hier, nächst Pillnitz, seine Sommerresidenz aufschlug. Schließlich baute Knöfel noch die Villa Wackerbarths »Ruhe in der Hoflösnitz«. Durch eine Schenkung Augusts besaß Wackerbarth auch noch Schloß und Amt Zabeltitz bei Meißen.

Wackerbarth war ein kleiner Herr phlegmatischer Komplexion; er wird in den Zeitberichten als im hohen Grade leutselig, aber keineswegs als sehr geistreich und unterrichtet, sondern als oberflächlich und geziert – wie ein Stutzer und Petitmaître in seinen Manieren – geschildert. »Wenn Wackerbarth«, schreibt der berühmte Schulenburg in einem vertraulichen Schreiben an den Grafen Werthern, den sächsischen Gesandten beim Reichstag in Regensburg, datiert Lager vor Mons, 6. Oktober 1709, »weniger Affektation und weniger Feuerwerke im Kopf hätte und nicht in diesen beiden Stücken exzellieren wollte, würde er weit kommen. Er ist ein braver Mann, ein guter Freund, aber den Krieg versteht er nicht. Lord Marlborough kann ihn nicht ausstehen, der Prinz Eugen will ihm wohl, insoweit, als man ihn in Wien machen läßt, was man will, dem König sagt er freilich, er habe den Kaiser in der Tasche.«
Er hinterließ von seiner Gemahlin keine Kinder, adoptierte aber vor ihrem Tod 1719 ihren in erster Ehe gezeugten Sohn Joseph Anton Gabaleon, der sich nun Graf Wackerbarth-Salmour nannte, erst im sächsischen Militärdienst stand, dann aber wegen einer Fußwunde die Staats- und Hofkarriere einschlug. Er lebte erst an den Höfen von Wien, London und München, wurde 1727 Geheimrat, 1731 Obersthofmeister des Sohnes des zehnjährigen Kurprinzen, Friedrich Christian; zuletzt war er unter August dem Starken Gesandter in München, Wien und Rom. Nach dessen Tod wurde er mit Graf Baudissin Gesandter in Polen, um die Wahl und Krönung Augusts III. zu bewirken, und starb als Kabinettsminister; ich komme auf ihn bei der Regierung Kurfürst Friedrich Christians zurück.
Das Porträt Wackerbarths, des bizarrsten und eitelsten, aber nicht am wenigsten ehrgeizigen und machtlüsternen der Minister Augusts, gibt Haxthausen ausführlich; das bemerkenswerteste in seinem Bericht ist, daß wir erfahren, daß er bei August den »le Bel« machte.

Graf Friesen, der Schwiegersohn des Königs und der Gräfin von Cosel

Ein wirklich geistig bedeutender Mann im Ministerium Augusts, eine wirkliche solide Größe unter den vielen lackierten und plattierten Männern, die Staatsmänner sein wollten, war Graf Friesen; auch wurde er zuletzt der Schwiegersohn des Königs, obgleich es ihn nicht geringe Mühe kostete, in die Dienste des Königs zu kommen.
Heinrich Friedrich Graf von Friesen war der Enkel des Geheimratsdirektors unter Kurfürst Johann Georg II. und der Sohn des 1702 in den Grafenstand erhobenen kaiserlichen Generalfeldmarschalls, der, weil ihn August der Starke nicht leiden konnte, in kaiserliche

Dienste getreten war und 1706 während des Spanischen Erbfolgekriegs starb. Seine Mutter war eine Gräfin Dohna, die Schwester der unter dem ersten König von Preußen hochberühmten Grafen Alexander und Christoph, der Stifter der noch blühenden Häuser Dohna-Schlobitten und Schlodien. Geboren 1681, trat Graf Heinrich Friesen während des Nordischen Kriegs in die Dienste des Zaren Peter, focht mit bei Poltawa und am Pruth, und es gelang ihm endlich, als Oberst in Augusts Dienste zu treten. Hier focht er in Pommern mit und half mit bei der Bezwingung der Konföderierten in Polen, wobei er bei der Eintreibung von rückständiger Kontribution in der Woiwodschaft Sendomir mit dem Sohn des Kastellans Leszczinski in so schlimme Händel geriet, daß er ihn, als er ihn gefangengenommen hatte, am hellen Tage auf dem Markt zu Sendomir aufknüpfen ließ, was die Polen am Anfang zur höchsten Wut reizte; er kam aber mit einer Befriedigung der Witwe des Kastellans durch.
1719 wurde Graf Friesen Oberfalkenier – als Vitzthum Oberkammerherr wurde –, und 1725 vermählte er sich mit der Tochter der Gräfin Cosel, die ihm die Herrschaft Königsbrück zubrachte, aber schon 1728 starb. 1726 stieg er nach Vitzthums Tod zum Oberkammerherrn, Geheimen Kabinettsminister und General auf. Nach Augusts Tod bestätigte ihn sein Sohn in allen seinen Würden; statt der Oberkammerherrncharge, die Brühl erhielt, übernahm Friesen das Gouvernement von Dresden. Wegen Kränklichkeit und wahrscheinlich auch, um Brühl aus dem Weg zu gehen, begab er sich 1739 ins südliche Frankreich nach Montpellier; auf der Rückreise nach Sachsen starb er in der Nähe von Sète.
Nach dem Tod der Gräfin Cosel hatte er sich nicht wieder vermählt – das gräfliche Geschlecht Friesen ist mit seinem Sohn August Heinrich wieder erloschen. Dieser war französischer Maréchal de camp und lebte in Paris; der bekannte Baron Grimm war, ehe er in den Dienst des Herzogs von Orléans übertrat, sein Sekretär. Er starb 1755 in Paris. Die Standesherrschaft Königsbrück fiel seinem Vetter zu, dem Baron Johann Friedrich Ernst Friesen auf Rötha, der sie an den preußischen Oberhofmarschall Graf Redern verkaufte; von dessen Sohn kam sie 1795 an die westfälischen Grafen Münster und 1803 an die Familie Hohenthal.

General Graf Lagnasco

Nächst diesen bisher genannten deutschen Ministern hatte August auch zwei Italiener als Kabinettsminister: den Grafen Lagnasco und den Marquis von Fleury. Beide waren Savoyarden; jenen verdrängte schon Flemming, diesen Brühl.

Peter Robert Taparel Comte de Lagnasco war – wie Friesen – General, Staatsmann, Diplomat und Hofmann in einer Person. Er war eine Art Favorit des Königs, dem er bei seinen Lustbarkeiten Gesellschaft leistete. Als General treffen wir ihn schon 1703 in sächsischem Dienst, als er den Großkanzler Beichlingen in Thorn arretierte. 1704 ging er als Gesandter nach Rom. Später wurde er Kapitänleutnant der vom König selbst kommandierten Kavaliergarde und Titularkabinettsminister. Er begleitete den König 1708 auf den französischen Feldzug in Flandern, wo er mehrere Jahre als Armeeminister zur Leitung der politischen Angelegenheiten blieb, bis der Krieg 1713 durch den Frieden von Utrecht beendet wurde, auf dem Lagnasco mit dem Grafen Werthern als zweiter Gesandter Polen-Sachsens erschien. Auch später noch wurde er zu einer Reihe von diplomatischen Aufträgen verwendet: in Rom, im Haag und 1718 in Wien, um die Heirat des Kurprinzen mit der kaiserlichen Prinzessin zu betreiben.
Hier in Wien vermählte er sich 1721 mit der klugen und gelehrten Dame Josephe, verwitweten Gräfin Thun, einer der drei reichen Erbtöchter des 1713 verstorbenen kaiserlichen Oberstkämmerers Graf Karl Ernst Waldstein, der selbst die Erbtochter der alten Grafen Losenstein geheiratet hatte. Die Gräfin Thun war Lagnascos zweite Frau; die erste, eine Tochter des holländischen Generals Graf Noyelles, die im ganzen Haag geehrt war und bedeutende Güter besaß, war jung und ohne Kinder gestorben und hatte ihn zum Universalerben eingesetzt. Das Haus der Gräfin Lagnasco-Thun gehörte neben den Häusern der Gräfin Reuß und der Krongroßschatzmeisterin Przebendowska zu dem von den Fremden besuchtesten in Dresden, weil man hier immer Gesellschaft traf. Lagnasco war zuletzt Gesandter in Wien; 1732 starb er auf einer Reise von Wien nach Polen. Das Geschlecht der Grafen Lagnasco blühte noch zu Ende des vorigen Jahrhunderts in Sardinien, wo einer als Hofjägermeister fungierte.
Lagnasco hat lange irrtümlich als Verfasser des Wolframsdorfschen »Portrait de la cour de Pologne« gegolten; dieses äußert sich so über ihn: »Er ist ein guter Edelmann, aber arm; ein ausgezeichneter Militär ist er nicht, aber ein Mann, mit dem man sich verständigen kann und der nicht allzu gefährlich ist. Es fehlt ihm nicht an Geist, und er hat die Welt gesehen. Er ist fein, wie es seine Landsleute, die Italiener, gewöhnlich sind. Der König erweist ihm die Ehre, ihm in vielen Sachen Zutrauen zu schenken, und er dient ihm um so treuer, je mehr die anderen ihn darum beneiden, daß er beim König in Gunst steht. Nichts vermag ihn zur Untreue zu veranlassen, weder Verwandtschaft noch Gesellschaft, noch Eigennutz; im Gegenteil, er weiß, daß er nur von der Gnade des Königs abhängt und daß das

Land, in dem er jetzt lebt, sich durchaus nicht für die Fremden eignet, sie mögen sich nehmen, wie sie wollen.«
Übereinstimmend mit diesem Urteil äußert sich Schulenburg in einem vertraulichen Schreiben an den Grafen Werthern aus dem Lager vor Mons am 6. Oktober 1709: »Lagnasco ist im Geheimnis und Vertrauen des Königs und wird ihm stets unter der Hand die geheimsten Dinge mitteilen und ihn von den Schritten der anderen Minister unterrichten. Diese haben sich daher wohl vorzusehen, daß sie nicht Vorliebe für ein oder das andere Land verraten. Lagnasco besitzt übrigens Geist und durchdringenden Verstand; er faßt leicht auf und ist sehr unternehmend. Er versteht zu leben und ist daher überall ungemein beliebt, verwandt und Freund mit allen Piemontesern und anderen Italienern, die den Lord Marlbarough keinen Schritt verlassen, und deshalb erfährt er auf diesem Wege vieles. Er läßt ziemlich viel aufgehen, hat nie oder selten einen Pfennig Geld; er ist hier mit einigen wenigen Pferden und hat von einer Seite mehr als 20000 Taler gewonnen, während er auf einigen anderen Seiten mehr noch verliert. Der Lord sagte mir einmal: ›Ihre beiden Minister (Lagnasco und Wackerbarth) wissen nicht, was sie wollen, noch kennen sie das Interesse ihres Herrn.‹«

Der zweite Italiener, der Kabinettsminister bei August war, war François Vicar del Marquis de Fleury et de Beaufort. Fleury fungierte als sardinischer Gesandter in Wien und trat dann, nachdem Wackerbarth rappelliert worden war, als sächsischer Gesandter hier ein. Später wurde er Kabinettsminister und übernahm nach Flemmings Tod das Departement des Äußeren, zog sich aber bald, durch Brühl verdrängt, mit einer ansehnlichen Pension auf seine Güter in Savoyen zurück.

Graf Manteuffel

Einer der gebildetsten unter den Ministern Augusts war der als Freund Friedrichs des Großen berühmt gewordene Ernst Christoph von Manteuffel; er wurde ebenfalls durch Brühl gestürzt.
Er wurde 1676 geboren und stammte aus einem alten pommerschen Geschlecht; sein Vater war preußischer Landrat im Fürstentum Kamin und beerbte 1689 die mit dem württembergischen Oberhofmarschall und Geheimratsdirektor Christoph Manteuffel ausgestorbene Krückenbergische Linie dieser Familie. Seine Mutter war eine Bonin.
Manteuffel studierte in Leipzig, setzte seine Studien beim Reichskammergericht in Wetzlar fort, machte die gewöhnliche Kavalierstour durch Holland und Frankreich und trat dann zuerst 1699 als Kammerjunker am Berliner Hof ein. Er verließ diesen aber schon

1701 und ging nach Sachsen zu seinem Freund Ponickau, weil er hörte, daß man ihn wegen einiger Spottverse auf die Gräfin Wartenberg, die königliche Favoritin, verhaften wolle. Er nahm, durch seinen Landsmann Flemming empfohlen, 1704 eine Anstellung als Legationsrat in Dresden und ging als solcher an den dänischen Hof nach Kopenhagen. 1707, als August wieder den Thron von Polen bestieg, wurde er zurückberufen, um bei den diplomatischen Verhandlungen die Feder zu führen; er ging dann nochmals als Gesandter nach Kopenhagen, eine Zeitlang nach Venedig und ab 1711 als Gesandter nach Berlin, wo er als geheimer Geliebter der schönen Frau von Blaspiel, der Frau des Kriegsministers, die Oberhofmeisterin der Königin war, eine gute Anstellung am Hof erhielt.
Nach Pflugs Tod (1712) berief ihn der König aus Berlin nach Warschau als Referendar an Ponickaus Stelle und erhob ihn bald darauf (1716) zum Kabinettsminister. 1719 wurde er durch Kaiser Karl VI. in den Reichsgrafenstand erhoben. Im Kabinett dirigierte er die auswärtigen Angelegenheiten, und zwar nach Flemmings Tod (1728) und nach Fleurys Rückzug allein; zugleich war er Direktor der Bibliothek und aller Kabinette. Er genoß, wie er selbst dem französischen Prediger Formey in Berlin versichert hat, eine jährliche Revenue von 80000 Talern während seines Ministeriums und war Starost von Nowodmor, Herr auf Kerstin, Krückenberg, Gandelin, Krühne in Pommern und auf Slawickau, Sumin und Gardewitz in Schlesien.
Doch auch ihn wußte Brühl zu eliminieren; Graf Hoym, der damals aus Frankreich rappelliert wurde, wurde Premier. 1730 zog sich Manteuffel mit einer Pension von 12000 Talern zurück. Er verließ Dresden mit 80000 Talern Schulden und wohnte bis 1733 auf seinen Gütern in Pommern, wo er sich nach einem Landsitz »Junker von Kummerfrei« titulierte. Friedrich Wilhelm I. besuchte ihn hier, und es gefiel ihm so wohl, daß er zwei Tage verweilte. Bis 1740 lebte Manteuffel in Berlin, wo er wieder einen Haushalt in größtem Stil hatte, in der Brüderstraße das Hotel Montgobert mietete, das nachher der Freimaurerloge gehörte, zwanzig Pferde im Stall und stets offene Tafel hatte. Auch in Berlin geriet er wieder in große Schulden. Er wurde hier sächsischerseits noch zu den Verhandlungen gebraucht, die dem Wiener Frieden vorausgingen, der August III. den polnischen Thron sicherte. Für das österreichische Interesse in Berlin zahlte ihm der Wiener Hof nach den von Förster bekanntgegebenen Rechnungen Seckendorffs über geheime Ausgaben eine Pension von 6000 Gulden. Seckendorff schrieb am 13. Mai 1732 an Eugen von Savoyen: »Sogleich erhalte vom Manteufel ein Schreiben, darin er meldet, daß er einen geheimen Secretair in Dresden gewonnen, welcher ihm versprochen, alle Geheim-

nisse, so er erfahren kann, zu überschicken, dagegen er ihm monatlich sechzig Gulden versprochen.«

Manteuffel war ein Lebemann mit immer froher Laune als Minister und Privatmann, ein schöner Mann von ansehnlicher Gestalt, feinen und guten Manieren, der auf eine sehr würdige Weise zu repräsentieren verstand. Er war noch im sechzigsten Jahr einer der schönsten Männer seiner Zeit. Er war zugleich ein gelehrter Herr, ein Freund des Philosophen Wolff in Halle und des Propstes Reinbeck in Berlin und namentlich Friedrichs des Großen, mit dem er fleißig korrespondierte, als er in Reinsberg lebte, wo dieser seinen Hof als Kronprinz hatte; er wurde Frierichs Lehrer in der Staats kunst.

1736 stiftete Manteuffel in Berlin die »Gesellschaft der Wahrheitsfreunde«, die sich die Anerkennung der Philosophen Leibniz und besonders Wolff angelegen sein ließ. 1740 aber, als Friedrich zur Regierung gelangte und der Schlesische Krieg ausbrach, mußte er Berlin verlassen; man hatte dem Kronprinzen – um ihn im voraus davon abzubringen, wenn er König werde, Manteuffel einen Ministerposten zu geben – zugetragen, daß Manteuffel sich geäußert habe, sein Mentor zu sein, und daß er sich seiner Korrespondenz mit ihm rühme – daraufhin war eine Abkühlung der Beziehungen eingetreten. Manteuffel erhielt durch Graf Podewils den Rat, daß es unter den gegenwärtigen Umständen für ihn nicht ratsam sei, in Berlin zu wohnen. Wahrscheinlich traute Friedrich dem in Finanzschwierigkeiten steckenden Grafen nicht, daß er imstande sei, sich vom Wiener Hof nicht bestechen zu lassen.

Manteuffel zog nun nach Leipzig, in dessen Nähe seine Frau das Rittergut Lauer besaß. Sein Haus, der »Kurprinz vor dem Peterstor«, war in Leipzig allen Gelehrten geöffnet; er feierte hier 1743 das fünfzigjährige Jubiläum seiner Inskription unter die Leipziger Studenten und bewirtete hier unter anderen auch seinen werten Freund Wolff in der Ostermesse 1744. Manteuffel war Mitglied der Akademien der Wissenschaften in Berlin und in London. Er starb dreiundsiebzigjährig 1749 und ist auf seinem Rittergut in Gautsch bei Leipzig begraben.

Da er von zwei Gemahlinnen, die er gehabt hatte, nur vier Töchter und keine Söhne hinterließ, erlosch sein Geschlecht mit ihm. Die erste Gemahlin, eine Baronesse Chwalkowsky, verlor er schon im ersten Jahr der Ehe, 1713. Die zweite Gemahlin wurde im selben Jahr eine Baronesse Bludowski aus Schlesien, die Witwe des Sylvius Erdmann Baron Trach, des Landesältesten der Fürstentümer Oppeln und Ratibor, mit dem sie nur sehr kurze Zeit vermählt gewesen und von ihm geschieden worden war; Trach starb bald darauf (1710).

Manteuffels Korrespondenz mit Wolff und anderen Gelehrten in drei Bänden aus den Jahren 1738–48 befindet sich noch in der Universitätsbibliothek in Leipzig.

Nach Fleurys, Manteuffels und Hoyms Sturz übernahm Brühl die Leitung der auswärtigen Angelegenheiten und wurde der Tat, wenn auch nicht dem Namen nach Premier.
Die noch übrigen vier bis gegen Ende der Regierung Augusts des Starken fungierenden Kabinettsminister waren Wartensleben, Lützelburg, Promnitz und ein Geistlicher: der Herzog von Sachsen-Zeitz, der als Bischof von Leitmeritz gestorben ist.
Graf Karl Flodrop-Wartensleben war der älteste Sohn des preußischen Generalfeldmarschalls und Gouverneurs von Berlin unter den beiden ersten Königen von Preußen. Er studierte in Utrecht und Leipzig, reiste durch Frankreich, wurde Kammerjunker am Hof zu Gotha, dann Kammerherr in Berlin und Gesandter in Stockholm. Er trat später in sächsische Dienste und fungierte als Gesandter in London, legte aber auch seine Ämter noch vor dem Tod des Königs nieder und starb 1751 im Privatstand auf seinen Gütern. Seine Gemahlin war die Erbgräfin von Flodrop in Geldern.

General Graf Lützelburg

General Graf Anton von Lützelburg stammte aus jenem alten französisch-lothringischen Geschlecht, das sich schon vor und besonders im Dreißigjährigen Krieg in Sachsen eingebürgert und in der Lausitz die Güter Doberschütz, Dubra, Lubaß, Nieder-Gurick und Qualitz erworben hatte. Ein Werner von Lützelburg war schon 1611 Hofjägermeister bei Johann Georg I. Eine Lützelburg war die Gemahlin des Geheimratsdirektors Friesen – von der oben erwähnt wurde, daß sie hauptsächlich den feinen französischen Ton nach Dresden versetzt habe –; eine andere war die Gemahlin des Oberhofmarschalls von Kanne, beide unter Johann Georg II.
General Graf Anton von Lützelburg war wahrscheinlich ein Sohn des Wigand von Lützelburg, der Friesens und Kannes Schwager und unter Johann Georg II. Kriegsrat und Oberst war. Er hatte – wie früher erwähnt wurde – schon um das Jahr 1707 zufolge der Memoiren Haxthausens eine »mariage de conscience« mit seiner Cousine, der Gräfin Reuß, der Freundin des Statthalters Fürstenberg, geborenen von Friesen, geschlossen. Er machte – und zwar mit Auszeichnung – 1712 unter August dem Starken als kommandierender General den Feldzug in Pommern mit. Seit 1711 bis zur Mündigkeit des Kurprinzen war er dessen Oberhofmeister und Begleiter auf seinen Reisen in Italien; wegen einer Verdrießlichkeit

legte er die Gouverneursstelle nieder und erhielt eine große Pension. Er war zugleich General der Kavallerie und Kabinettsminister und wurde noch im Conseil und zu Verschickungen gebraucht. Als August III. die Regierung angetreten hatte, ging er 1734 mit Zech als Gesandter zum Lehensempfang und wegen der Sukzessionssache in Polen nach Wien. Er war kränklich gewesen und starb 1739, siebenundsechzig Jahre alt.
Haxthausen versichert in seinen Memoiren, daß Lützelburg seinen Hofmeisterposten unter allgemeinem Beifall bekleidet und daß der König, als er ihn aufgab, ihn unter Bezeigung seiner vollen Zufriedenheit ersucht habe, diesen noch länger beizubehalten; auch der Prinz habe ihn darum gebeten.
Die Herzogin von Orléans urteilte anders über seine Tüchtigkeit als Prinzenerzieher. »General Lützelburg«, schrieb sie am 3. November 1714, als der Kurprinz am Pariser Hof weilte, »hat eine Schwester hier, Mad. Des Alleurs; ihr Mann ist lange Ambassadeur zu Berlin gewesen zu der Seligen Königin Zeiten [Charlotte von Hannover]. Man hat dazu gesagt, daß er ein wenig verliebt von der schönen Königin S. gewesen – damit ich aber wieder auf seine Frau komme, so wollt' ich sagen, daß der General seine Schwester sollt mit in Rat nehmen, denn sie hat Verstand wie der Teufel.« Und am 30. Oktober 1720 schrieb die Herzogin: »Ich muß lachen, daß der Lützelburger jetzt auch ein Graf ist, hab diesen Grafen-page bei den letzt verstorbenen Prinz de Conti gesehen. Man hat hier sehr darüber gelacht, daß man ihn dem Churprinzen von Sachsen zum Hofmeister gegeben. Aber unsre Deutschen haben das: alles halten sie vor perfect, was nur aus Frankreich kömmt. Verstand hat der Lützelburg, aber seine mores schicken sich gar nicht zu einem Hofmeister von einem Churprinzen.«
Lützelburg, ein Lebemann, führte eines der stattlichsten Häuser in Dresden: König Friedrich Wilhelm von Preußen speiste bei ihm im Karneval 1728 und sah aus den Fenstern seines Hauses mit seinem Kronprinzen, Friedrich dem Großen, dem Damen-Schlittenkarussell zu, das auf dem Altmarkt an dem Tag stattfand, dem die schreckliche Brandnacht folgte, in der sich der König aus Wackerbarths Haus in Flemmings Haus retten mußte.

Der zehnte unter den Kabinettsministern Augusts des Starken war ein Sachse; er und seine Verwandten verdienen eine besondere Rubrik.

Spiegel einiger sächsischer Kavaliersleben an den letzten Grafen Promnitz

Graf Erdmann II. von Promnitz gehörte einem alten, sehr reich begüterten, im Jahre 1652 gegraften schlesisch-lausitzischen Haus an, dessen großer Ahn große Besitzungen erworben hatte. Dieser Ahn war Balthasar, Edler Herr von Promnitz, Fürstbischof von Breslau; er erwarb die Hauptbesitzung in dem damals österreichischen Schlesien, die größte unter den schlesischen Standesherrschaften, Pleß in Oberschlesien, dicht an der Grenze von Polen und Ungarn, im Jahr 1542 von der ungarischen Fürstenfamilie Thurzo von Arva aus der Grafschaft Zips und die Herrschaften Sorau und Triebel in der Niederlausitz 1558 um 124000 Rheinische Gulden von Kaiser Ferdinand I. Im selben Jahr erwarb dieser große Bischof auch pfandweise das vom Haus Sachsen infolge der Wittenberger Kapitulation von 1547 abgetretene Herzogtum Sagan in Niederschlesien, das bis 1601 in der Familie Promnitz blieb, bis Rudolf II. es wieder einlöste, worauf Ferdinand II. es an Wallenstein vergab, von dem es an die Fürsten Lobkowitz und von diesen wieder an die Herzöge von Biron-Kurland gelangte.

Bischof Balthasar starb 1561.

Außer Pleß, Sorau und Triebel gehörten der Familie Promnitz noch in Niederschlesien Peterswaldau bei Reichenbach und Kreppelhof bei Landeshut und Naumburg am Bober sowie in der Niederlausitz Drehna und Vetschau. Die Landvogtstelle in der Niederlausitz bekleidete die Familie Promnitz wiederholt. 1611 bewirtete ein Promnitz als Landvogt König Matthias in Sorau auf seiner Huldigungsreise, und Graf Khevenhüller berichtet, daß er ihm ein schönes Feuerwerk gehalten habe.

Graf Erdmann II. von Promnitz auf Sorau, der Vorletzte seines Geschlechts, war der Sohn einer Gräfin Reuß-Schleiz, die nach seines Vaters Tod 1711 Herzog Friedrich von Weißenfels-Dahme heiratete. Graf Erdmann selbst war 1705 – kurz bevor die Schweden ins Land kamen – der Gemahl der Prinzessin Anna Maria von Sachsen-Weißenfels geworden, der Schwester des letzten Herzogs Johann Adolf, der August dem Starken als General diente; nach deren Tod 1731 vermählte er sich mit Henriette Eleonore, Gräfin Reuß-Lobenstein, deren Vater ebenfalls als Oberst in sächsischen Diensten stand. Im Herbst 1732 treffen wir ihn anwesend am Hof Augusts des Starken in Polen beim Lustlager in Villanova bei Warschau, einer Wiederholung des berühmten Mühlberger Lagers in Sachsen. In Dresden hielt sich aber Graf Erdmann – obgleich er Kabinettsminister war – weniger auf als auf seinen Gütern; er residierte in Sorau, wo er einen kleinen, stattlichen Hof hielt mit

Hoffräuleins, Jagdpagen, Kammerhusaren, Hofzwergen, einer hundert Mann starken Riesengarde mit furchtbaren Bärenmützen, einem Oberhofprediger, adeligen Forstmeistern, Stallmeistern und Hofräten. Die Hauptgeschäfte führten der Hauptmann von Reisewitz und der Kanzler Heinsius; großen Einfluß im Schloß übte das alte Hoffräulein Collobella aus, das aus Florenz mitgebracht und aus Liebe zur Familie Promnitz evangelisch geworden war.
Graf Erdmann Promnitz hielt sich zu den Frommen: Er war ein Freund des Grafen Zinzendorff und der Herrnhutergemeinde; von ihm wurde das Bruderhaus Neudietendorf bei Gotha angekauft. Im übrigen war er ein galanter und auf sein hochreichsgräfliches Ansehen streng haltender Herr.
Er starb im Jahre 1745 im zweiten Schlesischen Krieg, von einer Reise auf sein Gut Peterswalde in Schlesien zurückgekehrt, wo ihn österreichische Husaren unter Anführung eines seiner ehemaligen Lakaien, den er im Zorn einst mit dem Stockknopf (einer goldenen Nachtigall) bedient hatte und der von ihm verabschiedet worden war, mit den flachen Säbeln so zugerichtet hatten, daß er an den Folgen starb.
Ehe ich auf den einzigen Sohn dieses sächsischen Kabinettsministers komme, der der letzte der Grafen Promnitz war und mit dem das Geschlecht ausstarb, will ich die Geschichte seines Bruders einschalten, des Grafen Friedrich Promnitz auf Halbau, und namentlich die Geschichte von dessen Frau, der tollen Gräfin von Steinau, wie sie Büsching im »Leben Nüßlers« erzählt.
Diese Schlesierin, Helene Marianne Charlotte Gräfin Tenczin, Erbin von Steinau im Fürstentum Oppeln, war ein merkwürdiges Mannweib: üppig, dem Trunk ergeben, abergläubisch und von sehr rohen Manieren. Graf Friedrich von Promnitz war ihr erster Gemahl; sie ärgerte ihn in jungen Jahren (1712) zu Tode. Als er gestorben war, fiel sie in Ohnmacht; als aber einer ihrer Bedienten ihr angezündeten Schwefel unter die Nase brachte, ergriff sie eine Pistole und wollte ihn erschießen. Zwei geladene Pistolen hingen stets bei ihrem Bett, und auf zwanzig Schritt konnte sie einen Siebzehner treffen. Dem Grafen Friedrich hatte sie 1711 einen Sohn Balthasar Friedrich und 1712 eine Tochter Agnes Marie Friederike geboren. Der Sohn wurde bei der Stiefgroßmutter, der Prinzessin von Weißenfels-Dahme, auf dem jetzt Lynarischen Schloß Drehna in der Niederlausitz auf die damals übliche fromme Weise erzogen – die Tochter bei ihr. Vier Jahre nach dem Tod ihres ersten Gatten (1716) verheiratete sie sich mit dem zweiten, dem Grafen Johann Alexander von Callenberg, auf dem später Pücklerischen Muskau, der sie überlebte und 1776 als kursächsischer Geheimrat starb. Sie äußerte von ihm, sie bedauere, daß sie ihm, der sich alle Mühe

gegeben habe, seine Hahnreischaft zu erweisen, keine Kugel durch den Kopf geschossen habe.

Graf Callenberg seinerseits gab sich alle Mühe, sie loszuwerden. Er beschuldigte sie, sie sei von ihrem Mohren schwanger, und ließ sie in Dresden verhaften. Sie wandte sich schriftlich an August den Starken und legte ein ärztliches Zeugnis bei, daß sie sich nicht in anderen Umständen befinde. Der König empfing sie in einer Audienz, küßte sie nach dem Brauch beim Abschied, war aber nicht wenig überrascht, als er sich überzeugen mußte, daß die gräfliche Delinquentin dem Branntwein zugesprochen habe. Gegen eidesstattliche Erhärtung ihrer Unschuld bezüglich des Mohren kam sie los.

Nun stellte Graf Callenberg einen jungen Herrn von W. an, daß er sie mit auf seine Schlafstube nehmen mußte – hier kam ein versteckter Notar zum Vorschein und nahm das Gesehene zu Protokoll. Sie kam darauf nochmals in den Arrest; der Graf fuhr an ihrem Gefängnis vorüber und grüßte sie höhnisch. Als sie ihm mit zwei Fingern über dem Kopf das Hörnerzeichen machte, ließ er sich nicht wieder sehen.

Der Graf und die Gräfin Callenberg wurden daraufhin geschieden. Er heiratete in zweiter Ehe eine Gräfin Werthern, deren Enkel der Autor der Briefe eines Verstorbenen Ernst Hermann Pückler geworden ist; die Gräfin Callenberg zog mit ihrer Tochter nach Steinau.

Die Herzogin von Weißenfels-Dahme hätte ihre Stiefenkelin gern zu sich genommen, ihre Mutter aber gab sie nicht her. Die Herzogin entwarf nun im Jahre 1721 mit dem sächsischen Minister Graf Erdmann II., ihrem Stiefsohn, den Plan, der Hofmeister des jungen Grafen Balthasar Friedrich Promnitz, ein Franzose Lefèvre, ein junger Mann von siebenundzwanzig Jahren, solle die damals erst neunjährige Gräfin entführen. Unter dem Namen Baron von Kriegsheim aus dem Vogtland sandte ihn die Herzogin, mit Geld, Kleidern und drei Bedienten ausgestattet, nach ins Kuckucksbad; hier traf er die alte Gräfin Callenberg, aber nicht ihre Tochter. Der alten Gräfin stach der junge Kavalier sehr in die Augen. Sie erzählte ihm, ihre Tochter sei ein ungezogenes Bauernmädchen, das nichts lerne und ihr nicht folgen wolle, weil sie zu ihrer Großmutter zu kommen hoffe; daraus solle aber nichts werden, denn es sei genug, daß sie ihren Sohn zum Pietisten erziehe. Die Mannspersonen hätten ihr zwar großen Verdruß gemacht – und doch könne sie deren Gesellschaft nicht entbehren, weil sie bei ihnen »mehr Gründliches« fände als bei Personen ihres Geschlechts. Sie lud ihn darauf nach Steinau ein; hier erhielt der junge Kavalier seine Zimmer neben dem Schlafzimmer der alten Gräfin. Die junge Gräfin wurde glücklich

zur Herzogin entführt, aber »der lutherische Hund« – wie nun die alte Gräfin den jungen Kavalier titulierte, nachdem sie dessen Hofmeistertum erfahren hatte – wurde in Neumarkt aufgehoben und soll von der Gräfin Callenberg bei Wasser und Brot eingemauert worden sein. 1741 entdeckten ihn – sagt man – preußische Soldaten ohne Nase und Ohren, mit langem Bart und irrsinnig; er starb vier Tage nach seiner Befreiung.
Die Gräfin Callenberg trat nun ihr Mutterrecht an die Kaiserin Elisabeth ab, die Gemahlin des letzten Habsburgers Karl VI., die selbst eine Konvertitin war. Dem Grafen Erdmann II. Promnitz wurde nach und nach bei 18 000 Dukaten Strafe die Auslieferung der jungen Gräfin Promnitz, seiner Nichte, aufgetragen. Die Herzogin ging darauf mit ihrem Stiefsohn nach Breslau. Hier verursachte die Sache sehr großes Aufsehen; man brachte die Angelegenheit auf die evangelischen Kanzeln und erbot sich, die junge Gräfin nach Dresden zu entführen, wenn nur die Herzogin einen Brief an irgendeinen der dortigen Geheimräte mitgeben wolle. Das wagte man nicht, sondern schickte vielmehr die junge Gräfin nach Wien. Die Kaiserin bekehrte sie selbst und verheiratete sie 1733, zwanzigjährig, an einen spezifischen Katholiken, den Grafen Michael Johann Althann aus der allezeit Michael genannten Familie. Sie starb bereits im Jahre 1739 – wie es hieß vor Gram –; Michael heiratete noch drei Frauen und starb erst 1778 als Geheimrat und Vizepräsident der obersten Justizhofstelle.
Die alte Gräfin von Steinau aber, die Rabenmutter, ereilte ihr Schicksal, als das Land preußisch wurde. Ihre eigenen Untertanen klagten sie im Jahre 1741 beim zuerst in Schlesien kommandierenden österreichischen General Neipperg an, daß sie mit preußischen Offizieren in näherem Verkehr stehe. Dieser Verkehr war vielleicht bloß auf das »mehr Gründliche«, das die Gräfin bei Mannspersonen wahrgenommen haben wollte, beschränkt, Neipperg aber nahm die Sache ganz gründlich. Er befahl, sie als Landesverräterin zu verhaften und mit ihren wertvollsten Effekten auf die Festung Neiße zu transportieren. Ihre eigenen katholischen Untertanen überfielen sie im Bett, banden sie mit Stricken, warfen sie auf einen Leiterwagen und brachten sie anbefohlenermaßen mit ihren besten Effekten nach Neiße, wo sie später vor Verdruß und Elend starb. Bald darauf kam die preußische Armee in das Fürstentum Oppeln, das Schloß Steinau wurde verbrannt und der schöne Garten verwüstet.
Ihr bei der frommen Großmutter, der Herzogin von Weißenfels-Dahme, erzogener Sohn, Graf Balthasar Friedrich Promnitz, erlitt auch ein sonderbares Schicksal. Auf seiner europäischen Kavalierstour wollte er über das Mittelmeer nach Cadiz fahren, aber das Schiff, auf dem er sich befand, wurde von einem algerischen

Korsaren gekapert, und er wurde als Sklave verkauft. Der holländische Konsul schoß 3000 Dukaten für seine Freilassung vor. Er reiste nun über Holland auf seine Herrschaft Halbau zurück, zu der er später auch Drehna erhielt. Mit seinem Oheim, dem Grafen Erdmann II. zu Sorau, lag er wegen der Herrschaft Pleß in Streit. In Breslau, wo der Prozeß geführt wurde, lernte er die verwitwete Gräfin Anna Christina von Maltzan kennen, eine kluge, schöne und reiche Dame, eine geborene Gräfin Erbach-Fürstenau, die bereits mehrere große Partien ausgeschlagen hatte; sie gab ihm 1737, drei Jahre vor der preußischen Eroberung, ihre Hand. Er starb aber schon im selben Jahr, in dem die Preußen einrückten, und die kluge, schöne und reiche Dame heiratete nach elf Jahren einen ihrer früheren Pagen, den Grafen Friedrich August Kospoth, worauf das große Vermögen zu einem bedeutend kleineren geschmolzen sein soll.

Ich komme nun auf den letzten Grafen Promnitz zurück, den Sohn des Grafen Erdmann II., jenes sächsischen Kabinettsministers, mit dem das Geschlecht ausgestorben ist. Graf Erdmann III. Promnitz, der letzte seines Stammes, war ein merkwürdiges, halb kläglich verschrobenes und verrücktes, halb genial-phantastisches Original seiner Zeit. Leopold Schefer aus dem Sorau benachbarten Muskau hat ihm im Jahre 1842 ein eigenes kleines Buch unter dem Namen »Familienstück« als Denkmal gewidmet, das den historischen Kern zum Teil nach angeführten Quellen in novellistischer Fassung gibt; es gewährt den interessantesten Einblick in das damalige sächsische Kavaliersleben. Nach diesem Buch hatte der junge Graf, der 1719 geboren wurde, mit einem herrnhutischen Hofmeister von Wrech in das galante Paris gesandt und hier seine Zeit zwischen herrnhutischen Betstunden und Pariser Galanterien teilend, im Jahre 1740 einen den zahlreichen natürlichen Prinzen Frankreichs von königlichem Geblüt im Duell erstochen und war in die Bastille gesetzt worden – vor Schreck darüber verlor er den Verstand. Man hatte den Versuch gemacht, ihn durch einen Kaminfeger durch den Schornstein retten zu lassen; oben angelangt, sah er den schauerlichen Leichenzug des von ihm Ermordeten vorbeiziehen. Er bekam einen Lachkrampf, mußte die Flucht aufgeben und ins Gefängnis zurückgebracht werden. Daraufhin kam sein Vater nach Paris und erwirkte durch Gold die Befreiung.

Nach Sorau zurückgekehrt, pilgerte der Verrückte in den Wäldern herum und überließ sich seinen Illusionen. Die Tiere, die er schoß, dachte er, der Mörder, sich als zur Buße und Strafe verwandelte Sünder; er erlöste sie deshalb durch den Tod! Er zog über die Grenzen aller Reviere oft viele Tagereisen weit als eine Art Raubschütze; sein reicher Vater ersetzte aber allen Schaden reichlich.

Auf eine merkwürdige Weise kam er zu seiner Frau, der Gräfin Karoline Schönaich-Carolath, auf der in der Nachbarschaft von Pleß gelegenen Standesherrschaft Beuthen. Es traf sich, daß er auf einem seiner Jagdzüge gerade dazukam, als ein Hirsch der Gräfin nachstellte, die sich gebadet hatte und im leichten Badekleid und schwarzseidenen Mantel mit ihrer Dienerin in ihre kaum achtzig Schritt entfernte Wohnung im Waldhaus zurückgehen wollte. Er erschoß den gefährlichen Hirsch, der die junge Gräfin verfolgte, und sie fiel ihrem schwermütigen, blassen Retter weinend an die Brust. Er blieb in Carolath. Sie waren vertraut, ehe sie es mit Worten wurden; nach acht Tagen war ihre Verlobung. Heimgekehrt auf sein Jagdschloß bei Sorau, erschoß er sein Pferd, das ihn nach Carolath gebracht hatte, als Sündenopfer, nachdem er es zuvor mit Blumen bekränzt hatte.* Am 5. August 1744 wurde die prachtvolle Hochzeit in Carolath vollzogen. Im Jahr darauf starb sein mit den flachen Säbelhieben getöteter Vater am 7. September. Erst am 3. November waren die Exequien, wegen deren der neue Graf die Chroniken wieder zur Hand genommen hatte; er las sonst nur Kochbücher, von denen er sich eine vollständige Sammlung, in roten Samt mit Goldschnitt gebunden, angeschafft hatte – zu seiner »Magenerbauung«, wie er das ausdrückte.

Graf Zinzendorff war laut Schefer als sein eigener Kundschafter mit bei den Feierlichkeiten der Exequien und schrieb später auch über die Huldigung an seinen Freund, den Grafen Schönaich nach Carolath:

»Von dem Tage an hatte Sorau und alle Promnitzische Herrschaften im Grunde keinen Herrn mehr... Das verstörte und verglaubte Gemüth des Grafen Erdmann war nicht mit der Kraft versehen, sich über so viele tausend Menschen und ihre Verhältnisse, ja nur über die Schafe und Rinder und deren Kinder alle die Herrschaft anzumaßen, welche bloß die herzliche Neigung für Gottes Welt und sein Wesen einen Menschen an seine subjektive Gewalt glauben läßt und ihm so giebt. Die Menschen begriffen ihn nicht als Herrn, da sie seiner kaum und nicht zu bedürfen, fast überzeugt waren. Er begriff bei der Huldigung nicht, wie so viele ihn bedürfen könnten, als deren Vertreter die Beamten mit feierlicher Haltung und glühenden Gesichtern standen, als da waren: der Hofrath und Verweser von Landwüst, der Rath und Hofmeister von Reisewitz, der Kanzler Heinsius, der Oberhofprediger und Plebanus Wendt**, die Hofprediger und Diakonen, die herrschaftlichen Steuereinnehmer, die

* Gen. Sup. Worbs »Geschichte von Sorau und Triebel«, Sorau 1826, pag. 131.
** Der Vater des Geheimen Legationsrats und Geheimen Kabinettssekretärs August Wendt unter König Friedrich August.

Aktuarien bei der Kanzlei und dem Consistorio, die geheimen und offenbaren Kanzelisten, Kanzleidiener und Amtspfänder, Stallmeister, Rentschreiber, Küchenschreiber usw., dann die Vasallen, der adelige Forstmeister, die Jagdpagen usw., die zwanzig Wirtschaftsbeamten usw., dann die Bürgermeister, Stadtrichter, Senatoren, Stadtschreiber, Spatzermeister und Alles was dem Herrn diente aus Sorau und den anderen Städten. In seinem Gefühl bedurften sie seiner nicht; aber er bedurfte ihrer, er war im Grunde der große Bettelmann Aller; denn die Frucht des ganzen Regierens war ihm der Ueberschuß an Geld, der reine Ertrag; um diesen mochten sich so viele Tausend plagen, die Hammerschmiede am Kupferhammer mochten halb erfrieren, halb braten, die Jäger und Haideläufer mochten sich die Beine weglaufen, die vielen 1000 Hirsche und wilden Schweine den ja Leibeigenen die Erndte verwüsten, die Viehhirten dumm bleiben, wie ihre Ochsen und Gänse – denn er war ja der Herr ihres reinen Ertrages. Er hatte die Liebe zur Welt verloren und mit der Liebe ganz folgerecht die Achtung vor ihr, wie vor sich und den Drang nach Thätigkeit, die für Andere wirkt, aus jenem geheimen Gefühl: alle Menschen sind ein Mensch, unsere millionenmalige Wiederholung. Erwartete er ja etwas, so war es – das Jüngste Gericht; oder ein Prophet, der ihn von weiter nichts als von Adam und Eva mit ihrem Sündenfalle erlöste. Dieser Wunsch und diese Hoffnung beschlich ihn manchmal, aber Herr von Wrech beugte ihn wieder hinab mit dem Verse (Lied Nr. 1018) ›Wenn es sollt' der Welt nach gehn, Blieb kein Christ auf Erden stehn, Alles würd' von ihr verderbt, Was das Lamm am Kreuz ererbt. Doch weil Jesus bleibt der Herr, Wird es täglich herrlicher; Weil der Herr zur Rechten sitzt, Ist die Sache auch beschützt. Aber wenn sie diesen Mann Erst herab gerissen han, Dann wird's schlecht mit uns aussehn, Uebel wird es mit uns gehn.‹
Da war er todtenstill und stand finster und zornig.«
Der Schluß des Briefes Zinzendorffs an Graf Carolath lautete: »Ich geb' ihn verloren!«
Bei der Durchsicht der Chroniken zum Zweck der Anordnung der Exequien waren dem Grafen manche Dinge aufgefallen, die ihm gefielen und von denen er nicht begriff, daß sie nicht mehr bestünden. Vor allen Dingen wollte er die von seinen Vorfahren der Stadt und den Dörfern verliehenen Rechte wieder einziehen; er setzte namentlich den Bierprozeß fort, den schon sein Vater angefangen und sich damit bei den Bürgern verhaßt gemacht hatte; er wollte ferner in der Kirche die geistlichen Komödien wieder einführen und namentlich die Rolle des seligen Superintendenten Kretschmar spielen, »der bei dem in der Kirche mit vielen hundert Spielern gespielten Leiden Jesu die Person des Gekreuzigten so erbarmungs-

würdig vorgestellt, daß ihn, den Junggesellen, keine Sorauer Jungfrau aus zu großem Respekt hatte zum Ehemann nehmen wollen und daß jede schon erstarrt war, an deren Tür er nur geklopft«.
Die Ehe mit der Gräfin Carolath war sehr traurig. Er machte sie zur Vertrauten seiner Jugendsünden, weihte sie namentlich in das Geheimnis ein, daß drei kleine Mädchen von ihm in Sorau lebten; diese stellte er seiner Frau vor und sah sie, nachdem er ihre Mütter auf Lebenszeit reichlich beschenkt hatte, nicht wieder. Die Gräfin schrieb schon im folgenden Frühling nach Hause an eine vertraute Freundin: »Seit dem Fackelgeleit in die Hochzeitkammer, was hab' ich vom Leben und Lieben, vom Mann und Weib gelernt und gelitten! Wie oft bin ich mir inwendig zum Traum verschwunden! Aber wenn ich die Augen aufschlug, war ich wieder ein Weib – sein Weib! Gott, wieviel mögen die tausend und aber tausend Weiber verschweigen, verweinen, verachten! Eine reine, treue Seele muß gerade dadurch zum Engel werden. Mein Mann sieht mich soeben schreiben. Er ist jetzt so eilig, daß er schon fragt, ob ich fertig bin. So geht es mit allem; er weiß nicht deutlich, wie unsäglich ich mich abmühe. Ich muß ihn an- und ausziehen und verbinden, die Pfeife anzünden und wieviel sonst! – Habe ich noch einmal im Leben eine bessere Zeit, dann sollt Ihr mehr hören. Jetzt still – Schweigen und Verschweigen ist am Ende das schwerste Leiden!«
Der Graf war immer wirr und unruhig und wild. Er schrie seine Gemahlin oft an und war so verzweifelt, daß er nach und nach die schönsten Kavaliere zu sich auf Jagden und Feste einlud, dabei gewöhnlich trank und abwesend war, so daß sie dann sie unterhalten und mit ihnen verkehren mußte oder sollte. Ihr Bruder setzte endlich die Scheidung durch; der Graf war mit allem zufrieden, und so erfolgte sie nach vierjähriger Ehe am 1. Oktober 1748 durch das königliche Gericht zu Oppeln »wegen unversöhnlichen Feindseligkeiten sammt was dem anhängig«. Beiden Teilen wurde gestattet, wieder zu heiraten; die Gräfin lebte aber bis zu ihrem Tode 1762 fast wie eine Nonne – so ist sie reizend und wehmütig noch heute auf dem Schloß zu Carolath im Bild zu sehen.
Seit der Scheidung umgaben den Grafen nur Schmeichler, Schmauser, wilde Gesellen und lauernde Erben. Das viele Geld, das er vom reinen Ertrag zog, reichte nicht aus. Im Jahre 1751 wurden Leute von der hochreichsgräflich-promnitzischen Armee an die Seemächte verkauft. Eine Tollheit jagte die andere. Zu Beginn des Siebenjährigen Krieges ließ der Graf aus Vaterlandsliebe eine Glocke gießen mit der Inschrift: »Ganz Sachsenland nahm Gottes Hand, ließ uns allein den Königstein.« Von Zeit zu Zeit besuchte er noch in Carolath seinen Schwager und seine geschiedene Frau. Gelangweilt zu Hause, besann er sich endlich auf die Fremde, wo er mit Ehren allen fremd

sein und allen selbst fremd bleiben konnte. Er verzettelte das Geld, wie man sagt, auf der Landstraße, und seinen Lebenslauf umfaßten viele Jahre hindurch – namentlich während des Siebenjährigen Krieges, wo er in der Fremde war – die Worte: »Gegessen. Getrunken. Geschlafen. Gesehen und gehört.«
Zwei Jahre nach dem Hubertsburger Frieden (1765) hielt sich Graf Erdmann Promnitz in Merseburg auf, wo er einem gewissen Fräulein Lehmann ein liebes Haus gebaut hatte. Am 29. November dieses Jahres erfolgte das große Abtretungsarrangement seiner Herrschaften: Die Herrschaft Pleß, die Hauptbesitzung, kam an den lieben Neffen, den Fürsten Friedrich Erdmann von Anhalt-Köthen, dessen Vater, August Ludwig, zwei Nichten des Grafen Erdmann, Töchter seines einzigen Bruders Seifried, geheiratet hatte; von Köthen fiel Pleß nach dem Aussterben 1846 an einen Schwestersohn des letzten Herzogs von Anhalt-Köthen, den Grafen Hochberg auf Fürstenstein. Ferner kamen von dem Promnitzschen Güterkomplex die Herrschaften Peterswalde und Kreppelhof an den lieben Schwager Graf Heinrich Ernst von Stolberg-Wernigerode, dessen Nachkommen sie noch besitzen; die Herrschaften Drehna und Vetschau kamen an den lieben Neffen Graf Heinrich von Reuß-Lobenstein – Drehma kam später an das Haus Lynar –; die Herrschaft Naumburg am Bober kam an den lieben Erbprinzen von Carolath; Sorau und Triebel kamen an den Landesherrn von Sachsen. Früher hatte sich seine Schwester, die Gräfin Stolberg, Sorau und Triebel gegen 10 000 Taler Leibrente verschafft, sich auch damals den im Schloßkeller von Sorau verborgenen Schatz von 200 000 Talern durch Vergünstigung des bestochenen Hauptmanns von Reisewitz als zu dem mit abgetretenen »baaren Cassenbestand« gehörig angeeignet; Sachsen kassierte aber diesen Vertrag, der Premier Brühl ließ sich von König August III. das Vorkaufsrecht auf Sorau und Triebel geben. Dieses wurde nach Brühls Tod 1763 ebenfalls kassiert, und der Administrator Xaver hatte nun die Verwaltung für die kurfürstliche Regierung: Graf Erdmann erhielt eine jährliche Leibrente von 12 000 Talern, und dazu hatte er freien Tisch, jeden Mittag sechs Schüsseln, freie Equipage und freie Jagd auf allen seinen Schlössern.
Nach Abschluß dieses Arrangements wollte der Graf, dem Beispiel Zinzendorffs und dessen zweiter Frau Anna Nitschmann folgend, die schöne Sorauer Kaufmannstochter Dorothea Lukas heiraten; aus Dresden aber kam der Befehl, dieses liebe Mädchen unter Militärwache aufs Rathaus zu führen. Da verließ der Graf das Schloß seiner Väter, das 207 Jahre lang die Promnitze innegehabt hatten, auf immer; Dorothea gab er ein Geschenk von 2000 Dukaten und erwirkte ihr von Dresden eine Pension. »Nach dem Kirchenbuch zu

Guben ist sie dort 1832, achtzig Jahre alt, gestorben«, sagt Schefer, »hat also den Wiederverlust von Sorau [das bei der Teilung Sachsens an Preußen kam] erlebt und wohl verstanden.«
Der pensionierte Graf Erdmann begab sich zunächst nach Wien, wo ihm Kaiser Joseph bei seiner Vorstellung gesagt haben soll, daß er, wenn er »so frei und glücklich wie der Graf« wäre, »auf Reisen gehen und zeitlebens von alle den Männern, die leider nicht zu ihnen kämen, Verstand und Vernunft lernen« würde. Darauf schlug Graf Erdmann seine Residenz in Kehl bei Straßburg auf und unternahm von diesem Hauptquartier aus, das auf der Wetterscheide zwischen Deutschland, Frankreich, der Schweiz und Italien gelegen ist, zwanzig Jahre lang seine Feld- und Landzüge, um den Rat Josephs zu befolgen. In Paris machte er die Bekanntschaft Voltaires, den er über Adam und Eva und über den Sündenfall befragte und der ihm das Buch von Fontenelle, »Entretiens sur la pluralité des mondes«, schenkte. Darauf verlegte sich der Graf auf Astronomie, bestieg in allen sternenhellen Nächten das Straßburger Münster, um, wie er sagte, »am Himmel warm und klar und frei und erlöst zu werden«, und rühmte den Münsterturm als »den wunderbaren stummen Professor«. Darauf reiste er nach Petersburg, wo er im Winter die Sternwarte besuchte; auf der Rückreise hatte er mehr als dreißig Abendunterhaltungen mit Kant in Königsberg.
Endlich erreichte er das Hauptziel seiner Wünsche: Er besuchte in den achtziger Jahren den großen Herschel mit seinen Riesenteleskopen in England. Als Herschel ihm sagte, daß das Licht eines Sternes 200000 Jahre brauche, um zur Erde zu gelangen, soll ihn das überzeugt haben, daß die Schöpfung älter sei als die 5540 Jahre der Juden und daß die Geschichte mit Adam und Eva und dem Sündenfall und die Lehre, daß einer des anderen Sünde abnehmen könne, nicht ihre Richtigkeit haben könne. Er soll befriedigt zurückgekehrt und bald darauf gestorben sein. Sein Tod erfolgte in Kehl am 21. März 1785.
Seine Stiefmutter, die Reußische Prinzessin Henriette-Eleonore, die sich nach Herrnhut gewandt hatte, erhielt alle Papiere des Grafen – den »Zahmen Fuchs«, »Abbadonna« und andere Sachen – zugesandt und namentlich eine versiegelte Rolle, in der man auch eine wunderliche Schrift vermutete. Als sie geöffnet wurde, fand die Gräfin ein wunderbares Bild. »Es war ein über alle Worte erhaben schönes Antlitz, ein Kopf, ja nichts als ein Gesicht mit großen, reinen, unaussprechlich sanften Augen, aus dessen Zügen die zärtlichste Liebe quoll. Ja es fehlten in den Wangen die Grübchen nicht. Reiches Haupthaar umfloß das Gesicht und verfloß drunter in den vollen, breiten, lockigen Bart, der in einer Spitze schloß – nicht in zweien, wie nur ein Jesusbild. Dieses wunderbare, überirdische,

göttliche Gesicht umschloß über den Scheitel hinweg an den Wangen herab und unter dem Bart, sich wieder vereinend, ein Blumenkranz von bekannten und unbekannten Blumen. Das kolossale Ganze war bloß in Gold gemalt – der Graf hatte es als sein ›Glaubensbekenntnis‹ bezeichnet. Es war das Antlitz Gottes. Wie in der Weise punktierter Kupferstiche gemalt, waren alle Züge, Augenbrauen, Augensterne, Lippen und Locken des Barts lauter Sternbilder, Nebelflecke und Milchstraßen, in der Verschlingung einer Winde fand sich die Sonne und als ein kleiner Goldpunkt die Erde.«

Mit diesem wunderlichen, halb genial-phantastischen, halb verrückten Grafen starb das Geschlecht der Promnitz aus. Nach einer Familiensage soll ein Promnitz einmal einen Mönch fälschlich eines unerlaubten Umgangs mit seiner Frau angeklagt und dieser den Fluch über das Haus gebracht haben. Der Kabinettsminister Promnitz hatte den Verdacht gehegt, seine erste Frau, die Prinzessin von Weißenfels, die Mutter des letzten Erdmann, habe eine seiner Töchter, die Gräfin Stolberg, mit dem Pastor Erdmann Neumeister – dem bekannten kleinen Papst in Hamburg, der 1756 starb – gezeugt, als sie als gute Lutheranerin einmal zu diesem, einem Hauptwidersacher Speners »in Verstandesangelegenheiten«, von Weißenfels nach Hamburg gereist sei, um sich ihrem pietistischen Gemahl gegenüber den Verstand stärken zu lassen. Ein bei Schefer abgedruckter Brief ihres Sohnes, den er am Tag vor Visitationis Mariae 1740 unmittelbar vor seinem Duell in Paris an seinen Hofmeister von Wrech geschrieben hatte, enthält die Worte: »Ich lege bei meinem Herrn Vater Protest dagegen ein, daß meine Mutter eine Tochter vom ... Neumeister gehabt. Freilich sieht diese Tochter, meine Frau Schwester Maria Elisabeth, mit ihrer Habsucht und Suade und Hinterlist frappant dem geistlichen Fach ähnlich, doch das alles kann ja auch gräfliches Blut sein. Beruhigt also meinen Herrn Vater, daß meine Frau Mutter nicht aus Gram über sich, sondern aus Gram über ihn so zeitig gestorben ... das wird Hochdenselben erquicken. Denn ein Mann will lieber schuldig als betrogen sein.«

Merkwürdig war das Motto dieses letzten Promnitz – es war das des tyrannischen Königs Johann von Böhmen: »Ich habe euch gegen jedermann Schutz versprochen, nur nicht gegen mich selbst.«

Der letzte unter den elf Kabinettsministern, die kurz vor dem Tod Augusts des Starken fungierten, war ein geistlicher Herr, der Herzog Moritz Adolf von Sachsen-Zeitz, seit 1730 Erzbischof von Pharsalus in partibus, bereits 1716 als dreizehnjähriger Knabe von seinem Oheim, dem Kardinal von Sachsen, der ihn zu sich nach

Wien kommen ließ, konvertiert. 1732 kaiserlicher wirklicher Geheimrat geworden, trat er noch vor Augusts Tod in kaiserliche Dienste, wurde 1733 Bischof von Leitmeritz und starb 1759.

Unter diesen elf Kabinettsministern Augusts bemerken wir mit Ausnahme des Herzogs von Sachsen-Zeitz, des Grafen Friesen und des Grafen Brühl lauter Namen aus ursprünglich nicht sächsischen Familien, zum Teil nicht einmal geborene Deutsche. Darin hatte also August dem Rat Wolframsdorfs – der mit dem des Papstes besonders Katholiken Vertrauen zu schenken, bei den Italienern Lagnasco und Fleury zusammentraf – stattgegeben; es gelang ihm aber doch nicht, durch diesen fremden Adel seinen einheimischen zur Räson zu bringen – die Adelskette in Sachsen hielt zu fest zusammen.

Die Geheimräte

In der zweithöchsten Landesbehörde, dem Geheimen Rat, saßen dagegen nach streng festgehaltenem Brauch lauter einheimische, und zwar alte Familien – mit Ausnahme eines einzigen Emporkömmlings, Zech – und verfassungsmäßig auch lauter Protestanten.
Sitz und Stimme im Geheimen Rat hatten im Todesjahr Augusts folgende acht Geheimräte: die beiden Bünau, Vater und Sohn, Baron Gersdorf, der edle Herr von Zech, die Herren von Schönberg, Loß und Leipziger und der Kämmerer Brühl. Der Direktor war Bünau; vor ihm hatte Werthern den Vorsitz gehabt, nachdem der Statthalter gestorben war.

Graf Werthern

Der Personalien des Grafen Georg Werthern gedenkt Haxthausen in seinen Memoiren bei der Aufzählung der verschiedenen Finessen, mit denen Graf Flemming seine Widersacher und Rivalen zu beseitigen wußte. Die Exempel Schulenburg und Lagnasco wurden schon oben erwähnt; ein ganz ausbündiges Kunststück dieser Gattung war die Eliminierung Wertherns und seines getreuen Alliierten, des Generals Janus – er ärgerte beide zu Tode.

Graf Bünau

An die Spitze des Geheimen Rats kam nach dem ersten Grafen Werthern der Geheimratsdirektor und Kanzler Heinrich von Bünau auf Seußlitz, Radewitz etc., der ebenfalls der erste Graf seines

Geschlechts wurde. Die Bünau sind ein altes sächsisches Geschlecht, das schon seit 1517 seine Geschlechtstage abhält und urkundlich bereits 1166 vorkommt: in einem Schenkbrief Bischof Heinrichs von Naumburg steht ein Rudolphus de Bunowe als Zeuge. Das Stammhaus war Droyßig bei Zeitz in Thüringen, das später an die Familie Hoym kam, von dieser an die Reuß-Ebersdorf, von denen es an die jetzigen Besitzer, die Fürsten von Schönburg-Waldenburg, gelangte. Ein Günther von Bünau war 1427 Oberhofmarschall des ersten Wettinischen Kurfürsten Friedrichs des Streitbaren.

Um diese Zeit, zu Anfang des 15. Jahrhunderts, waren die Bünau in den Besitz ansehnlicher Güter auch in Meißen gekommen, sie besaßen in der Gegend von Dresden das ehemals Dohnaische Wesenstein, Lauenstein und Liebstadt, und 1525 erwarb Rudolf von Bünau, Oberst Karls V., der bei Pavia mitfocht, die Herrschaft Tetschen in Böhmen; hier wurden nach den »Frankfurter Relationen« noch im Jahre 1617 Kaiser Matthias und sein Vetter, der nachmalige Kaiser Ferdinand II., auf ihrer Besuchsreise zu Johann Georg I. »einlosirt und wohl tractirt«. Püchau im Leipziger Kreis und Meuselwitz bei Altenburg kamen ferner an die Bünau. Alle diese Güter gingen im 17., 18. und 19. Jahrhundert an zum Teil ganz neue Familien verloren: Wesenstein kam 1772 an die aus Pommern nach Hessen und von da nach Sachsen gekommene Lieferantenfamilie Uckermann, die es 1830 wieder an die königliche Familie verkaufte; Püchau und Lauenstein kamen an die Leipziger Kaufmannsfamilie Hohenthal; Liebstadt ist seit 1759 Majorat der Carlowitz; Meuselwitz gelangte an den berühmten Veit Ludwig von Seckendorff; Tetschen kam in den Stürmen des Dreißigjährigen Krieges schon an die Grafen Thun: die Bünau von der böhmischen Linie mußten wegen der Religion nach Sachsen flüchten und ihre Güter im Stich lassen. Die beiden Geheimräte Heinrich von Bünau, Vater und Sohn, erwarben zuletzt noch zwei an der Elbe gelegene große Güter: Seußlitz, das früher der Pistorisschen Kanzlerfamilie gehört hatte und das von ihnen wieder an die Chemnitzer Kaufmannsfamilie Claus kam, und Dahlen, das früher der Familie des Kammerrats Döring gehört hatte und das noch jetzt die Stammbesitzung der Grafen Bünau ist. Eine Zeitlang gehörte auch Pillnitz den Bünau: sie kauften es von der Familie Loß, und 1693 ertauschte es von ihnen wieder Johann Georg IV. für die Gräfin Rochlitz gegen das von den Harras heimgefallene Lichtenwalde, dann kam es an die Gräfin Cosel bis zu deren Fall, worauf es königliche Sommerresidenz wurde.

Der Geheimratsdirektor und Kanzler Heinrich von Bünau war – wie die Friesen durch die Coselsche Heirat – mit der königlichen Familie

verwandt. Seine Schwester Christiane Wilhelmine hatte 1692 den Herzog Johann Adolf von Sachsen-Weißenfels geheiratet und war 1707 gestorben. Bünau war erst Geheimrat und Kanzler bei seinem Schwager, dann ansbachischer Geheimrat, und zuletzt trat er erst als Vizekanzler und nach Graf Wertherns Tod 1721 als Kanzler in Augusts Dienste. Nach dem Sturz des Grafen Karl Heinrich von Hoym 1731 wurde er Direktor des Geheimen Rats und behielt die Kanzlerstelle bis zum Tod des Königs 1733. 1742 erhob ihn Kaiser Karl VII. mit seiner Deszendenz in den Reichsgrafenstand; drei Jahre danach starb er auf seinem Gut Seußlitz, nachdem er ein paar Jahre zuvor noch seine goldene Hochzeit mit seiner Frau, einer geborenen Geismar, gefeiert hatte.
Als dem größten Heuchler und Pedanten unter den Ministern Augusts des Starken hat Haxthausen mit besonderer Vorliebe diesem ersten Grafen Bünau ein Denkmal gesetzt; man erfährt darin, daß die Geschenkannahme bei den höchsten Richtern in Sachsen ganz in Ordnung war; auch Bünaus Vorgänger, der Vizekanzler Könneritz ließ sich bestechen und seinen Schwiegersöhnen alle Prozesse gewinnen.
Berühmter als der Vater wurde der Sohn, Graf Heinrich von Bünau der Jüngere, auf Dahlen, Domsen, Göllnitz etc. Er wurde 1697 – wie Brühl, sein großer Rivale – in Weißenfels geboren. Der Sohn diente, nachdem er mehrere Gesandtschaftsposten bekleidet hatte, mit seinem Vater zusammen als Geheimrat. Er war zugleich Präsident des Appellationsgerichts; später wurde er Kanzler und zuletzt Oberaufseher der Grafschaft Mansfeld in Eisleben – Brühl, sein Landsmann, trieb ihn aus dem Land. Er trat bereits 1742 – in dem Jahr, in dem er mit seinem Vater von Kaiser Karl VII. in den Reichsgrafenstand erhoben wurde – als Geheimrat in die Dienste dieses Herrn und versah den Posten eines bevollmächtigten Ministers am niedersächsischen Kreis. Als Karl VII. starb, begab er sich nach Weimar und wurde unter dem Vater des berühmten Karl August (des Freundes von Goethe) erster Minister.
Graf Heinrich von Bünau der Jüngere machte sich einen großen Namen in der literarischen Welt durch seine »Geschichte der Deutschen« und durch seine in Nötnitz bei Dresden aufgestellte große Bibliothek, die jetzt einen Hauptteil der königlichen Bibliothek in Dresden bildet und bei der der berühmte Winckelmann vor seiner Reise nach Italien angestellt war – freilich nur mit kärglichstem Gehalt.
Graf Heinrich von Bünau der Jüngere war dreimal vermählt. Durch die erste Frau, die er 1721 heiratete – ein Fräulein Döring aus der unter Johann Georg I. emporgekommenen Familie des Geheimen Kammer- und Bergrats Döring – erwarb er Dahlen bei Oschatz; von

der zweiten, einer Gräfin Hoym, die er 1729 heiratete, einer Tochter des Geheimrats Karl Siegfried, des Bruders der beiden Kabinettsminister Hoym und der Oberkammerherrin Vitzthum, mußte er sich 1736 scheiden lassen; durch die dritte, mit der er seit 1739 vermählt war, ein Fräulein von Arnim, erwarb er Nötnitz. Er starb 1762 auf seinem Gut Osmanstädt bei Weimar, das später in die Hände des berühmten Wieland kam.

Graf Zech

Neben den beiden Bünau ist unter den Geheimräten, die August der Starke bei seinem Tod hinterließ, besonders noch der Emporkömmling Zech zu nennen. Die Familie Zech war die erste in Sachsen, die sich durch Verdienst und Talente aus der bürgerlichen Sphäre nicht nur zu den höchsten Ministerstellen, sondern auch selbst zur Reichsgrafenwürde emporschwang; freilich teilte sie diesen Schwung mit der Familie des Kammerdieners des Königs, die auch die Grafenkrone empfing.

Bernhard Zech, der Vater, der Ahnherr der Grafen Zech von Burkersrode, war ein Tuchmacherssohn aus Weimar, geboren 1649, studierte in Jena und wurde bereits 1676 Regierungssekretär in Gotha – ein Jahr nach dem Tod Herzog Ernsts des Frommen. Dessen Sohn, der Herzog von Saalfeld, nahm ihn dann auf einer Reise in die Niederlande in sein Gefolge, und 1686 wurde er Hofrat in Weimar. 1691 trat er als Hofrat in die Dienste des Dresdner Hofes, und 1697 – im selben Jahr, als der Statthalter von Fürstenberg, dessen Faktotum er wurde, nach Sachsen kam – wurde er, achtundvierzigjährig, Geheimrat; als ältester dieses Kollegiums starb er, von Karl VI. in den Ritter- und Edlenstand erhoben, 1720, einundsiebzig Jahre alt. Er schrieb unter dem angenommenen Namen Friedrich Leuthof von Frankenberg das bekannte publizistische und genealogische Werk »Der europäische Herold«, in zwei Folianten.

»Herr von Zech«, sagt das Wolframsdorfsche »Portrait de la cour de Pologne«, »ist das Orakel des Statthalters, der nur eine oberflächliche Kenntnis vom Recht und den Angelegenheiten des Landes hat, da er sich besser auf das Zeremoniell versteht. Man versichert, daß Herr von Zech den Geschenken sehr zugänglich ist.«

Fünf Jahre nach seinem Tod wurde sein Sohn, Bernhard der Jüngere, Geheimrat, nachdem er zuvor Geheimer Referendar beim Kollegium gewesen war. Er wurde von Karl VI. 1729 in den Reichsfreiherrn- und darauf 1745 unter dem sächsischen Reichsvikariat in den Reichsgrafenstand erhoben. Bernhard Zech ging 1734, nach dem Tod Augusts des Starken, mit dem Grafen Lützelburg als

Gesandter wegen des Lehensempfangs und der polnischen Thronfolgeangelegenheit nach Wien und starb 1748, siebenundsechzig Jahre alt.

Im gleichen Jahre, in dem Graf Zech von seinem Hof das Grafendiplom erhielt, erhielt es auch der Geheimrat Graf Gottlob Friedrich von Gersdorf, ein Sohn des Barons Nikolaus Gersdorf, der zur Zeit Speners unter Kurfürst Johann Georg III. Geheimratsdirektor und Oberlausitzer Landvogt gewesen war und der gelehrten, ebenso weltklugen wie frommen Henriette Katharina, geborenen Baronin von Friesen, die durch die von ihr geleitete Erziehung des Stifters der Herrnhutergemeinde – des Grafen Zinzendorff, ihres Enkels – besonders denkwürdig geworden ist. Graf Gersdorf, der Oheim Zinzendorffs, starb als Direktor des Geheimen Rats 1751 auf seiner alten Stammherrschaft Baruth in der Lausitz.

Die Geheimräte Knoch und Born und die beiden Bose
Die sächsische Juristenwirtschaft

Zum Schluß müssen noch vier Geheimräte genannt werden, die August der Starke von seinem Vater erbte und die in der ersten Zeit seiner Regierung einen bedeutenden Einfluß hatten: ein Herr von Knoch, ein Dr. Born – einer der letzten Bürgerlichen, der im Geheimen Rat saß und nicht wie Zech geadelt wurde – und die beiden Herren von Bose, Vater und Sohn. Das Manuskript Wolframsdorfs gibt Charakteristiken von ihnen, die sie alle als aus bewußter Bosheit pflichtvergessene Leute darstellen.
Hans Ernst von Knoch war der Sohn des Obersts Hans Friedrich Knoch, der im Dreißigjährigen Krieg ein Kürassierregiment geführt hatte und 1660 gestorben war. Die Familie stammte aus Anhalt. Geboren 1641 in Dresden, besuchte Knoch die Schule in Freiberg und die Universität Altdorf, ging dann mit dem Geheimrat Nikolaus von Gersdorf auf den Regensburger Reichstag, wurde bei der Rückkehr als Kammerjunker angestellt und machte dann in den Jahren 1665/66 seine Kavalierstour nach Paris. Zurückgekehrt, begleitete er Johann Georg III. zu seiner Vermählung nach Kopenhagen, wurde 1667 Hofrat, heiratete 1668 die Tochter eines in schwedischen, dann in französischen Diensten stehenden Obersts Kanofsky von Langendorff, eines Böhmen, und fungierte dann als Gesandter in Mainz und Darmstadt. 1676 erscheint er schon im Hofetat als der Instruktor der beiden Prinzen Johann Georg IV. und Friedrich August, und 1685 wurde er Geheimrat. Noch im selben Jahr begleitete er den Kurprinzen Johann Georg IV. auf seiner europäischen Tour nach Frankreich, England, den Niederlanden

und Dänemark. 1686 wurde er zum Oberkämmerer der Prinzen und zum Oberkonsistorialpräsidenten ernannt.
Nach dem Tod Johann Georgs III. berief ihn Johann Georg IV. nach Tübingen, um mit ihm die neue Hof- und Staatseinrichtung zu beraten; er wurde gewissermaßen der Premier, und der Konsistorialposten kam an Beichlingen, den Vater des Großkanzlers. August der Starke setzte Beichlingen wegen der Neitschützischen Affäre ab; Knoch fungiert nun wieder bis 1698, wo August, der sich konvertiert hatte, das oben erwähnte Reskript wegen Thomasius' Schriften gegen ihn erließ, worauf Knoch nochmals den Posten an Beichlingen abtrat. Er erhielt sich jedoch als Geheimrat in fortwährender Gunst. Er besaß die Lausitzischen Güter Elstra, Reichenbach und Reichenau.
»Er gehört«, sagt Wolframsdorf, »zur Kabale des alten Ministeriums, das durch Faulheit und Eigennutz verdorben ist« – aus der Zeit der Regierung Johann Georgs III., wo, wie Wolframsdorf an einer anderen Stelle schreibt, die größte Verderbnis hereingebrochen sei, da der Hof im größten Überfluß lebte und sich um nichts als Essen und Trinken kümmerte. – »Knoch besitzt für sein Alter noch eine große Feinheit des Benehmens und viel Verstand. Durch seine Scheinheiligkeit hat er sich eine Art von Verdienst bei schwachen Seelen und bei alten Damen erschlichen, deren Geschäftsführer er ist. Er befindet sich bei allen Koterien, wo man für die eingebildete Freiheit des Landes arbeitet, die doch nur im Vorteil einiger Privatleute besteht.«
Schöning stimmte hierin mit Wolframsdorf überein – auch er nannte Knoch »einen honetten Schurken«.
Der Geheimrat von Knoch starb im Jahre 1705 im fünfundsechzigsten Jahr – im selben Jahr, in dem auch das Faktotum Johann Georgs III., der Oberhofmarschall Haugwitz, starb, wenige Tage vor Knoch.

Dr. Jakob Born war der letzte unter den bürgerlichen Geheimräten, der als Bürgerlicher starb; die später aus der Reihe der Bürgerlichen in den Geheimen Rat Eintretenden – wie Zech, Hennicke, Fritsch unter Friedrich August II. und Gutschmidt unter Friedrich August III. – wurden alle geadelt. Born stammte aus Leipzig aus einer dort altbekannten Juristenfamilie; er war früher Bürgermeister, Professor und Ordinarius der Juristenfakultät in Leipzig und wurde 1695 als Geheimrat nach Dresden berufen, wo er 1709, einundsiebzigjährig, starb.
»Born«, sagt das »Portrait de la cour de Pologne«, »ist eine Kreatur des Hauses Friesen. Er ist der größte Rechtsverständige in Sachsen, seine Entscheidungen gelten für Gesetz. Er ist zurückhaltend, wenig

mitteilend und spricht mehr durch Regierungsbefehle als durch bloße Worte. Indessen versichert man, daß er seine Sprüche nicht wie die Göttin der Gerechtigkeit mit verbundenen Augen erteilt, sondern die Personen, um die es sich handelt, wohl unterscheidet. Er ist ein Beschützer der Schikane, und unter seinem Schild hat sich die Anzahl der sächsischen Advokaten sehr vermehrt. Seine Stärke ist das Zivilrecht, mit dem sich in Sachsen fast jedermann beschäftigt, was die Ursache zu der großen Prozeßsucht in diesem Land ist. Er ist dem Haus Friesen ergeben, das durch ihn das Appellationsgericht beherrscht und die Prozesse nach Gunst gewinnen läßt.«

Von dieser durch Born gestifteten berüchtigten sächsischen Pest und Plage der Advokatenrabulisterei sprach man im 18. Jahrhundert wie von einer ganz bekannten Sache. Im Tagebuch einer gelehrten Reise eines Dr. O. bei Bernoulli vom Jahre 1750 heißt es von einem Besuch in Leipzig: »Nachmittags sprach ich den Commissionsrath Dr. Rother, der ein feiner verschlagener Practicus ist und wie er mir gesagt, achtzig Inquisiten durchgeholfen, so daß keiner unter Scharfrichters Händen gestorben. Der bekannte ehemalige Advocat in Leipzig Dr. Zipffel hätte, wie man mir sagte, bei ihm noch in die Schule gehen können.«

Während also im benachbarten Preußen Friedrich Wilhelm I. und sein großer Sohn alles aufboten, um der Advokatenlandplage beizukommen, wucherte sie in Sachsen und wucherte durch die Pflege, die die höchsten Regierungsbeamten ihr zukommen ließen – ja diese gingen als leuchtende Vorbilder voran.

Am allerschlimmsten schildert das »Portrait de la cour de Pologne« die beiden Geheimräte Bose, Vater und Sohn, weshalb sie sich auch veranlaßt fanden, durch einen ehemaligen Hofmeister ihres Hauses, der nachher Feldprediger in Polen und zuletzt Pfarrer auf einem ihrer Güter war, eine »Réfutation du portrait de la cour de Pologne« – ebenfalls nur als Manuskript – verteilen zu lassen.

Der »alte Bose«, wie ihn Wolframsdorf nennt, war Christoph Dietrich Bose auf Frankleben bei Merseburg, Mölbis und Nickern. Er stammt von der Merseburger Linie und war der Sohn Balthasars, des Kammerdirektors des Herzogs von Sachsen-Merseburg. Er war allerdings ein alter Herr: Er hatte schon unter Johann Georg I. seine Anstellung erhalten, zuerst 1654 als Kammerjunker der Kurprinzessin, dann wurde er 1671 unter Johann Georg II. Oberschenk und Kammerherr und 1672 Kammerrat; schließlich wurde er Kammerpräsident, Präsident des Kriegsrats und Geheimrat und starb 1708, achtzig Jahre alt, nach vierundfünfzigjährigem Dienst.

»Der alte Bose«, sagt Wolframsdorf, der im Jahre 1705 schrieb, »ist der intriganteste Minister des ganzen Hofs, und zwar um so mehr, als er es nicht zu sein scheint. Seine Erfahrung in den Landesangelegenheiten, sein gesundes Urteil, das bei ihm den Mangel der Studien ersetzt, und sein Alter sichern ihm eine gewisse Autorität. Er hat mehrere gute Verbesserungen in der Verwaltung in Anregung gebracht, allein nicht eine ausgeführt! Er wollte die Einnahme der kurfürstlichen Kammergüter untersuchen und eine neue Einrichtung der Steuerkasse anordnen; allein sobald er Minister wurde und die Leute merken ließ, daß man sich an ihn wenden müsse, gab er seine lobenswerten Absichten auf und hat sein Haus, das arm genug war, durch Geschenke rechts und links bereichert. Hierdurch machte er sich so verdächtig, daß er seine Stelle als Kammerpräsident niederlegen mußte.«
Diese ward ihm 1680 beim Regierungsantritt Johann Georgs III. übergeben; er mußte sie, nachdem ihm der schwache Kurfürst 1682 auch die Direktion der Kriegskanzlei überlassen hatte, 1686 niederlegen. Inzwischen war er 1683 in einer außerordentlichen Mission in Potsdam beim Großen Kurfürsten gewesen; 1692 wurde er Geheimrat, 1696 Obersteuerdirektor.
»Bose«, fährt Wolframsdorf fort, »machte mit dem Feldmarschall Graf Flemming gemeinsame Kasse bei der Armee und brachte große Summen aus der Kriegskasse an sich. Er hat, wie man sagt, sein Geld an Wechselhäuser in der Schweiz geschickt. Für seine Kinder hat er gut gesorgt: der älteste [Hans Balthasar auf Mölbis, gestorben 1712] ist Oberhofmeister der Königin, der zweite [Christoph Dietrich] Minister, ein dritter* Oberst bei der Garde. Auf diese Weise beherrschte er den Hof der Königin, das Staatsministerium und das Kriegskommissariat. Auch seine Töchter hat er sämtlich an reiche und einflußreiche Männer verheiratet.
Der jüngere Bose – er hieß wie der Vater Christoph Dietrich, war Herr auf Frankleben und Serrhausen bei Oschatz – war eine kurze Zeit lang nach Beichlingens Sturz, 1703, einer der einflußreichsten Minister am Hof. Er suchte damals zwischen dem Statthalter Fürstenberg und dem Premierminister und Oberhofmarschall Pflug, die unaufhörlich einander entgegenarbeiteten, eine dritte Partei zu bilden, und seine Absicht war, wie Wolframsdorf sagt, jene beiden durch die Überlegenheit seines Verstandes zu betrügen und den König dahin zu bringen, daß er ganz allein von ihm abhänge. »Herr von Bose«, sagt Wolframsdorf, »ist eine Kreatur des Geheimrats von Knoch; dieser hat ihn bei Hof gefördert, und wenn Bose nicht schon von Haus aus ein Spitzbube wäre, so würde er es in

* Adam Heinrich, später General und Kommandant von Wittenberg.

dieser Schule geworden sein. Er kam sehr jung durch seinen Vater in den Dienst, dem daran lag, nach dem Tod des Kurfürsten Johann Georg III. einen Sohn in das neue Ministerium zu bringen, der in Verbindung mit der übrigen Kabale darauf hinarbeiten sollte, dem Nachfolger die Kenntnisse vom Zustand des Staates zu verbergen – ein fast allen sächsischen Kurfürsten gemeinsames Unglück, die dadurch, daß sie ihre Minister fast nur aus dem Adel wählten, der größten Vorteile verlustig gingen.«

Bose hatte sich im diplomatischen Dienst ausgezeichnet. Er ging nach Wien, dann 1697 als dritter sächsischer Gesandter auf den Friedenskongreß zu Rijswijk* und übernahm darauf Missionen nach Schweden, Dänemark, Rußland und zuletzt, Ende des Jahres 1702, nach England. 1703 wurde er als Geheimrat zurückberufen und übernahm die Leitung des Kriegsdepartements; er begleitete den König nach Polen in den Krieg. Zwei Jahre darauf schrieb Wolframsdorf über ihn:

»Seit seiner ersten Anstellung hat Herr von Bose sich so eifrig darauf gelegt, den Charakter seines Herrn zu studieren, daß er alle Läufer und wen er sonst zum König schickt, beauftragt, sich von allem gut zu unterrichten und genauen Rapport abzustatten. Zuerst wurde er nach Wien geschickt, um die Freilassung des Generals von Schöning zu erwirken; aber da er dem kaiserlichen Hof mehr als dem sächsischen ergeben war, tat er von allem, was ihm aufgetragen worden war, das Gegenteil. Da ihm der erste Streich gegen den seinem Herrn schuldigen Respekt gelungen war, schien es ihm geraten, sich mit einem Haus zu verbinden, das dem seinen hinsichtlich der Betrügereien und Intrigen in nichts nachsteht, mit dem Haus Friesen. Seine Gemahlin (eine Schleinitz) war eine nahe Verwandte dieser Familie; hierdurch wurde er bald Staatsminister, und die alten Minister überließen ihm aus Faulheit die Geschäfte und freuten sich, einen von ihrer Sippschaft unmittelbar beim König zu wissen, der ihnen als Spion diente und ihnen alles hinterbrachte.

Bei der ihm als Kriegskommissar übertragenen Armeeverwaltung pflegt er die Kasse des Königs mit seiner eigenen zu verwechseln. Er bezahlt die Offiziere nicht anders als in Wechseln, die auf ihn gezogen sind, wodurch er nicht allein die Zinsen gewinnt, sondern machte auch bei den russischen Subsidien und bei den Landeskontributionen gute Geschäfte, während die Truppen in Polen auf Diskretion leben. Und dies alles tut er, um sich dem König unentbehrlich zu machen, der, um den Kredit des Herrn von Bose aufrechtzuerhalten – da er den des Königs aufrechterhält –, gezwungen ist, zu den

* Die beiden anderen Gesandten waren Geheimrat Graf Werthern und General Graf Langnasco.

äußersten Maßregeln zu schreiten und sein Land durch außergewöhnliche und unerträgliche Steuern zu erschöpfen, wie die Kopfsteuer, die nur den Armen zur Last fällt.
Wie Frau von Gersdorf [die Gemahlin des Geheimratsdirektors, die Erzieherin des Bischofs Zinzendorff, geborene Friesen] ehedem, so macht gegenwärtig Frau von Bose gute Geschäfte mit dem Handel mit der Justiz. Der fortwährende glückliche Erfolg seiner Betrügereien in Verbindung mit dem Beistand seiner Frau, sein Ehrgeiz und die Gewinnsucht – er ist arm und treibt einen großen Aufwand – haben ihn so aufgeblasen gemacht, daß er sich ohne Rückhalt über seinen Herrn und über seine Kollegen lustig macht. Die Befehle des Königs ändert er nach seinem Belieben ab. Geht es im geringsten nicht nach seinem Willen, so setzt er sich mit anderen zusammen und verhandelt mit der Pfeife im Mund die wichtigsten Staatsgeheimnisse. Seinen Freunden und Untergebenen, die er für sich zu gewinnen sucht, ist er unerträglich, mag er ihnen nun mit erheuchelten Liebkosungen schmeicheln oder sie durch seine Rücksichtslosigkeit einschüchtern. Sein größtes Verdienst ist, wie er selbst sagt, daß mehrere Fürsten, an die er gesandt war, ihn sehr gelobt und erklärt haben, mit keinem anderen Minister als mit ihm verhandeln zu wollen. Öffentlich rühmt er sich, daß der Zar an den König geschrieben habe, er beteuere, daß er ›nur mit dem jüngeren Herrn von Bose die obschwebenden Geschäfte abmachen‹ werde. Allein außer dem, daß das Lob, das die fremden Höfe den auswärtigen Ministern erteilen, immer verdächtig erscheint und nur beweist, daß diese Minister von den fremden Höfen gewonnen sind, so haben wir von allen seinen Verhandlungen noch keine Früchte gesehen.«
Aus Patkuls Depeschen geht hervor, daß Bose im Jahre 1704 besonders verwendet worden war, um der drückenden Lage des Königs in Polen ein Ende zu machen und ihm gegen Aufgabe Polens und Verwendung der Armee für den Kaiser und die Seemächte für Frankreich »in Deutschland einige Landschaften zu verschaffen«. Das russische Geld, das schon Peter der Große mit Scheffeln austeilte – selbst in Holland und England –, um, wie Patkul sich einmal ausdrückte, »diese schwersten Gäste bei der Mahlzeit in guten humeur zu setzen«, setzte auch Bose in anderen »humeur«. Bose war es, der Patkul dazu brachte, sagen zu können: »Der hiesige Staat ist mir besser bekannt als dem König selbst.«
»Herr von Bose«, fährt Wolframsdorf fort, »ist mit dem Oberhofmarschall Graf Pflug die Hauptstütze der Adelspartei in Sachsen. Sie sind die beiden vornehmsten Minister des Königs, weshalb sie anfänglich aufeinander sehr eifersüchtig waren; da indes die Politik beider darin besteht, den König zu umnebeln und ihn zu hindern, daß er klar sieht, haben sie sich vereinigt und korrespondieren

fleißig, und Herr von Bose geht oft nach Polen, um den Oberhofmarschall zu unterstützen.
Im allgemeinen sagt man, Herr von Bose sei der geschickteste Minister des Königs; allein ich behaupte dreist, wenn er auch noch zehnmal mehr Verdienste hätte, als man davon Lärm macht, so machen ihn die Mittel, derer er sich bediente, um seinen Zweck zu erreichen, und sein Benehmen, sich zu behaupten, so schuldig, daß ihn der König nur aus allzu großer Nachsicht nicht längst hat auf den Königstein abführen lassen. Er ist der größte Spitzbube und der gefährlichste unter allen Ministern – um so gefährlicher, als er den König haßt aus bösem Gewissen und aus Furcht, daß seine Unterschlagungen an den Tag kommen. Als er vor drei Jahren in Ungnade kam, wünschte er, wie ich glaube, der König möchte untergehen oder in geschwächtem Zustand bleiben, um nur seine Reichtümer ruhig genießen zu können.«
Die Andeutung auf den Königstein, die Wolframsdorf hier machte, ging nur zu bald in Erfüllung. Bose fiel im Jahre 1705 – schon vor der Katastrophe bei Fraustadt und dem schwedischen Einbruch in Sachsen – und wurde auf den Königstein gesetzt. Als er später – wahrscheinlich durch Flemmings Einfluß, der zu seiner Faktion gehört hatte – wieder freikam, wurde er mit der Oberaufseherstelle der Grafschaft Mansfeld in Eisleben abgefunden und zog sich auf sein Gut Frankleben in der Nähe von Merseburg zurück. Als Brühl ans Ruder kam, wurde Bose aber nochmals auf die Festung Pleißenburg gesetzt; hier starb er im Jahre 1741, siebenundsiebzigjährig, nicht ohne große Lobeserhebungen der Offiziere, die bei ihm die Wache hatten, über seine besondere Gelassenheit, mit der er sich in sein Schicksal fügte.
Ein dritter Bose unter August dem Starken, Karl Gottfried von der vogtländischen Linie, auf Netzschkau im Vogtland, war der erste Graf des Geschlechts. Er war der Sohn des im Dreißigjährigen Krieg vielgenannten Obersten Karl Bose, der 1657 als Amtshauptmann von Zwickau und Herr von Netzschkau, Mylau, Elsterberg, Lauterbach, Schweinsburg, Krimmitschau, Lengefeld und Breiting unter Johann Georg II. gestorben und angeblich auch schon von Kaiser Ferdinand III. gegraft worden war. Karl Gottfried Bose war Hofmarschall, Kammerherr und Oberstleutnant der Leibgarde zu Roß unter Johann Georg III., erhielt 1715 von Kaiser Karl VI. die Grafenwürde erneuert und starb 1731 als Gesandter Kursachsens in Regensburg. Der bekannte Dichter Kanitz war seit den Universitätsjahren in Leipzig sein Freund.
Die Familie Bose hatte eine hohe Meinung von ihrem Geschlecht: Im gothaischen Grafenalmanach von 1836 steht noch ganz naiv die Versicherung, daß die Bose »eine der ältesten und ansehnlichsten

adeligen Familien in Deutschland« seien, »aus der bereits Einer bei Kaiser Otto I. [† 973] Caplan gewesen« sei, »welches in damaligen Zeiten eine der wichtigsten adeligen geistlichen Chargen am kaiserlichen Hofe war«. Für solche Naivität ist vergebens von dem berühmten Schlieffen nachgewiesen, daß vor dem 11. Jahrhundert keine sichere Spur von den heutigen adeligen Geschlechtsnamen in Deutschland, vor dem 12. Jahrhundert keine von den Familienwappen zu liefern ist – über jenen Zeitpunkt hinaus also auch viel ansehnlichere Geschlechter als das des Kaplans Boso keinen Beweis ihres Alters führen können. Das Wappen von Kurmainz – ein Rad –, vom Radmachersohn Kurfürst Willigis herstammend, und die Erhebung des ehemaligen »göttlichen Sauhirten« Sixtus V. zur Tiara hätten belehren können, daß geistliche Ämter wenigstens nicht Prärogativen des Adels waren.
Ein Johann Bose war 1431 Bischof von Merseburg.
Die Familie ist jetzt sehr heruntergekommen: sogar das Stammgut Netzschkau, seit 1619 im 200jährigen Besitz, wurde 1809 an die Grafen Schulenburg verkauft.

Der Oberküchenmeister Seyffertitz

Unter den großen Hofchargen machte außer den schon unter den Ministern angeführten Oberhofmarschällen Pflug und Löwendahl und den Oberkammerherren Vitzthum und Friesen besonders der Oberküchenmeister von Seyffertitz eine große Figur.
Oberküchenmeister Baron Adolf von Seyffertitz hat sich durch eines der stattlichsten Häuser, das er in Dresden hatte, ausgezeichnet. Es machte seinem Hofposten solche Ehre, daß er sogar den Zaren Peter an seiner Tafel bewirten konnte, als dieser auf seinem dritten Besuch 1712 nach Dresden kam. Seyffertitz war bei Hof des öfteren Stellvertreter des Oberhofmarschalls Löwendahl. Früher war er Oberschenk, und Wolframsdorf führt ihn 1705 noch als Kammerherrn an. Schon damals war er eine Hofnotabilität, zwar arm, wußte sich aber zu seinem großen Aufwand echt kavaliersmäßig Kredit zu verschaffen; er benützte dazu seinen Hofeinfluß, und zwar den wahren wie den eingebildeten.
»Seyffertitz«, schreibt Wolframsdorf, »hat das Unglück, arm zu sein und den Aufwand zu lieben. Er spielt den wichtigen Mann und meint Geist zu besitzen; die Rolle wird ihm schwer durchzuführen, denn es fehlen ihm die Gaben. Er legt sich aufs Intrigenspinnen, aber die Netze sind sehr grob. Übrigens hält er es mit dem Ministerium, das eben obenauf ist, wechselt daher stets in seinen Ansichten und lobt, was er eine Viertelstunde vorher getadelt hat. Hat er dem

König etwas mitzuteilen gehabt, so ist er eitel genug, dessen Antwort auf der Stelle auszuschwatzen. Eine Zeitlang legte er sich darauf, die Leute glauben zu machen, daß seine Empfehlungen alles beim König vermöchten; dadurch gelang es ihm, sich bei den Kaufleuten Kredit und Geschenke zu verschaffen. Jetzt ist alle Welt von den Irrtum geheilt.«

Seyffertitz war mit der Witwe des Oberfalkenmeisters Beichlingen – des Bruders des gestürzten Großkanzlers, der mit ihm stürzte – vermählt und wurde so der Schwager des Memoirenschreibers Haxthausen.

Prinz Johann Adolf von Weißenfels und General Baudissin

Von den Generälen, die in der Hofgesellschaft Augusts des Starken Figur machten, sind mehrere – wie Schulenburg und Schmettau, die Rivalen Flemmings – schon oben erwähnt, ebenso mehrere – wie Flemming, Wackerbarth, Lützelburg, Lagnasco –, die zugleich Minister waren. Ich nenne noch zwei: den später regierenden letzten Herzog von Weißenfels und Baudissin, der ebenfalls zugleich Kabinettsminister war und noch in der folgenden Regierung diente.

Der General und Kabinettsminister Baudissin war ein Enkel des Feldmarschalls Sachsens im Dreißigjährigen Krieg und fungierte noch unter der folgenden Regierung, wo er mit dem Grafen Wackerbarth-Salmour bei der polnischen Königswahl Augusts III. negotiierte; durch ihn ließ Brühl seinem Rivalen Sulkowsky das Ende seines Ministeriums kundtun.

Siebentes Kapitel

Die Geldwirtschaft am Hof · Die Kammerdiener und Geheimen Kämmerer Angelo Constantini und der Stammvater der Grafen Hoffmansegg · Die Hofjuden Lehmann und Meyer Die Hofnarren, Hofzwerge und Hofriesen · Baron Kyau

Die Geldwirtschaft am Hof war in traurigstem Zustand. Der König, der keine Rechnungen durchsah, wurde von allen Seiten betrogen; er war in einer fortwährenden Sorglosigkeit, da seine Umgebung nichts unterließ, ihn fort und fort glauben zu machen, daß seine Hilfsquellen unerschöpflich seien. »Gegenwärtig«, sagt das »Portrait de la cour de Pologne«, »begnügt sich hier in Dresden niemand mit den Einkünften seiner Güter oder mit seinem Gehalt. Im Gegenteil: einer sucht den anderen – zumal bei Hof – zu übervorteilen. Es reicht gar nicht hin, eine vom König unterzeichnete Anweisung zu haben. Die, die das Geld unter Verschluß haben, bezahlen, je nachdem sie gegen jemanden gut oder übel gestimmt sind. Selbst wenn man sich beschwert, erhält man keine andere Antwort als: ›Es ist kein Geld da‹, obwohl dies alles nur Schikane und Mangel an Achtung vor dem König ist, dessen Wille es allerdings ist, daß jedermann bezahlt werde.«

Zur Zeit, als Wolframsdorf seine Memoiren schrieb, bekleidete Klauer den Posten eines Hofsekretärs, der ein sehr einflußreicher Mann war. Früher war Tresorier der Geheime Kämmerer Christoph Heinrich Starke, der in besonderer Gunst stand und durch dessen Hände viele geheime Angelegenheiten gingen, wie die des Porzellanerfinders Böttiger und ähnliche. Die Geheimen Kämmerer waren sehr einflußreiche Leute; unter ihnen sind noch auszuzeichnen: Johann Adam Steinhäuser, der Architekt des Zwingers und der Brücke zu Dresden; Oberlandbaumeister Daniel Pöppelmann und der Geheime Kriegs- und Geheime Assistenzrat im Kabinett, Antonio Thioly, oben schon einmal bei der Charakteristik des Ministers Heinrich Hoym – der sich selbst auf dem Königstein entleibte – als Anhänger der französischen Partei am Hof genannt.

In anderer Beziehung wie die Kämmerer einflußreich waren die Kammerdiener. Sie spielten am Hof Augusts des Starken namentlich als Zuträger eine Rolle – wie später unter Brühl. Der Premier Oberhofmarschall Pflug bediente sich schon der Kammerdiener mit größtem Nutzen, um immer festen Boden im Gemüt seines Herrn zu fassen. »Außer dem jungen Spiegel*«, sagt das Manuskript

* Scheingemahl der Fatime, Mutter des Grafen Rutowsky.

Wolframsdorfs, »gibt es keinen Kammerdiener, der nicht plaudert; Fischer und Lange sind von Pflug bestochen, und Fink ist ein guter Junge.«

Was die Herzogin von Orléans vom Hof von Versailles schrieb: »Die Herren jetziger Zeit haben sich zu gemein gemacht mit ihren Lakaien, brauchen sie zu allerhand Infamien, dürfen ihnen hernach nichts sagen, die Lakaien spielen den Meister« – das hatte auch in Dresden seine Geltung. Ein paar Lieblingskammerdiener Augusts des Starken, die hoch parvenierten, waren Constantini und Hoffmann.

Angelo Constantini, genannt Mazotin, war ein Italiener: er stammte aus Verona. Er reiste für August, um ihm italienische und französische Aktricen zu verschaffen, stieg zum Geheimen Kämmerer, Schatzmeister der Menus plaisirs, Aufseher der Schmuckkammer empor und wurde geadelt. Er war so familiär mit dem Herrn und seiner Umgebung, daß er einer Mätresse des Königs Anträge machte und sich dabei zum Spott des Gekrönten herbeiließ. Die Mätresse erhörte den Kammerdiener nicht, zeigte ihn dem Herrn an, und er kam am 15. Dezember 1702 auf die Festung Königstein. Später bat ihn eine andre Mätresse wieder los; er ging nach Paris und starb 1729 in seiner Vaterstadt Verona.

Noch höher parvenierte ein andrer Kammerdiener: Franz Joseph Hoffmann, der der Stammvater der heutigen Grafen von Hoffmannsegg ist. Hoffmann war bei August dem Starken dasselbe, was le Bel, der erste Kammerdiener Ludwigs XV., bei dessen erotischen Unternehmungen war: er führte die liebenswürdigen Gegenstände zu. Am sächsischen Hof war noch dazu eigentümlich, daß Hoffmann bei Vater und Sohn zugleich in Funktion war, denn August II. hatte nichts Geheimes vor seinem Sohn, er weihte August III. in alle seine Unternehmungen ein. 1741 kam der Lohn für den treuen Hoffmann: er wurde für seine Widmung mit vier Brudersöhnen nobilitiert. Darunter befand sich der in die diplomatische Karriere parvenierte Johann Alberich Hoffmann, Legationssekretär, später Geheimer Kabinettsassistenzrat; auf dessen Haupt senkte sich 1779 das Grafenkrönchen herab, das das Geschlecht noch führt, in dem neuerdings einer als bemerkenswert zu nennen ist, der große Reisen gemacht und naturhistorische Sammlungen zusammengebracht hat.

Das Geld für die laufenden Ausgaben am Hof ließ man durch Wechsler beschaffen; hierzu wurden wie in Wien und Berlin Hofjuden gebraucht. Was in Wien Oppenheimer, in Berlin Liehmann, war das Haus Lehmann und Meyer in Dresden.

Berendt Lehmann, der eine Kompagnon des Hauses, war es, durch den schon 1697 der Verkauf von Quedlinburg an Kurbrandenburg ging, um Geld zur Krönung in Warschau zu beschaffen. Auch später, im Schwedenkrieg, besorgte er die Anleihen, die nach dem Einfall Karls XII. in Sachsen 1706 gemacht werden mußten. Zwanzig Jahre darauf noch erscheint er als der Hauptgeldbeschaffer für den Marschall von Sachsen bei seiner Unternehmung auf Kurland. Am 5. November 1726 schrieb Moritz an seine Mutter: »Der Jude Lehmann mag mein guter Freund bleiben. Es wird sich bald viel Gelegenheit finden, wo er mir dienen und seine Rechnung finden kann. Ich habe die Augen immer auf ihn gerichtet als einen Mann, der sich auf große Geschäfte versteht.«

Jonas Meyer, der andere Kompagnon, kam 1700 von Hamburg nach Dresden und wurde Generalproveditor und Hofagent des Königs. Er besorgte namentlich die Juwelenlieferungen an die Damen seiner Neigung. Er führte mit Berendt Lehmann in dem ihnen eingeräumten ehemaligen alten Postgebäude in der Pirnaer Gasse, dem Landhaus gegenüber, das damals »das Judenhaus« hieß, das erste ansehnliche Wechselgeschäft in Dresden. Er war ein sehr unternehmender Mann: Bei der großen Teuerung 1719/20 führte er aus Rußland, England, Mecklenburg und von anderen Seiten her Kornvorräte nach Sachsen und verkaufte sie zu wohlfeileren Preisen, als man sie bisher hatte haben können: den Scheffel zu vier Talern. Das Gedränge der Leute bei der Austeilung, die zweimal pro Woche stattfand, war so groß, daß mehrere Menschen ums Leben kamen. Wie der reiche Ephraim in Berlin unter Friedrich dem Großen, führte Jonas Meyer damals in Dresden ein sehr großes Haus; er gab die prächtigsten Feste, bei denen im Jahre 1720 nicht bloß der Kurprinz, sondern sogar die Kurprinzessin, die überstolze Cäsarentochter Josephine, erschien. Nach dem Tod Augusts des Starken mußte Meyer aber aus seinem Haus weichen – die Post übernahm es wieder. Er hatte sich hinter dem Haus einen mit schönen Fontänen gezierten Lustgarten und darin ein vielbewundertes Bad bauen lassen – auch dieses Bad mußte verschwinden.

Weiters sind ein paar heitere Gestalten aus dem Saus-und-Braus-Leben des Hofs unter August dem Starken zu nennen, die sich als Hofnarren und Lustigmacher seiner Gunst erfreuten: der zu seiner Zeit sehr berühmte »Hoftaschenspieler« Joseph Fröhlich und der »Kammerkurier« Baron Schmiedel. Für Fröhlich, einen geborenen Bayer, der in seiner Hanswurstjacke über dem dicken Bäuchlein und in seinem spitzen Hut jeden Morgen von seinem an der Brücke in Neustadt gelegenen Haus – dem sogenannten »Narrenhaus«, das noch heute vorhanden ist – zum Hof ritt, ließ August neunundneunzig Hanswurstjacken machen; auch trug er einen ungeheuer großen silbernen Kammerherrnschlüssel, der sechzig Unzen wog und den er im Notfall als Zechpokal benützen konnte. Er war ein großer

Taschenspieler und verdiente damit viel Geld. Er besaß nicht nur ein eigenes Haus in Dresden, sondern hielt sich sogar eine Equipage. Man prägte eine Münze auf ihn, deren Inschrift lautete: »Joseph Fröhlich, kön. poln. und kurf. sächs. Hofschauspieler. Semper fröhlich, numquam traurig.« Nach seinem und Brühls Tod erschien von ihm 1763 »Der politische Kehraus«, eine gemütliche Satire auf Brühl. Er soll in Warschau vor Lachen gestorben sein.
Sein ewiger Widersacher war Baron Schmiedel: dieser war fortwährend melancholisch bei seiner Funktion als Hofnarr.*
Der dritte zu dem Kleeblatt war Saumagen und der vierte Leppert aus Leipzig, der im Privattheater Brühls die komischen Rollen spielte und zuletzt in die Koch'sche Schauspielergesellschaft übertrat.
Auch die Hofzwerge hatten die Funktion, das Gemüt ihres königlichen Herrn durch Kurzweil zu erheitern. In großer Gunst stand bei August der kleine Hof- und Leibzwerg Hante, von Geburt ein Holländer, der an allen Orten freien Zutritt zu ihm hatte. Hante war nur zweieinviertel Fuß hoch und ein sich nicht nur äußerlich stets zierlich darstellender, sondern auch höchst aufgeweckter, kluger und verschlagener Mensch; er wußte sich in jedermanns Gemütsart zu finden und sich allen beliebt zu machen. Er ritt, focht und schoß gut, starb aber schon 1716, ungefähr dreißig Jahre alt.
Noch jünger, nur einundzwanzig Jahre alt, war 1710 im Hoflager zu Torgau der Leib- und Kammerzwerg der Königin Eberhardine gestorben: Hans Tramm. Er stammte aus Bayreuth, der Vaterstadt der Königin; sie hatte ihn erzogen, und er war ihr Liebling. Der Vater war ebenfalls ein Zwerg, die Mutter aber war eine Frau von großer Statur. Die Grabschrift, die ihm gesetzt wurde, bezeichnet ihn als »an Statur ein Kind, an Jahren ein Jüngling, an Verstand ein Mann, an Geschicklichkeit ein Meister und an Gottesfurcht ein Muster«.
Weit älter – nämlich zweiundachtzig Jahre alt – starb 1722 in Dresden der Kammerzwerg Matthäus Friesen.
Ein merkwürdiger Zwerg war noch Monsieur de Peine, königlicher

* Eine preußische Gegenschrift, die im Jahre 1758 gegen den für Brühl geschriebenen gerechtfertigten Ephraim als »Postskript« in Aschaffenburg erschien, sagt auf Seite 35: »Es ist mir eine Kommission zu einer solchen kursächsischen Geschichte [wie die ›Memoires de Brandebourg‹] aufgetragen etc. In dem ganzen Werk sollen nichts als Staatsbegebenheiten erzählt, der Inhalt des galanten Sachsens aber nebst den Abenteuern mancher noch auf Erden herumwandelnden Staatsgötter mit gewissen Theaterprinzessinnen, ferner die Artikel Rochlitz-Neitschütz, D(önhoff), Joseph (Fröhlich), Schmiedel, Saumagen und dergleichen wegbleiben. Der Verfasser verspricht auch, der modernen Hofmoral nicht zu gedenken, zu deren Perfektionierung man in erlauchten Gesellschaften [Brühls] das Problem aufgeworfen, ob nicht ein wohlgebildeter Knabe den schönsten Fräuleins vorzuziehen sei.«

Leibzwerg und Inspektor der Kuriositäten, der zweidreiviertel Fuß lang war und mit seiner sechs Fuß langen Frau drei Söhne und mehrere Töchter zeugte; alle Söhne und eine Tochter waren wieder Zwerge wie der Vater und standen bei Hof in großer Gunst.
Zum Abschluß des Karnevals 1721 ließ der König einmal zwölf Zwergenpaare an einer besonderen Tafel bewirten.
1730 gab es am Dresdner Hof auch zwei Kammerriesen, die gerade einen Kopf größer waren als die längsten Personen in Dresden. Der eine, neun Fuß lang, dreiundzwanzig Jahre alt, ein Geschenk des Königs von Schweden, war ein Priestersohn aus Finnland; er hieß Daniel Cojanus. Er trug türkische Kleidung und einen Turban, war von gewaltiger Stärke und von gewaltigem Appetit. Der zweite Kammerriese war ein Mohr, ein Gegengeschenk Friedrich Wilhelms I. von Preußen gegen einige lange Albaner; er war ebenso lang wie Daniel, aber schlanker und gewandter in seinen Bewegungen und seinem Gang und damals erst achtzehn Jahre alt.
Eine der lustigsten Figuren am Hof Augusts des Starken war schließlich noch der famose Baron Friedrich Wilhelm von Kyau aus einer alten oberlausitzischen Familie, deren Stammsitz gleichen Namens bei Zittau liegt. Kyau war erst in brandenburgischen Diensten gewesen; sein Vater war Oberstwachtmeister beim Großen Kurfürsten. Er focht als Gemeiner 1675 bei Fehrbellin mit; 1685 stieg er zum Fähnrich auf; 1693 trat er unter Johann Georg III. als Leutnant mit Schöning, seinem Gönner, in sächsische Dienste – und zwar wegen eines Duells –, und zuletzt war er seit 1702 Generaladjutant König Augusts. Man erzählt eine Menge Schwänke von ihm, in denen er zum Teil einen nicht gemeinen Witz blicken ließ.
August der Starke forderte Kyau eines Tages bei der Tafel auf, den Mundschenk zu machen, und ließ ihm einige Flaschen Unger-Ausbruch als etwas besonders Kostbares bringen. Kyau stellte sofort den Pokal des Königs in die Mitte der Tafel und ringsumher die Gläser der Minister und Geheimräte nach ihrer Rangordnung; dann ließ er sich noch eine Anzahl kleinerer Gläser bringen, die er in den äußeren Kreis stellte. Er begann nun bei den kleinsten Gläsern einzuschenken, füllte darauf die größeren, so daß nur wenige Tropfen für den Pokal des Königs übrigblieben. Als der König fragte, was dies bedeuten solle, antwortete Kyau: »Eurer Majestät Verwaltung der Landeseinkünfte.«
Durch eine Szene in Falstaff-Manier gelangte Kyau zu der im Jahre 1715 erledigten Kommandantenstelle des Königsteins. Er bat einst bei der Tafel den König, für zwei Minuten mit ihm die Rollen zu tauschen – der König genehmigte es. Kyau hob nun einen Lehnsessel auf die Tafel, bedeckte sich mit dem Hut des Königs und hielt

diesem, den er als General Kyau titulierte, eine großmächtige Lobrede, die damit schloß, daß er ihn zum Kommandanten des Königsteins ernannte. Der König bestätigte die Ernennung und fügte noch das Patent als Generalleutnant hinzu. Kyau starb als solcher 1733 auf dem Königstein, unverheiratet, fast achtzig Jahre alt, wenige Tage vor dem Tod seines Herrn.

Achtes Kapitel

Das Prinzip des Adelsregiments in Sachsen · Finanz-, Armee- und Justizwirtschaft unter August dem Starken

»Meine lieben Kinder, lassen wir die Dinge gehen, wie sie gehen, und klären wir die großen Herren nicht mehr auf, als sie es schon ohnedies sind; wir geben ihnen ja nur guten Rat gegen uns selbst. Wir müssen uns zu halten suchen, wie es der Adel in Brandenburg macht.« Mit diesen merkwürdigen Worten, die das Manuskript Wolframsdorfs bringt, sprach der alte sächsische Generalleutnant Benckendorf*, der aus Brandenburg stammte, das Adelsprinzip aus, das in Sachsen wie in Brandenburg in der Herrschaft bleiben sollte. Mit Sachsen irrte er sich nicht, sehr stark aber mit Brandenburg: Er konnte die große Wandlung nicht voraussehen, die wenige Jahre nach seinem Aufruf der martialische Friedrich Wilhelm I., der dem galanten Äsop folgte, über die Junker von Brandenburg herführte.

»Herr von Benckendorf«, setzt Wolframsdorf hinzu, »würde, wenn er am Hof wäre [er saß noch auf dem Königstein], alle Dinge so gehen lassen, wie es dem großen Hoftroß gefällt, der seinen eigenen Vorteil dem des allgemeinen Besten vorzieht. Diese Leute helfen einer dem anderen und unterdrücken jeden, der nicht zu ihrer Bande gehört und dem König treu dient.

Die Minister in Sachsen haben eine Erfindung gemacht, um die Zustimmung zu allem zu erhalten, was sie wünschen. Wenn sie über eine Sache einig sind, die ihnen vielleicht selbst ungerecht und für den König nachteilig erscheint, hüten sie sich sehr, damit plötzlich hervorzutreten; sie forschen vielmehr nach und nach den König zuvor aus. Finden sie, daß er von der Sache bereits unterrichtet ist oder Anstand nimmt, sich zu entscheiden, so verabreden sie sich, auf welche Weise der König herumzuführen sei. Zu diesem Zweck lassen sie ihn verschiedene Kabinettsorder unterschreiben und schicken dann diejenige ab, die ihnen gefällt. Dabei erklären sie: ›Der König hat es befohlen!‹ – Man soll ihre Festigkeit für ein Zeichen ihrer Treue und Anhänglichkeit halten und für ein Zeichen ihrer Gerechtigkeitsliebe, so daß sie immer den Schein um sich verbreiten, als wenn die Dinge, die sie nicht zur Ausführung bringen

* »Ein kaltblütiger, versteckt eigennütziger, bequemer und üppiger Mann; der Wein, der Branntwein, das Bier und der Tabak kommen von Mittag bis Mitternacht nicht bei ihm vom Tisch, sein Kopf ist ständig benebelt« – so gibt Wolframsdorf seine Beschreibung. Er kam 1703 mit dem Großkanzler Beichlingen und dessen Anhang auf den Königstein.

– und wenn es der König zehnmal befiehlt –, gegen ihr Gewissen laufen. Aber ihr Gewissen ist weiter als der Ärmel eines Kapuziners. Der König, der weder den Grund der Verzögerung kennt, noch erfährt, weshalb man ihm entgegenarbeitet, sieht sich schließlich gezwungen, zu tun, was seine Minister verlangen. Jeder, der es mit dem König wohl meint, erfährt die Kränkung, seine besten Absichten mit dem Haß und der Verfolgung der Minister belohnt zu sehen und zugleich mit der Verachtung des Königs.

Die Minister verstehen es auch, die Zeit wohl abzupassen, wenn sie beabsichtigen, den König auf eine oder andere Weise von einem bereits gefaßten Entschluß wieder abbringen zu wollen. Sie überraschen ihn, wenn er guter Laune ist oder wenn sie ihn zerstreut sehen, und erpressen dann eine Entscheidung, die er nur gibt, um sie mit ihrer Zudringlichkeit loszuwerden. Sie setzen ihn niemals in genaue Kenntnis von einer Sache, denn des öfteren kennen sie sie selbst nicht.

Da nun der König nie vollständig unterrichtet ist und ihm die schlechten Absichten seiner Minister, in die er sein Vertrauen setzt, verborgen bleiben, widerfährt ihm oft, daß er das schlimme Teil anstatt des guten wählt.

Der energische und nachdrückliche Rat, den das »Portrait de la cour de Pologne«, das um das Jahr 1705 vor der schwedischen Invasion geschrieben wurde, August dem Starken erteilte, ging geradezu darauf aus, »die ganze Rasse seines durch Eigennutz und Nachsicht verdorbenen Ministeriums fortzujagen, Ausländer zu Ministern zu nehmen und sich nach den Grundsätzen des politischen Testaments Kardinal Richelieus nach dem Vorgang der Könige von Frankreich, Preußen, Dänemark und Schweden zum absoluten Herrscher zu machen, indem er das seine Souveränität beeinträchtigende Joch seines Adels abwerfe. Zu diesem Zweck muß er sich zuerst über die Landeskollegien stellen, die ihn als ihren Gebieter anerkennen müßten, und zweitens die allzu große Lizenz der Adeligen zügeln und sie samt und sonders vom Hof und aus den Kollegien entfernen. Und zwar wird der König zu dem Entschluß gezwungen, seine Edelleute aus seiner Umgebung zu entfernen, sowohl um sein eigenes Ansehen wiederzugewinnen wie um des eigenen Besten des Adels willen, da ausgemacht ist, daß dieser unter drei oder vier Regierungen der Vorgänger des Königs, die weichlich und allzu nachgiebig waren, gänzlich verderbt worden ist, so daß er weder Ehre noch Eifer für den Dienst seines Herrn mehr hat.« –

»Man hat uns versichert«, sagt Wolframsdorf, »der König habe schon diesen Entschluß gefaßt, doch habe er sich wieder einschläfern und durch andere Begebenheiten davon abbringen lassen. Sehr übel tat er daran, sich gegen Herrn von Birkholz* darüber auszusprechen; da dieser mit zu der Kabale gehörte, versäumte er nicht, den Adeligen vom Hof davon Nachricht zu geben, damit diese ihre Maßnahmen treffen konnten, da sie teils die Absichten des Königs scheitern machten, teils sich durch ungestüme Empfehlungen zu halten suchten, indem sie die von ihnen und ihren Ahnherren geleisteten Dienste aufzählten, obwohl sie, wenn sie darüber nähere Rechenschaft geben sollten, öfter keinen anderen Lohn als den Strang zu erwarten hätten. Es ist das Unglück des Königs, daß seine ersten Diener bei Hof und bei der Armee von Haus aus nicht einen Heller eigenes Vermögen hatten und sich auf jede Weise zu bereichern suchten. Alles, was diese Hofadeligen besitzen, gehört dem König, denn in Sachsen gibt es nicht eine einzige reiche Familie, die es nicht durch die Geschenke des Königs geworden wäre – mit Ausnahme derer, die bei der Steuer angestellt sind.** Der König sieht, wie sehr ihm sein Adel in allen Dingen zuwider ist, wie sehr er wünscht, daß er ohnmächtig bleibe; der Adel widersetzt sich allem, was der König will, da er durch die ersten Minister und Beamten, die alle dem Adelsstand angehören, unterstützt wird. Man sieht dies bei der Aushebung der Truppen, die er in gegenwärtigen Zeitläufen so sehr nötig hat; man sieht es bei den Verhandlungen wegen der Akzise, von deren Einführung man ihn auf alle Weise zurückzuhalten sucht, obschon durch sie seine Einnahmen beträchtlich vermehrt, die Landtage abgekürzt und die ungerechte und ungleich verteilte Steuerlast aufgehoben werden würde.

Die Minister sind mehr Herren des Landes als der König selbst. Daher kommt es auch, daß die Versammlung der Landstände den Absichten des Königs so schlecht entspricht, da sie mit den Geheimen Räten unter einer Decke spielen, die alles mögliche anwenden, um den König in Verwirrung zu erhalten und um desto besser im trüben zu fischen. – Es genügt eine Empfehlung von einem Minister oder einem anderen Günstling, um Geld, Ämter, Wälder, Güter und was man nur immer will, zu erhalten. Ohne solche Fürsprache reichen zwanzigjährige Dienste nicht hin, einem ehrlichen Mann sein Auskommen zu sichern. Der König schlägt nie etwas ab und gibt nur denen, die ihn am meisten quälen und es am wenigsten verdienen.«

Haxthausens Memoiren enthalten interessante Aufklärungen über die Mittel und Wege, wie der sächsische Adel, sich auf die alte Verfassung stützend, auf den Landtagen operierte; der ehemalige

* Kuno Christoph, General und Gouverneur von Dresden, dem der noch heute seinen Namen führende Birkholzische Garten gehörte; er starb 1700 in Polen.

** Wie die Familien Schönberg und Einsiedel.

Großkanzler Beichlingen stand an der Spitze dieser Intrigen der sogenannten »Patriotenpartei«.
Daß die Korruption am Hof Augusts des Starken in allen Partien eine vollendete Ausbildung erhalten hat, dafür haben wir in den handschriftlichen Memoiren Haxthausens die stringentesten Zeugnisse erhalten, und zwar aus dem Mund der Machthaber selbst. Die Worte Hoyms, die er zu Haxthausen sagte, als dieser ihm 1710, als Hoym seinen Abschied nahm, riet, das nicht zu tun – »Vous ne connoissez pas assez notre corruption« –, sind deutlich genug. Haxthausen suchte schon seit langem eine Anstellung in Sachsen; sein größter Gönner, der Premier Flemming, sagte ganz unverhohlen, als Fräulein Hülchen ihm vorstellig machte, daß er »un si honnête-homme« sei: »Voilà justement le mal, nous ne voulons pas ici d'honnêtes gens, mais des fripons – et se tourna.«
Vor Flemming, der 1712, nach dem Tod Pflugs, ans Ruder kam, war die Regierung Sachsens keine Regierung, sondern eine Auflösung gewesen, geradezu ein Chaos. Und dieses Chaos hatte August prinzipiell aufrechterhalten; er ging von der Ansicht aus, daß seine Minister nicht einig, sondern vielmehr uneinig untereinander sein müßten.
Merkwürdig genug ist, daß an diesem galanten Hof zuletzt jener Mann das Übergewicht gewann, den der König den »Bouffon«, »den Bauern von Mansfeld«, zu betiteln pflegte.

Abschreckend schildern Haxthausen und Wolframsdorf die damalige Verwaltung der Finanzen, der Armee und der Justiz.
Die Finanzen in Sachsen waren seit Jahrhunderten – und zwar aus ausdrücklicher Absicht und Vorbedacht der Regierenden – in undurchdringliches Dunkel gehüllt.
»Was den Zustand der Finanzen betrifft«, sagt Wolframsdorf, »so ist eine Untersuchung derselben um so nötiger, als der König und die Minister davon nicht mehr Kenntnis haben als von den Einkünften des Großmoguls. Der König weiß nicht einmal, wieviel ein Quatember, eine Art Grundsteuer, die schon seit 300 Jahren eingeführt ist, beträgt.* Die Minister begünstigen diese Unwissenheit absichtlich, da sie die Verwirrung lieben, um dem König seine Pläne als unausführbar darzustellen und immer die Hälfte der

* Dies ist unrichtig ausgedrückt. Die Quatember datieren dem Namen nach erst seit 1646, der Sache nach allerdings aber – der Name bedeutet eine Steuer, die an den quatuor temporibus, vierteljährlich eingezahlt wurde – vom Anfang der Besteuerung in Sachsen, 1458. Diese erste Besteuerung und die Quatember ursprünglich waren Personalsteuern, erst später wurden die Quatember »eine Art Grundsteuer«. Eine der gotischsten Abgaben waren jedenfalls diese Quatember, und das will eigentlich Wolframsdorf nur sagen: die Gotik war die Hülle für den Betrug.

Einkünfte für sich zu nehmen. Zuweilen lassen sie den König absichtlich so lange ohne Geld, bis er die in ihrem Willen liegenden Kabinettsorder unterschreibt.«

Watzdorf, der letzte Finanzchef am Hof Augusts des Starken, war durch seine bürgerlichen gescheiten Leute einer der relativ besten Minister, und sein Hauptverdienst war, daß er den Roturiers folgte; sogar Haxthausen, der sonst nicht sein Freund war, mußte dies eingestehen.

Haxthausen gibt in seinen Memoiren ausführlich die Praktiken an, mit denen dieser grobfügige Watzdorf sich doch als feiner Minierer bewährte, um zu seinem Ziel zu kommen, Flemming, seinen Hauptwohltäter, der ihn aus dem Staub hervorgezogen hatte, zu stürzen. Watzdorf machte zu diesem Zweck Allianz mit den politischen Damen.

Wie man bei der Kammer finanzierte und wie da Präsente an der Tagesordnung waren, davon berichtet Haxthausen einen Fall. Der Großkanzler Beichlingen, der große Projektemacher, hatte ihm geraten, um Geld zu machen, auf seinem vom Grafen Friesen gekauften Gut Putzkau in der Nähe von Chemnitz Holz schlagen zu lassen und es an die Kammer zu verkaufen, in der Absicht, einen großen Gewinn dabei zu machen. »Ich lernte«, schreibt er, »die Manieren dieses Kollegiums kennen. Beichlingen hatte an mehrere Personen geschrieben, die er von seinem Ministerium her kannte und deren Glück er gemacht hatte, indem er sie in ihre Stellen brachte; sein Bruder, der ehemalige Oberfalkenier, schloß den Handel ab, was jeder bekommen solle: der Vizepräsident* soundsoviel, die Räte mit Sitz und Stimme – und deren war keine kleine Zahl – jeder soundsoviel, der Landrentmeister soundsoviel. Nachdem man die Akkorde getroffen hatte, wurde eine Kommission ernannt, bestehend aus dem Floßoberaufseher und Landjägermeister von Leibniz und dem Landkammerrat D. Der Großkanzler schloß mit letzterem über sein Präsent ab; Leibniz lehnte ab und erklärte, daß er dem Großkanzler Verbindlichkeiten schuldig sei und sich ein Vergnügen daraus mache, ihm und zugleich dem königlichen Interesse zu dienen; das freute mich sehr, und wir machten gute Freundschaft. Man wagte nicht, den Räten unter hundert Pistolen Präsente anzubieten; auch die Subalternen erhielten ihre Geschenke. Die Kommission kam an Ort und Stelle mit großem Gefolge an Leuten und Bedienten, der Großkanzler und mein Schwager ebenfalls, die Herren aus der Umgebung ebenfalls. Die Morgen brachte man in den Wäldern zu, dann trank man bis Mitternacht, und die Unterhandlung ging beim Gläserklang vor sich. Das kostete mich

* Hans Georg von Zehmen.

eine Menge Geld; man blieb sechs oder sieben Tage; ich verkaufte für 30000 Taler Flößholz; das Geschäft dauerte fünf bis sechs Jahre – ich hatte eine Menge Abzüge und Verluste.«

Bei der Armee herrschte dieselbe Wirtschaft. Bei den Personalien Wackerbarths hebt Haxthausen heraus, wie er mit seinen Militärstellen finanziert habe. Wolframsdorf berichtet eine Menge faule Zustände beim Militär und ist dabei ganz in Übereinstimmung mit Schulenburgs oben angeführtem Zeugnis.
»Bei der Armee«, schreibt Wolframsdorf, »sind die Offiziere von ihren Regimentern ganze Jahre lang abwesend; während des Winters belagern sie die Vorzimmer, und während des Sommers sind sie nicht im Feldlager anzutreffen. Sie bleiben zu Hause, um von dem Geld zu leben, das sie aus den Winterquartieren mitgebracht haben, und in den Armen ihrer Frauen auszuruhen, denen sie Wunderdinge von den bestandenen Gefahren erzählen. Sie respektieren weder Ordnung noch Befehl, leben ohne Manneszucht und berauben ihre Soldaten aller Subsistenzmittel.
Die Beschaffenheit der neu geworbenen Regimenter ist eine andere Manier, den König gröblich zu betrügen, indem die Offiziere nicht allein das Geld, das sie dazu erhalten, in ihren Beutel stecken und die Regimenter, zu deren Errichtung sie sich verbindlich gemacht haben, nie vollzählig machen, sondern auch die alten Regimenter hindern, Rekruten zu werben. Die tägliche Veränderung bei den Regimentern ist ebenfalls ein Mittel, die Armee zu ruinieren, bei der nur das Kommissariat und einige Offiziere gewinnen. Endlich glauben wir der Armee des Königs nicht Unrecht zu tun, wenn wir sagen, daß sie lediglich aus Raufern, Spielern, Wucherern, Betrügern und Freunden der Schikane, schlimmer als die geriebensten Advokaten, besteht. Die Prozesse sind hier zu Hause wie im Palais. Die Generäle bereichern sich auf Kosten der Soldaten, und diese, zur Verzweiflung gebracht, dem Beispiel ihrer Offiziere folgend, in denen das wahre Ehrgefühl erloschen ist und die nur auf das Geld erpicht sind, tun nichts weniger als ihre Schuldigkeit.«
Die Klagen Wolframsdorfs über die sächsischen Soldaten stehen gar nicht vereinzelt. Der Markgraf Louis von Baden erhebt ganz ähnliche über das Reichskontingent, das Sachsen dem Kaiser zum Spanischen Erbfolgekrieg stellte; er schreibt am 22. November 1703 an Kaiser Leopold: »Es ist unmöglich, E. K. M. zu beschreiben, was ich mit diesen Truppen ausstehen muß, indem sie sich auf keine Weise der Welt weder durch Exekution noch durch Bitten abhalten lassen, sich hin und wieder auf ein, zwei oder drei Stunden von der Armee zu verlegen unter dem Vorwand, daß sie keine Zelte hätten und unmöglich so leben könnten; ich habe selbst auf diesem letzten

Nachtmarsch auf eine Stunde von der Armee Oberstleutnants und Oberstwachtmeisters von den Sachsen in ihren Schlafröcken angetroffen, die sich weiter nicht an den Marsch gekehrt haben. Die sächsischen Truppen sind arm, nackt und bloß.«
Wie weit der Mangel an Disziplin bei der Armee ging, beweist die Geschichte des später zu den Schweden übergegangenen Oberst Görtz beim Rückzug aus Polen nach Sachsen Ende des Jahres 1704. »Görtz«, schreibt Patkul, »der die vier Regimenter von der Weichsel nach Sachsen geführet, stellte ich vor Kriegsrecht, um Rede und Antwort zu geben von dem Verlust der Mannschaft, Bagage, Geld und Artillerie. Weil er seine Conduite nicht wohl geführt, maßen er auf dem Marsch auf seine Profite, nicht aber auf die Conservation der Truppen bedacht gewesen etc., so habe ich ihn in Arrest nehmen lassen... Er aber ist aus diesem Arrest echappiret...«
In den Schriften dieses Oberst Görtz ist lustig zu lesen, wie er das Detachement, das ihn verhaften sollte, selbst gefangennahm.
Schließlich berichtet noch Wolframsdorf über die Zustände bei der sächsischen Justiz ganz übereinstimmend mit dem, was Haxthausen in den beiden oben angeführten Porträts des Kanzlers Bünau und des Oberküchenmeisters Seyffertitz berichtet hat:
»Wenn man endlich sieht, wie die Rechtspflege verhandelt wird, muß man ebenfalls seufzen und die Achseln zucken. Ein Fremder hat durchaus kein Recht, und ein Inländer kann es nur durch Intrigen und Geschenke erhalten. Die Minister treiben Handel damit. Frau von Gersdorf machte ehedem und Frau von Bose macht noch gegenwärtig gute Geschäfte damit. Man läßt davon an den König keine Kenntnis gelangen, und derjenige, der sich an ihn um seine Protektion wendet, ist sicher, seinen Prozeß zu verlieren.«
Wolframsdorf fügt seiner Schilderung noch Betrachtungen über die Neigungen und Gewohnheiten der sächsischen Edelleute bei – Betrachtungen, die offenbar vom bösen Humor eingegeben sind; man begreift aber, daß beim damaligen Zustand der Dinge die Galle hochkommen konnte. Es ist übrigens ein Adeliger selbst, der sich hier über die Seinigen ausläßt. »Sie sind«, sagt er, »von Natur der Weichlichkeit ergeben, träge, hochmütig; der Überfluß ihres Landes macht sie zur Ausschweifung geneigt und stolz gegen andere Nationen. Sie sind nicht listig, allein ihr großes Phlegma und der Neid machen sie heimtückisch und betrügerisch. Die weichliche Erziehung, die sie erhalten, hält ihr Ehrgefühl zurück, entwickelt aber desto mehr den Eigennutz, so daß sie zu einer Menge niedriger Streiche aufgelegt sind. Ihr Großtun ist nicht weit her, und sie müssen damit bei sich zu Hause bleiben, wo sie die bramarbasierenden Junker von Meißen spielen. Im Feld muß bei ihnen immer der Kessel kochen, und ihre Verzärtelung ist Ursache, daß sie nicht

einmal gute Soldaten sind. Brav sind sie nur außerhalb ihres Landes; zu Hause ziehen sie nur, mit Gewalt dazu gezwungen, den Degen, wobei sie es dann an Prahlen nicht fehlen lassen. Sind sie auch noch so arm, so muß doch die Perücke gepudert werden, um am Hof erscheinen zu können, wozu ihnen noch dazu die feinere Bildung abgeht. Sie lieben die Flasche und das chamarierte Kleid mehr als die Unterhaltung mit den Damen; ihre Unterhaltung ist fad und wenig galant.

Im übrigen haben sie den größten Abscheu gegen alles, was ihre faule Ruhe stört, und gegen alle Ausländer, sobald diese sich nicht zu ihren Grundsätzen bekennen und nicht ihre Fräuleins heiraten. Sie rühmen sich einer großen Liebe für ihre Fürsten, die jedoch in nichts weiter besteht, als daß sie täglich neue Gnaden von ihnen erpressen, und bei der geringsten Mühe, die sie sich dabei geben müssen, fangen sie sogleich an, sich zu beklagen und über Ungerechtigkeit zu schreien. Sie ziehen dann auf den Landtagen die Rechte des Königs in Zweifel und erklären laut, der König habe ›hierzu keine Macht‹, es sei ›gegen die Landesgesetze‹, die sie auswendig wissen und nach ihrem Gutdünken auslegen. Hätten sie eine wahrhafte Anhänglichkeit für ihren Herrn, so würden sie mehr für ihn tun, an seinem Schicksal teilnehmen und nicht wünschen, ihn in solche Verlegenheiten verwickelt zu sehen. Sie sind unerträglich im Glück und untröstlich im Unglück. Sie verlieren dann alle Haltung und kümmern sich weder um ihre Ehre noch um ihr Gewissen, wenn sie nur sich selbst und ihre Geldbeutel retten.«

Man darf nicht denken, daß Wolframsdorf sich zu Unwahrheiten habe verleiten lassen – er malt schwarz und gallig, aber er gibt den vollen Schatten, wie er über Sachsen lag. Haxthausens Memoiren bestätigen Wolframsdorf in allen Punkten. Ich erinnere, was die Sache betrifft, an Ähnliches, was die protestantische Adelskette in Österreich schon zu Zeiten Kaiser Karls V. trieb, und was die Personen betrifft, an das Faktum, daß der eigene Alliierte, Zar Peter, die sächsischen Minister so verachtete, daß er sie öffentlich als »schlechte und perfide Menschen« in den Zeitungen prostituierte.

Patkuls Berichte stimmen im Punkt der Bestechlichkeit und in anderen Punkten vollkommen mit Wolframsdorf überein. So schreibt er einmal in einer Depesche an Peter den Großen aus Dresden, vom 13. April 1704: »Ich stelle zu Ew. Zar. Maj. gnädigem Gefallen, ob Sie dem Pflug, auch Bosen, nebst der Canzley des Königs in Polen jährlich wollten eine Summe destiniren und nun für dieses Jahr wirklich geben lassen, denn ohne solche Mittel ist nie etwas heilsames auszurichten, oder einige Vertraulichkeit zu hoffen.« Die so wünschenswerte Allianz damals mit Preußen gegen Schweden scheiterte nur, weil Preußen so gar kein Vertrauen zur sächsischen Regierung hatte. »Der König von Preußen«, schreibt Patkul in derselben Depesche, »hat sich so vorsichtig betragen, daß, wenn nur der König von Polen wollte mit mehrerer sinceritaet verfahren, seine Sachen besser schicken und also machen wolte, daß man ihm trauen könnte, desgleichen sein conseil mit tüchtigen leuten, nicht aber mit ignoranten besetzen wolte, auch die geld-cassa wohl und richtig disponiren lassen, daß man nicht dahin vor griffe, wie bisher geschehen, alsdann wäre K. v. Pr. ohne alle Widerrede parat, mit I. Z. M. und K. v. Pol. wiederum gegen K. v. Schweden Krieg zu unternehmen ...«

Den Grund für alle geschilderten Übelstände fand Wolframsdorf in der bis zur Ausschweifung getriebenen Güte des Königs; er riet ihm deshalb vor allem, sich seiner übertriebenen Nachsicht zu entäußern und sich dafür Strenge und Aufmerksamkeit auf alles, was vorgehe, anzueignen. »Wir hoffen«, sagt er, »der König werde unseren Bemerkungen einige Aufmerksamkeit schenken, da wir sie nur aus Eifer für seinen Dienst und aus einer wahrhaften Anhänglichkeit an seine Person niedergeschrieben haben, die nur mit unserem Leben enden wird.«

Die unmittelbare Folge dieses nach des Verfassers Absicht »einzig und allein für den König bestimmten« Aufsatzes scheint der Fall des jüngeren Bose und die ins Jahr 1706 fallende Errichtung des Geheimen Kabinetts gewesen zu sein, in das der König allerdings vornehmlich nur Ausländer zog. Die Adelsherrschaft aber vermochte er mit seinem weichen, schwer zu einer andauernden Energie zu kräftigenden Charakter, nicht zu bewältigen.

Wolframsdorfs Schilderung ist noch vor kurzem von Bülau* als übertrieben und unwahr angefochten worden. Das hätte mit stärkeren Argumenten geschehen sollen als mit denen, die er gegen einzelne kleine Unrichtigkeiten beibringt, die allerdings gar nicht in Abrede zu stellen sind; damit sind aber auf keine Weise die Sachen im großen und ganzen widerlegt. Widrig lauten oft die Worte, die Wolframsdorf gebraucht – widriger aber jedenfalls noch als alle widrigen Worte lasteten die Zustände. Dem so zuversichtlich gegen Wolframsdorf absprechenden neueren Gelehrten will ich das Zeugnis eines gleichzeitigen welterfahrenen Mannes entgegenstellen: »Wolframsdorfs Schilderung ist«, sagt der Reisende von Loen, der den damaligen sächsischen Hof sehr genau kannte und als Nichtsachse und Mann von unbeflecktem Ruf (Friedrich der Große machte ihn zum Kammerpräsidenten in Lingen) für völlig unparteiisch gelten kann, »sehr gründlich geschrieben, wenn schon mit allzu großer Freiheit« nach den damaligen, wie Loen sich ausdrückt,

* Im dritten Band der »Geheimen Geschichten«, bei einem Aufsatz über Wackerbarth.

»dem politischen Aberglauben« zuwiderlaufenden Begriffen, der die großen Herren »als Götter zu verehren vorstellt«. Wolframsdorf stimmt nicht bloß mit Patkul überein, sondern auch mit Haxthausen und, was die Armee betrifft, mit dem Marschall Schulenburg und mit dem Prinzen Louis von Baden.

Eine Notiz in von Loens kleinen Schriften, wo es heißt: »Der Verfasser soll ein sächsischer Edelmann namens Wolframsdorf gewesen und darüber auf den Königstein in ewige Gefangenschaft gekommen sein«, stellt es nur als wahrscheinlich hin, daß der König den ihm so wohlmeinenden Autor dem über ihren abtrünnigen Standesgenossen aufs äußerste entrüsteten sächsischen Adel geopfert habe. Die Sache ist nur zu wahr: 1711 kam, wie oben angeführt, Wolframsdorf auf den Königstein, 1712 von da auf den Sonnenstein und, soviel bekannt ist, nicht wieder herunter.

Das stärkste, was August dem Starken gesagt worden ist, enthält die oben erwähnte, ebenfalls vielfach als Manuskript in den Bibliotheken vorkommende und in seinen 1792 zu Berlin herausgekommenen Depeschen abgedruckte Denkschrift des unglücklichen Patkul. Sie führt den Titel: »Johann Reinhold Patkul's, Ihro Zarischen Majestät geheimer Rath und Plenipotentiarius, wie auch General en chef bei Dero Truppen politische Offenbarung oder geringfügiges Bedenken von schwedischer Invasion in Sachsen, welches auf allergnädigsten und so oft wiederholten, wie auch nachdrücklichen Befehl des allerdurchlauchtigsten großmächtigsten Herrn Herrn Friedrich August's, König in Polen und Churfürst zu Sachsen von obberühmtem General hat müssen gestellt und an Ihro Königl. Maj. zu Dresden übergeben werden den 8. März 1705.« Patkul bestätigt darin nicht nur alle Wahrnehmungen Wolframsdorfs über die Übelstände in der inneren Verwaltung, den Finanzen, der Armee und der Justizpflege, sondern er enthüllt dem König auch seine gänzliche Kreditlosigkeit bei den fremden Kabinetten. Er sagt ihm unter anderem: »Die gegenwärtige innerliche Konstitution von I. K. M. Conseil und Ministerio sammt der innerlichen Disposition Dero Erblande und Dero Gouvernement wird bey allen Höfen Europas vor hauptsächlich corrupt gehalten. Weil eine Haupt-Mutation in alle Departements vorgenommen worden, so hat man hierüber an allen Höfen dieses Urtheil gefället und die Comparaison zwischen das alte und dieses neue Gouvernement gemacht, daß nehmlich bey der alten Ökonomie das Land und der Herr in so considerablem Wohlstande gewesen und so viel in Vermögen gehabt, daß sie beiderseits nicht allein mit Mitteln zum Überfluß versehen, sondern auch über die splendides depenses noch Capitalia beygelegt, Credit vor Herrn und Land in solchen vigore gestanden, daß sie Millionen haben negotiiren können, die Commerzien in Flor und Sachsen in solcher

Reputation gewesen, daß ein jeder sich glücklich gehalten, wenn er nur sein Geld daselbst hat können unterbringen. Hingegen bey dieser neuen Methode sind das Land und der Landesherr zugleich in solches Abnehmen von Gelde gebracht, daß nicht einmahl Geld zum nothwendigen Behuf vorhanden, alte in vorigen Zeiten ersparte Capitalia verzehrt, nichts beygelegt, Schulden auf spöttische Weise gemacht, die Fonds ruiniret, Credit gar verloschen und in so üble Reputation gesetzt, daß nicht einmal wenige hundert Thaler ohne Mühe zu erborgen, kaum möglich, desgleichen Commercien in augenscheinlichen Abfall gebracht sind und so gar der Credit entseelt darniederliegt, daß auch Freunde ihre Capitalien verstecken und also niemand mehr traut; insonderheit da so viele Actus passirt sind, bey welchen Zusagen und Halten als das Fundament alles Credits nicht eben so genau practicirt, sondern Violentien anstatt des Rechts verübt worden, auch selbst die Justiz nunmehro nicht in Regeln, beschriebenen Gesetzen und gewöhnlichen Instantien ihren Sitz hat, sondern nur an einer arbitrairen Macht eines oder andern Ministri hingeliefert zu seyn scheint etc. – unberührt die Besorglichkeiten, so die Alliirten Protestirende (die Seemächte, Dänemark, Preußen) wegen der Religion in I. K. M. Erblande concipiret haben und darauf nicht geringe Reflexionen zu I. K. M. Nachtheil machen.
Dieses alles nun sollte zwar ersten Augenblicks davor anzusehen sein, daß fremde Höfe eines Vorwitzes zu beschuldigen wären, indem sie sich in Domestik-Affairen meliren wollten, allein es ist ... noch auch dieses zu consideriren, daß I. K. M. Conseil und Ministerium und innerliche Disposition in Dero Erblanden gleichsam die Source und Quelle sind, daraus alle und jede Prästationes, zu welchen sich I. K. M. in allen Allianzen verbindlich machen, herfließen sollen, wie denn nun kein Alliirter so einfältig ist, daß er allein auf Worte und das was in einer Allianz geschrieben ist, sich verlassen, und nicht vielmehr auf die Realitäten und den Grund, worauf Seiner Mit-Alliirten Promesse beruhet, Acht haben sollte ... Also ist es vor keine unzulässige Curiosität eines fremden Hofes oder vor einen strafbaren Vorwitz eines alliirten Ministerii zu halten, wenn man dessen Conseil, oder Ministerium, Force und innerliche Disposition etc. untersucht und mehr darauf als auf alles, was versprochen und unterschrieben worden, sein Facit macht.
Wenn nun ein Potentat eines Freundes oder Benachbarten Hülfe sucht, dieser aber dergleichen Skrupel über das Ministerium oder andere Dispositiones in des ansuchenden Theils Landen macht und zu erkennen giebt, daß er diese Obstacula findet und nicht eher in gemeinschaftliche Mesures wider einen Feind treten könnte, es sey denn, daß solches alles auf einen verlässigen Fuß gesetzt, corrigirt

und ein solcher Grund gelegt worden, daß man sicher sein, in Vertrauen (als ohne welches keine Alliance vor solid zu halten) stehen und Hand ans Werk legen könne, so heißt das nicht einen Potentaten choquiren oder ihn wozu zwingen wollen... So sind auch dergleichen Correctiones etc. nicht eben so inpracticable, absurd und ungewohnt, weilen wir alte und neue Exempel in der Welt haben, da ad instantiam der Mit-Alliirten Mutationen, so mit Personen im Ministerio als auch in general oder special Domestik-Dispositiones auch von solchen Puissancen geschehen, die eben auch Jalouse von ihrer Autorität sind.«
Patkul zeigt dem König, daß »die Conservation von Sachsen nicht durch den Degen, sondern durch einen coup de plume zu bewerkstelligen« sei. Er bespricht nun die Allianzen, die Sachsen schließen könne, und bleibt beim Kaiser, den Seemächten, Preußen und Dänemark stehen. »Aber«, sagt er, »die Mesiance und die Scrupeln berauben I. K. M. nicht allein aller Hoffnung einiger Assistance, sondern treiben dieselben Puissancen gar in die Arme des Feindes, wie bereits mit Holland und England geschehen, welche [1704] mit Schweden à la barbe du Ministre de Saxe eine Alliance aufgerichtet, auch mit Preußen, welches je länger je mehr an Schweden tritt. In sothaner Mesiance und bey denen Concepten, die man bey den Alliirten von I. K. M. sich généralement formiret und in allen Occasionen spüren läßt, muß endlich das Raisonnement aufsteigen, insonderheit bey Preußen, daß bey I. K. M. nichts anders als ein Groll haffte, welcher ausbrechen werde, wenn I. K. M. dermahleinst aus diesem embarras kommen sollten. Dannenhero Ihrem Interesse convenabler seyn möchte, dahin in Zeiten bedacht zu seyn, I. K. M. bey dieser Gelegenheit in so einen elenden und deplorablen Stand zu setzen, daß wenigstens bey Lebzeiten I. K. M. Deroselben die Kräfte entgehen müssen, ihrem in Schlesien et alibi ungeeigneten Nachbar Böses zu thun. Und dergleichen Streich ist um so viel leichter zu practiciren, als unleugbar, daß sie eben nicht nöthig haben directe zu I. K. M. Ruin Hand anzulegen, sondern sie haben die Gelegenheit bey dem Vorsatz des Königs von Schweden nun durch bloße Connivence zu ihrem Zweck zu kommen. Ich zweifele zwar nicht, daß wenn der König von Schweden in Sachsen geht, die Alliirten aus einer politique und pour sauver les apparences, nicht eben in die Consilien zum Ruin eines Mitstandes vom Reich trempiren werden, auch daher heftige Protestationen und Beschwerden zu Regensburg und allenthalben machen, gegen Schweden pestiren, in Drohung ausbrechen, ja gar Truppen zusammenziehen und Miene machen werden, die Violation des Reichs Friedens und Vilipendirung der Garanties zu vindiciren. Unterdessen aber ist Sachsen verheert und ruinirt, der Streich unterm Mantel gespielt.

Ich nehme die Freyheit bey dieser Gelegenheit zu erweisen, daß es keine theoreticae speculationes sind, I. K. M. zur reminiscence zu bringen, was wohl ehemals in einer vertrauten Conferenz zwischen dem seligen Reichsvicekanzler Herrn Grafen von Kaunitz* und mir vor Herzens-Seufzer ans Tageslicht gekommen, da er über das Capitel von I. K. M. in die Bekenntniß von Grunde seines Herzens ausbrach: ›Ey, so laßt ihn in des Teufels Namen fallen, so wissen wir alle einmal, woran wir sind.‹ Dergleichen Reden eines in solchem Grad und bei dem ersten Hof der Christenheit stehenden Ministri sind allezeit als Gedenksprüche zu halten und vor sicher zu glauben, daß dergleichen Maximen immer weiter gepflanzet werden; wie man denn dessen genugsame Proben hat, daß vielleicht wenig Höfe zu finden, die von anderm Sentiment sind, welche denn bey einem so schweren Symptomate darinnen I. K. M. sich befinden, ihre Effecten zu zeigen und den letzten Druck zu geben pflegen.
Ein bekannter und sehr renommirter Staatsminister in Holland [Heinsius] als ich zu demselben im vorigen Jahre Monat Martii nach den Haag einen expressen in den Welt-Affairen wohl versirten Menschen abgefertigt [den zum russischen Gesandten in Holland durch Patkul beförderten Neuhag] um von wegen I. Zar. M. über ein gewisses Engagement dieser Republic sondiren zu lassen, hat dort in nichts anders als in dem Artikel von I. Kön. M. Difficultät gefunden und unter andern diese Parabel beygebracht: ›Es gemahne ihn eben, als wenn ein wohlhabender Kaufmann Consorten zum Handel suchte, welche nach dem geschehenen Vortrag ihre Buchhalter an ihn abfertigten, um sich von seiner Disposition und Handelsart zu informiren, dieselben aber, da sie vernehmen sollten, daß er eine ganz andere Handelsart, als alle andere Negotianten im Gebrauch haben, führte, würden sich gar nicht mit ihm associiren, sondern lieber seinen Weg gehen lassen.‹ Und also habe ich, weil das Absehen gewesen I. Z. und K. M. Interesse zu combiniren und inseparable zu machen, in nichts reussiren können, sondern erfahren und ansehen müssen: daß von wegen der über I. K. M. Hof gefaßten Concepte ich in I. Z. M. Sache nichts ausgerichtet. Wie es an denn noch an zwey andern considerabeln Höfen also geschehen, davon ich aus Beysorge widerlicher Suite vor I. K. M. Hof noch zu Zeit keine Relation an I. Z. M. abgesendet ...
Die klaren Effecten zeigen sich nunmehro, daß I. K. M. Affairen odios zu werden und außer aller Consideration auf dem Theater Europas zu fallen beginnen, so daß ein jeder, wo er nicht sein Interesse in I. K. M. Fall, doch wenigstens seine Conveniens in Dero Conservation nicht zu finden scheint.

* Großvater des ersten Fürsten, des berühmten Staatskanzlers, gestorben 1705.

Und daher ist's gekommen, daß, welches in denen Historien ein rares Exempel dermaleinst seyn wird, I. K. M. in dem Fortgange dieses Kriegs nicht allein ihro beym Anfange gehabte Alliirte und Confidens verloren, auch nunmehro keine mehr an sich bringen können, sondern auch in die Gefahr gerathen möchten, den Einigen, den sie noch zu verliehren haben, zu verlieren etc. Wozu noch dieses verwundernswürdig, daß an einem so importanten Hofe, von dessen freundschaftlicher Beständigkeit und wirklicher Hülfe I. K. M. Krone und Scepter, Reich und Land, Gloria und zeitliche Wohlfahrt dependirt, nicht einmal ein charakterisirter Minister gehalten, auch mit selbigem Hofe die Affaires so wenig als mit andern nach einer auf behörige Maximes eingerichtete Art und Weise tractiret und also mit einem Worte zu sagen, von dieser Seite vorsetzlich alle Intriguen wider I. K. M. und was zu Dero totalen Ruin gereicht, ihren Feinden aber und Übelwollenden zum Besten daselbst und bey andern Potentaten Thor und Thür geöffnet wird.«

Patkul schloß seine Schrift mit den Worten: »Dixi et Salvavi animam meam.« Flemming schrieb angeblich darunter: »Male dixisti et damnaberis.«

Neuntes Kapitel

Bauten und Kunstsammlungen Augusts des Starken: das Japanische Palais und der Zwinger, die Bildergalerie, das Antiken- und Kupferstichkabinett, die Kapelle usw.

Aller Glanz und alle Pracht, mit der August der Starke seinen reichen Hof umgab, hat ihm nur einen vorübergehenden Ruhm sichern können, und die öffentliche Meinung hat später streng über die Verschwendungen gerichtet, mit denen jene Herrlichkeit erkauft wurde. Die Schöpfungen dagegen, die Augusts Namen noch heutzutage im Andenken der Welt lebendig erhalten, sind seine Bauten und ganz besonders die Kunstschätze, die er zusammengerafft hat. In diesen Schöpfungen bewährte sich jene freiere Bildung und jener feinere Geschmack, der dem öffentlichen Geist in Sachsen eine ganz neue Richtung gegeben hat. Schon Lady Montague, die Dresden auf ihren Reisen im Jahre 1716 sah, bezeugt, daß ihr hier eine Atmosphäre von Höflichkeit und Bildung entgegengekommen sei wie nirgendwo anders in Deutschland. August hat die Keime zu dem gelegt, worin Sachsen heute ein den Fremden so wertes und gesuchtes Land und seine Hauptstadt ein erster Platz in Deutschland für die gesamte gebildete Welt geworden ist.

Dresden war bis zur Zeit Augusts des Starken eine Stadt von hölzernen Häusern – er hinterließ sie, wenn auch nicht, wie der Geschichtsschreiber Sueton vom großen römischen August in bezug auf Rom sagt, in Marmor, aber doch mit steinernen Häusern und bedeutend verschönert und erweitert. 1708 gebot August durch ein Reskript, steinern zu bauen oder die Häuser zu verkaufen. Den Anfang der Bauten machte ein neues Rathaus auf dem Altmarkt. August selbst sowie seine und seines Sohnes Günstlinge Flemming, Vitzthum, Wackerbarth, Sulkowsky führten die ersten Prachtgebäude in Dresden auf, nachdem schon sein Großvater mit dem schönen Palais im Großen Garten den Anfang gemacht hatte.

Das Japanische Palais oder, wie es ursprünglich hieß, das Holländische Palais, erwähnte ich bereits; Flemming erbaute es, der König kaufte es ihm 1717 um eine Tonne Gold ab und ließ es dann auf japanische Art umbauen. Er pflegte hier in den Sommermonaten zu wohnen. Eingeweiht wurde es am 15. August 1717 mit einer großen Assemblee und einem Feuerwerk an der Elbe im Garten, in dem damals die Marmorstatuen, die August dem Kardinal Albani abgekauft hatte, zwei Obelisken und zwei Springbrunnen standen. Dieses Palais, dem gerade gegenüber noch ein anderes im Ostragehege erbaut werden sollte, wurde bis 1786, wo es die Bibliothek aufnahm, als Sommerpalais gebraucht. Der Architekt war der als Erbauer des schönen Zeughauses in Berlin berühmt gewordene Franzose Johann de Bodt, der, 1670 von reformierten Eltern in Paris geboren, flüchtig werden mußte, zuerst nach Berlin ging, von da 1728 als General in sächsische Dienste trat und 1745 in Dresden als Direktor aller Zivil- und Militärgebäude ohne männliche Erben starb.

Ebenso habe ich ein zweites Palais Flemmings – das ursprünglich Pflug gehört hatte – erwähnt, das heutige Landhaus, das August erst Wackerbarth, dann der Orselska schenkte, und das im Jahre 1747 den vier Prinzen seines Sohnes zur Wohnung gegeben wurde, bis es, nachdem es 1760 beim preußischen Bombardement abgebrannt und 1774 vom Oberlandbaumeister Krubsacius wieder aufgebaut worden war, seine heutige Bestimmung erhielt. Von dem zu seiner Zeit so berühmten Vitzthumschen Palais bei der Kreuzkirche ist, da es 1786 ganz ausbrannte, keine Spur der alten Herrlichkeit mehr vorhanden. Dagegen steht noch das 1728 vom Gouverneur Wackerbarth durch Knöfel erbaute Palais – die heutige Medizinisch-Chirurgische Akademie.

Im Jahre 1732 wurde von Gouverneur Wackerbarth das sogenannte »Pyramidengebäude« erbaut; es hieß so, weil es bestimmt war, eine siebzig Ellen hohe Pyramide zu tragen. Es ist die heutige Hauptwache und Kommandantur in Neustadt-Dresden. Der Architekt war ein Franzose, ein Schüler de Bodts, Zacharias Longelune, ebenfalls aus Paris, der schon 1715 aus Berlin kam, seinen Lehrer nach Dresden brachte und 1748 sehr alt und sehr reich als Oberlandbaumeister hier starb. Von ihm ist auch das Monument zur Statue Augusts des Starken in der Neustädter Allee, die der Oberstleutnant Wiedemann goß und nach der Sage von den Dämpfen des beim Vergolden gebrauchten Quecksilbers, wie er geahnt hatte, seinen Tod fand.

Sulkowsky schließlich baute das niedliche Lustschloß Übigau an der Elbe, das der König 1725 kaufte und das dem Vater Friedrichs des Großen bei seinem Besuch im Karneval 1728 so gefiel; in unseren Tagen ist es als Maschinenfabrik benützt worden.

Augusts Hauptbau ist der schöne Zwinger, der vom Jahre 1711 an mit allen seinen Pavillons und Flügelgebäuden, mit den Kaskaden, Springbrunnen, Grotten, Bädern usw. aufgeführt wurde. Seine Bestimmung war, an ihm ein großes Orangerieparterre zu haben, und die Gebäude sollten weiter nichts sein als Galerien, Speisesäle, Kabinette und Spielzimmer. Er sollte im Stil der damaligen mythologisch-allegorischen Richtung in der Hofbaukunst eine Nachahmung der Hesperidengärten sein, zu Ehren des neuen Herkules der Zeit, der die Früchte daraus entführt hatte; daher sieht man die

Statue des Atlas, der bekanntlich die Hesperidengärten bewachte, mit der Weltkugel auf den Hauptpavillons; Herkules' Statue erscheint bald als Held und Überwinder der Nationen, bald als Beschützer der Musen; die Masken der Flora und der Diana figurierten als Aufseherinnen der Blumen und Bäume. Dieser Zwinger diente seitdem für die öffentlichen Feste, die Maskeraden, Nationenjahrmärkte, Karussells und dergleichen. Der Krieg hat einen großen Teil der Pracht des Zwingers zerstört, namentlich das schöne Bad auf der Seite zur Elbe hin, bei dem Pavillon, wo jetzt die Abgüsse der Elgin Marbles aufgestellt sind. Der Zwinger sollte übrigens nur den Vorhof zu einem neuen königlichen Schloß bilden, das August zu bauen beabsichtigte. Dieses Schloß sollte mit der Front bis an die Elbe vorgerückt werden; der König hatte nach Pöllnitz angeblich acht Millionen dafür bestimmt, und de Bodt sollte den Bau leiten. Ein Prachtbild, wie dieser Bau ausgeführt werden sollte, zeigt man noch im Brühlschen Palais. August wurde vom Tod überrascht, ehe der Bau ins Werk gesetzt wurde. Die Orangerie, die jetzt den Zwinger in der Sommerzeit schmückt, stammt von einer Expedition, die der König im Jahre 1731 nach Afrika schickte, um naturhistorische Untersuchungen anzustellen. 400 Stämme wurden damals als Ballast mitgebracht; sie sollten zum Drechseln verwendet werden – wovon der König nach konstantem Gebrauch im Hause Sachsen, von Kurfürst August bis auf den ersten König von Sachsen ein Freund war –; er zog es aber vor, die Stämme zum Treiben bringen zu lassen, was glücklich gelang. Der Architekt des Zwingers war der Oberlandbaumeister und Geheime Kämmerer Daniel Pöppelmann, der 1736 starb – derselbe Architekt, der 1730 die ganze Festivität des großen Lustlagers von Zeithayn und die Einrichtung der Gebäude besorgt hatte. Auch die Elbbrücke in ihrer gegenwärtigen Gestalt mit den Rondellen, den Trottoirs und dem Eisengitter kam durch Pöppelmann 1731 zur Vollendung.
August setzte den Großen Garten in seinen heutigen Stand, und dieser Garten war damals bei weitem herrlicher geschmückt als gegenwärtig. Im Hauptgang allein standen 1500 Marmorstatuen, teils Antiken, teils von neueren und zum Teil von namhaften Künstlern, wie von Balthasar Permoser, einem Bayern – der bis zu seinem Tod einen langen Bart trug, zu Fuß in die Künstlerstadt Rom wanderte und zweiundachtzigjährig 1732 in Dresden starb –, und von dem Italiener Antonio Corradini, von dem die beiden schönen Gruppen der Zentauren, die Dejanira entführen, am Eingang des Hauptparterres vor dem Palais, noch heute bewundert werden. Erst die Rache Friedrichs des Großen hat diese Statuen zerstört, als es ihm mißlungen war, Dresden im Siebenjährigen Krieg 1760 den Österreichern wieder abzunehmen.

August ließ den kleinen Teich bei dem von Johann Georg II. gebauten schönen Gartenpalais graben und daneben ein heiteres Sommertheater für den Hof im Freien zu kleinen Dramen und Schäferspielen errichten, wovon die Spuren noch zu sehen sind. Schon zur Zeit der Gräfin Cosel waren die Promenaden des Hofs im Großen Garten eingerichtet. –

In der Stadt wurde unter August in den Jahren 1727–34 die Frauenkirche von dem namhaften Architekten Bähr erbaut. Die breite Königsstraße in der Neustadt und die ganze nach ihm benannte Friedrichstadt datieren ebenfalls noch aus der Zeit des ersten polnischen Königs »Friedrich« August.

In der Umgebung von Dresden stehen die beiden Lustschlösser Moritzburg und Pillnitz. Das von seinem großen Vorfahren, dem Kurfürsten Moritz, erbaute Schloß zu Moritzburg wurde als Dianenburg durch neue und prächtige Bauten in ein kleines Versailles umgeschaffen. Es erhob sich in vier Stockwerken mit vier runden Ecktürmen auf einer Insel im Schloßteich, dem berühmten Karpfenteich, mit einer Kapelle, sieben großen Sälen und über 200 Zimmern; es war ausgeschmückt mit einem unermeßlichen Reichtum an Jagdbeuten, Hirschgeweihen und dergleichen. Daneben war der große Schloßgarten, der Fasaneriegarten und der große Tiergarten für die Parforcejagden.

In Pillnitz erbaute August im alten (von den alten Besitzern, der Familie Loß, herrührenden) Schloß 1720 den berühmten Venustempel, der die Bildnisse seiner Geliebten enthielt und wo die königliche Familie speiste. Zu diesem alten Schloß wurde das neue Schloß in chinesischem Geschmack mit dem französischen Garten angelegt; 1725 kam das sogenannte »französische Dorf« dazu. Architekt bei den Pillnitzer Bauten war Longelune.

Die durch Kurfürst Christian I. schon 1589 gebaute Festung Königstein wurde durch August seit 1731 unüberwindlich gemacht.

Besonders die Kunstsammlungen sind Augusts Werk. Er ließ in Rom aus der Sammlung des Fürsten Chigi, des Kardinals Albani und aus einigen anderen berühmten Kabinetten antike Statuen aufkaufen; sie kamen bis zum Jahre 1730 nach Dresden und legten den Grundstein zum Antikenkabinett. Ebenso machte August der Starke den Anfang zu der europäisch berühmten Bildergalerie; auch stiftete er das herrliche Kupferstichkabinett. Als Hofmalerin glänzte Signora Cariera Rosalba, die die berühmten Schönheiten im Venustempel zu Pillnitz in Pastell malte, die jetzt zum Teil in der Dresdner Galerie aufgehängt sind. Hofmaler waren Thiele und Canaletto, die die jetzt im Brühlschen Palais befindlichen Prospekte von Dresden malten und uns damit die Physiognomie der Stadt, wie sie damals in der polnischen Periode war, aufbehalten haben.

1697 war eine Malerakademie gegründet worden. Kunstwerke und Seltenheiten aller Art – namentlich aber den prächtigen Brillantenschmuck – gab August dem von den Fremden mit so besonderer Vorliebe noch heute gesehenen Grünen Gewölbe. Schließlich legte er – wie bereits erwähnt – den Grundstein zu der heutigen nicht weniger europäisch berühmt gewordenen Dresdner Musikalischen Kapelle, die schon einmal früher – unter seinem Großvater Johann Georg II. – einen großen Ruf gehabt hatte.
Das alles also, was Dresden den Einheimischen und Fremden heutzutage so interessant macht, war Augusts Schöpfung.
Nicht zu vergessen ist, daß August der Starke auch Leipzig, das er der Messe wegen so liebte und so häufig besucht hat, das gab, was noch heute seine vornehmste Zierde ist: das Rosental. Es wurde unmittelbar nach dem Abzug der Schweden angelegt. »Im November 1707«, berichten die »Frankfurter Relationen«, »wurde auf königlichen Befehl angefangen mit Aufputzung des bei Leipzig liegenden Lustwäldchens, Rosental genannt, in dem schöne Alleen angelegt und ein Lusthaus gebaut werden sollen.«

Zehntes Kapitel

Die Vorkommnisse am Hof der letzten Jahre Augusts des Starken und sein Tod in Warschau · Die Urteile Friedrichs des Großen, Schulenburgs und Manteuffels über den König

Der letzte unter der Regierung Augusts des Starken erschienene Hof- und Staatskalender, der für das Jahr 1733, gibt eine Übersicht der Staats-, Hof- und anderweitigen Vorfälle vom 17. August 1731 an.

17. August: Erste Aufführung der neuen Oper »Cleofida o Alessandro nelle Indie«, wobei die eben aus Venedig angekommene »berühmte Sängerin Faustina« – die neuvermählte Faustina Hasse – »sich trefflich hören lassen«. Die Oper wurde in zwei Wochen siebenmal aufgeführt, sie brachte Hasse aber den königlichen Wunsch, »der Kunst halber« nach Italien zu reisen – Faustina blieb allein in Dresden.
19. August: Sonntag früh um elf Uhr, nach der Landtagspredigt: Eröffnung des Landtags mit der Landtagsproposition in dem »Propositions- oder Kirchen-, sonst steinernen Saale« des Schlosses. Es waren dabei zugegen: die Deputierten der Herzöge von Sachsen-Weißenfels und Sachsen-Merseburg; die Deputierten der drei Stifte Meißen, Merseburg und Naumburg; die Grafen und Herren und deren Abgeordnete – Christian Ernst Graf zu Solms-Baruth erschien in Person, Abgeordnete waren Mansfeld, Stolberg und Barby –; die vier Deputierten der beiden Universitäten sowie der Erbmarschall-Amtsverweser Hans Moritz von Heßler* zu Vitzenburg und vier Deputierte der Ritterschaft engeren Ausschusses.
Diese achtzehn Herren saßen auf rotsamtenen Stühlen innerhalb der Schranken des Throns des Königs. Außerhalb dieser Schranken erschienen stehend die ganze Ritterschaft und die Abgeordneten sämtlicher Städte.
Der ganze Hof, von den Stiftsräten und Majoren aufwärts, erschien unter Führung des Hofmarschalls von Haugwitz mit dem silbernen, oben und unten vergoldeten Marschallsstab. Mit dem Hof erschienen »die anwesenden fürstlichen Personen«: der Herzog von Holstein-Beck, der Gemahl der Gräfin Orselska, und der Graf von Rutowsky, natürlicher Sohn des Königs; der englische Gesandte Schaub und der holländische Gesandte Rumpf; »die Herren Polen«,

* Häseler – eine braunschweigische, damals sehr reiche, erst neu geadelte und 1790 in Preußen gegrafte Familie.

Fürst Lubomirsky und Fürst Czartorisky, ein Sapieha und der Kronunterkanzler Lipski.
Rechts neben dem Thron standen: der Oberhofmarschall Baron von Löwendahl mit dem mit Diamanten besetzten Marschallsstab; Generalleutnant Graf Montmorency als Kommandeur der Chevaliergarde, in Abwesenheit des Kabinettsministers Graf Lagnasco; der Geheimrat Oberstallmeister von Loß und der Hofmarschall von Haugwitz. Links standen: der Oberkammerherr, Kabinettsminister General Graf Friesen; der Oberküchenmeister Baron Seyffertitz mit dem silbernen, oben und unten vergoldeten Marschallsstab; der Generalmajor von Birckholtz als Kommandeur der Garde du Corps, in Abwesenheit des Herzogs von Sachsen-Weißenfels, sowie der Oberst und Kapitänleutnant der Schweizergarde, Baron Diesbach, wegen Unpäßlichkeit des Schweizerhauptmanns de Prohenques.
Die Anrede hielt der Geheimratsvorsitzende und Kanzler von Bünau; sie wurde beantwortet vom Erb-Marschallamtsverweser von Heßler; »er gratulirte Ihro Kön. Maj. zu glücklicher Retour aus dem Königreich Polen und promittirte unterthänigst, daß eine getreue Landschaft von Ritterschaft und Städten die allergnädigste Proposition unverlängt in Deliberation nehmen und nach äußerstem Vermögen und des Landes Zustand die darin enthaltenen Postulata baldigst bewilligen« würde.
»Der Landtag erreichte den 7. Oktober 1731 ein gewünschtes Ende und war solcher Tag angesetzt zu des Landtags Abschied etc. Der Geheime Rath und Cantzlar von Bünau bezeugte in einer kurz gefaßten Rede das allergnädigste Wohlgefallen, so Ihro Kön. M. über der getreuen Landschaft so gutherzige und beschleunigte Bewilligung empfunden hätten und dimittirte die sämmtlichen Stände ...« Der Erb-Marschallamtsverweser hielt wieder eine kurze Gegenrede, »in welcher er Eine getreue Landschaft Ihro Kön. M. allerhöchsten Gnade emphole und Deroselben zu der vorhabenden Reise nach Pohlen Glück wünschte; nach Deren Endigung Ihro Kön. M. durch den Ober-Hof-Marschall den Herrn Erb-Marschall-Amts-Verweser zum Hand-Kuß allergnädigst invitirten und admittirten«.
In der Zwischenzeit waren folgende notable Vorfälle zu berichten:
30. August bis 1. September 1731: Reise des Königs von Dresden zur Festung Königstein, um die neu angelegten Fortifikationswerke zu besichtigen, in Begleitung des französischen Ambassadeurs und des englischen und bayrischen Envoyés.
5. September: Besuch des Herzogs Heinrich von Merseburg aus Spremberg; dieser bewirtet zur Feier seines Geburtstags den König

im großen Königssaal auf dem »Stall«. Abreise am 16. September unter Begleitung eines Kammerherrn und eines Kammerjunkers »bis auf das schöne Jagd- und Lustschloß Moritzburg, jetzo Dianenburg«.

19.–30. September: Aufenthalt des Königs im Lustschloß Pillnitz.

10.–12. Oktober: Nochmalige Reise des Königs zum Königstein und Brunfthirschschießen unterwegs.

22. Oktober: Abreise des Königs nach Polen.

24. Oktober: Ankunft in Crossen, wo General Grumbkow ihn im Namen des Königs von Preußen empfängt und diesen und den folgenden Abend prächtig bewirtet. In Lowitz holen den König der Primas von Polen sowie eine »starke Suite von Magnaten« ein und bewirten ihn. Ankunft in Warschau am 27. Oktober. »Am 29. haben sich Ihro K. M. aus Dero Palais ins Schloß und am 30. October nach Villa Nova erhoben.«

2. November: Feier des jährlich gewöhnlichen Jagd- und Hubertusfestes beim königlichen Kurprinzen in Hubertusburg »in Präsenz vieler Standespersonen«.

4. November früh: Niederkunft der königlichen Kurprinzessin mit einer gesunden Prinzessin (der späteren Gemahlin des Dauphins, Mutter des unglücklichen Ludwig XVI.). Kuriere nach Polen, Wien und München werden abgefertigt. Taufe am 4. nachmittags. Solennes Dankfest im ganzen Land am 11. November.

15. Dezember: Kirchgang der Prinzessin in die katholische Kapelle; »die junge Prinzessin ward von zwei Heyducken in einer Porte-Chaise in die Kirche gebracht und hatte dieselbe die Frau Aya Gräfin Nadastyn auf dem Schooß«.

Im November: Abgang der vom König nach Afrika bestimmten Gesellschaft von sechs Personen unter dem Professor der Philosophie und Medizin Hebenstreit, einem Adjunkt, zwei Studenten der Medizin, einem Studenten des Rechts und einem Maler. »Ihro Kön. Maj. sind gesonnen, durch diese Absendung alles Merkwürdige der Natur und Kunst in dem nach seinen Seltenheiten noch nicht genugsamen beschriebenen Africa untersuchen zu lassen und gehet derselben Haupt-Absicht dahin, die möglichsten Arten derer Thiere lebendig oder in Häuten und Esqueletten oder auch gemahlet zu überkommen, wie auch in allen Reichen der Natur Untersuchungen anzustellen. Es werden demnach solche über Leipzig, Frankfurt, Lyon und Marseille nach Algier, Tunis und Tripoli durch die Reiche Dero Barbare [sic!] nach Senegal, Guinea und dem Vorgebirge der guten Hoffnung und von dar weiter ihre Reise fortsetzen. Und demnach durch hoher Puissancen Beyhülffe alle Sicherheit verschaffet worden, auch von Ihro Kön. M. hierzu ein ansehnliches Quantaum bestimmt ist und endlich an der Fähigkeit derer in dieser Gesellschaft stehenden nicht zu zweifeln ist, als verspricht sich das Publicum von diesem Unternehmen viel Gutes ... So wird denn dasjenige, was ehemals den großen König von Frankreich Ludwig XIV. verewiget, auch Ihro Kön. Maj. von Pohlen unsterblich machen.« Die Berichte Hebenstreits an den König stehen in Bernoullis »Archiv der Reisebeschreibungen«. – Das zufällige Ergebnis der großen Unternehmung war, wie ich oben erwähnte, die Erlangung der Dresdner Orangerie.

4. Dezember: Königliches Kammerreskript gegen die Heuschrekken, deren Ausrottung auf das nachdrücklichste anbefohlen wurde.

Am *7. Dezember* »haben Ihro Kön. Hoheit der Cron-Prinz im großen Garten vorm Pirnaischen Thore bei 200 Fasan-Hähne geschossen«.

3. Januar: »Abends gegen 5 Uhr kamen Ihro Kön. Maj. glücklich und gesund, unvermuthet mit 3 Wagen aus Pohlen in Dreßden an.«

In diesem Monat wurde bekanntgemacht, daß Alt-Dresden künftig Neustadt heißen solle.

5. Januar: Niederkunft der Herzogin von Holstein-Beck, »ehemaligen Gräfin Orselska«, mit einem Prinzen.

13. Januar: Niederkunft der Fürstin Lubomirska, geborenen Gräfin Vitzthum, mit einer Prinzessin.

»Diesen Tag wurde bei Hof das Carneval mit einer Redoute angefangen, so mit denen Frantzösischen Comoedien abgewechselt.«

25. Februar: Introduction des Geheimen Raths, Kämmerers und General-Accisdirectors Brühl (des späteren Premiers) als Vice-Steuer-Director.

Am *26. Februar,* »als am Fastnachts-Dienstag, ward das Carneval zu Hofe mit einer großen Wirthschafft beschlossen, bey welcher sowohl Ihro Kön. M. über Dero Wohn-Zimmern an drei Tafeln, als auch Ihro Kön. Hoheit der Printz in den andern Zimmern an verschiedenen Tafeln gespeiset und ward niemand, ausser was in propren Inventions-Masquen oder saubern und kostbaren Domino sich in Carossen oder Port-Chaisen aufs Schloß bringen lassen, admittiret; nach aufgehobener Tafel ward bis Morgens um 6 Uhr getantzet«.

27. Februar: Nachmittags 2 Uhr Abreise des Königs nach Polen über Posen. Ankunft in Warschau am 5. März.

März: Publikation eines mit Hannover getroffenen Kartells wegen der Auslieferung beiderseitiger Deserteure. Einbringung von zwölf litauischen Auerochsen und Auerkühen nach Kreyern bei Moritzburg.

20. März: Infammachung des in Paris gefangengenommenen, in königlichen Diensten gestandenen ehemaligen Majors d'Argelles als Deserteur und Dieb öffentlicher Gelder in Warschau auf folgende Art: »daß ihm der Scharfrichter anfangs den Degen über dem Kopfe zerbrochen und vor die Füße geworfen, dann auf jeden Backen eine Maulschelle gegeben und die Schand- und Schmähschriften, welche er aus Frankreich nach Polen geschickt, ums Maul geschmissen, darauf ist er ins Raspel-Haus nach Dantzig abgeführet worden, darinnen seine Lebenszeit zuzubringen«.
22. März: Tod einer vierundsechzigjährigen Jungfer im Krankenhaus von Dresden, »der in ihrer zwölfwöchentlichen Krankheit ein großer über zwei Zoll langer Bart gewachsen«; »hat man diese Person, als sie im Sarge gelegen, denen Leuten, weil dieses bei dem weiblichen Geschlechte etwas sonderbares und seltsames, etliche Tage lang sehen lassen, über dieses auch der Vice-Kunst-Kämmerer von dieser bärtigen Jungfer ein accurates Gemählde verfertigen lassen«.
21. April: Grundsteinlegung zur neuen Hauptwache in der Neustadt.
Am *1. Mai* das gleiche zur neuen Kirche.
Am *12. Mai,* am Geburtstag des Königs, Grundsteinlegung zum Kasernengebäude am Schwarzen Tor. »Haben des Herrn Gen. Feldmarschall, Graf Wackerbarth's Hoch Gräfl. Excellenz eine sehr nette, gelehrte und wohlgesetzte deutsche Rede gehalten, worinnen derselbe Ihro Kön. Maj. allerhöchste Sorgfalt für die Wohlfahrt der Stadt besonders gepriesen und darneben auch die bey diesem Casernen-Bau erwiesene hohe Kön. Gnade, so zum Besten der ganzen Bürgerschaft gereichet, sattsam gerühmet.«
Am *3. August,* am Namenstag des Königs, erfolgte die Grundsteinlegung zum »Pyramidengebäude«, dem heutigen Blockhaus, wo jetzt die Hauptwache ist – ebenfalls durch den Grafen Wackerbarth.
April: Publikation des königlichen Mandats, datiert Warschau, den 7. April, gegen die Desertion und die fremden Werbungen.
28. Mai: Knopfsetzung auf den Kirchturm der Friedrichstadt, zu welcher Kirche am 28. Mai 1728 der Grundstein gelegt worden war.
Übergabe des vom Grafen Flemming vor der Neustadt beim Holzhof angelegten sogenannten Hôtel des Invalides durch den Grafen Wackerbarth.
10. Juni bis 6. August: Abreise und Aufenthalt der königlichen Kurprinzessin mit dem Prinzen Friedrich Christian (dem späteren Kurfürsten) im Teplitzer Bad. Der Kurprinz begleitete sie bis zum Geyersberg.

3. Juli: »Kriegs- und Ritter-Excercitia« der Kadetten in der Ritterakademie vor dem Kurprinzen »zu dessen vollkommenem Contentement«. »Mittags sind Ihro Kön. Hoheit nebst allen anwesenden Großen vom Grafen Wackerbarth im Ritterakademie-Gebäude magnific tractiret worden.«
15. Juli: Der König bezieht in Polen »das ganz neu reparirte und herrlich aus meublirte Lustschloß Villanoven, so 1½ Meile von Warschau entlegen«.
31. Juli bis 18. August: Lustlager der polnischen Armee bei Villanova – eine Wiederholung des berühmten Zeithayner oder Mühlberger Lagers.
18. September: Polnischer Reichstag, der aber bereits am 2. Oktober – weil er sich, wie in der Regel, zerschlug – beendet wurde.
Am *19. Oktober* reiste der König zum letztenmal nach Sachsen, in Begleitung des Oberkammerherrn Graf Friesen und des Geheimrats von Brühl. Ankunft am 23. Oktober.
24. Oktober: Der König besichtigt die von über 2000 Arbeitern betriebenen neuen Bauten in der Neustadt: den des Pyramidengebäudes, des Japanischen Palais, der Kasernen, der Kirche und der Festungsbauten.
29. bis 31. Oktober: Tour nach Königstein, um die neuen Festungsbauten zu besichtigen.
1. bis 8. November: Tour nach Moritzburg – Hubertusburg, wo der König mit dem Kurprinzen das Hubertusfest feiert, sowie nach Pretzsch und nach Torgau.

August hatte eine langwierige Verletzung am linken Schenkel, die er sich schon 1697 bei einem Turnier durch einen schweren Fall – durch den ihm die Gunst der Fürstin Lubomirska zuteil wurde – zugezogen hatte. Der König hatte sich nie geschont, und so war das Übel geblieben. Schon 1727 mußte ihm die große Zehe am linken Fuß amputiert werden; sein Leibchirurg Weiß amputierte ihn, nachdem er ihm ein Opiat gegeben hatte, »brevi manu«, dann machte er – da die Leibärzte sich nicht daran getraut hatten – einen Fußfall und setzte seinen Kopf zum Pfand, daß die Amputation dringend nötig gewesen sei. Die Leibärzte hatten sich an den berühmten Petit in Paris gewandt; er sollte kommen und die Operation vollziehen. Er schrieb, wenn die Zehe nicht amputiert werde, sei der König tot, bevor er nach Dresden kommen könne. Schon 1728, als die Markgräfin von Bayreuth den König in Berlin sah, konnte er weder gehen noch stehen, sondern mußte sich immer auf ein Taburett niederlassen, wenn er sich mit den Damen unterhielt.
Trotz dieser Verletzung brach August, nachdem er sich noch zur Neujahrsmesse 1733 in Leipzig die angekommenen Pferde besehen

und am 6. Januar den Karneval in Dresden eröffnet hatte, am 10. Januar wieder nach Polen auf, um dort endlich den wiederholt vereitelten Reichstag zustande zu bringen. Er erreichte Warschau am 16. Januar. Die Strapazen der harten Winterreise hatten seinen Zustand verschlimmert, und beim Aussteigen stieß er sich den Fuß so stark an, daß das Blut aus der Stelle der amputierten Zehe floß; der kalte Brand schlug sich dazu, und weniger als drei Tage darauf war er tot. Am 1. Februar 1733 starb er, im großen Stufenjahr, dreiundsechzig Jahre alt, in Warschau – wider Erwarten schnell, aber doch nicht so plötzlich, wie er es sich vor zehn Jahren gewünscht hatte. Als damals der Herzog von Orléans, der Regent von Frankreich – wie der Herzog von Saint-Simon berichtet –, in den Armen der Madame de Valauris gestorben war, hatte August ausgerufen: »Ah que je meurs de la mort de ce juste!« Der Zeuge, der für diesen Ausruf einsteht, ist Friedrich der Große; er bezieht sich natürlich nur aufs Hörensagen.

Das Urteil dieses großen Königs ist für die öffentliche Meinung in der Verwertung Augusts des Starken maßgebend geworden – allerdings gar nicht zu dessen Vorteil. Er war ihm wegen seiner Falschheit feind – seiner Haupteigenschaft, wie Haxthausen bestätigt. Er schrieb aus Ruppin am 21. Januar 1733 an General Grumbkow: »Le roi de Pologne est le prince de tout le monde le plus faux et pour lequel j'ai le plus d'aversion; il n'a ni honneur, ni foi, et la supercherie est son unique loi; son interêt et la division des autres est son étude. Je l'ai appris au camp de Radewitz (Mühlberg) et il m'a fait des tours, que je n'oublierai de ma vie. Mais je n'ai été dupé de lui, qu'une seule fois, bien fou, si jamais il m'y ratrappe.«

Über diese Abneigung gibt ein Brief Grumbkows an Seckendorff vom 4. November 1732 Aufschluß: »Je ne crois pas qu'il y ait un pareil couple dans le monde que le père et le fils [Friedrich und sein Vater]. Le Roi de Prusse, quand il soupa hier chez moi répéta plus de 3 ou 4 fois que le Roi de Pologne étoit le plus grand prince, qui eût jamais regné et le second, qu'il avoit connu après Pierre le Grand.« Wie bekannt haßte Friedrich fast alles, was sein Vater liebte, und schon in Mühlberg wurde sein Fluchtversuch durch August verhindert.

Nicht entfernt so hart wie Friedrich der Große, sondern anerkennend wie dessen Vater, urteilte auch ein anderer Zeitgenosse, dem es weder an Geist gebrach, um Geist in den Menschen zu erkennen, noch an Redlichkeit, um, wo er keinen fand, zur Schmeichelei herabzusteigen. Graf Schulenburg wurde von Voltaire angegangen, ihm Erläuterungen zu seiner »Geschichte Karls XII.« zu geben; er übersandte ihm im Jahre 1740 eine Denkschrift aus Venedig – also sieben Jahre nach des Königs Tod –, in der es heißt: »Es ist gewiß, daß der König Friedrich August von Polen einer der vollendetsten Fürsten, die man sich denken kann, gewesen ist; er besaß das richtigste Urteil und die richtigste Unterscheidungsgabe, eine außerordentliche Gewandtheit und Stärke, er war sehr arbeitsam und so fleißig, wie ein Privatmann, der sein Glück machen will, nur sein kann*; er verstand auf eine Weise, die man nicht glaublich finden kann, wenn man ihn nicht bei verschiedenen Anlässen handeln gesehen hat, die Kunst zu dissimulieren und sich selbst zu besitzen; er war sehr fähig, alles zu fassen und sich in allem zu orientieren, was sich seinen Augen darstellte. Außerdem verstand er den Krieg im großen und im kleinen; er zeichnete selbst zu Pferd vortrefflich, verstand sich vollständig auf alle Arten von Fortifikationen, Attakken und Verteidigungen von Plätzen; sehr gut entwarf er alle für jedwede Operationen nötigen Dispositionen und Instruktionen; schließlich war er der Artilleriewissenschaft gründlich und so mächtig wie die, die davon Profession machten und in dieser Branche kommandierten.«

Wenn dieses Urteil Schulenburgs die Lichtseite in der Beurteilung des Geistes Augusts des Starken heraushebt, so hebt wieder ein anderes Urteil eines geistvollen Mannes – des Grafen Ernst Manteuffel – die großen Schattenseiten heraus, die auf den Charakter des Königs fallen. Dieses Urteil ist in einem vertraulichen Schreiben an den Grafen Seckendorff niedergelegt, das in dessen Leben abgedruckt ist; es ist neun Monate nach Augusts Tod am 28. Oktober 1733 aus Dresden geschrieben worden. Manteuffel gibt darin eine Schilderung des Hofs Augusts III. und beleuchtet namentlich die Eindrücke, die der Sohn vom Vater erhalten hat. »Es ist«, sagt er, »erst nach dem Tod des Vaters bekanntgeworden, daß er – der voll von Eitelkeit, übertriebener Selbstliebe und sehr falschen Ideen war – dem Sohn von jeher die außerordentlichsten Maximen gepredigt hat, die man sich nur ausdenken kann. Es ist gewiß, daß er trotz der Eifersucht, die er zuweilen gegen den Sohn gefaßt zu haben schien, ihn zum Vertrauten von allem und jedem, was sich in seinem Herzen bewegte, gemacht hat, ohne selbst seine Liebschaften hiervon auszunehmen. Er hat ihm empfohlen, keinem seiner Minister zu trauen, sondern sie alle ohne Ausnahme – und die fähigsten in erster Linie – für von Leidenschaften eingenommene Leute anzusehen, die alle die Hofmeister machen wollten; er hat ihm empfohlen, selbst in eigener Person unmittelbar zu regieren und eher den Rat unbedeutender und unbekannter Leute zu befolgen als den der Minister.«

* Auch Patkul schrieb am 18. September 1703 an Peter den Großen: »Der König applicirt sich jetzo mehr als sonst geschehen auf die Affairen, arbeitet und schreibet selbst Tag und Nacht.

Sonderbar wie die deutsche Orthographie Friedrichs des Großen war die französische Augusts des Starken. Ein eigenhändiger Brief, den der König aus Grodno am 8. Januar 1706 an seinen Gesandten in Haag, von Gersdorf, in der Patkulschen Sache schrieb, schließt mit folgenden Worten:
»Voissi ce que vous pourres remontrer os estas dohlentes (aux états d'Hollande) et donner pars au Ressiden denglesterre (d'Angleterre) de ce quil orras a dierres (aura à dire). Auguste Roy.«
Der Duktus der Handschrift ist nicht mehr der steife, kleine, gerade aufgesetzte des Kurfürsten August, sondern der freiere, liegende, französische, nur nicht so hoch aufgezogene wie der Ludwigs IV. und Heinrichs IV.
August wurde in Krakau begraben – nur sein Herz kam in einer silbernen Kapsel nach Sachsen.
Augusts Gemahlin, die brandenburgische Prinzessin Christiane Eberhardine von Bayreuth, war schon sechs Jahre vor ihrem Gemahl (1727) gestorben. Sie hatte, entfernt vom rauschenden Hof, ihren stillen Sitz auf ihrem Lustschloß an der Elbe in Pretzsch in der Nähe von Wittenberg gehabt. Nur selten erschien sie in Dresden zum Karneval – wo sie der Etikette wegen eine Stunde vor der Tafel unmaskiert verweilte – und in Leipzig zu den Messen. Sie durfte, weil sie Protestantin war, nicht nach Polen kommen und war auch durch nichts zu bewegen gewesen, die protestantische Religion zu verlassen. Sie war eine fromme, ernste, ganz der Devotion zugewandte und von den Geistlichen geleitete Frau; das Volk hatte sie nur die »Betsäule von Sachsen« genannt. Die Herren in Warschau legten nur auf ausdrücklichen Befehl des Königs Trauer um die Königin an, wie die »Lettres historiques« berichten. August hatte mir ihr einen einzigen Sohn gezeugt, der sein Nachfolger in Sachsen und Polen wurde.

Elftes Kapitel

Der Hofetat · Zivil- und Militäretats · Das diplomatische Korps unter August dem Starken

Über Hof-, Zivil- und Militäretat unter August dem Starken geben die seit dem Jahre 1728 zum erstenmal erschienenen königlich-polnisch und kurfürstlich-sächsischen Hof- und Staatskalender Bericht. Der im letzten Regierungsjahr des Königs erschienene für das Jahr 1733 enthält diese drei Etats auf 53 Quartseiten.

Voran stehen die 82 Ritter des 1705 gestifteten Weißen-Adler-Ordens unter dem König als Chef. Sie sind in drei Kategorien aufgeführt: Zuerst kommen die Fürstlichkeiten – an der Spitze die Zarin Anna von Rußland, der Kronprinz von Polen und der Kronprinz von Preußen, Friedrich der Große –, dann die Minister- und Generals-Exzellenzen; an zweiter Stelle die polnischen Magnaten; den Schluß bilden neun »Etrangers«, unter denen wieder »der moskowitische Oberkammerherr« Graf Biron – der spätere Herzog von Kurland, der Stammvater der noch jetzt in Schlesien blühenden Familie Biron-Kurland – den Schluß bildet.

Es folgen »die Senatores des Königreichs Polen«: 18 geistliche – an der Spitze der Primas-Erzbischof von Gnesen, Theodor Potocki – und die weltlichen – 37 Woiwoden und 33 größere Kastellane, an ihrer Spitze der Kastellan von Krakau, Fürst Johann Wisniowiecki – sowie die 10 »Reichs-Officiers« im Senat, die Krongroßmarschälle, Großkanzler, Großschatzmeister und Hofmarschälle von Polen und Litauen.

Die nächste Stufe bilden 63 »Reichs-Officiers außer dem Senat, die Kron-Groß-Secretarien, Referendarien, Feldherren, Kämmerer, Schatzmeister, Fähnriche, Schwertträger, Stallmeister, Küchenmeister, Mundschenken, Vorschneider, Truchsesse, Feld-Commissaire, Zeugmeister, Quartiermeister, Feldmeister, Jägermeister, der Kron-Notar, die Kron-Kanzlei-Regenten, Groß-Schreiber, General-Procuratoren und zuletzt die Schatzsecretarien.«

Ihnen folgen die 49 kleineren Kastellane, dann 11 »Polnische Kammerherrn« – unter denen sich auch vier deutsche Namen finden: zwei Unruhe, ein Osten und ein Buchholz –, 7 »Pokoyowoi«; den Schluß bildet die »Polnische Jägerei« unter dem litauischen Hofjägermeister Alexander Joseph Sulkowsky, dem späteren Premier in Sachsen, den Brühl stürzte. Das Personal der polnischen Jägerei, über fünfzig Mann stark, bildeten fast lauter Deutsche.

Darauf folgt der sächsische Hofetat, nach diesem der Ziviletat und zuletzt die Generalität.

Am 30. April 1716 hatte August aus Danzig in Polen die famose Hofrangordnung für Sachsen erlassen, von der Behrenhorst in seinen »Betrachtungen über die Kriegskunst« sagt, daß »allein die gleichzeitige russische sie übertrifft«. Sie scheint auch unter russischen Auspizien entworfen worden zu sein, denn der König hielt sich damals in Danzig auf, und zwar zur Hochzeit der Nichte Peters des Großen mit dem Herzog von Mecklenburg; sie war in Anwesenheit des Zaren elf Tage vor dem Erlaß, am 19. April 1716, gefeiert worden. Darin waren etwa neunzig Rangabstufungen aufgeführt.
Die erste Stelle im Staat hatte der Oberhofmarschall, dem der Generalfeldmarschall nachstand. Dann erst folgten der Geheime Kabinettsdirektor und der Geheime Ratsdirektor, die adeligen und ihnen nach die bürgerlichen Wirklichen Geheimräte, doch so, daß »im Kollegium« die Anciennité nach den Bestallungen gelten solle.
Darauf rangierten die Generäle und die Titulargeheimräte. Dann kamen die neun übrigen Oberhofchargen: der Oberkammerherr, der Oberstallmeister, der Oberschenk, der Oberküchenmeister, der Oberhofjägermeister, der Oberhofmeister der Königin, der Oberfalkenier, der Generalpostmeister und der Trabantenhauptmann.
Nach diesen neun Oberhofchargen rangierten zunächst die Präsidenten der Kollegien und der Kanzler; ihnen folgten die Generalleutnants, der Generalkriegskommissar, der Oberland- und Zeugmeister (Chef der Artillerie), der Landeshauptmann und der Oberamtshauptmann in der Oberlausitz*.
Darauf folgte wieder eine Hofcharge, nämlich die Kammerherren, die mit den Generalmajoren und dem Hofmarschall nach der Anciennité roulieren sollten; dann erst die Räte – die Kriegs-, Kammer-, Hof-, Appellations-Obersteuer-, Generalakzise- und Oberrechnungsräte –, von denen durchwegs die adeligen den bürgerlichen vorgingen.
Darauf rangierten die Kammerjunker, die den Rang zwischen den Obristen und Oberstleutnants einnahmen, und die Jagdjunker, die noch dem Oberhofprediger, den Oberkonsistorial- und den Bergräten sowie den Majoren vorangestellt waren.
Den Schluß bildeten die Titularräte, »so sich von keinem Collegio schreiben« – wie Legations-, Kommerzien-, Kommissions- und simple Titularräte –, und die Kapitäne.
Der Staatskalender für das Jahr 1733 führt elf sächsische »Hof-Oberchargen« auf, dem Rang nach waren dies: der Oberhofmar-

* Die Niederlausitz war noch bei der Nebenlinie Merseburg.

schall, der Oberkammerherr, der Oberstallmeister, der Oberhofjägermeister, der Oberküchenmeister, der Oberschenk, der Oberfalkenmeister, der Schweizer-Hauptmann, der Kämmerer, der Generalpostmeister und der Hofmarschall.

An der Spitze des gesamten Hofs stand Seine Exzellenz, der Oberhofmarschall Baron Woldemar von Löwendahl; er war seit 1712 der Nachfolger Pflugs. Unter dem Oberhofmarschall standen: der Oberkammerherr und Kabinettsminister, Exzellenz Graf Friesen; der Oberküchenmeister Adolf von Seyffertitz; der Oberschenk von Haugwitz und der Hofmarschall von Einsiedel.
Ferner standen unter dem Oberhofmarschall:
1. Die Kammerjunker, 80 an der Zahl, unter denen auch ein paar polnische Namen vorkommen.
2. Vier Jagd- und 16 Hofpagen, denen ein Kapitän als Hofmeister vor- und sechs Lehrer dem Rang nach nachgesetzt waren.
3. Die Hofjägerei – abgesondert von der »Polnischen Jägerei« und dem weitschichtigen Departement des sogleich zu erwähnenden Oberhofjägermeisters. Es kommt unter dem Personal dieser Hofjägerei, das zehn Namen beinhaltet, auch der von Wackerbarth aus Italien geholte Trüffeljäger Franziskus »Montresor« vor; ein anderer »Montresor« war Hofschütz, und vier weitere »Montresors« kamen bei der Polnischen Jägerei vor.
4. Die »Hofkirchenkapelle«; sie umfaßte acht Personen.
5. Die »Musiciens Vocals Francois«: der Komponist Louis André, mit 1200 Talern Gehalt, ein Tenor, ein Altist, zwei Kontraaltisten, drei Bassisten, vier Diskantistinnen, sieben Sopranistinnen und eine Kontraaltistin – zusammen 20 Personen. Unter ihnen finden wir zehn italienische Namen (alle Soprane und Kontraaltisten, bis auf die erste Sopranistin, die eine Deutsche war), sieben französische Namen (alle Diskantistinnen) und nur drei deutsche, darunter der Tenor Johann Joseph Götzel, der sich noch 1756 neben Angelo Amorevoli und Angelo Maria Monticelli hielt. Die Primadonna war Maria Rosa Negri, die sich noch 1756 neben Faustina Hasse hielt. Der Hauptsänger war Antonio Annibali, Altist.
6. Die »Königliche Kapelle und Kammermusik«: 48 Personen, an der Spitze als Kapellmeister der berühmte, damals aber in Italien reisende Johann Adolph Hasse mit 6000 Talern Gehalt, auf dessen Personalien ich bei der folgenden Regierung komme. Die Zusammensetzung der Kapelle war folgende:
Auf den Kapellmeister folgten zwei Komponisten, und zwar der genannte Franzose André und ein zweiter, ein Böhme, Johann Dismas Zelenka, als Kirchenkomponist berühmt, mit 550 Talern Gehalt, gestorben 1745;

der Konzertmeister Johann Georg Pisendel – vielleicht der größte Violinvirtuose seiner Zeit –, mit 1200 Talern Gehalt. Er wurde 1687 in Karlsburg geboren und starb 1756;
der Kammeroboist François le Riche, auch ein berühmter Mann seiner Zeit, der zu auswärtigen Hochzeiten – wie 1700 nach Berlin – berufen wurde;
der Kammermusikus Pantaleon Hebenstreit, mit 1200 Talern Gehalt. Er wurde 1660 in Eisleben geboren und war ebenfalls einer der besten Violinspieler seiner Zeit; er erfand ein neues Instrument, das nach ihm Pantaleon genannt und sehr beliebt wurde: eine Art Hackbrett;
der Kammerlautenist Sylvius Weiß, mit 1200 Talern Gehalt, auch ein Künstler europäischen Rufes; gestorben 1748;
zwei Kammerorganisten, darunter der große Klavier- und Orgelspieler Christian Petzoldt, Lehrer von Graun, mit 450 Talern; gestorben um 1740;
neun Violinisten, darunter ein Franzose und der berühmte Italiener Francesco Maria Cattaneo, mit 553 Talern, sowie der berühmte Deutsche Franz Hund mit 400 Talern;
drei Flaute-Traversisten, darunter der berühmte Franzose Pierre Gabriel Buffardin, Lehrer von Quanz, mit 800 Talern, und der berühmte Johann Joachim Quanz, Lehrer Friedrichs des Großen, ein Hannoveraner, mit 466 Talern;
weiters fünf Oboisten, zwei Waldhornisten, vier Bratschisten, sechs Violoncellisten (vier Franzosen und zwei Italiener), vier Bassisten (darunter ein Franzose), zwei Kontrabassisten, ein Hoforgelmeister usw.
Diese Kapelle kostete im Todesjahr des Königs 28 515 Taler.
7. Die »Polnischen Kapell-Musici«. Diese abgesonderte polnische Kapelle, die »Kleine Kammermusik«, bestand aus dem Direktor Schultze, vier Violinisten, zwei Oboisten, zwei Waldhornisten, drei Bassisten, drei Kontrabassisten usw., zusammen 17 Personen.
8. »La Danse«: 60 Personen, lauter Franzosen, unter folgenden Aufführungen:
Männer: Favier: Maître des Ballets; Rottier und Desnoyers (ein sehr berühmter Tänzer): premiers Danseurs; Corrette: Sous Maître des Ballets; 7 Figurans.
Frauen: Rottiers und Vaurinville: premières Danseuses; 9 Figurantes.
»Le Chant«: Der Altist, der Bassist und zwei Diskantistinnen von den oben erwähnten »Musiciens Vocals Francois«.
»La Comédie«: 11 Schauspieler und 16 Schauspielerinnen; dazu ein Inspecteur de la Garderobe mit einem Aide, zwei Dekorateure und zwei Tailleurs.

Es folgen noch: 12 Oberhof- und Hoftrompeter, zwei Hofpauker und 16 Bockpfeifer.

9. Die Lakaienscharen: 26 Lakaien, 8 Hoftürken, 17 Heiducken, 6 Läufer und 23 Hofmohren mit dem Hof- und dem Vizehofprofos.

10. Der Hofzahlmeister und der Hofkassier; der Hofquartiermeister; drei Hofmediziner; der Hof- und der Reise-Hofapotheker; der Hofpoet – der genannte Johann Ulrich König, der Poet der Pferdeepopöe –; zwei Kammer- und zwei Hoffouriere; der Ballinspektor; die Bettmeister und Hofgärtner im Palais zu Alt-Dresden (das Japanische in der Neustadt), im Pirnaischen Palais (das heutige Landhaus), im prinzlichen Palais (auf dem Taschenberg), im Türkischen Palais (in der Plauenschen Gasse), in Pillnitz, in Übigau bei Dresden, in Lichtenburg im Kurkreis, in Meißen, in Kolditz, in Freiberg, in Nossen, in Warschau, in Villa Nova, in Mariemont, im Ujasdower Bad und in Grodno.

Weiters die sogenannten »Hofbefreiten«, die Hofhandwerker, darunter: der Generalhofproveditor Jonas Meyer mit dem Titularratstitel; der Hoffaktor Markus Meyer; die Hofjuden Jakob Levi Bacherach und Löwel Perl; der Hofmünzlieferant Isaak Jakob; der italienische Hoflieferant Andreas Brentano; der Hoffabrikant Claude Pitra und der Hofkomödiant Johann Neuber.

11. Die Hofküche unter der speziellen Direktion des Oberküchenmeisters Adolf Baron Seyffertitz mit folgendem Personal:

vier Küchenmeister, darunter der Franzose François Duval; ein Küchenschreiber und zwei Reiseküchenschreiber; fünf Mundküche (davon vier Franzosen); sieben Hofköche (darunter ein Franzose); ein Bratkoch (Franzose); ein Bratenmeister; ein Backmeister; zwei Hofeinkäufer; ein Menageriemeister usw.

Dependenzen des Hofküchenmeisteretats waren: die Silberkammer, die Hofkonditorei mit einem deutschen und einem italienischen Hofkonditor und noch zwei Reise-Hofkonditoren, das Provianthaus und das Hoffischhaus.

Schließlich gehörte noch unter das Ressort des Oberhofmarschallamts

12. Der Hofkeller unter der speziellen Direktion des Oberschenks Johann Adolf von Haugwitz mit einem Personal von 28 Personen.

Die zweite Oberhofcharge war der Oberkammerherr; diese bekleidete Exzellenz Graf Heinrich Friedrich von Friesen, der zugleich Kabinettsminister und General war. Er war der Nachfolger Vitzthums seit dessen tragischem Duell im Jahre 1726. Friesen war durch seine Gemahlin, die älteste Tochter der Gräfin Cosel, der Schwiegersohn des Königs; nach Augusts Tod mußte er aber auf Anordnung seines Schwagers und neuen Herrn den Oberkammerherrnposten an Brühl abtreten, der bisher als Kämmerer oder Maître de la Garderobe unter ihm gestanden hatte, und wurde dafür Gouverneur von Dresden.

Früher, vor Vitzthum, fungierten als Oberkammerherren: Philipp Ferdinand von Reibold, Gemahl der Schwester der Oberhofmarschallin Gräfin Pflug, geborenen Stubenberg; er war der erste Graf Reibold, der 1719 unbeerbt starb. Vor Reibold fungierte der spätere Oberhofmarschall Pflug (gest. 1712); vor diesem Christian August von Haxthausen, Geheimrat und ehemaliger Hofmeister des Königs, der zu Anfang der Regierung Augusts – als dieser noch Kurfürst war – angestellt wurde; er fungierte nur zwei Jahre und starb 1696.

Unter dem Oberkammerherrn gab es im Todesjahr des Königs außer den oben genannten elf polnischen Kammerherren, die ganz für sich standen, 92 Kammerherren, unter denen sich ebenfalls – wie bei den Kammerjunkern – ein paar polnische Namen finden, namentlich Sulkowsky.

Ferner gehörten zum Ressort des Oberkammerherrn:

der Beichtvater P. Dussik von der Gesellschaft Jesu und fünf Kapläne;

die sechs Leibmediziner (verschieden von den Hofmedizinern, die nur das Hofpersonal versorgten);

die neun Geheimen Kämmerer – unter denen sich der schon erwähnte ehemalige Kammerdiener Franz Joseph Hoffmann, der sächsische le Bel und Stammvater der Grafen von Hoffmannsegg, befand –, die sechs Kammerdiener, die drei Leibbarbiere, die acht Huissiers, die vier Kammerlakaien, die drei Kammermohren (von den Hofmohren unterschieden), der schon erwähnte Kammerriese Daniel Cojanus, die drei polnischen Kammerzwerge, der Hoftaschenspieler Josef Fröhlich und der Kammerkurier Baron von Schmiedl, die beiden schon angeführten Hofnarren.

Schließlich waren dem Oberkammerherrn Friesen noch untergeben:

sämtliche Sammlungen für Wissenschaft und Kunst, wie das Naturalienkabinett; das Kabinett für Handzeichnungen und Estampes; das Cabinet de Gemmes – das Münzkabinett –, es stand speziell unter dem Hofrat und Geheimen Referendar Thomas Fritsch, dem späteren Minister; das Kabinett der Gemälde, das besonders dem Architekten Raymond Baron le Plat und dem Geheimen Kämmerer Steinhäuser, dem in hoher Gunst stehenden Tresorier, unterstellt war; die Bibliothek unter dem Bibliothekar Seebisch; die Anatomiekammer; die Mineralienkammer; die Kunstkammer und die Sammlung mathematischer und physikalischer Instrumente.

Die dritte Oberhofcharge bekleidete der Oberstallmeister (früher Hofmarschall) Exzellenz Johann Adolf von Loß, zugleich Wirklicher Geheimrat mit Sitz und Stimme – ein Sohn des Weißenfelser Premierministers Johann Kaspar Loß. Er war der Gemahl von Fräulein Erdmuthe Sophie von Dieskau, der dereinstigen Geliebten des Königs. Nach dem Tode Augusts mußte Loß dem Liebling des neuen Herrn, dem Grafen Sulkowsky, weichen und seinen Posten abtreten; er ging als Gesandter nach London, München und Paris, wurde Kabinettsminister, gegraft und starb 1759.
Unter dem Oberstallmeister fungierten beim Tod Augusts noch ein adeliger Reisestallmeister von Bomsdorf, ein polnischer Stallmeister Adolf von Brühl – der Bruder des späteren Premiers – und ein Stallmeister von Leipziger.
Früher fungierte als Großstallmeister Hans Gottlieb von Thielau auf Lampertswalde bei Oschatz, Amtshauptmann von Colditz; er amtierte schon bei der Krönung in Krakau und starb 1722. Sein Elogium gab Wolframsdorf 1705 mit folgenden Worten: »Er kommt fast gar nicht mehr an den Hof, seitdem er sein Glück gemacht hat. Der Grund davon ist, daß er dem König nicht recht traut, der ihn für interessiert und intrigant hält, und daß er den anderen keinen Anlaß zur Eifersucht geben will, die ihn um seine schöne Stelle beneiden. Seine Frau ist eine aus dem angesehenen Haus Schönberg; nach Landesbrauch sichert ihm das sein Avancement bei Hof und gestattet ihm, den König ungestraft zu betrügen.«
Als Oberstallmeister fungierten noch Christoph Sigismund von Holzendorf auf Dalwitz, gestorben 1715, der Vater des ersten Grafen Holzendorf, und Karl Gustav Baron Racknitz, der 1729 auf seinem Gut Lockwitz bei Dresden starb; »ein rechtschaffener Mann«, sagt Wolframsdorf, »von geringem Verstand. Wer ihn sieht, wird ihn nimmermehr für den Oberstallmeister eines großen Königs halten. Er hat das Glück, daß seine geringe Dosis Geist ihn mehr empfiehlt, als wenn er sehr viel davon hätte. Seine Frau liebt ihn deshalb, denn sie kann bei Hof desto mehr mit ihrem Witz glänzen. Auch der Oberhofmarschall ist deshalb sein guter Freund, der am Hof nur mittelmäßige Geister haben möchte, zumal wenn sie immer um den König sind und freien Zutritt zu ihm haben, wie es mit Herrn von Racknitz als Stallmeister der Fall ist.«

Die vierte Oberhofcharge war die des Oberhofjägermeisters; sie wurde bekleidet von Exzellenz Karl Gottlob von Leibniz – eine alte Meißener Familie, nicht die bürgerliche Leipziger des berühmten Gelehrten – auf Olbernhau und Possendorf, der zugleich Direktor aller sächsischen Flößen und Amtshauptmann von Frauen- und Lauterstein war. Unter ihm fungierten die zwei Hof- und Landjägermeister Karl Heinrich von Leibniz auf Münchenbernsdorf – einer der wenigen Redlichen am Hof, die keine Geschenke nahmen – und Georg Heinrich von Carlowitz; jener für das Erzgebirge zu Bärenfels, dieser für den Kur-Meißener und Leipziger Kreis zu Torgau; 20 Forst- und Wildmeister; ein Jagdjunker und vier Kammer- und Jagdjunker; vier königliche Jagdpagen und zwei für den königlichen Kurprinzen – lauter mit Adeligen besetzte Chargen. Dazu kamen eine Menge bürgerliche Unterbediente, auch acht Jagdpfeifer und ein Oberpfeifer, zwei Löwen- und ein Bärenwärter usw.

Die fünfte Oberhofcharge – die des Oberküchenmeisters – und die sechste – die des Oberschenken – sind bereits beim Oberhofmarschallamt erwähnt worden. Oberküchenmeister war Baron Seyffertitz; Oberschenk war beim Tod des Königs Johann Adolf von Haugwitz, der Sohn des dereinst allmächtigen Oberhofmarschalls unter Johann Georg III. und Gemahl von Fräulein Sophie Eleonore von Kessel, der dereinstigen Geliebten des Königs. Er war ein in den Berichten damaliger Zeit als besonders geschickt zu Anordnung von Hoffesten gerühmter Mann und früher Hofmarschall.

Die Stelle des Oberfalkenmeisters bekleidete ein zweiter Schwiegersohn des Königs, der Gemahl der jüngeren Gräfin Cosel, Graf Anton Moszinsky, polnischer Hofschatzmeister und gewesener Oberhofmeister seines Neffen, des späteren Kurfürsten Friedrich Christian. Unter ihm dienten der Falknerei-Hauptmann von Preuß, zwei Falkenmeister, ein Meisterknecht, acht Falkeniere und noch acht Unterbediente.

Die achte Charge war der Schweizer-Hauptmann Marquis Pierre de Prohenques. Dieser französische Marquis, den die Annalen der Zeit als einen der famosesten Glücksritter bezeichnen, machte ebenfalls wie Seyffertitz eines der größten Häuser in Dresden. Der König speiste wiederholt bei ihm, aber nach dessen Tod wurde er sofort kassiert, als man ihn gezwungen hatte, Rechnung zu legen. Es folgte ihm Georg Hubert Baron Diesbach, ein geborener Schweizer.

Die Schweizergarde zählte im Jahre 1733 134 Mann. Sie ging in hellblauen Röcken mit strohgelben Aufschlägen, kurzen, sehr weiten hellblauen Beinkleidern und Strümpfen, gelben Westen und ganz kleinen, mit blaugelben Federn geschmückten Hütchen, die auf runden, mit vielen Locken versehenen Perücken saßen. Die Waffen waren Hellebarden – bis zu den Befreiungskriegen, wo das Korps aufgelöst wurde.

Eine zweite Hofgarde war die Chevaliergarde zu Pferd; ihr Kapitän war der König selbst, Kapitänleutnant war der General und Kabinettsminister Graf Lagnasco. Sie zählte 1733 120 Mann.
Eine dritte Hofgarde war schließlich die der Gardes du Corps zu Pferd. Ihr Kommandant war Herzog Johann Adolf von Weißenfels; sie zählte 1733 820 Mann.

Der neunte Hofposten, der des Kämmerers oder Maître de la Garderobe, war von August eigens für seinen Liebling Brühl geschaffen worden. Er stand als solcher vorderhand unter dem Oberkammerherrn Friesen und hatte mit diesem die Aufsicht über alle Kabinette und Sammlungen.

Der zehnte Hofposten war der des Generalpostmeisters, den bis 1732 – wo er starb – ein Sohn des Generals Neitschütz, ein Bruder der Gräfin Rochlitz, bekleidet hatte.*
Ihm folgte Moritz Karl Graf von Lynar auf Lübbenau in der Windischgrätz und Deszendent im fünften Glied jenes unter dem Niederlausitz, geboren 1702, Sohn einer österreichischen Gräfin weisen Kurfürsten August durch den unduldsamen sächsischen Adel vertriebenen berühmten florentinischen Grafen und Baumeisters Rochus Lynar. Moritz Karl war seit 1727 mit einer Nichte des Generalfeldmarschalls Flemming, einer Tochter von dessen Bruder, der Gouverneur in Leipzig war, verheiratet, die aber schon 1730 starb. Lynar war seit 1730 Gesandter in Berlin und Kopenhagen und wurde 1736 Gesandter in Rußland, wo seine Persönlichkeit – er war einer der schönsten Männer seiner Zeit – ihn zum Liebhaber der Regentin Anna promovierte; Anna wurde aber bekanntlich durch die Revolution von 1741, durch die Peters des Großen jüngste Tochter, die Zarin Elisabeth, auf den Thron kam, gestürzt und damit verlor Lynar die Aussicht auf eine der größten europäischen Karrieren. Er starb als sächsischer Geheimrat und Präsident der Oberamtsregierung in der Niederlausitz 1768 ohne direkte Erben; sein jüngerer Bruder, der dänische Minister Rochus Friedrich – einer der Frommen seiner Zeit –, erhielt die Herrschaft Lübbenau.

Die letzte Oberhofcharge unter August dem Starken, die des Hofmarschalls, bekleidete Karl Heinrich von Einsiedel.

* In der Untersuchung der Generalin wurde ihr vorgeworfen, daß sie ihre Schwiegertochter, ein Fräulein von Miltitz, gezwungen habe, ihren dritten Sohn, den Kammerherrn – diesen späteren Generalpostmeister – zu heiraten. Sie habe ihr mit dem Kurfürsten gedroht, der ihr sonst »einen Lumpenhund geben und sie aufs Land setzen« wollte. Der Kurfürst habe aber selbst geäußert, er könne »das Fräulein nicht zwingen, der Kammerherr« wäre »ein unansehnlicher Kerl«.

Die zwölfte Obercharge wurde als solche erst unter August III. gegründet. Es war die des Directeur oder Intendant des plaisirs, die die Direktion des Theaters und der Kapelle in sich faßte, die noch unter dem Vater Augusts des Starken, Johann Georg III., unter die Kuratel des Hofpredigers gestellt gewesen war. Im Staatskalender werden unter August dem Starken – wie oben zu sehen – Kapelle und Theater noch unter dem Oberhofmarschallamt aufgeführt.
Der erste Directeur des plaisirs, der am Dresdner Hof angestellt wurde, war ein österreichischer Edelmann, der Kammerherr Johann Sigismund von Mordax, Freiherr von Portendorf. Er trat den Posten im Jahre 1717 an und erhielt vollkommene Gewalt: Er erhielt, wie es im Anstellungsdekret vom 18. Oktober 1717 heißt, »la Sur Intendance de la Musique avec la Direction General de Nos plaisirs. Nous luy donnons en même temps le pouvoir absolu d'agir dans ces deux charges, comme il le trouvera à propos, de placer les Musiciens, comme bon luy semblera et distribuer les rôles selon la capacité des Acteurs et Actrices, de faire punir rigoureusement ceux qui pourront contrevenir á ses ordres et de congédier toutes les personnes sans exception, qui ne se rangeront pas à ses commandements ou qui manqueront à leurs dévoirs, d'en prendre d'autres à leur places, sans Nous en faire part. Nous approuvons généralement tout ce qu'il reglera la de dans, voulons et ordonnons, qu'il soy obey en tout ce qui regarde Nos plaisirs.«
Mordax wurde 1719 zugleich Generalpostmeister und starb als ein Hauptlebemann des Hofs unvermählt im Jahre 1729. Sein Nachfolger war der Geheime Kriegsrat und Geheime Assistenzrat im Kabinett, Baron Gaultier, unter der Oberaufsicht des Kabinettsministers Graf Karl Heinrich Hoym. Nach Augusts Tod befand er sich unter denen, die als französisch Gesinnte entlassen wurden.

Zu diesem Hofstaat des Königs kamen noch der des königlichen Kurprinzen, der königlichen Kurprinzessin, des Prinzen Friedrich Christian – des erstgeborenen Sohns des Kurprinzen –, der jungen Herrschaften – das heißt der nachgeborenen Brüder und Schwestern dieses Erstgeborenen – und schließlich der Hofstaat der regierenden Königin-Kurfürstin und der Königin-Kurfürstin-Mutter.
Beim Kurprinzen bekleidete die Stelle eines Hofmarschalls Johann Georg von Einsiedel auf Wolkenburg, Gersdorf etc., Graf Moritz Karl Lynars Schwager; er war seit 1720 mit einer zweiten Nichte Flemmings verheiratet. Einsiedel war der Sohn des Oberhofmeisters der Königinmutter Anna Sophie von Dänemark und der reichen Anna Sophie Rumohr; unter der folgenden Regierung stieg er zum ersten Hofmarschall unmittelbar unter Brühl auf, und 1745 wurde er der erste Graf seines Hauses. Generaladjutant des Kurprinzen war

Oberst von Block; sein Geheimer Kämmerer war der vielbewährte, seinem Vater in derselben Funktion dienende Franz Josef Hoffmann, Stammvater der Grafen von Hoffmannsegg. Stallmeister war Alexander Josef Graf Sulkowsky, sein späterer Premier, den Brühl stürzte; er war zugleich Kommandant der kurprinzlichen Parforcejagd-Equipage.

Obersthofmeisterin der Kurprinzessin Marie Josepha von Österreich war Gräfin Therese von Kollowrat, die Schwiegermutter des späteren Premiers Brühl. Fräulein-Hofmeisterin war die verwitwete Baronin Rohr, wahrscheinlich die Erbtochter der Rohrschen Herrschaft Elsterwerde, die 1716 Baron Löwendahl kaufte; Obersthofmeister war der kaiserliche Geheimrat und zugleich akkreditierte Minister am Dresdner Hof, Graf Leopold Wallenstein, der Nachfolger des Grafen Franz Karl Wratislaw. Die Prinzessin hatte außerdem zwei Kammerfräuleins, vier Hofdamen, eine Kammerfrau, sechs Kammerdienerinnen, und unter den zwölf Guarde-Dames gab es »ein Kammer-Mensch, ein Küchel-Mensch und ein Extra-Weib«.

Obersthofmeister des Prinzen Friedrich Christian, des späteren Kurfürsten, war Exzellenz Graf Anton Gabaleon Wackerbarth-Salmour.

Die junge Herrschaft hatte als Aya wieder eine Österreicherin: eine verwitwete Freiin Proschowitz.

Oberhofmeister der 1727 verstorbenen Königin-Kurfürstin Eberhardine im Hoflager zu Pretzsch und Torgau waren: August Ferdinand Graf von Pflug, ehe er nach Haxthausens Tod Oberkammerherr wurde; Hans Balthasar von Bose auf Mölbis, ältester Sohn des alten Ministers Bose († 1712); ihm folgten Karl von Rex auf Boblas, früher Oberhofmarschall und Geheimrat am Merseburger Hof, einer der gelehrten Edelleute, Vater des ersten Grafen und Ministers Rex († 1716), und Graf Johann Ehrenreich Geyersperg, ein evangelischer Österreicher, der mit einer Gräfin Stubenberg vermählt war († 1741).

Obersthofmeister der 1717 verstorbenen Königin-Kurfürstin-Mutter Anna Sophie von Dänemark im Hoflager zu Lichtenburg war Kay Rumohr, später dänischer Gesandter am Dresdner Hof; ihm folgte Hans Haubold von Einsiedel (seit 1695), sein Schwiegersohn, Vater des ersten Grafen Einsiedel († 1700); darauf Alexander von Miltitz auf Scharfenberg, zugleich Hofmeister des königlichen Kurprinzen, gestorben 1738 als Geheimratsdirektor unter August III.

Die Hauptperson am Lichtenburger Hof war die Hofdame Haxthausen, die Favoritin der Königin-Kurfürstin-Mutter; durch sie war der Geheimrat Christian August von Haxthausen, der Vater des Memoirenschreibers, an den sächsischen Hof gekommen.

Das Geheime Kabinett bestand aus sieben Kabinettsministern, zwei tor. Diese waren: Exzellenz Baron Woldemar Löwendahl; Exzellenz Graf August Christoph Wackerbarth; Exzellenz Graf Ernst Christoph Manteuffel; Exzellenz Graf Anton Lützelburg; Exzellenz Graf Erdmann Promnitz; Exzellenz François Joseph Wicardel, Marquis de Fleury et de Beaufort; Exzellenz Graf Heinrich Friedrich Friesen; Baron Pierre de Gaultier, Geheimer Kriegsrat und Assessor, zugleich Directeur des plaisirs – die Familie gehörte zur Berliner französischen Kolonie –, sowie Johann Antonius Thioly, Geheimer Kriegsrat und Assessor.

Das Arrangement wegen der Departements ist charakteristisch mit folgenden Worten ausgedrückt:

»Die Departements haben sich I. M. selbst vorbehalten, jedoch auf allergnädigsten Befehl

1. Das Dep. der Domestiquen-Affairen Sr. Exc. dem Herrn Geh. Rath von Brühl zu dirigiren allergnädigst aufgetragen und expediret: H. Joh. Friedr. Günther, Hof- und Justitien auch App.-Rath als Geh. Cab.-Secr.; Georg Wilhelm Mentzel, Secr. und Geh. Registrator [Vater des bekannten Menzel, der die Depeschen an Friedrich den Großen verriet].

2. Bei dem Dep. der Etranger-Affairen expediret: H. Joh. Ant. Thioly, Geh. Kriegs- und Assistenz-Rath; H. Geo. Wilh. Walther, Hofrath und Geh. Secr.

3. Beim Dep. der Militair-Affairen, so Sich I. K. M. selbst reserviret, expediret: H. Carl Pauli, wirkl. Geh. Kriegsrath als Geh. Cab.-Secr.«

Pauli stand in großer Gunst beim König, war aber ein notorischer Trunkenbold; der König pflegte zu sagen, daß er nur vormittags einen Pauli habe. Er stürzte sich später auch eines Nachmittags in der Trunkenheit auf die Straße und war auf der Stelle tot.

Dazu noch: »H. Jos. Raymond Accoramboni, Canonicus, Abbé, Rath und Geh. Cab.-Secr. der italienischen Depeschen.«

Der erste Kabinettsrat der Zeit nach, der gleich von der Gründung des Kabinetts an im Amt war, war der Hofrat Michael Nehmitz, der eine bedeutende Stellung hatte und sich als gewandter Mann von feinster Bildung auszeichnete. Er gehörte zu den Günstlingen des Königs und des Statthalters und stieg bis zum Geheimen Kammer- und Bergrat. Er wurde zu den wichtigsten Verhandlungen gebraucht, und durch seine Hand gingen die geheimsten Dinge, wie z. B. die Angelegenheiten mit Böttiger und die geheimen Verhandlungen mit Schweden beim Abschluß des Altranstädter Friedens.

Das Geheime Ratskollegium umfaßte Wirkliche Geheimräte, nämlich:
Exzellenz Heinrich von Bünau auf Seußlitz, dirigierender Wirklicher Geheimrat und Kanzler, später erster Graf.
Vor ihm waren unter den Geheimratsdirektoren auszuzeichnen: Baron Nikolaus von Gersdorf (1686–1702), der Vater des ersten Grafen; darauf führte der Statthalter Fürst von Fürstenberg den Vorsitz († 1716); Graf Georg von Werthern († 1721); Graf Karl Heinrich von Hoym (1730–1731), der 1736 auf dem Königstein Selbstmord beging.
Weiters gehörten dem Geheimen Ratskollegium an:
Exzellenz Freiherr Karl Gottlob Friedrich von Gersdorf, später Direktor und erster Graf;
Exzellenz Hieronymus Gottlob von Leipziger auf Heyde, früher Gesandter in Kopenhagen, dann Oberkonsistorial- und Appellationsgerichtspräsident († 1737);
Exzellenz Freiherr Bernhard von Zech, der erste Graf;
Exzellenz Johann Adolf von Loß auf Hirschstein, der Oberstallmeister und erste Graf, ein Sohn des Weißenfelser Premiers Johann Kaspar auf Rohrsdorf und Wittgendorf, der 1711 starb, ein Ururenkel des Geheimrats Christoph auf Pillnitz, des Lieblings Christians II. und Patrons Jakob Böhmes. Auch sein Bruder Christian wurde Minister, und der dritte Bruder, Johann Rudolf, der eine österreichische Gräfin geheiratet hatte, starb 1723 im Kloster der Barmherzigen Brüder in Prag;
Exzellenz Heinrich von Bünau, der Jüngere, auf Dahlen, mit seinem Vater gegraft;
Exzellenz Johann Friedrich von Schönberg auf Berthelsdorf – aus der oberlausitzischen Linie Pulsnitz, der der berühmte Geheimratsdirektor unter Johann Georg I. angehört hatte –, Gesandter in Regensburg und unter August III. Kabinettsminister und erster Graf;
Exzellenz Heinrich von Brühl, der erste Graf und Premier unter August III.
Nun folgten noch fünf Wirkliche Geheimräte und Exzellenzen, »so nicht votiren«, und fünfzehn Titular-Geheimräte ohne den Exzellenztitel.
Dazu kamen sechs Geheime Referendarii: Jacob le Coq, Geheimer Kriegsrat, zugleich Kabinetts-Archivdirektor; Peter Ernst von Guben; Erasmus Leopold von Gersdorf – später Kanzler –; Friedrich Abraham von Hopfgarten, von dem wahrscheinlich der spätere Minister und erste Graf unter Friedrich August III. stammt; Thomas von Fritsch, später Minister – alle waren Hof- und Justizräte –, sowie Hofrat Traugott Dietrich.

Das Gehalt eines Geheimrats betrug nach den Memoiren Haxthausens 4000 Taler – Rechenberg, der Gemahl der berühmten Frau von Rechenberg, geborenen Schöning, verdiente soviel.

Nun folgte das Geheime Kriegsratskollegium; Präsidenten waren unter August dem Starken:
1691–99 Feldmarschall Hans Adam von Schöning als Nachfolger von Christian Dietrich Bose; während Schönings Abwesenheit hatte Graf Julius Heinrich Friesen den Vorsitz. Auf Schöning folgten:
1699–1706 Generalfeldmarschall Baron Adam Heinrich von Steinau;
1706–10 Generalfeldmarschall Freiherr Georg Benedikt von Ogilvy;
1710–28 Generalfeldmarschall Graf Jakob Heinrich Flemming;
1728–33 Generalfeldmarschall Graf August Christoph von Wackerbarth;
ab 1733 Exzellenz Hans Christian von Kiesewetter auf Dittersbach, ein Nachkomme des Kanzlers Hieronymus unter Kurfürst August; er war zugleich General und Generalkriegskommissar und starb 1744, 76 Jahre alt.
Weiters gab es vier Wirkliche Geheime Kriegsräte – zwei adelige und zwei bürgerliche –, darunter den Geheimen Kabinettssekretär im Departement der Militärangelegenheiten, Karl Pauli.
Es folgten sechs Geheime Kriegsräte, »so nicht votiren«:
Pierre Baron von Gaultier, Assessor im Geheimen Kabinett und Directeur des plaisirs;
Anton Thioly, expedierender Assistenzrat im Geheimen Kabinett beim Departement der »Etranger-Affairen«;
Ulrich Friedrich von Suhm, Ministerresident in Kopenhagen;
Jacob le Coq, Geheimer Referendar;
Friedrich Gotthard von Bülow, der 1734 Gesandter in Petersburg und dann in Berlin war, Konferenzminister wurde und 1745 den Dresdner Frieden schloß. Er gehörte der Zibühler Linie seines vielfach verzweigten Hauses an, das zu denen wendischen Ursprungs gehört, und starb 1768 in Merseburg;
Baron Peter le Fort, Env. extr. in Petersburg, früher russischer Oberzeremonienmeister.
Ferner gab es einen Kriegsrat: Johann Arnet, Chef der Stabskanzlei.

Als nächstes gab es das Kammerkollegium; Präsidenten dieses Kollegiums waren seit dem Sturz Hoyms:
1694–97 Rudolf von Schönberg von der Linie Reinsberg, Vizepräsident;

1697–1703 Heinrich von Einsiedel von der Linie Scharfenstein, Cousin des Oberhofmeisters der Königin – derselbe, der mit Beichlingen bis 1707 auf den Königstein kam;
1703–07 Baron Anton Albrecht von Imhoff, der 1707–14 auf den Königstein kam;
1707–11 Baron Woldemar von Löwendahl, der 1712 Oberhofmarschall wurde;
1711–30 Hans Georg von Zehmen, Vizepräsident.
Darauf folgte als Vizepräsident und fungierte noch 1733: Geheimrat Heinrich von Bünau, der Jüngere; ihn löste Brühl 1733 als Präsident ab.
Nun folgten sechs Kammer- und Bergräte, darunter fünf von Adel sowie Johann Christian Hennicke, Stift-Naumburger Kammerdirektor – der spätere Graf Hennicke, das Faktotum Brühls; acht Titular-Kammerräte, »so nicht Session haben« – davon fünf von Adel –; sechzehn Landkammerräte – alle von Adel – sowie ein bürgerlicher Land-Akziserat.
Oberberghauptmann zu Freiberg war Karl Christian von Tettau; er resignierte 1733, und ihm folgte der Berghauptmann Kurt Alexander von Schönberg aus der Schönauer Linie des Hauses Sachsenburg, der wegen Aufnahme der Bergwerke nach Rußland berufen wurde.

Nun folgten Regierung und Appellation. Kanzler waren seit Anfang der Regierung Augusts des Starken:
1689–95 Ludwig Ernst von Pöllnitz;
1695–1715 Baron Otto Heinrich von Friesen auf Rötha und Cotta, gestorben ohne Kinder 1717;
1715–21 Graf Georg von Werthern.
Als Vizekanzler fungierte damals ein Könneritz, dessen Personalien oben unter Bünau angegeben sind. Ihm folgte erst als Vizekanzler, dann als Kanzler bis 1733 Exzellenz Heinrich von Bünau, der Ältere, dirigierender Wirklicher Geheimrat; unter ihm war Jakob Born Vizekanzler.
Weiters gab es 33 Hofräte – darunter 18 von Adel – und 29 Titular-Hofräte – darunter neun von Adel –, unter diesen Friedrich Gregor von Lautensack, Ministerresident in Wien.
Präsidenten des Appellationsgerichts waren:
Gotthelf Friedrich von Schönberg, gest. 1708 mit dem Ruhm eines besonders frommen Herrn. Er stammte aus dem Haus Pfaffrode, besaß Biberstein bei Freiberg, Lockwitz bei Dresden und Trebitz bei Wittenberg, war fünfmal vermählt und war zugleich Oberkonsistorialpräsident und Obersteuerdirektor;
Wolf Siegfried von Kötteritz, zugleich Obersteuereinnehmer;

Geheimrat Johann Georg von Ponickau († 1725), zugleich Oberkonsistorialpräsident;
bis 1731 Geheimrat Gottlob Hieronymus von Leipziger, zugleich Oberkonsistorialpräsident;
1731–34 Geheimrat Heinrich von Bünau, der Jüngere; auch er war früher Oberkonsistorialpräsident.
Hierauf folgten 28 Appellationsräte – darunter 17 von Adel – und als »Sekretär von ausländischen Sachen« Günther, der expedierende Geheime Kabinettssekretär im Departement der »Domestiquen-Affairen«.

Das Obersteuerkollegium bildeten folgende Leute:
Direktor war Centurius von Miltitz auf Oberau und Rothwernsdorf, Titular-Geheimrat († 1737, 73 Jahre alt); Vizedirektor war Exzellenz Heinrich von Brühl, Wirklicher Geheimrat.
Weiters gab es
acht Obersteuereinnehmer – alle von Adel –: zwei »von Kön. und Churf. Seite«, einer von »Fürstl. Weissenfelsischer Seite«, einer von »Fürstl. Merseburger Seite« und vier »Gesammter Landschaft wegen«;
drei Kassen: die Land- und Tranksteuer-Hauptkasse; die Miliz-Steuerhauptkasse (für die Pfennig- und Quatembersteuereinnahme) und die Extraordinair-Steuerhauptkasse;
sieben Kreissteuereinnahmen für die sieben Kreise, an deren Spitze sieben Adelige standen, gemeinsam mit den Stadträten von Wittenberg, Langensalza, Dresden, Freiberg, Leipzig, Plauen und Neustadt an der Orla, und zwei für die Stifte Meißen und Naumburg.

Es folgte das Generalakzisekollegium.
Direktor war Exzellenz Heinrich von Brühl, Geheimrat;
ihm folgten sechs Generalakziseräte – einer von Adel – und drei Akziseräte – alle Bürgerliche.

Das Oberrechnungskollegium bildeten:
Vizepräsident Adam Heinrich von Schönberg, Titular-Geheimrat, der Bruder des Oberberghauptmanns, sowie
sieben Oberrechnungsräte – darunter drei von Adel.

Hierauf folgte das Oberkonsistorium; die Präsidenten waren:
bis 1698 Geheimrat Hans Ernst von Knoch;
1698–1705 Gottfried Hermann von Beichlingen, der Vater des Großkanzlers;
1705–08 Gotthelf Friedrich von Schönberg, der zugleich Appellationspräsident und Obersteuerdirektor war;

1708–15 Adam Ernst Senft von Pilsach, aus einem hessischen Geschlecht, seit 1681 in sächsischem Dienst und gestorben 1715, 67 Jahre alt, auf seinem Schloß Löbnitz bei Leipzig – wahrscheinlich ein Vorfahre des ersten Grafen Senft, des Kabinettsministers unter dem ersten König von Sachsen –;
1715–25 Johann Georg von Ponickau, der wieder zugleich Appellationspräsident und Geheimrat war;
1725–27 (wo er starb) Gottlob Hieronymus von Leipziger, ebenfalls Appellationspräsident und Geheimrat;
1727–30 fungierte als Präsident Heinrich von Bünau, der Jüngere, auf Dahlen; als er Appellationspräsident und Geheimrat wurde, folgte ihm bis 1737 Christian von Loß.
Ihnen unterstanden sieben Räte – alle Bürgerliche –, an der Spitze der Dresdner Superintendent Dr. Valentin Ernst Löscher;
der Oberhofprediger Dr. Marperger, zwei Hofprediger, der Kapellmeister Mr. André sowie zwei Hofkantoren.

Das Bergkollegium bildeten:
Vizepräsident Exzellenz Heinrich von Bünau, der Jüngere, Geheimrat;
sechs Kammer- und Bergräte – alle von Adel – sowie vier bürgerliche Bergräte.

Das Oberhofgericht in Leipzig bestand aus dem
Oberhofrichter Karl August Rex aus dem Haus Boblas im Merseburgischen, dem Stammgut; er wurde 1738 Kanzler und Geheimrat und 1742 erster Graf;
sowie aus 26 Räten – darunter 11 von Adel.

Hierzu kamen noch die besonderen Behörden für die Oberlausitz (die Niederlausitz war noch bei Sachsen-Merseburg) und für die beiden Stifte Meißen und Naumburg, von denen sich die Regierungen in Wurzen und Zeitz befanden (das dritte Stift, Merseburg, war noch in den Händen der Nebenlinie dieses Namens).
Landeshauptmann – eine Art Finanzminister mit einem »Gegenhändler« zur Seite – der Oberlausitz war Jakob Eckard von Wobeser, aus einer pommerschen Familie; sein Nachfolger wurde 1734 Geheimrat Wolf Christian von Löben, der Bruder der Viktoria von Löben, die 1714 den Grafen Moritz von Sachsen geheiratet hatte.
Oberamtshauptmann war Christoph Ernst von Gersdorf aus dem Haus Pliskowitz.
Im Stift Meißen fungierten: als Stiftshauptmann von Wurzen Johann Christoph von Ponickau auf Belgershein aus dem Haus Pomsen; als Kanzler Dr. Schröter; weiters gab es fünf Stiftsräte.

Das Stift Naumburg führte als Präsident des Stiftskammerkollegiums Johann Christian Hennicke, der spätere Graf, mit vier Kammerräten; Präsident der Stiftsregierung war von Griesheim mit einem Kanzler und vier Räten.

Der Militäretat

An der Spitze der sächsischen Truppen standen:
1690–92 und dann wieder, seit der Rückkehr vom Spielberg, 1694–96 Generalfeldmarschall Hans Adam von Schöning, früher in brandenburgischen Diensten;
zwischendurch Generalleutnant Jeremias von Chauvet, bisher in den Diensten des Herzogs von Celle, ein französischer Refugié mit 21 600 Talern Gehalt;
1696/97 Generalfeldmarschall Heinrich VI. Graf Reuß, der an den in der Schlacht bei Zenta erhaltenen Wunden starb;
1698–1706 Generalfeldmarschall Graf Adam Heinrich Steinau, früher in venezianischen Diensten;
1706–12 Generalfeldmarschall Freiherr Georg Benedikt von Ogilvy, ein Schotte, früher in russischen Diensten;
1712–28 Generalfeldmarschall Graf Jakob Heinrich von Flemming, ein geborener Pommer.
Beim Tod Augusts des Starken war Exzellenz Graf August Christoph von Wackerbarth Generalfeldmarschall; er war zugleich als oberster Land- und Hauszeugmeister Chef der Artillerie, Gouverneur von Dresden und Generalkommandant der Ritterakademie der Kadetten. Unter ihm standen 34 Regimenter mit 98 Generälen und Obersten, nämlich: 7 Generäle mit dem Exzellenztitel, 12 Generalleutnants – alle von Adel –, 22 Generalmajore – darunter fünf Bürgerliche: zwei von der Artillerie, zwei von der Infanterie und einer von der Kavallerie – und 57 Oberste – darunter zwei Bürgerliche von den Ingenieuren und zwei von der Kavallerie. Chef des Ingenieurkorps war der Erbauer des Japanischen Palais, der Generalleutnant Johann von Bodt.
Die Armee – einschließlich die drei Hofgarden, von denen die Chevaliergarde allein einen Etat von 72 000 Talern hatte – kostete 1703 schon zwei Millionen Taler. Die Uniform der Infanterie war weiß wie die der Österreicher.
Aus den Memoiren Schulenburgs ergibt sich, daß er selbst sein Gehalt als General der Infanterie auf 12 000 Gulden und als Oberst des Garderegiments auf 9000 Gulden anschlug – jährlich also 21 000 Gulden. Schulenburgs Vermögen betrug, als er im Mai 1702 in sächsische Dienste trat, 24 000 Taler; bei seinem Austritt Ende 1711

war es auf über 94000 Taler angestiegen. Wolframsdorf schreibt, daß man Schulenburg beschuldigt habe, seinen Beutel auf Kosten der Truppen – wie dies alle Generäle taten – ebenfalls gefüllt zu haben.

Das diplomatische Korps

Gesandte an den deutschen Höfen und Agenten an deutschen und polnischen Plätzen:
Nach Wien ging, um das Ableben Johann Georgs IV. zu melden, der später gegrafte österreichische Baron Eck; dann wird Augusts ehemaliger Gouverneur, der Geheimrat und Oberkammerherr Christian August von Haxthausen, wiederholt als Gesandter in Wien erwähnt. Längere Zeit – 1697–1718 – war als Envoyé der Feldmarschall Graf Wackerbarth beglaubigt; sein Gehalt betrug nach einem von Hasche im fünften Band des »Sächsischen Magazins« mitgeteilten Reglement vom Jahre 1709 6000 Taler.
Neben ihm fungierte als Resident Hofrat Wesenich, der früher Sekretär des Königs gewesen war, mit 2400 Talern. Wie Wolframsdorf berichtet, bezog er schon, als er noch Kabinettssekretär in Dresden war, eine Pension vom österreichischen Gesandten in Dresden – Fürstenberg hatte ihn dem König empfohlen. Wolframsdorf prädiziert ihn nicht nur als unsicher, sondern auch als unfähig, »pas ferré à glaces dans sa profession«, als nicht diskret und als faul und bequem.
Wackerbarths Nachfolger war der Marquis de Fleury, neben dem der Legationsrat Christian Adam Anacker fungierte, und im letzten Regierungsjahr des Königs war Graf Josef Anton Gabaleon Wackerbarth-Salmour, der Stiefsohn des Feldmarschalls, Gesandter in Wien; er hatte den Charakter als Envoyé extraordinaire. Neben ihm war als Ministerresident beglaubigt: Hofrat Friedrich Gregor von Lautensack, 1731 geadelt. –
In Regensburg stand seit 1696 als Komitialgesandter Graf Georg von Werthern aus dem Haus Frohndorf. Er wurde 1702 gegraft, ging 1713 mit dem Grafen Lagnasco zum Utrechter Friedenskongreß und starb 1721 als Kabinettsminister, Kanzler und Geheimratsdirektor. Sein Gehalt in Regensburg war nach dem erwähnten Reglement 3600 Taler; sein Sekretär Frenzel erhielt 680 Taler.
Wertherns Nachfolger waren: Christoph Friedrich von Gersdorf, der Neffe des Geheimratsdirektors unter Johann Georg III.; Karl Gottfried, seit 1715 erster Graf von Bose, gestorben 1731, und Johann Friedrich von Schönberg von der oberlausitzischen Linie Pulsnitz, früher wegen der Religionsbeschwerden Gesandter am Pfälzer Hof und später unter August III. Kabinettsminister. –

In Berlin fungierte in den Jahren 1704/05 Bogislav von Unruh, ein Pole, Starost zu Gnesen, der durch ein sehr merkwürdiges Schicksal bekannt geworden ist. Er war sehr reich und sehr wohl angesehen, aber er mußte erfahren, was er nicht glauben wollte: daß niemand vor seinem Tod glücklichzupreisen ist. Er war viel gereist und hatte unter anderem in Rom in der vatikanischen Bibliothek alles von den verschiedensten Schriftstellern zusammengesammelt, was sich bei ihnen als gegen Papst, Jesuiten und Mönche geschrieben vorfand; dies stand in einem Buch, mit dem er auch in Polen immer reiste. Er vergaß es einst in einem Gasthof, wo er sein Nachtlager hatte nehmen müssen; ein Mönch brachte es ihm nach, forderte aber eine ansehnliche Summe für seine Kosten, indem er andeutete, daß er den gefährlichen Inhalt kenne. Er wollte zuletzt nur 300 Dukaten haben – Unruh schlug es aber ab und kam nun in eine sehr üble Lage: Er wurde durch den Mönch 1715 wegen dieses Buchs vor dem Tribunal zu Petrikau der Gotteslästerung beschuldigt. Das Urteil war streng genug: Verbrennung des Buchs; Abschlagen und Verbrennung der rechten Hand des Starosten; Herausschneiden seiner Zunge aus dem Hals; Abschlagen des Kopfes und Konfiskation des Vermögens. Zum Glück entkam Unruh durch die Flucht und starb 1722 im Ausland.

1709 fungierte Legationssekretär Hans Georg von Westphal mit 1500 Talern Gehalt, zuletzt als Kriegsrat und residierender Minister; er ging 1714 in dänische Dienste und starb 1733 als dänischer Minister in Rußland. Er war einer der Vorfahren der heutigen Grafen von Westfalen.

Ihm folgte 1711 Graf Ernst Manteuffel, der 1716 Minister wurde.

1718 starb in Berlin als bevollmächtigter sächsischer Minister Albert von der Lieth, aus einem Geschlecht, das aus Bremen stammt, früher Geheimer Kriegsrat und Oberkriegskommissar bei Peter dem Großen, dann (schon 1709) auf Patkuls Empfehlung russischer Gesandter in Berlin.

Von 1720 bis 1730 fungierte in Berlin einer der bedeutendsten Köpfe Sachsens in der daran nicht sehr reichen Zeit der Auguste: der Geheime Kriegsrat Ulrich Friedrich von Suhm. Suhm stammte aus einer alten, ursprünglich auf der Insel Rügen seßhaften dänischen Familie. Von diesen dänischen Familien bürgerten sich damals einige – wie die reichen Rumohr, die mit der dänischen Prinzessin Anna Sophia, der Mutter Augusts des Starken, kamen – in Dresden ein. Suhm wurde 1691 in Dresden geboren. Sein Vater, Burchard von Suhm, der Geheimrat und sächsischer Gesandter in Paris war, ließ ihn in Genf erziehen und dann zu sich nach Paris kommen. Er ward teils bei seinem Vater, teils, nach Dresden zurückgekehrt, in der Kanzlei des Feldmarschalls Flemming zum Diplomaten ausge-

bildet und ging nach dem Utrechter Frieden (1714) dreiundzwanzigjährig in einer außerordentlichen Sendung nach Paris, wo er mit der alten, klugen Herzogin von Orléans, der pfälzischen Prinzessin, auf gutem Fuß stand. 1718 ging er als Gesandter nach Wien und 1720 nach Berlin, wo er einer der innigsten Freunde des jungen Kronprinzen, Friedrichs des Großen, wurde; er übersetzte ihm Wolffs Schriften zum Studium in die französische Sprache. In Berlin blieb Suhm zehn Jahre (bis 1730). Am 4. Januar 1729 schrieb Friedrichs Vater an Seckendorff: »Gestern seyn wier bei Suhm gewesen, da ist der Ungarsche Wein nit geschont worden und habe des lieben Patrons [Augusts des Starken] gesundheit getrunken.«
Beim Tod Augusts des Starken war Suhm Ministerresident in Kopenhagen, dann mehrere Jahre ohne Anstellung und wie vergessen. Friedrich der Große schrieb ihm damals, am 15. August 1736: »Quelle idée se peut-on faire d'une cour où des Suhms ne sont pas recherchés?« Erst 1737 begab Suhm sich wieder als Gesandter an den russischen Hof, wo der Herzog Biron von Kurland sein intimer Freund wurde; er blieb fortwährend mit seinem Reinsberger Freund in Korrespondenz. Als dieser König wurde – im Jahre 1740 –, berief er Suhm sofort in seinen Dienst. Suhm starb aber auf der Reise nach Berlin in Warschau, am 8. November 1740. »Ich meine nicht«, schreibt der Reisende Loen, »daß ich je einen artigeren und angenehmeren Hofmann gekannt hätte. Er hatte alles dasjenige an sich, was die Franzosen einen homme poli und einen fin courtisan nennen.« Friedrich der Große schrieb bei seinem Tod: »Man findet schwer einen Mann wieder, der soviel Geist mit soviel Gefühl und Aufrichtigkeit verbindet. Sein Andenken wird so lange in mir dauern, als ein Tropfen Blut in meinen Adern rinnt, und seine Familie wird die meinige sein.«
Suhm, der als Witwer starb, hinterließ drei Söhne und eine Tochter, die von seiner Schwester, Fräulein Hedwig von Suhm, ihre Erziehung erhielten. Der König ließ sie nach Berlin kommen und gab ihnen eine Pension von 1800 Talern; das Fräulein genoß die ihr angewiesenen 600 Taler dreiunddreißig Jahre lang; die vier Kinder behielten ebenso die ihnen bestimmten je 300 bis zu ihrer Versorgung. Die Tochter heiratete 1750 den Oberst von Keith, den Vetter des Feldmarschalls; die Söhne traten in die Armee; der älteste, Ernst Ulrich Peter, starb, nachdem er in der Schlacht bei Prag ein Bein verloren hatte, als preußischer Kriegsrat und Postmeister 1785 in Dessau.
Suhms Nachfolger war im Jahre 1730 der schöne Graf Moritz Karl Lynar.
Im letzten Regierungsjahr des Königs war der Oberst Christian Ernst von Polenz auf Döben bei Leipzig als Env. extr. in Berlin bei Friedrich Wilhelm I. beglaubigt. –

Gesandtschaft in Hannover: Hier war 1700 der Kammerherr Baron Johann Georg von Rechenberg beglaubigt, der Sohn des Oberhofmarschalls und Günstlings Johann Georgs II., Gemahl der Tochter des Feldmarschalls Schöning, der Freundin des Großkanzlers Beichlingen, der der Schwager Rechenbergs war. – 1709 fungierte der Kammerherr Georg Sigismund von Nostitz mit 2000 Talern Gehalt. Er stammte von der schlesischen Linie, wurde 1711 während des Reichsvikariats gegraft und ist der Urgroßvater des bekannten Adjutanten des Fürsten Blücher; er starb 1751 als Geheimrat. – 1732, beim Besuch König Georgs II. von England in Hannover, fungierte als Gesandter le Cocq – wahrscheinlich der obengenannte Geheime Kriegsrat im Kabinett. –

In Kassel, beim Statthalter Landgraf Wilhelm, dem Bruder König Friedrichs von Schweden, war bis 1730 akkreditierter Minister Johann Ludwig von Ponickau auf Kranitz; er war zugleich Hofmeister des Prinzen Karl von Homburg. –

Außerdem hatte August noch Agenten und Residenten:

In Frankfurt: 1709 Aaron Beer, Agent mit 200 Talern Gehalt, und 1732 Johann Wilhelm Steinheil, sächsischer Titularrat, als Resident – ein Mann, dem Loen als einem in den griechischen und römischen Altertümern eminenten Gelehrten und als einem durch Anmut und Wohlanständigkeit im Umgang liebenswürdigen Freund ein kleines biographisches Denkmal in seinen kleinen Schriften gesetzt hat.

In Hamburg fungierte 1709 als Legationssekretär Lehmann, mit 300 Talern Gehalt.

In Nürnberg stand 1732 als Resident Sichard von Sichardshofen, ein Nürnberger, sächsischer Titularrat, Kompagnon einer Seidenfabrik in Rovereto.

In Prag fungierte 1709 Postsekretär Hübner als sächsischer Agent, mit 133 Talern Gehalt.

In Breslau war 1709 der Agent Drian mit 500 Talern Gehalt.

In Danzig fungierte der Geheime Sekretär Stenzel mit 800 Talern Gehalt.

Auswärtige Gesandtschaften:

Gesandter in London war zu Anfang der Regierung Augusts des Starken Julius Heinrich, späterer erster Graf Friesen. Im Jahre 1698 fungierte Baron Wolf Abraham von Gersdorf aus dem Hause Milckwitz und nach dem Ausbruch des Nordischen Krieges und des Spanischen Erbfolgekrieges 1702 der jüngere Christoph Dietrich von Bose. Resident mit 2940 Talern Gehalt war im Jahre 1709 Kirchner, früher Sekretär bei der sächsischen Gesandtschaft auf dem Rijswijker Friedenskongreß, dann Resident im Haag. Als Gesandter fungierte später der Kabinettsminister Graf Flodrop Wartensleben,

und 1732 war Envoyé extraord. Graf Friedrich Karl von Watzdorf, der älteste Sohn des Ministers. –
Im Haag fungierte 1691 als Resident und 1709 als Envoyé – zuletzt mit 4800 Talern Gehalt – Baron Wolf Abraham von Gersdorf – derselbe, der 1698 Gesandter in London war –; er starb 1719 im Haag. 1700 fungierte der obengenannte Kirchner als Resident im Haag. Der Gesandte, der im Jahre 1704 die Interessen Sachsens bei den Generalstaaten vertrat, mußte keiner der erleuchtetsten Diplomaten sein: in diesem Jahr schlossen Holland und England eine Allianz mit Schweden, daß sie einander »gegen neue Feinde« beistehen wollten. Damit waren Dänemark die Hände gebunden, das man damals nebst Preußen für den Schwedenkrieg gewinnen wollte. Patkul schrieb darüber in einer Depesche am 31. Mai 1704 aus dem Lager bei Sendomir: »Des Königs von Polen Envoyé hat auch die Faute gemacht und sich von den Holländern Brillen verkaufen lassen. Weswegen der König resolviret ist ihm die charge zu nehmen und einen andern hinzusenden. Der holländische Hof im Haag ist so zu sagen die Beurse von ganz Europa. Also ist daran viel gelegen, daß man tüchtige Leute dort halte, welche die Welt recht kennen, sonst nimmt man falsche mesures auf ihre falschen Berichte, und wird man von ihnen verführet, so daß man zugleich mit ihnen Fehler begehen muß, dazumal ein Minister dem andern die Hand bieten und ein jeder von dem Hofe, da er bey ist, dem andern richtig Licht und Information geben muß. Hätte ich zeitige Nachricht gehabt, daß so ein Tractat unter Handen gewesen, so hätte ich incognito aus Sachsen nach Holland die Reise gethan und wollte durch Gottes Hülfe schon Mittel gefunden haben, dem präjudicirlichen Werke, welches anitzo Dänemark sehr consternirt macht, eine Hinderung einzulegen.«
Außerdem war in Holland im Jahre 1709 noch ein Resident in Amsterdam: Bertry mit 533 Talern Gehalt.
1732 erscheint als Env. extr. im Haag ein Franzose, General Claude de Brosse, und als Resident in Amsterdam Adolphe de Bertry.
»Holland«, schrieb Patkul einmal in einer Depesche vom 7. September 1704, »ist das Theatrum, woselbst alle Comödien von Europa gespielet werden und woselbst ganz Europa in seiner rechten Gestalt anzutreffen ist.« – »Holland und England«, erklärte er in einer Depesche vom 29. September 1704, »sind diejenigen puissances, welche die größte Auctorität in Europa anitzo haben.« –
In Moskau war 1700 Generalmajor und Generalkriegskommissar Baron August Lange Envoyé; er wurde bei Narva gefangen. Zur Zeit des Nordischen Krieges war Resident: Oberst von Arnstedt.
Die gegenseitigen Verhältnisse der polnisch-sächsischen und zaristischen Gesandten beleuchtet eine Depesche Patkuls aus Dresden

vom 9. Juli 1704 auf eigentümliche Weise: »Was wegen Defrayrung des Polnischen Ministers erwähnt worden, solches nach diesem abzuschaffen und daß ein jeder für sich und auf seine Unkosten leben möge, ist sehr rathsam und raisonabel, um so vielmehr, da, die Wahrheit zu sagen, Ihro Zar. Majest. Ministres am polnischen Hoffe sehr cavallierement tractirt werden etc. Weswegen man auch den H. Obersten Arnstedt zureden und ihm sagen könnte, daß nach diesem mit den Kön. Polnischen Ministres ein gleiches in allem sollte observiret werden, nehmlich:

1mo auf Reisen und allenthalben sich selbsten zu defrayiren, sowohl an Fuhren als Unterhalt.

2do dem Minister ein stinkend Loch oder liederliches Haus, welches nach Logirung der ganzen Hofstaat etwa übrig bleibet, aus sonderbarer Gnade zu assigniren.

3^tio^ keine Wachen ihm an keinem Orte zu geben. [Patkul spricht vorher von größter Unsicherheit vor Dieben und Mördern.]

4to Ihme sonst keine honneurs von der Wache mit Gewehr aufnehmen und dergleichen zu erzeigen und also ihn für sich so hinleben zu lassen, als hier mit den Zaarischen Ministres geschiehet.«

1710 ging der Oberkammerherr Vitzthum mit einer Mission nach Moskau. 1732 war der Geheime Kriegsrat, früher russische Oberzeremonienmeister Peter Baron le Fort als Envoyé extr. mit einem Legationssekretär Müller beglaubigt – vielleicht jener Vetter des berühmten Generals Lefort, der als Legationssekretär im Jahre 1697 der großen Ambassade nach Deutschland beigewohnt hatte. –

In Kopenhagen fungierte während des Nordischen Krieges Ernst von Manteuffel, der spätere Minister, mit 6000 Talern Gehalt als Envoyé und 1732 der erwähnte Freund Friedrichs des Großen, Ulrich Friedrich von Suhm, als Ministerresident. –

In Stockholm waren beglaubigt: 1720–24 der Oberkammerherr Vitzthum; später, 1732, Adam Adolf von Uttenrodt, Kammerherr, als Env. extr., und als Legationssekretär Walther. Ein Adam Adolf von Uttenrodt, der als General angeführt wird, war der Schwiegersohn des Geheimratsdirektors Gersdorf. –

In Paris war 1698, vor dem Ausbruch des Nordischen Krieges und des Spanischen Erbfolgekrieges, Gesandter: General Karl Gustav von Jordan aus einer holsteinischen Familie, der nach dem Einfall der Schweden in Sachsen (1706) in braunschweigische Dienste trat und 1721 in Hamburg starb. Nach dem Utrechter Frieden fungierten die beiden Suhm – Vater und Sohn – als Env. extr. 1723–29 war der durch seinen tragischen Tod bekannte Graf Karl Heinrich Hoym sächsischer Gesandter, dem Graf Kallenberg, ein Enkel des ersten Grafen und Oberhofmarschalls unter Johann Georg II., folgte. –

Nach Rom ging als Gesandter 1704: Graf Lagnasco, der später, nach dem Utrechter Frieden (1713), noch dreimal dahin ging. 1709 fungierte Kammerherr Baron von Schenk mit 2400 Talern; Sekretär war Zuchet mit 600 und Kopist Schröder mit 120 Talern Gehalt. 1732 fungierte Mr. Zuchet als Resident. –
In Venedig war 1732 der Kammerherr Graf Villio Resident. –
Die Gesamtkosten des diplomatischen Korps beliefen sich nach dem Reglement von 1709 angeblich nur auf etwas über 36 000 Taler, was jedoch nach der bekannten ungeheuren Verschwendung am Hof und dem steten Konnivieren der Minister beim Geldschneiden untereinander sehr wenig glaubhaft ist – die geheimen Gelder waren nicht mit verzeichnet; die außerordentlichen Gesandtschaften waren nicht in Anschlag gebracht. Jede ordentliche Gesandtschaft mußte dem Reglement zufolge mit dem ihr ausgesetzten Gehalt alle Extraausgaben bestreiten, wie: Agio wegen Übermachung der Gelder, Equipage, Unterhalt eines Sekretärs, Briefporto, Trauerkleider, Abfertigung der Stafetten, Begleitung des Hofs; auch mußte jeder Gesandte einen Jungen von Adel mit freier Tafel und, wenn es ging, auch mit freier Wohnung versorgen. Die außerordentlichen Gesandtschaften kosteten oft ungeheure Summen: 1719 erhielt Graf Flemming während der kurzen Zeit seiner außerordentlichen Sendung zur Abholung der kaiserlichen Prinzessin Josepha, der Braut des Kurprinzen, allein 30 000 Taler Entschädigungsaufwand gutgeschrieben.

Diplomatisches Korps in Dresden im Jahre 1732:
Vom Kaiser war beglaubigt: Wilhelm Leopold Graf Wallenstein als Minister; zugleich fungierte er als Obersthofmeister der königlichen Kurprinzessin Josephine. Er war der Nachfolger des in beiden Eigenschaften ebenfalls zugleich akkreditierten Grafen Wratislaw;
von Preußen: Graf von Truchseß-Waldburg, Env. extr.; er war der Nachfolger Baron Friedrich von Bülows;
auch von Bayern wird 1731 ein Envoyé erwähnt;
von Frankreich: der Marquis de Monti, Ambass.;
von England: Schaub, Env., und Geoffrey Woodward, Resident;
von Holland: Karl Rumpf, Env.;
vom Papst: Martino Paulucci, Nuntius (früher Abt Merlini);
von Rußland: General Graf Johann Bernhard von Weisbach;
von Schweden: Baron Zülich, General und bevollmächtigter Minister.
Von Dänemark, wo während des Nordischen Krieges noch von Jessen fungierte, ist im Jahre 1732 im »Genealogischen Reichskalender« kein Gesandter angeführt.

INHALT